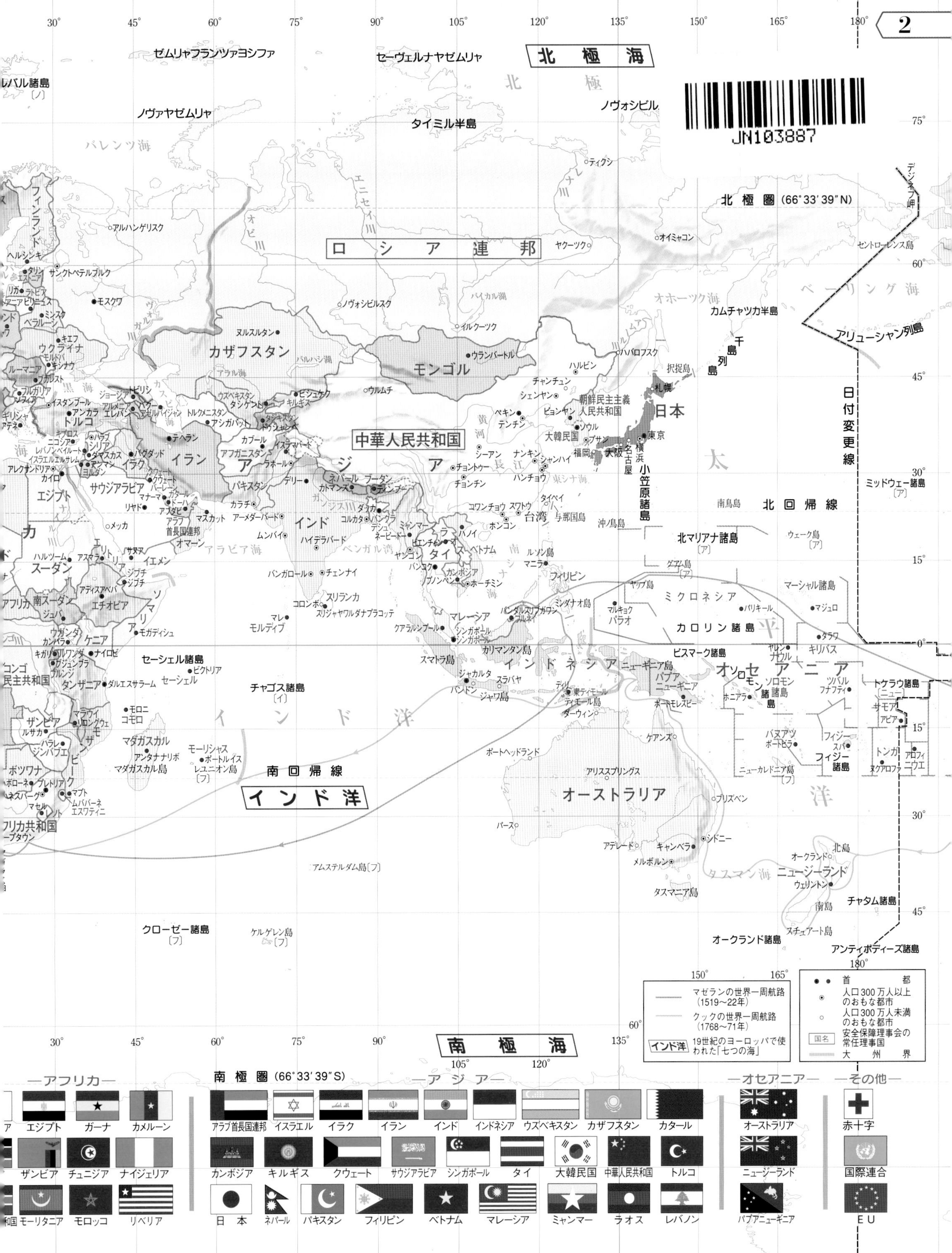
北極海
ゼムリャフランツァヨシファ
セーヴェルナヤゼムリャ
ノヴァヤゼムリャ
ノヴォシビル
タイミル半島
バレンツ海
ティクシ
北極圏（66°33′39″N）
デジネフ岬
アルハンゲリスク
ロシア連邦
ヤクーツク
オイミャコン
セントローレンス島
フィンランド
ヘルシンキ
サンクトペテルブルク
モスクワ
ノヴォシビルスク
バイカル湖
オホーツク海
ベーリング海
カムチャツカ半島
アリューシャン列島
イルクーツク
ウクライナ
キエフ
モルドバ
キシナウ
ルーマニア
ブカレスト
ブルガリア
ソフィア
ヌルスルタン
カザフスタン
バルハシ湖
モンゴル
ウランバートル
ハバロフスク
千島列島
択捉島
ハルビン
チャンチュン
札幌
日本
日付変更線
アラル海
カスピ海
黒海
トビリシ
ジョージア
アルメニア
エレバン
アゼルバイジャン
バクー
ウズベキスタン
タシケント
トルクメニスタン
アシガバット
ビシュケク
キルギス
ウルムチ
シェンヤン
ピョンヤン
朝鮮民主主義人民共和国
ソウル
大韓民国
プサン
福岡
大阪
名古屋
横浜
東京
小笠原諸島
イスタンブール
アンカラ
トルコ
テヘラン
イラン
カブール
アフガニスタン
イスラマバード
ラホール
ペキン
テンチン
黄河
中華人民共和国
シーアン
ナンキン
シャンハイ
長江
チョントゥー
チョンチン
ハンチョウ
東シナ海
太平洋
キプロス
ニコシア
シリア
ダマスカス
ベイルート
レバノン
イスラエル
エルサレム
ヨルダン
アンマン
アレクサンドリア
カイロ
エジプト
イラク
バグダッド
クウェート
サウジアラビア
リヤド
バーレーン
マナーマ
カタール
ドーハ
アブダビ
アラブ首長国連邦
マスカット
オマーン
メッカ
パキスタン
カラチ
デリー
ネパール
カトマンズ
ブータン
ティンプー
ガンジス川
インド
アーメダーバード
ムンバイ
ハイデラバード
コルカタ
ダッカ
バングラデシュ
ミャンマー
ネーピードー
ヤンゴン
ラオス
ビエンチャン
ハノイ
タイ
バンコク
ベトナム
カンボジア
プノンペン
ホーチミン
南シナ海
コワンチョウ
スワトウ
ホンコン
タイペイ
台湾
与那国島
沖ノ鳥島
南鳥島
北回帰線
ミッドウェー諸島
北マリアナ諸島
ウェーク島
ルソン島
マニラ
フィリピン
グアム島
アラビア海
ベンガル湾
バンガロール
チェンナイ
スリランカ
コロンボ
スリジャヤワルダナプラコッテ
マレ
モルディブ
ハルツーム
スーダン
エリトリア
アスマラ
イエメン
サヌア
ジブチ
アディスアベバ
エチオピア
南スーダン
ジュバ
ソマリア
モガディシュ
ウガンダ
カンパラ
ケニア
ナイロビ
ルワンダ
キガリ
ブルンジ
ブジュンブラ
タンザニア
ダルエスサラーム
コンゴ民主共和国
セーシェル諸島
ビクトリア
セーシェル
チャゴス諸島
マレーシア
クアラルンプール
シンガポール
バンダルスリブガワン
ブルネイ
ミンダナオ島
ヤップ島
パラオ
マルキョク
ミクロネシア
パリキール
マーシャル諸島
マジュロ
カロリン諸島
タラワ
キリバス
ナウル
ヤレン
カリマンタン島
スマトラ島
インドネシア
ニューギニア島
ビスマルク諸島
ジャカルタ
バンドン
スラバヤ
ジャワ島
東ティモール
ディリ
ティモール島
パプアニューギニア
ポートモレスビー
オセアニア
ソロモン諸島
ホニアラ
ツバル
フナフティ
トケラウ諸島
サモア
アピア
ダーウィン
ザンビア
ルサカ
マラウイ
リロングウェ
モザンビーク
コモロ
モロニ
マダガスカル
アンタナナリボ
マダガスカル島
モーリシャス
ポートルイス
レユニオン島
ハラレ
ジンバブエ
ボツワナ
ハボローネ
プレトリア
マプト
ムババーネ
エスワティニ
マセル
ヨハネスバーグ
南アフリカ共和国
ケープタウン
インド洋
南回帰線
ポートヘッドランド
ケアンズ
バヌアツ
ポートビラ
フィジー
スバ
フィジー諸島
トンガ
ヌクアロファ
ニウエ
ニューカレドニア島
アリススプリングス
オーストラリア
ブリズベン
パース
アデレード
キャンベラ
シドニー
メルボルン
タスマン海
タスマニア島
北島
オークランド
ニュージーランド
ウェリントン
南島
チャタム諸島
アムステルダム島
クローゼー諸島
ケルゲレン島
スチュアート島
オークランド諸島
アンティポディーズ諸島
マゼランの世界一周航路（1519～22年）
クックの世界一周航路（1768～71年）
インド洋 19世紀のヨーロッパで使われた「七つの海」
首都
人口300万人以上のおもな都市
人口300万人未満のおもな都市
国名 安全保障理事会の常任理事国
大州界
南極海
南極圏（66°33′39″S）
―アフリカ―
エジプト
ガーナ
カメルーン
ザンビア
チュニジア
ナイジェリア
モーリタニア
モロッコ
リベリア
―アジア―
アラブ首長国連邦
イスラエル
イラク
イラン
インド
インドネシア
ウズベキスタン
カザフスタン
カタール
カンボジア
キルギス
クウェート
サウジアラビア
シンガポール
タイ
大韓民国
中華人民共和国
トルコ
日本
ネパール
パキスタン
フィリピン
ベトナム
マレーシア
ミャンマー
ラオス
レバノン
―オセアニア―
オーストラリア
ニュージーランド
パプアニューギニア
―その他―
赤十字
国際連合
EU

もくじ

地図帳の凡例（はんれい）

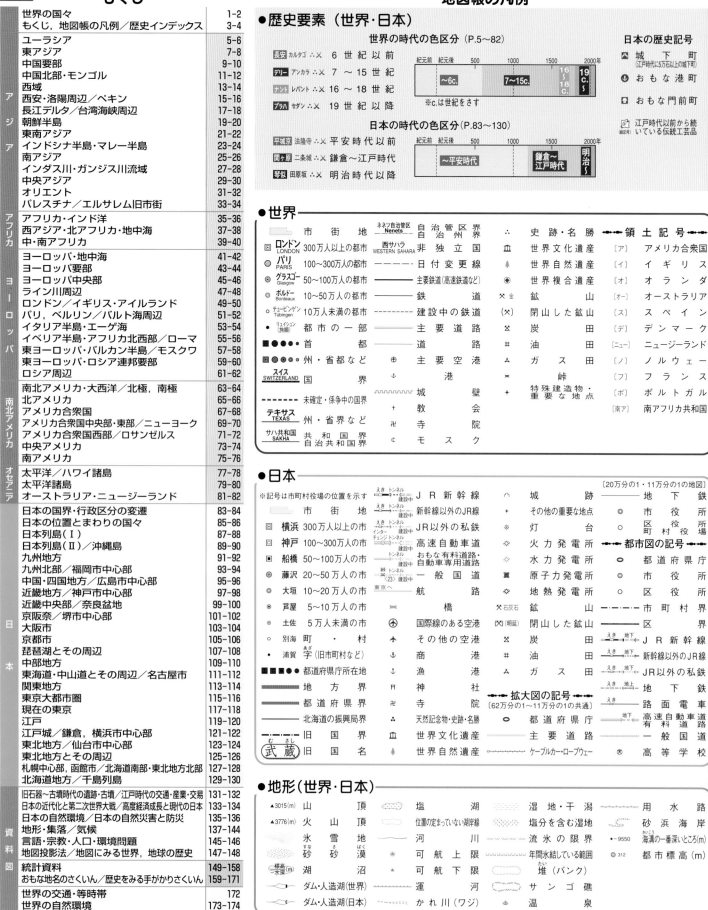

●歴史要素（世界・日本）

世界の時代の色区分（P.5～82）

- 長安 カルタゴ ∴ ✕ 6世紀以前
- デリー アンカラ ∴ ✕ 7～15世紀
- ナント レパント ∴ ✕ 16～18世紀
- ブラハ セダン ∴ ✕ 19世紀以降

紀元前 紀元後 500 1000 1500 2000年 ～6c. 7～15c. 16～18c. 19c.～

※c.は世紀をさす

日本の時代の色区分（P.83～130）

- 平城京 法隆寺 ∴ ✕ 平安時代以前
- 関ヶ原 二条城 ∴ ✕ 鎌倉～江戸時代
- 琴似 田原坂 ∴ ✕ 明治時代以降

紀元前 紀元後 500 1000 1500 2000年 ～平安時代 鎌倉～江戸時代 明治～

日本の歴史記号

- 城下町（江戸時代に5万石以上の城下町）
- おもな港町
- おもな門前町
- 江戸時代以前から続いている伝統工芸品

●世界

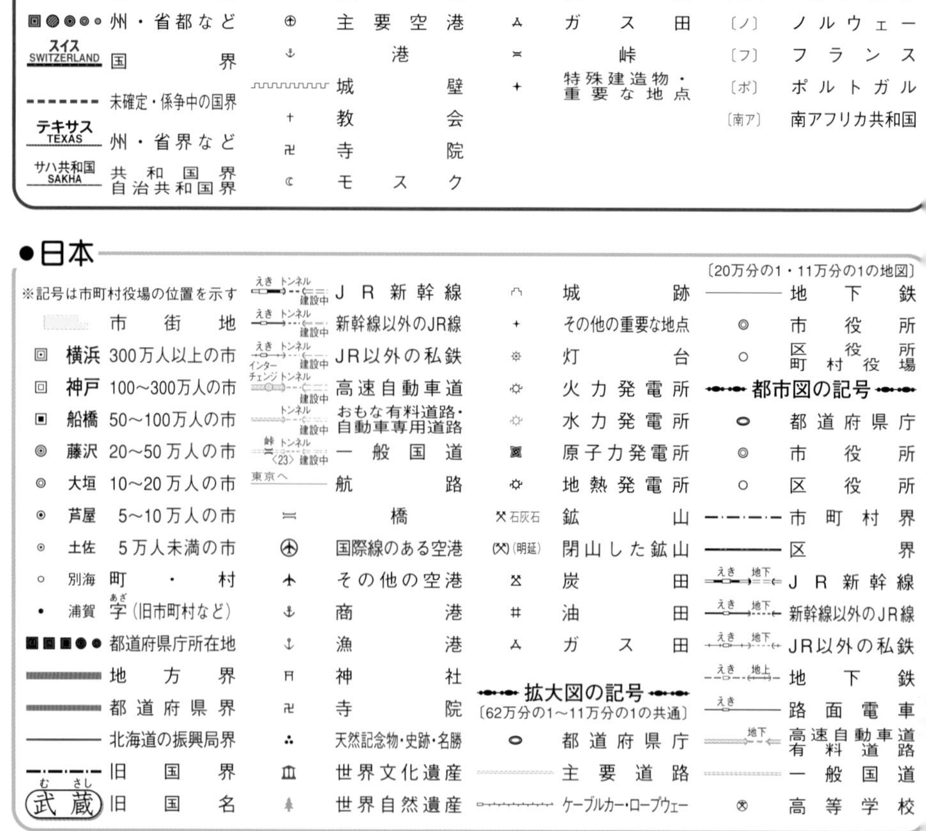

●地形（世界・日本）

- 3015(m) 山頂
- 3776(m) 火山頂
- 氷雪地
- 砂砂漠（すなさばく）
- 湖沼
- ダム・人造湖（世界）
- ダム・人造湖（日本）
- 塩湖
- 位置の定まっていない湖岸線
- 河川
- 可航上限
- 可航下限
- 運河
- かれ川（ワジ）
- 湿地・干潟
- 塩分を含む湿地
- 流氷の限界
- 年間氷結している範囲
- 堆（たい）（バンク）
- サンゴ礁
- 温泉
- 用水路
- 砂浜海岸
- 9550 海溝（かいこう）の一番深いところ(m)
- 312 都市標高（m）

●風土インデックス

世界全体の気候→P.141～144

●世界史インデックス

マゼランの船

●日本史インデックス

松尾芭蕉(右)

●都市を歴史散歩 ～世界の都市編～

ノルマン人の船

～日本の都市編～

大井川の川越し

5 文明と交流がはぐくまれた大地

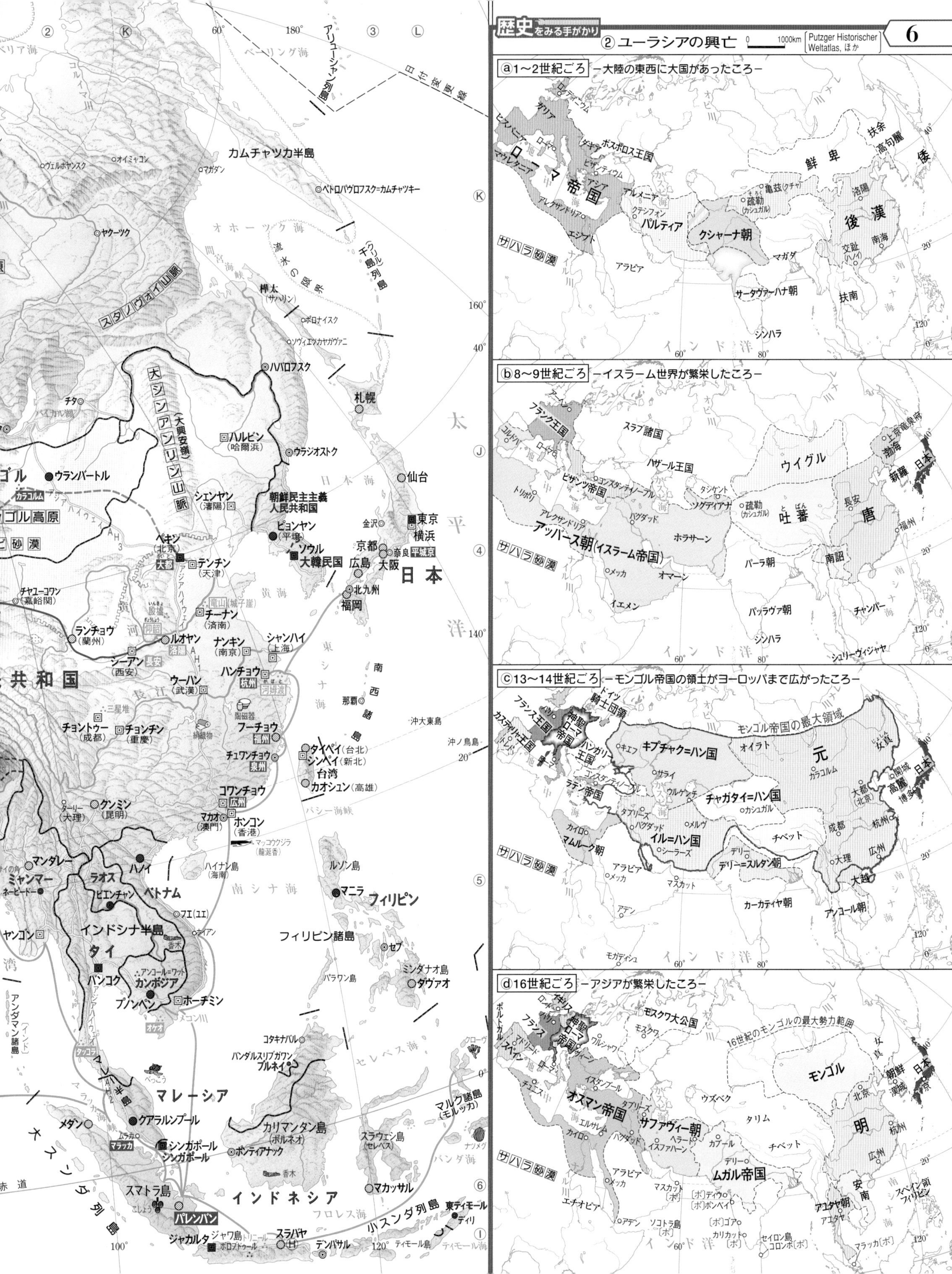

歴史をみる手がかり
②ユーラシアの興亡
0 1000km
Putzger Historischer Weltatlas, ほか
6
ⓐ1～2世紀ごろ
－大陸の東西に大国があったころ－
ローマ帝国
ガリア
ヒスパニア
マウレタニア
ボスポロス王国
ダキア
ビザンティウム
アルメニア
クテシフォン
パルティア
アレクサンドリア
エジプト
サハラ砂漠
アラビア
クシャーナ朝
疏勒（カシュガル）
亀茲（クチャ）
マガダ
サータヴァーハナ朝
シンハラ
鮮卑
扶余
高句麗
倭
洛陽
後漢
交趾（ハノイ）
南海
扶南
インド洋
ⓑ8～9世紀ごろ
－イスラーム世界が繁栄したころ－
フランク王国
コルドバ
スラブ諸国
ハザール王国
ビザンツ帝国
コンスタンティノープル
トリポリ
アレクサンドリア
バグダッド
アッバース朝（イスラーム帝国）
サハラ砂漠
メッカ
イエメン
オマーン
ホラサーン
ソグディアナ
タシケント
疏勒（カシュガル）
吐蕃
ウイグル
上京竜泉府
渤海
新羅
日本
長安
唐
福州
南詔
パーラ朝
パッラヴァ朝
チャンパー
シンハラ
シュリーヴィジャヤ
ⓒ13～14世紀ごろ
－モンゴル帝国の領土がヨーロッパまで広がったころ－
ドイツ騎士団領
フランス王国
カスティリャ王国
神聖ローマ帝国
ハンガリー王国
モンゴル帝国の最大領域
キプチャク＝ハン国
キエフ
サライ
コンスタンティノープル
ラテン帝国
カイロ
マムルーク朝
タブリーズ
バグダッド
イル＝ハン国
シーラーズ
アラビア
メッカ
マスカット
アデン
モガディシュ
ウルゲンチ
メルヴ
チャガタイ＝ハン国
カシュガル
オイラト
カラコルム
元
女真
開城
高麗
日本
博多
大都（北京）
杭州
成都
大理
広州
チベット
デリー
デリー＝スルタン朝
カーカティヤ朝
大越
アンコール朝
ⓓ16世紀ごろ
－アジアが繁栄したころ－
ポルトガル
イギリス
フランス
スペイン
マドリード
神聖ローマ帝国
モスクワ大公国
モスクワ
ワルシャワ
ウィーン
16世紀のモンゴルの最大勢力範囲
チュニス
イスタンブール
オスマン帝国
タブリーズ
カイロ
エルサレム
バグダッド
サファヴィー朝
ヘラート
イスファハーン
ウズベク
タリム
カブール
チベット
デリー
ムガル帝国
アラビア
メッカ
マスカット
［ポ］ディウ
［ポ］ボンベイ
［ポ］ゴア
カリカット
エチオピア
アデン
ソコトラ島
セイロン島
コロンボ［ポ］
モンゴル
女真
朝鮮
漢城
日本
京都
北京
明
杭州
広州
安南
アユタヤ朝
スペイン領フィリピン
マラッカ［ポ］
インド洋
カムチャツカ半島
ベーリング海
アリューシャン列島
日付変更線
コルイマ川
オイミャコン
ヴェルホヤンスク
マガダン
ペトロパヴロフスク＝カムチャツキー
ヤクーツク
オホーツク海
間宮海峡
流氷の南限
千島（クリル）列島
スタノヴォイ山脈
樺太（サハリン）
ポロナイスク
ソヴィエツカヤガヴァニ
ハバロフスク
大シンアンリン山脈（大興安嶺）
チタ
バイカル湖
ハルビン（哈爾浜）
ウラジオストク
札幌
太平洋
ゴル
ウランバートル
カラコルム
ゴル高原
砂漠
シェンヤン（瀋陽）
朝鮮民主主義人民共和国
ピョンヤン（平壌）
ソウル
大韓民国
日本海
仙台
金沢
東京
横浜
京都
奈良
平城京
広島
大阪
日本
北九州
福岡
ペキン（北京）
大都
テンチン（天津）
チャユーコワン（嘉峪関）
殷墟
竜山
城子崖
チーナン（済南）
黄海
仰韶
ランチョウ（蘭州）
ルオヤン
洛陽
シーアン（西安）
長安
ナンキン（南京）
シャンハイ（上海）
共和国
ウーハン（武漢）
ハンチョウ
杭州
河姆渡
長江
三星堆
チョントゥー（成都）
チョンチン（重慶）
陶磁器
絹織物
フーチョウ
福州
東シナ海
南西諸島
那覇
沖大東島
沖ノ鳥島
タイペイ（台北）
シンペイ（新北）
台湾
カオシュン（高雄）
チュワンチョウ
泉州
コワンチョウ
広州
クンミン（昆明）
ターリー（大理）
マカオ（澳門）
ホンコン（香港）
バシー海峡
マッコウクジラ（龍涎香）
ハイナン島（海南）
南シナ海
ルソン島
マニラ
フィリピン
マンダレー
ミャンマー
ネーピードー
ハノイ
ラオス
ビエンチャン
ベトナム
フエ（ユエ）
ホイアン
インドシナ半島
ヤンゴン
タイ
バンコク
アンコール＝ワット
カンボジア
プノンペン
ホーチミン
オケオ
メコン川
フィリピン諸島
セブ
ミンダナオ島
ダヴァオ
パラワン島
アンダマン諸島
タクコラ
マレー半島
べっこう
マレーシア
コタキナバル
バンダルスリブガワン
ブルネイ
セレベス海
クアラルンプール
メダン
マラッカ
シンガポール
カリマンタン島（ボルネオ）
ポンティアナック
スラウェシ島（セレベス）
マルク諸島（モルッカ）
ナツメグ
バンダ海
香木
スマトラ島
スマトラ列島
こしょう
パレンバン
インドネシア
マカッサル
フロレス海
小スンダ列島
東ティモール
ディリ
ジャカルタ
ジャワ島
ボロブドゥール
スラバヤ
デンパサル
ティモール島
ティモール海
赤道

7 中国王朝とその影響を受けた国々

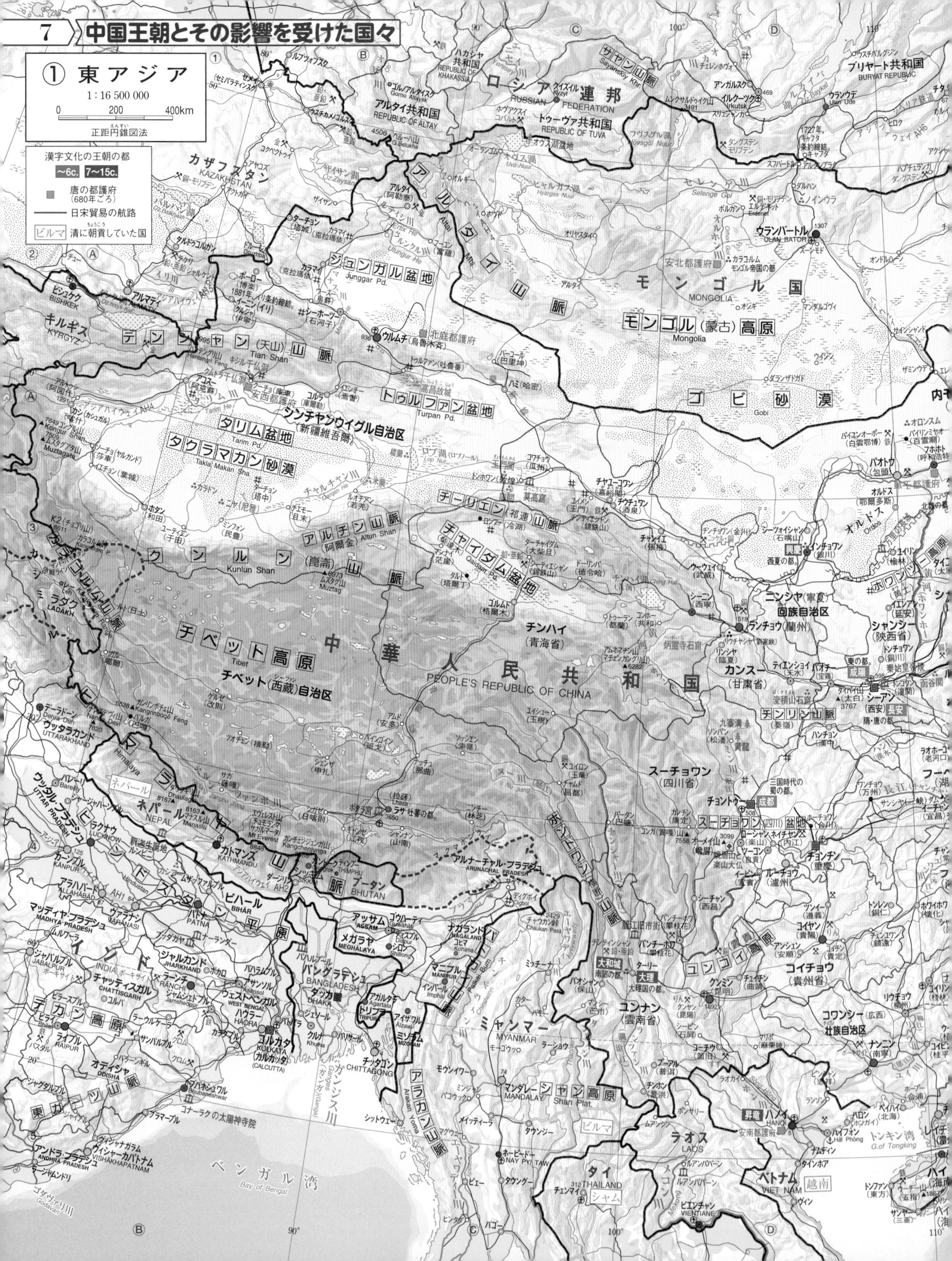

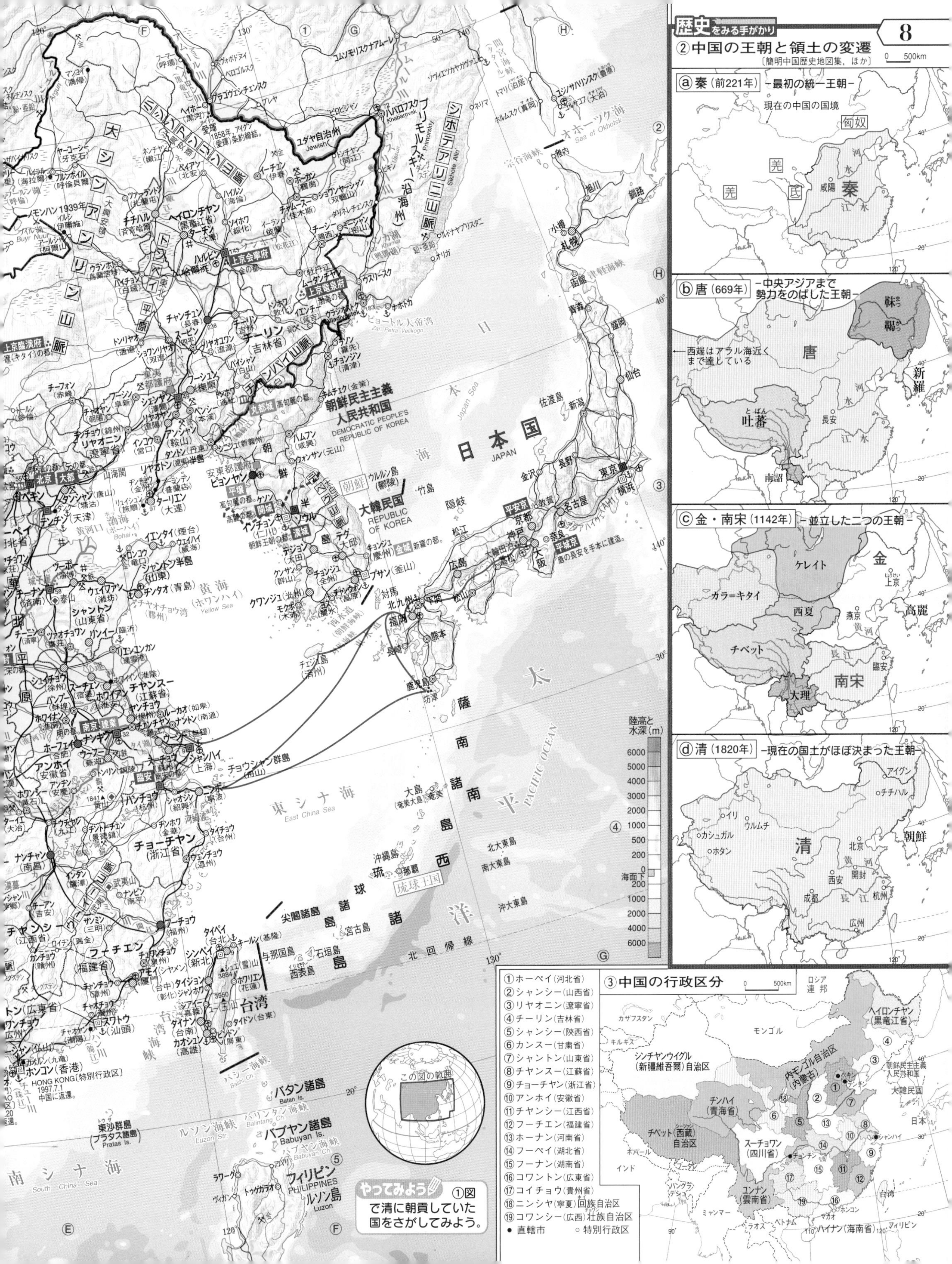

歴史をみる手がかり
8
②中国の王朝と領土の変遷
〔簡明中国歴史地図集，ほか〕
0 500km
ⓐ秦（前221年）－最初の統一王朝－
現在の中国の国境
匈奴
羌
氐
咸陽
秦
河
水
江
ⓑ唐（669年）－中央アジアまで勢力をのばした王朝－
靺鞨
唐
西端はアラル海近くまで達している
新羅
吐蕃
長安
南詔
ⓒ金・南宋（1142年）－並立した二つの王朝－
ケレイト
金
上京
カラ＝キタイ
西夏
燕京
高麗
チベット
臨安
南宋
大理
ⓓ清（1820年）－現在の国土がほぼ決まった王朝－
アイグン
チチハル
イリ
ウルムチ
カシュガル
ホタン
清
北京
朝鮮
開封
西安
成都
杭州
広州
③中国の行政区分
①ホーペイ（河北省）
②シャンシー（山西省）
③リヤオニン（遼寧省）
④チーリン（吉林省）
⑤シャンシー（陝西省）
⑥カンスー（甘粛省）
⑦シャントン（山東省）
⑧チヤンスー（江蘇省）
⑨チョーチヤン（浙江省）
⑩アンホイ（安徽省）
⑪チヤンシー（江西省）
⑫フーチエン（福建省）
⑬ホーナン（河南省）
⑭フーペイ（湖北省）
⑮フーナン（湖南省）
⑯コワントン（広東省）
⑰コイチョウ（貴州省）
⑱ニンシヤ（寧夏）回族自治区
⑲コワンシー（広西）壮族自治区
● 直轄市　○ 特別行政区
ロシア連邦
ヘイロンチヤン（黒竜江省）
カザフスタン
モンゴル
キルギス
シンチヤンウイグル（新疆維吾爾）自治区
内モンゴル自治区（内蒙古）
ペキン
テンチン
朝鮮民主主義人民共和国
大韓民国
日本
チンハイ（青海省）
チベット（西蔵）自治区
スーチョワン（四川省）
チョンチン
シャンハイ
ネパール
インド
ブータン
ユンナン（雲南省）
バングラデシュ
ミャンマー
ラオス
ベトナム
マカオ
ホンコン
台湾
ハイナン（海南省）
フィリピン
ダイシン（大シン）
アンリン山脈
日本国
JAPAN
朝鮮民主主義人民共和国
DEMOCRATIC PEOPLE'S REPUBLIC OF KOREA
大韓民国
REPUBLIC OF KOREA
日本海
Japan Sea
オホーツク海
Sea of Okhotsk
東シナ海
East China Sea
黄海（ホワンハイ）
Yellow Sea
南シナ海
South China Sea
太平洋
PACIFIC OCEAN
南西諸島
琉球諸島
琉球王国
尖閣諸島
先島諸島
台湾
バシー海峡
Bashi Ch.
バタン諸島
Batan Is.
バブヤン諸島
Babuyan Is.
ルソン海峡
Luzon Str.
東沙群島（プラタス島）
Pratas Is.
フィリピン
PHILIPPINES
ルソン島
Luzon
ホンコン（香港）
HONG KONG（特別行政区）
1997.7.1 中国に返還。
シホテアリニ山脈
Sikhote Alin'
プリモルスキー（沿海州）
ユダヤ自治州
ハバロフスク
Khabarovsk
ウラジオストク
Vladivostok
ピョートル大帝湾
チーリン（吉林省）
ヘイロンチヤン（黒竜江省）
リヤオニン（遼寧省）
シャントン（山東省）
チヤンスー（江蘇省）
チョーチヤン（浙江省）
アンホイ（安徽省）
フーチエン（福建省）
チヤンシー（江西省）
ペキン
北京
テンチン（天津）
シャンハイ（上海）
ナンキン
ハルビン
チャンチュン（長春）
シェンヤン
ピョンヤン
ソウル
プサン（釜山）
タイペイ（台北）
愛琿 1858年，アイグン（愛琿）条約締結。
ノモンハン 1939年
上京会寧府 金の都。
上京竜泉府 渤海の都。
上京臨潢府 遼（キタイ）の都。
丸都城 高句麗の都。
平壌 高句麗の都。
開城 高麗の都。
漢城 朝鮮王朝の都。
金城 新羅の都。
平安京
平城京 唐の長安を手本に建造。
臨安
南京
東京
札幌
稚内
宗谷海峡
津軽海峡
函館
青森
盛岡
仙台
新潟
佐渡島
長野
金沢
名古屋
京都
大阪
神戸
奈良
広島
松山
福岡
北九州
長崎
熊本
鹿児島
坊津
対馬
隠岐
竹島
ウルルン島（鬱陵）
チェジュ島（済州）
大島
奄美大島
沖縄島
那覇
宮古島
石垣島
西表島
与那国島
北大東島
南大東島
沖大東島
チョウシャン群島（舟山）
北回帰線
陸高と水深（m）
海面下
やってみよう　①図で清に朝貢していた国をさがしてみよう。
この図の範囲

① 中国要部
1：9 000 000
正角円錐図法（全体としてひずみが小さい。）
② 民 族
1：61 000 000
漢民族
壮族
満州族
回族
ミャオ(苗)族
ウイグル族
モンゴル族
チベット族
インド・ヨーロッパ語族
カザフ族
その他
（中華人民共和国地図集 2006，ほか）
モンゴル
MONGOLIA
内モンゴル(内蒙古)自治区
中華人民共和国
PEOPLE'S REPUBLIC OF CHINA
朝鮮民主主義人民共和国
DEMOCRATIC PEOPLE'S REPUBLIC OF KOREA
大韓民国
REPUBLIC OF KOREA
黄海
Yellow Sea
ボーハイ
Bohai
ペキン
テンチン
シャンハイ
シーアン
ランチョウ
オルドス
Ordos
華北平原
トンペイ（東北）平原
ホワンツー（黄土）高原
ターシンアンリン（大興安嶺）山脈
チンリン山脈
インシャン山脈
タイハン山脈
シャントン（山東省）
シャンシー（山西省）
シャンシー（陝西省）
ホーナン（河南省）
ホーペイ（河北省）
カンスー（甘粛省）
チンハイ（青海省）
フーペイ
アンホイ
チャンスー（江蘇省）
リヤオニン
チーリン
ヘイロンチヤン
ニンシヤ回族自治区
シンチヤンウイグル自治区
チベット自治区
コワンシー壮族自治区

歴史をみる手がかり

やってみよう 畑作地と稲作地の分布の特徴を①図から読みとろう。また，その理由を⑤図から考えてみよう。

④ 革命と内戦の動き

※❶〜❺は①図を参照。

年 次	おもなできごと
1898年	戊戌の政変
1900年	義和団事件（〜01年）→北京議定書 ❶
1911年	武昌蜂起（〜12年）❷→辛亥革命に発展
1912年	中華民国の成立（首都を南京におく）❸
1919年	五・四運動→中国国民党の成立
1921年	陳独秀を中心に中国共産党成立
1931年	満州事変 ❹，中華ソビエト共和国成立
1934年	長征の開始（〜36年）❺
1935年	八・一宣言
1937年	日中戦争（〜45年），第二次国共合作
1945年	国共内戦（〜49年）
1949年	中華人民共和国の成立

㋐ 稲作地（チャンシー省）

㋑ 畑作地（ホーペイ省）

11 農耕民と遊牧民がせめぎあったところ
① 中国北部・モンゴル
1：13 000 000
0 200 400km
正距円錐図法
ロシア連邦
RUSSIAN FEDERATION
サヤン山脈
アルタイ山脈
ハンガイ山脈
ヤブロノヴイ山脈
ダツルン山脈
モンゴル（蒙古）高原
モンゴル国
MONGOLIA
ゴビ砂漠
Gobi
ウランバートル
ULAN BATOR
カラコルム
モンゴル帝国の都。（1235～64年）
安北都護府①
バイカル湖
イルクーツク
カザフスタン
KAZAKHSTAN
ジュンガル盆地
Junggar Pd.
ウルムチ
（烏魯木斉）
URUMQI
北庭都護府
安西都護府①
トゥルファン盆地
Turpan Pd.
シンチヤンウイグル（新疆維吾爾）自治区
タリム盆地
Tarim Pd.
ロプ湖（ロプノール）
Lop Nur
アルチン（阿爾金）山脈
Altun Shan
チャイダム盆地（柴達木）
Qaidam Pd.
チーリエン山脈（祁連）
インシャン山脈（陰山）
内モンゴル自治区（内蒙古）
フホホト（呼和浩特）
安北都護府②
単于都護府
匈奴
パオトウ（包頭）
オルドス
インチョワン（銀川）
興慶府
西夏の都。（1038～1227年）
ニンシャ（寧夏）回族自治区
ホワンツウ（黄土）高原
シャンシー（山西省）
シャンシー（陝西省）
カンスー（甘粛省）
ランチョウ（蘭州）
チンハイ（青海省）
チンハイ湖（青海）
ホフシル（可可西里）山脈
Hoh Xil Shan
バヤンハル（巴顔喀拉）山脈
タングラ（唐古拉）山脈
Tanggula Shan
中華人民共和国
PEOPLE'S REPUBLIC OF CHINA
チベット自治区（西蔵）
ニエンチェンタングラ（念青唐古拉）山脈
Nyainqêntanglha Shan
ラサ（拉薩）
シーアン（西安）
チンリン山脈（秦嶺）
スーチョワン（四川省）
スーチョワン（四川）盆地
チョントゥー（成都）
チョンチン（重慶）
ホンドワン山脈
ユンナン（雲南省）
コイチョウ（貴州省）
ユンコイ高原（雲貴）
フーペイ（湖北省）
ウーハン（武漢）
フーナン（湖南省）
ホーナン（河南省）
ブータン
BHUTAN
インド
INDIA
ミャンマー
MYANMAR
バングラデシュ
BANGLADESH
マクマホンライン

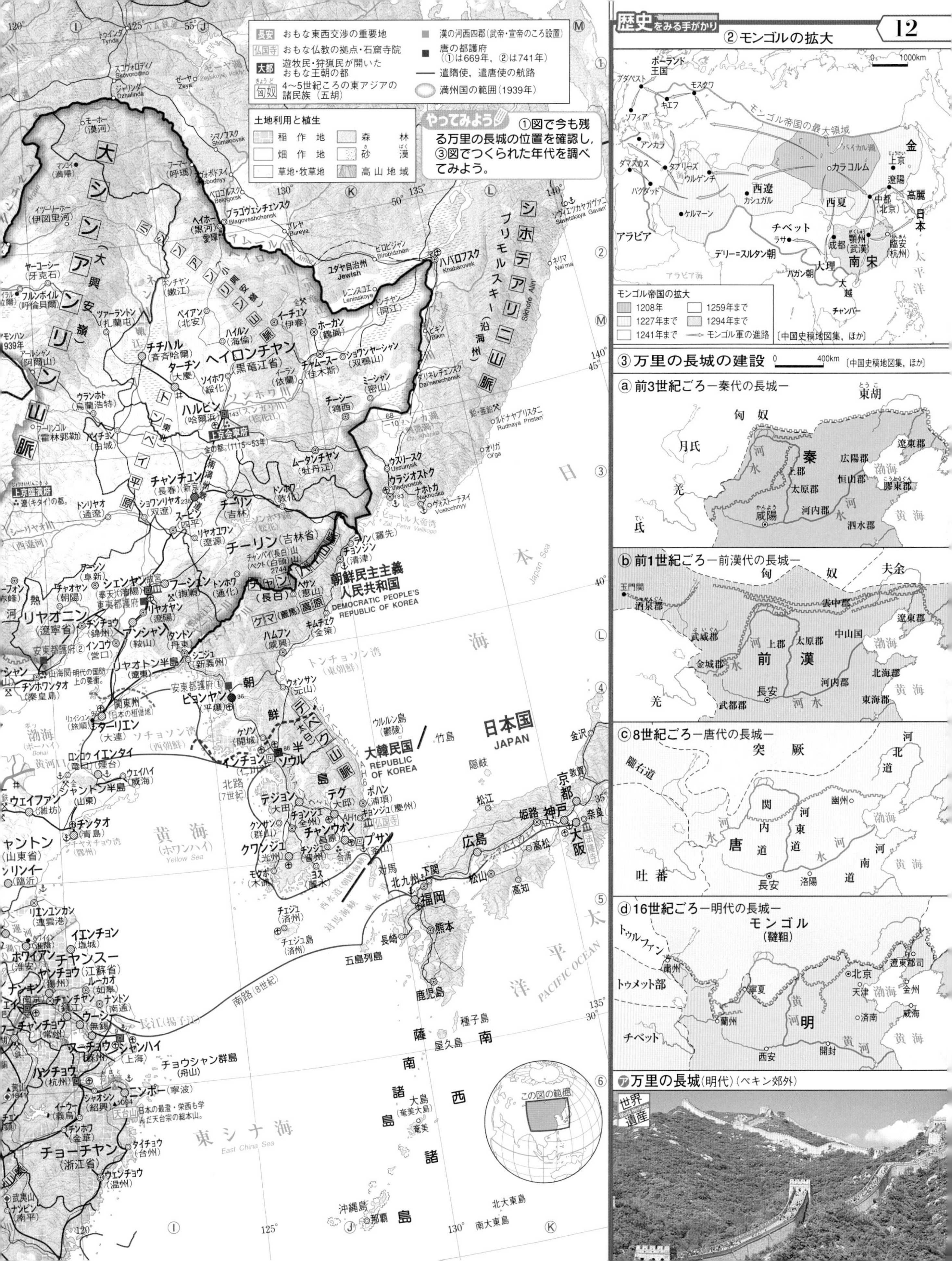

歴史をみる手がかり
12
長安 おもな東西交渉の重要地
仏国寺 おもな仏教の拠点・石窟寺院
大都 遊牧民・狩猟民が開いたおもな王朝の都
匈奴 4～5世紀ころの東アジアの諸民族（五胡）
漢の河西四郡（武帝・宣帝のころ設置）
唐の都護府（①は669年，②は741年）
遣隋使，遣唐使の航路
満州国の範囲（1939年）
土地利用と植生
稲作地
森林
畑作地
砂漠
草地・牧草地
高山地域
やってみよう
①図で今も残る万里の長城の位置を確認し，③図でつくられた年代を調べてみよう。
大シンアンリン山脈
ヘイロンチャン（黒竜江省）
チーリン（吉林省）
リャオニン（遼寧省）
シホテアリニ山脈
朝鮮民主主義人民共和国
DEMOCRATIC PEOPLE'S REPUBLIC OF KOREA
大韓民国
REPUBLIC OF KOREA
日本国
JAPAN
日本海
黄海
東シナ海
太平洋
PACIFIC OCEAN
南西諸島
この図の範囲
②モンゴルの拡大
モンゴル帝国の最大領域
モンゴル帝国の拡大
1208年
1227年まで
1241年まで
1259年まで
1294年まで
モンゴル軍の進路
〔中国史稿地図集，ほか〕
③万里の長城の建設
〔中国史稿地図集，ほか〕
ⓐ前3世紀ごろ―秦代の長城―
ⓑ前1世紀ごろ―前漢代の長城―
ⓒ8世紀ごろ―唐代の長城―
ⓓ16世紀ごろ―明代の長城―
㋐万里の長城（明代）（ペキン郊外）
世界遺産

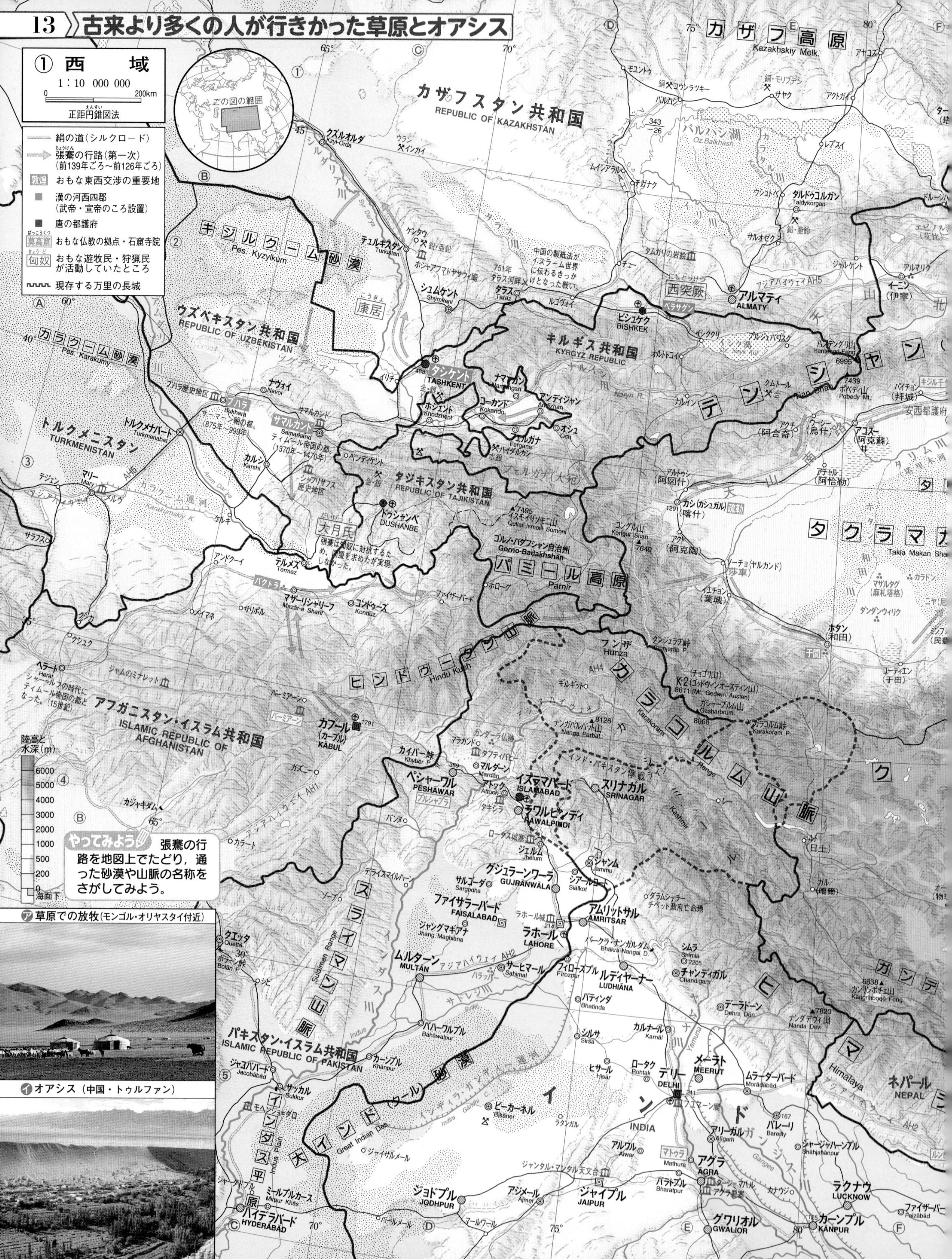

13 古来より多くの人が行きかった草原とオアシス
① 西 域
1：10 000 000
0 200km
正距円錐図法
この図の範囲
絹の道（シルクロード）
張騫の行路（第一次）
（前139年ごろ～前126年ごろ）
敦煌 おもな東西交渉の重要地
漢の河西四郡
（武帝・宣帝のころ設置）
唐の都護府
莫高窟 おもな仏教の拠点・石窟寺院
匈奴 おもな遊牧民・狩猟民が活動していたところ
現存する万里の長城
陸高と水深（m）
6000
5000
4000
3000
2000
1000
500
200
0
海面下
やってみよう 張騫の行路を地図上でたどり，通った砂漠や山脈の名称をさがしてみよう。
カザフ高原
Kazakhskiy Melk.
カザフスタン共和国
REPUBLIC OF KAZAKHSTAN
バルハシ湖
Oz.Balkhash
クズルオルダ
Kzyl-Orda
キジルクーム砂漠
Pes. Kyzylkum
康居
ウズベキスタン共和国
REPUBLIC OF UZBEKISTAN
カラクーム砂漠
Pes. Karakumy
トルクメニスタン
TURKMENISTAN
タシケント
TASHKENT
サマルカンド
Samarkand
ティムール帝国の都（1370年～1470年）
ブハラ
Bukhara
サーマーン朝の都（875年～999年）
タジキスタン共和国
REPUBLIC OF TAJIKISTAN
ドゥシャンベ
DUSHANBE
大月氏
張騫は匈奴に対抗するため，同盟を求めたが実現しなかった。
キルギス共和国
KYRGYZ REPUBLIC
ビシュケク
BISHKEK
アルマティ
ALMATY
西突厥
中国の製紙法が，イスラーム世界に伝わるきっかけとなった戦い。
751年 タラス河畔
テンシャン山脈
タクラマカン砂漠
Takla Makan Sha
パミール高原
Pamir
フェルガナ（大宛）
カシ（カシュガル）（喀什）
疏勒
ホタン（和田）
于闐
ヒンドゥークシ山脈
Hindu Kush
カラコルム山脈
Karakoram Range
K2（チョゴリ山）（Mt.Godwin Austen）8611
ナンガパルバット山 8126
アフガニスタン・イスラム共和国
ISLAMIC REPUBLIC OF AFGHANISTAN
カブール（カーブル）
KABUL
バーミアーン
ヘラート
Herat
シャールフの時代にティムール帝国の都となった。（15世紀）
ジャムのミナレット
ペシャーワル
PESHĀWAR
プルシャプラ
イスラマバード
ISLAMABAD
ラワルピンディ
RAWALPINDI
タキシラ
スリナガル
SRINAGAR
インド・パキスタン停戦ライン
ガンダーラ仏跡
スライマン山脈
Sulaiman Range
パキスタン・イスラム共和国
ISLAMIC REPUBLIC OF PAKISTAN
インダス川
インダス平原
Indus Plain
モヘンジョダロ
ハラッパー
ラホール
LAHORE
アムリットサル
AMRITSAR
ムルターン
MULTĀN
ファイサラーバード
FAISALABAD
大インド（タール）砂漠
Great Indian Des.
インディラ・ガンディー運河
インド
INDIA
デリー
DELHI
アグラ
AGRA
タージ・マハル
ジャイプル
JAIPUR
ジョドプル
JODHPUR
ラクナウ
LUCKNOW
カーンプル
KANPUR
グワリオル
GWALIOR
メーラト
MEERUT
ヒマラヤ山脈
Himalaya
ネパール
NEPAL
ガンジス川
Ganges
ナンダデヴィ山 7820
カンリンボチェ山 6638
ハイデラバード
HYDERABAD
ア 草原での放牧（モンゴル・オリヤスタイ付近）
イ オアシス（中国・トゥルファン）

アルタイ山脈
Altai Mts.
アルタイ
(阿勒泰)
フーユン
(富蘊)
ウルングル川
Ulungur He
イルティシ川
ハルウス湖
Har Us Nuur
ハンガイ山脈
Hangayn Nur.
カラコルム
モンゴル帝国の都
(1235～64年)
カラバルガスン
(オルドバリク)
安北都護府
張騫、行きも帰りも匈奴に捕まるが、脱出に成功。
マンダルゴヴィ
匈奴
オンギ
Ongi
東突厥
匈奴
モンゴル(蒙古)高原
Mongolia
モンゴル国
MONGOLIA
漠
砂
ゴビ
Gobi
ダランザドガド
ハタンボラク
フワスグル
ウイジン
ズンベル
ジュンガル盆地
Junggar Pd.
北庭都護府
ビシュバリク
シーホーツー
(石河子)
チャンチー(昌吉)
ウルムチ
(烏魯木斉)
ÜRÜMQI
ベゼクリク千仏洞
火焔山
トゥルファン
(吐魯番)
高昌故城
トゥルファン盆地
Turpan Pd.
バーコール
(巴里坤)
ハミ
(哈密)
イエンチー
(焉耆)
コルラ
(庫爾勒)
ユーリー
(尉犁)
タリム川の末端にあたる湖。天山山脈の降水の大小で形や位置が変わるため、「さまよえる湖」といわれた。
ロプ湖(ロプノール)
Lop Nur
楼蘭
玉門関
敦煌
トンホワン
コワチョウ
(瓜州)
莫高窟
シンチャンウイグル
(新疆維吾爾)自治区
米蘭
ユイメン
(玉門)
チャユーコワン
(嘉峪関)
チウチュワン
酒泉
張掖
チュイイエン
居延
酒泉宇宙センター
バダインジャラン砂漠
(巴丹吉林)
内モンゴル自治区
(内蒙古)
ラン(狼)山 2364
ウーユワン
(五原)
バヤンノール
(巴彦淖爾)
チョオツー山
(桌子)
2149
ジャルタイ
(吉蘭泰)
シーツォイシャン
(石嘴山)
インチョワン
(銀川)
西夏の都。(1038～1227年)
興慶
黄河
ニンシヤ(寧夏)
回族自治区
チンチョワン(金川)
チャンイエ
河西回廊
武威
ウーウェイ
チーリエン山脈
(祁連)
アルチン(阿爾金)山脈
Altun Shan
ルオチアン
(若羌)
チャルチャン川
Qarqan He.
チエモー
(且末)
(チャルチャン)
ロンフー
(冷湖)
マンヤイ
(茫崖)
シーティエシャン
(錫鉄山)
ターチャイダム
(大柴旦)
チャイダム盆地
(柴達木)
Qaidam Pd.
タルト
(塔爾丁)
トーリンハ
(徳令哈)
チンハイ湖
(青海)
シーニン
(西寧)
ハイトン
(海東)
ランチョウ
(蘭州)
炳霊寺石窟
ロントー
(隆徳)
トゥーラン
(都蘭)
ゴルムド
(格爾木)
リンシヤ
(臨夏)
カンスー
(甘粛省)
ティエンショイ
(天水)
麦積山石窟
ムズタグ山
Muztag
6973
チンハイ
(青海省)
羌
アムネマチン山
6282
ツァーリン湖
(扎陵)
オーリン湖
(鄂陵)
タンチャン
(宕昌)
ロンナン
(隴南)
崑崙山脈
ホフシル(可可西里)山脈
Hoh Xil Shan
バヤンハル(巴顔喀拉)山脈
中華人民共和国
PEOPLE'S REPUBLIC OF CHINA
黄河(ホワンホー)
九寨溝
黄龍
ソンパン
(松潘)
ユイシュー
(玉樹)
吐蕃
タングラ(唐古拉)山脈
Tanggula Shan
チベット高原
Tibet
アムド
安多
シーリン湖
(色林)
バインゴイン
(班戈)
ナッチュ
(那曲)
ヌー川
怒江
Nu Jiang
チャムド
(昌都)
エイロン
(王竜)
チンシャー川
金沙江
ランツァン川
瀾滄江
ミエンヤン
(綿陽)
三星堆
トゥーチャンイエン
(都江堰)
青城山と都江堰
チョントゥー
(成都)
508
スーチョワン
(四川省)
スーチョワン(四川)盆地
ローシャン
(楽山)
峨眉山と楽山大仏
オーメイ山
(峨眉)
3099
ツーコン
(自貢)
カンチン
(康定)
7556
コンガ山
(貢嘎)
バータン
(巴塘)
ヤーロン川
雅礱江
ニエンチエンタングラ(念青唐古拉)山脈
Nyainqêntanglha Shan
ツオチン
(措勤)
シェンザ
(申扎)
ナム湖
(納木)
Nam Co
4650
チベット自治区
(西蔵)
ポタラ宮
ラサ
(拉薩)
Lhasa
3650
シガゼ
(日喀則)
ヤルンツァンポ川(雅魯蔵布江)
Yarlung Zangbo Jiang
ラツェ
(拉孜)
ギャンツェ
(江孜)
ヤムドク湖
Yamzho Yumco
ホントワン山脈
横断山脈
シーチャン
(西昌)
イービン
(宜賓)
長江(チャンチヤン)
シシャパンマフェン山
Xixabangma Feng
(ゴサインターン)
8027
チョーオユ山
Cho Oyu
8201
8848
エヴェレスト山
チョモランマ
サガルマータ
Mt.Everest
カンチェンジュンガ山
Kangchenjunga
8586
ガントーク
Gangtok
ダージリン
Darjiling
シリグリ
Siliguri
ジャルパイグリ
ビラートナガル
Biratnagar
カトマンズ
バドガオン
パタン
Patan
ヒマラヤ山脈
ブナカ
ティンプー
THIMPHU
ブータン
BHUTAN
マクマホンライン
サディヤ
ディブルガル
Dibrugarh
ディグボイ
Digboi
カジランガ国立公園
マナス野生生物保護区
ブラマプトラ川
Brahmaputra
ゴウハーティ
Guwāhāti
パトカイ山脈
Patkai Bum
チャウカン峠
Chaukan P.
2429
ミャンマー
MYANMAR
チンドウィン川
麗江旧市街
ユンナン
(雲南省)
チンティンシャン
(金頂山)
ルーショイ
(瀘水)
ターリー
(大理)
パンチーホワ
(攀枝花)
ホイツォー
(会沢)
ユンコイ(雲貴)高原
クンミン
(昆明)
1892
85°
90°
95°
100°
105°
110°
45°
40°
35°
30°
25°

① 西安・洛陽周辺

仰韶 おもな史跡
潼関 おもな関
古代の交易路

カンスー（甘粛省）

大散関
関中、漢中から蜀に通じる要所で、諸葛亮がここを通り魏を攻撃した。

麦積山石窟
麦積山の絶壁に多数の石窟が彫られている。

ランチョウ（蘭州）・西域へ
ピンリヤン（平涼）
ニンシヤ回族自治区（寧夏）
チンチョワン（涇川）
スーチョワン（四川）へ
ハンチョン（漢中）
タイパイ山（太白）3767
パオチー（宝鶏）

イ 五丈原（234年）
諸葛亮が魏との戦いの中、病死。

成国渠
リーチュワン（礼泉）
チン川（涇河）
昭陵
フーシエン（戸県）

西門（長安）
かつて西域へ旅立つ人はここから出発した。

シーアン 長安（西安）1 4 6
シエンヤン 3 咸陽
サンユワン（三原）
鄭国渠
半坡
ア 兵馬俑坑
秦始皇帝陵
藍田
半坡遺跡出土の土器
トンチョワン（銅川）
ホワンツー高原（黄土）
ホワンリン（黄陵）

チンリン山脈（秦嶺）
ウエイナン（渭南）
白渠
ウエイショイ盆地（渭水）
ルオ川（洛河）
シャンシー（陝西省）

シャンルオ（商洛）
ホワ（華）山 2155
広通渠
大雁塔
玄奘がインドからもち帰った経典や仏像を納めるために建てられた塔。

トンコワン（潼関）
潼関
黄河（ホワンホー）
ハンチョン（韓城）
竜門
「登竜門」の故事の由来となった急流。

函谷関
洛陽と長安を結ぶ古道につくられた関所。ここから西が「関中」と呼ばれる。

リュイリヤン（呂梁）
ユンチョン（運城）
サンメンシヤ（三門峡）
三門峡
サンメンシヤダム
黄河中流の峡谷。洪水防止のため、1965年に黄河としては最大のダムが建設された。

フーニウ山脈（伏牛）
ラオチュン山（老君）2192
ホーナン（河南省）
フェン川（汾河）
ホウマー（侯馬）
仰韶
イーマー（義馬）
彩陶（仰韶）
シャンシー（山西省）

奉先寺洞（竜門石窟）
675年（唐代）に完成した高さ約17mの仏像群。

黄河（ホワンホー）
シーチョン山（析城）1888
竜門石窟
関林廟
ルオヤン 洛陽 2 5
小浪底
白馬寺
白馬寺
中国で最も古い寺院の一つ。
チン川（沁河）

中国 ペキン

② 黄河と渭水（渭河）のほとりにつくられた都

※❶～❻は①図を参照

王朝	都	現在名	都になった年・世紀
周	❶ 鎬京（こうけい）	西安（シーアン）	前11世紀
東周	❷ 洛邑（らくゆう）	洛陽（ルオヤン）	前770年
秦	❸ 咸陽（かんよう）	咸陽（シエンヤン）	前350年
前漢	❹ 長安（ちょうあん）	西安（シーアン）	前202年
後漢	❺ 洛陽（らくよう）	洛陽（ルオヤン）	25年
魏	❺ 洛陽（らくよう）	洛陽（ルオヤン）	220年
晋	❺ 洛陽（らくよう）	洛陽（ルオヤン）	265年
隋	❻ 大興城（だいこうじょう）	西安（シーアン）	583年
唐	❹ 長安（ちょうあん）	西安（シーアン）	618年

やってみよう

古代の王朝の都は①図の地域に多くつくられた。②の表に掲げた都市名を①図で確認してみよう。

ア 兵馬俑坑（秦始皇帝陵近郊）（→①図）

◀1974年に発見された秦始皇帝の副葬品。陶製で等身大の人馬像などが納められている。当初は彩色されていた。

イ 五丈原（宝鶏・渭水（渭河）南岸の台地）

▶三国時代の戦場で諸葛亮が亡くなった地として知られる。現在は中国軍の軍用地で一般人は入れない。

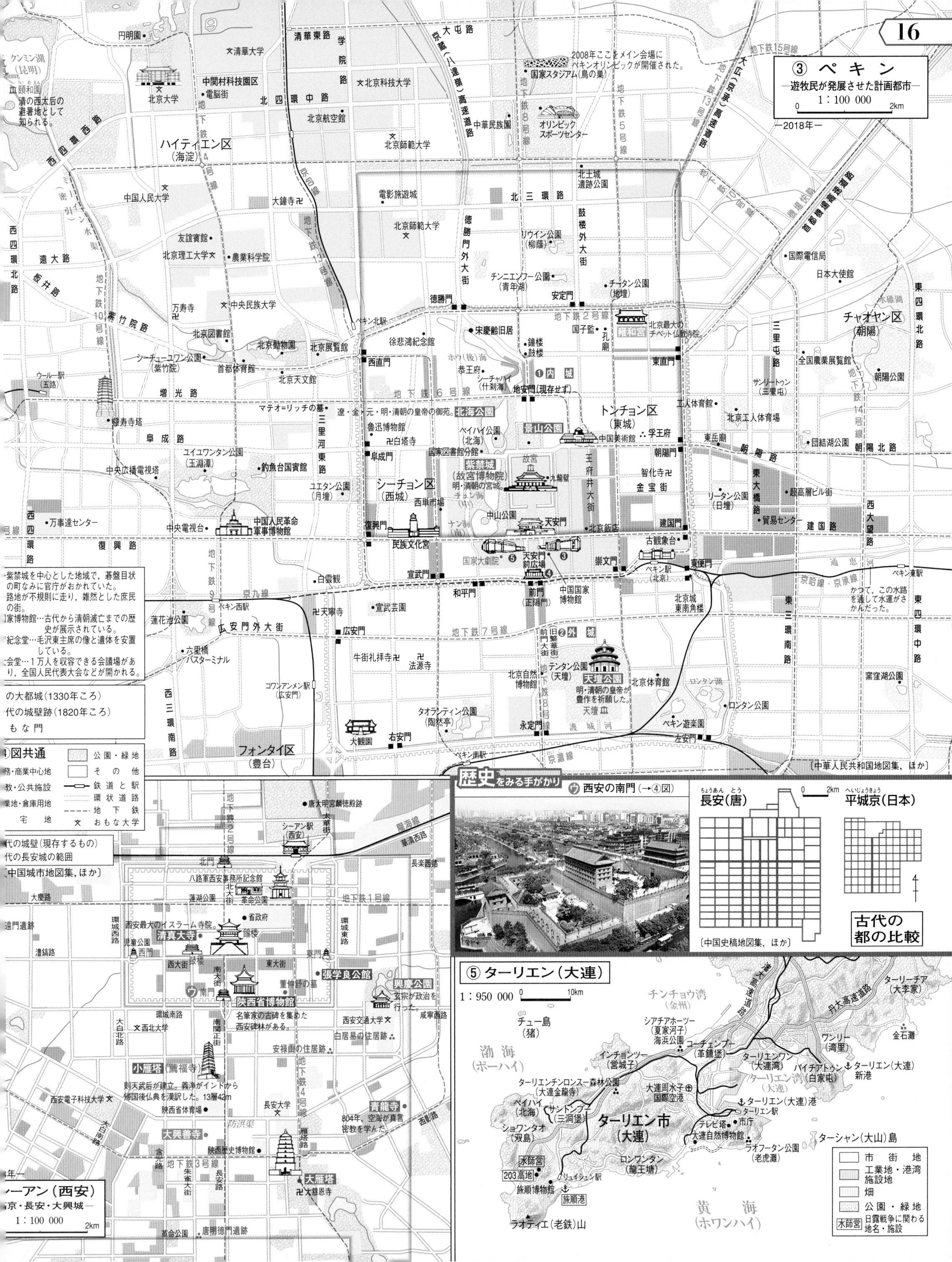
③ ペキン
—遊牧民が発展させた計画都市—
1：100 000
2km
—2018年—
2008年ここをメイン会場にペキンオリンピックが開催された。
国家スタジアム(鳥の巣)
オリンピックスポーツセンター
中華民族園
円明園
清華大学
清華東路
学院路
北京科技大学
中関村科技園区
電脳街
北京大学
北四環中路
北京航空館
北京師範大学
頤和園
清の西太后が避暑地として知られる。
西四環北路
ハイティエン区(海淀)
中国人民大学
大鐘寺
電影旅遊城
北三環路
北土城遺跡公園
友誼賓館
北京理工大学
農業科学院
遠大路
板井路
リウイン公園(柳蔭)
チンニエンフー公園(青年湖)
チータン公園(地壇)
徳勝門
安定門
万寿寺
中央民族大学
紫竹院路
地下鉄2号線
北京最大のチベット仏教寺院
雍和宮
国子監
孔廟
北京図書館
北京動物園
北京展覧館
宋慶齢旧居
徐悲鴻紀念館
鐘楼
鼓楼
シーチューユワン公園(紫竹院)
首都体育館
北京天文館
西直門
東直門
恭王府
シーチャハイ(什刹海)
①内城
地安門(現存せず)
ウールー駅(五路)
増光路
地下鉄6号線
マテオ=リッチの墓
遼・金・元・明・清朝の皇帝の御苑。
北海公園
景山公園
トンチョン区(東城)
孚王府
工人体育館
北京工人体育場
慈寿寺塔
阜成路
魯迅博物館
白塔寺
ペイハイ公園(北海)
中国美術館
東岳廟
朝陽北路
団結湖公園
ユイユワンタン公園(玉淵潭)
釣魚台国賓館
阜成門
国家図書館分館
紫禁城(故宮博物院)
明・清朝の宮城。
故宮
九龍壁
王府井大街
朝陽門
智化寺
金宝街
中央広播電視塔
シーチョン区(西城)
ユエタン公園(月壇)
西単市場
リータン公園(日壇)
超高層ビル街
東大橋路
万事達センター
中央電視台
中国人民革命軍事博物館
復興門
民族文化宮
中山公園
天安門
北京飯店
建国門
貿易センター
建国路
西大望路
復興路
国家大劇院
天安門前広場
崇文門
古観象台
東便門
ペキン駅(北京)
ペキン東駅
白雲観
宣武門
前門(正陽門)
和平門
中国国家博物館
北京城東南角楼
京九線
ペキン西駅
京哈線・京承線
かつて、この水路を通して水運がさかんだった。
天寧寺
宣武芸園
蓮花池公園
広安門
広安門外大街
地下鉄7号線
②外城
六里橋バスターミナル
牛街礼拝寺
法源寺
前門大街
テンタン公園(天壇)
天壇公園
明・清朝の皇帝が豊作を祈願した。
天壇
北京自然博物館
北京体育館
ロンタン湖
ロンタン公園
窯窪湖公園
コワンアンメン駅(広安門)
タオランティン公園(陶然亭)
大観園
右安門
永定門
ペキン遊楽園
左安門
フォンタイ区(豊台)
ペキン南駅
西三環南路
東三環南路
東四環中路
京滬線
〔中華人民共和国地図集，ほか〕
紫禁城を中心とした地域で，碁盤目状の町なみに官庁がおかれていた。
路地が不規則に走り，雑然とした庶民の街。
国家博物館…古代から清朝滅亡までの歴史が展示されている。
紀念堂…毛沢東主席の像と遺体を安置している。
大会堂…1万人を収容できる会議場があり，全国人民代表大会などが開かれる。
の大都城(1330年ころ)
代の城壁跡(1820年ころ)
もな門
図共通
公園・緑地
その他
務・商業中心地
教・公共施設
鉄道と駅
環状道路
業地・倉庫用地
地下鉄
宅地
おもな大学
代の城壁(現存するもの)
代の長安城の範囲
〔中国城市地図集，ほか〕
唐大明宮麟徳殿跡
シーアン駅(西安)
隴海線
華清西路
長楽西路
北門
八路軍西安事務所記念館
蓮湖公園
革命公園
北大街
地下鉄1号線
西安最大のイスラーム寺院。
清真寺
省政府
鐘楼
鼓楼
環城西路
環城東路
西門
東門
西大街
東大街
南大街
張学良公館
興慶公園
玄宗が政治を行った。
董仲舒の墓
南門
陝西省博物館
名筆家の古碑を集めた西安碑林がある。
環城南路
西北大学
西安交通大学
咸寧西路
白居易の住居跡
安禄山の住居跡
小雁塔(薦福寺)
則天武后が建立。義浄がインドから帰国後仏典を漢訳した。13層42m
西安電子科技大学
長安大学
陝西省体育場
青龍寺
804年，空海が密教を学んだ。
防洪渠
大興善寺
陝西歴史博物館
地下鉄3号線
大雁塔
大慈恩寺
革命公園
唐明徳門遺跡
ーアン(西安)
京・長安・大興城
1：100 000
2km
歴史をみる手がかり
ウ 西安の南門(→④図)
長安(唐)
平城京(日本)
古代の都の比較
〔中国史稿地図集，ほか〕
⑤ ターリエン(大連)
1：950 000
10km
チンチョウ湾(金州)
ターリーチア(大李家)
丹大高速道路
チュー島(猪)
シアチアホーツー(夏家河子)海浜公園
コーチェンプー(革鎮堡)
ワンリー(湾里)
金石灘
渤海(ポーハイ)
インチョンツー(営城子)
ターリエンワン(大連湾)
ハイチアトゥン(白家屯)
ターリエン(大連)新港
ターリエンチンロンスー森林公園(大連金龍寺)
大連周水子国際空港
ターリエン湾(大連)
ターリエン(大連)港
ペイハイ(北海)
サントンプー(三洞堡)
ターリエン市(大連)
ターリエン駅
テレビ塔
市庁
大連自然博物館
ショワンタオ(双島)
ラオフータン公園(老虎灘)
ターシャン(大山)島
水師営
203高地
ロンワンタン(龍王塘)
リュイシュン駅
旅順博物館
旅順港
ラオティエ(老鉄)山
黄海(ホワンハイ)
市街地
工業地・港湾施設地
畑
公園・緑地
日露戦争に関わる地名・施設

① 長江デルタ
―中国経済の中枢―
1：2 000 000
中華人民共和国
PEOPLE'S REPUBLIC OF CHINA
チャンスー（江蘇省）
アンホイ（安徽省）
チョーチャン（浙江省）
東シナ海
長江口
ハンチョウ湾（杭州）
チョウシャン（舟山）群島
タイ湖（太）
長江（揚子江）
ヤンチョウ（揚州）
鑑真が住職を大明寺で務めた。
東西交易路の中継点で，イスラーム商人が多く居住。
チェンチヤン（鎮江）
仏教の聖地のひとつで弘法大師も訪れた。
金山寺
パールバック旧宅
ナンキン 南京（応天府）
建業 建康
中山陵
チャンチョウ（常州）
ウーシー（無錫）
スーチョウ（蘇州）
寒山拾得の故事や「楓橋夜泊」の詩で知られる。寒山寺
霊岩山寺
太湖や大運河の水運を生かして物資が集積し，水運の拠点としてさかえた。
シャンハイ（上海）
ホンチャオ国際空港（虹橋）
上海ディズニーランド
プートン国際空港（浦東）
上海長江トンネル
長江大橋
チョンミン島（崇明）
東海大橋
洋山深水港
ハンチョウ（杭州）
臨安
南宋の都で，当時世界最大の人口をかかえていた。
白居易が杭州刺史として赴任していた時に詠んだ詩で知られる。
杭州蕭山国際空港
チェンタン川（銭塘江）
シャオシン（紹興）
魯迅の生家
古代から酒の名産地として知られる。
ニンポー（寧波）（明州）
古くから貿易の拠点で，日本からも遣唐使はじめ貿易の船が多く来航した。
寧波事件 1523年
寧波櫟社国際空港
仏教天台宗の総本山。
天台山 1094
私貿易の中継地として知られ，明代の拠点のひとつ
おもな王朝の都
～6c. 7～15c.
宋代の産業
茶の専売所
塩の専売所
当時の塩の産地
茶
陶磁器
絹織物
綿織物
酒
南京・天津・北京条約による開港地
やってみよう 明の都の南京や南宋の都臨安の場所を地図上で確認し，それらの都市をつないだ大運河をたどってみよう。
② シャンハイ（上海）
―中国最大の国際都市―
1：100 000
―2018年―
外白渡橋（ガーデンブリッジ）1868年，イギリス人が建造。
上海国際フェリーターミナル
東方明珠塔
和平飯店
黄浦公園
外灘（バンド）
金茂タワー
上海ワールドフィナンシャルセンター
人民公園
上海博物館
豫園 16世紀に明の高官が造った庭園。
復興公園 1909年，フランスが造園。
孫文旧宅
中共一大会跡 1921年，中国共産党が第一回全国代表会議を開催。
魯迅記念館
内山書店跡（現中国工商銀行）
上海交通大学（東亜同文書院跡）
復旦大学医学院
2010年上海万博会場
ホワンプー川（黄浦江）
プートン（浦東）新区
〔Periplus Travel Maps，ほか〕
業務・商業中心地　公園・緑地　工業地・倉庫地　その他　住宅地　地下鉄　おもな道路
②図，③図共通
イギリス租界（1863年まで）　フランス租界　県城（租界時代の中国人街）
アメリカ租界（1863年まで）　共同租界（1863年以後）
※租界：アヘン戦争以後，開港場に設置された外国の租借地。
③ ハンチョウ（杭州）
―南宋の都臨安―
1：100 000
―2018年―
シアチョン区（下城）
シーフー区（西湖）
シャンチョン区（上城）
チャンカン区（江干）
シー（西）湖
京杭大運河
浙江大学
杭州植物園
岳廟
中山公園
断橋残雪
平湖秋月
曲院風荷
双峰挿雲
蘇堤春暁
柳浪聞鶯
三潭印月
花港観魚
雷峰夕照
南屏晩鐘
浄慈禅寺
余杭門　銭塘門　豊豫門　清波門　銭湖門　東華門　艮山門　東青門　崇新門　新開門　保安門　大内
ハンチョウ駅（杭州）
南宋官窯博物館
杭州動物園
〔浙江省地図冊，ほか〕
南宋時代の建造物

④ 台湾海峡周辺
―東アジアの南北をつなぐ要衝―
1：3 300 000
0 40km
フーチョウ
タイユン山脈
フーチエン
(福建省)
華人民共和国
PEOPLE'S REPUBLIC OF CHINA
明代、市舶司がおかれ外国貿易で繁栄。琉球の朝貢船の入港地。
北宋の時代に市舶司がおかれ、ムスリム商人など多くの外国人が来航して繁栄した。
チュワンチョウ
チャンチョウ(漳州)
明代海禁解除時の開港地。
アモイ(シャメン)
［経済特区］
南宋・元代に貿易で発展。鄭成功の反清運動や華僑の拠点となった。
チンメン島(台湾) 金門島
マーツー島(台湾) 馬祖島
台湾海峡
北回帰線
ポンフー(澎湖)列島
スワトウ(汕頭)
［経済特区］
ナンポン列島(南澎)
南シナ海
South China Sea
淡水河の河口にあり、台北の外港。1629年にスペインが築城し、オランダ・鄭成功が相次いで攻略。
19世紀半ばに開かれた台北の外港。
1887年、清が台湾省を設置以後の中心地。
タイペイ(台北)
シンペイ(新北)
タオユエン(桃園)
キールン(基隆)
台湾
タイジョン(台中)
霧社事件 1930年
台湾山脈
タイナン平原
タイナン(台南)
1624年、オランダ人が建設。1661年、鄭成功が攻略。
16世紀末ごろより漢民族が移住し、17世紀中ごろにはオランダ人が本拠地を構えた。
鄭成功廟(開山廟)
カオシュン(高雄)
日本統治時代、現地語ターカウを「高雄」と当て字をし、それを中国語読みしてカオシュンとなった。
ユー(玉)山 3950
日本統治時代、「新高山」と呼ばれた
ホワリエン(花蓮)
タイドン(台東)
日本
JAPAN
与那国島
太平洋
PACIFIC OCEAN
陸高と水深(m)
3000 2000 1000 500 200 100 0 200 1000 2000 4000 6000
大陸からのおもな移民流入路
鄭成功の進攻路(1661年)
鄭成功のおもな活動地
⑤ チュー川(珠江)デルタ
―華南最大の貿易拠点―
1：1 300 000
0 20km
コワンチョウ(広州)
1844年、黄埔条約(清・仏)
古代から外国貿易で繁栄し、1757年以降、ヨーロッパ船の入港地に指定。
コワントン(広東省)
中華人民共和国
PEOPLE'S REPUBLIC OF CHINA
1839年、林則徐がアヘンを処分。
虎門
虎門大橋
ホイチョウ(恵州)
シェンチェン(深圳)
1980年、経済特区設置。
シェンチェン市の境界
チュー川(珠江)口
カオルン半島(九竜)
1898年イギリスが租借。1997年返還。
北京条約でイギリスに割譲されたが、1997年に返還。
南京条約でイギリスに割譲されたが、1997年返還。
ホンコン(香港)
HONG KONG
［ホンコン特別行政区］
チューハイ(珠海)［経済特区］
マカオ(澳門)
Macao
［マカオ特別行政区］
1844年、望厦条約(清・米)
1557年、ポルトガルが定住権獲得。1999年12月中国に返還。
港珠澳大橋
ホンコン国際空港
⒜ 図の範囲
の香港支配
京条約(1842年)により獲得
京条約(1860年)により獲得
ⓐ ホンコン中心部
―2020年―
1：100 000
0 2km
カオルン(九竜)
ホンコン駅
ヴィクトリア港
ホンコン(香港)島
ワンチャイ(湾仔)
ヴィクトリアピーク 552
カイタック空港跡地(啓徳)
［中国地図集、ほか］
市街地
工業地
公園・緑地
森林
その他
地下鉄(MTR)
やってみよう
⑤図で南京条約・北京条約でイギリスの領土となった領域を調べ，そこが今どうなっているか確認しよう。

① 朝鮮半島
1：3 500 000
0 50 100km
多円錐図法
古代の朝鮮
楽浪郡 前漢の朝鮮4郡
(数字は成立年)
おもな王朝の都
熊津 〜6世紀ごろ
開城 7〜15世紀
18世紀以降
日朝修好条規(1876年)によって開かれた港
朝鮮戦争(1950〜53年)にかかわる地名
豊臣秀吉の朝鮮出兵
文禄の役(1592〜96年)
慶長の役(1597〜98年)
朝鮮人陶工による焼物の産地
② パンムンジョム(板門店)周辺
一南北の接点一
1：1 300 000
市街地
特別市・広域市・道の境界
朝鮮民主主義人民共和国
DEMOCRATIC PEOPLE'S REPUBLIC OF KOREA
1948.9 成立。
中華人民共和国
PEOPLE'S REPUBLIC OF CHINA
ロシア連邦
RUSSIAN FEDERATION
日本海
Japan Sea
黄海(ホワンハイ)
ソチョソン(西朝鮮)湾
トンチョソン(東朝鮮)湾
ピョートル大帝湾
Zal.Petra Velikogo
この図の範囲
ウラジオストク
ハムギョンブクド(咸鏡北道)
ハムギョンナムド(咸鏡南道)
リャンガンド(両江道)
チャガンド(慈江道)
ピョンアンブクド(平安北道)
ピョンアンナムド(平安南道)
ファンヘブクド(黄海北道)
ファンヘナムド(黄海南道)
カンウォンド(江原道)
ハムギョン(咸鏡)山脈
ケマ(蓋馬)高原
ランニム(狼林)山脈
テベク(太白)山脈
チャンパイ(長白)山脈
ペクトゥ(白頭)山
玄菟郡(前107年)
臨屯郡(前108年)
楽浪郡(前108年)
真番郡(前108年)
ピョンヤン
チーリン(吉林省)
リヤオニン(遼寧省)
イエンビエン朝鮮族自治州
リヤオトン(遼東)半島
トマン川(豆満江)
ウルルン島(鬱陵)
竹島
江華島事件 1875年

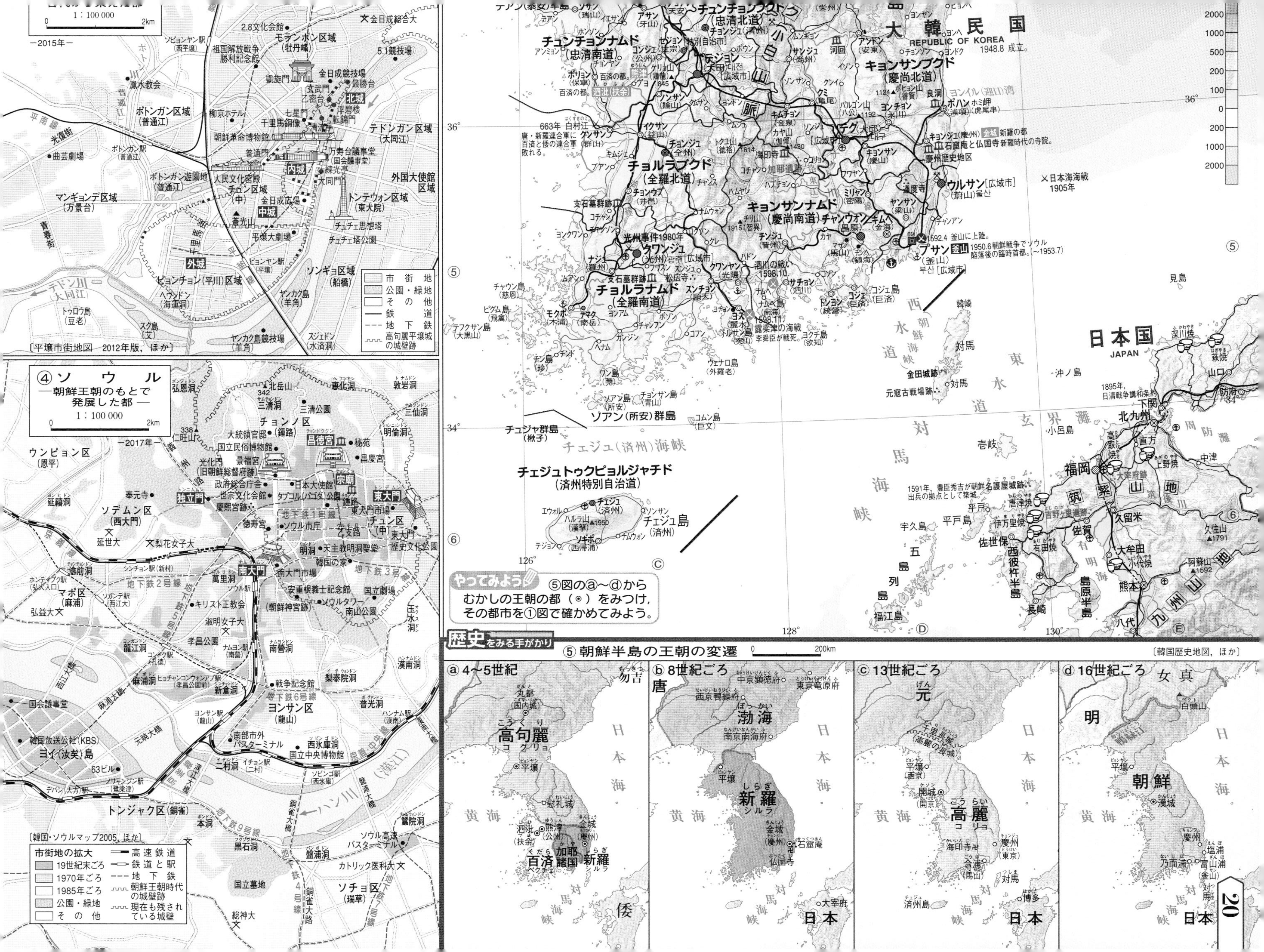

1：100 000
0
2km
—2015年—
平南線
光復街
曲芸劇場
青春街
マンギョンデ区域
(万景台)
ポトンガン区域
(普通江)
ポトンガン遊園地
(普通江)
鳳水教会
柳京ホテル
祖国解放戦争勝利記念館
凱旋門
モランボン区域
(牡丹峰)
2.8文化会館
金日成総合大
5.1競技場
金日成競技場
玄武門
乙密台
北城
浮碧楼
千里馬銅像
七星門
朝鮮革命博物館
普通門
内城
練光亭
大同門
万寿台議事堂
(国会議事堂)
テドンガン区域
(大同江)
外国大使館区域
トンテウォン区域
(東大院)
人民文化宮殿
チュン区域
(中)
金日成広場
中城
蒼光山
平壌大劇場
チュチェ思想塔
チュチェ塔公園
外城
ピョンチョン(平川)区域
ヘウドン(海運洞)
テドン川(大同江)
トゥルリ島(豆老)
スク島
ソンギョ区域
(船橋)
ヤンカク島
(羊角)
ヤンカク島競技場
スジェドン(水済洞)
市街地
公園・緑地
その他
鉄道
地下鉄
高句麗平壌城の城壁跡
〔平壌市街地図　2012年版，ほか〕
④ソウル
—朝鮮王朝のもとで発展した都—
1：100 000
0
2km
—2017年—
ウンピョン区
(恩平)
弘恩洞
北岳山
342
仁旺山
338
三清洞
三清公園
チョンノ区
(鍾路)
大統領官邸
国立民俗博物館
昌徳宮
秘苑
昌慶宮
明倫洞
恵化洞
敦岩洞
三仙洞
光化門
(旧朝鮮総督府跡)
景福宮
宗廟
政府総合庁舎
世宗文化会館
日本大使館
タプコル(パゴダ)公園
独立門
奉元寺
延禧洞
慶熙宮跡
徳寿宮
ソウル市庁
鍾路
東大門
東大門市場
チュン区
(中)
ソデムン区
(西大門)
延世大
梨花女子大
天主教明洞聖堂
歴史文化公園
明洞
韓国の家
南大門
南大門市場
地下鉄1号線
地下鉄2号線
地下鉄3号線
地下鉄4号線
地下鉄6号線
地下鉄9号線
萬里洞
安重根義士記念館
国立劇場
(朝鮮神宮跡)
ソウルタワー
南山公園
キリスト正教会
マポ区
(麻浦)
弘益大
淑明女子大
孝昌公園
龍江洞
南営洞
漢南洞
玉水洞
梨泰院洞
麻浦洞
新倉洞
戦争記念館
ヨンサン区
(龍山)
普光洞
国会議事堂
韓国放送公社(KBS)
ヨイ(汝矣)島
63ビル
西江大橋
麻浦大橋
元暁大橋
南部市外バスターミナル
西氷庫洞
国立中央博物館
二村洞
漢江大橋
ハン川
(漢江)
盤浦大橋
トンジャク区(銅雀)
本洞
黒石洞
国立墓地
総神大
盤浦洞
ソウル高速バスターミナル
カトリック医科大
ソチョ区
(瑞草)
蠶院洞
銅雀大橋
〔韓国・ソウルマップ2005，ほか〕
市街地の拡大
19世紀末ごろ
1970年ごろ
1985年ごろ
公園・緑地
その他
高速鉄道
鉄道と駅
地下鉄
朝鮮王朝時代の城壁跡
現在も残されている城壁
大韓民国
REPUBLIC OF KOREA
1948.8 成立。
チュンチョンブクド
(忠清北道)
チョンジュ(清州)
チュンチョンナムド
(忠清南道)
セジョン[特別自治市]
コンジュ(公州)
テジョン(大田)[広域市]
アサン(牙山)
ポリョン(保寧)
百済の都。
熊津
泗沘(扶余)
ノンサン(論山)
小白山脈
キョンサンブクド
(慶尚北道)
アンドン(安東)
河回
サンジュ(尚州)
クミ(亀尾)
ヨンイル(迎日)湾
ポハン(浦項)
虎尾串
キョンジュ(慶州)
金城
新羅の都
石窟庵と仏国寺
新羅時代の寺院。
慶州歴史地区
テグ(大邱)[広域市]
ヨンチョン(永川)
キョンサン(慶山)
ウルサン[広域市]
(蔚山)
663年　白村江
唐・新羅連合軍に百済と倭の連合軍が敗れる。
クンサン(群山)
イクサン(益山)
チョンジュ(全州)
チョルラブクド
(全羅北道)
チョンウプ(井邑)
支石墓群跡
海印寺
加耶遺跡
キョンサンナムド
(慶尚南道)
チャンウォン(昌原)
キムヘ(金海)
ミリャン(密陽)
通度寺
ヤンサン(梁山)
チンジュ(晋州)
光州事件1980年
クワンジュ(光州)[広域市]
ナジュ(羅州)
チョルラナムド
(全羅南道)
支石墓群跡
松広寺
スンチョン(順天)
クワンヤン(光陽)
泗川の戦い
1598.10.
サチョン(泗川)
トンヨン(統営)
コジェ(巨済)
コジェ島
(巨済)
モクポ(木浦)
ヨス(麗水)
1598.11.
露梁津の海戦
李舜臣が戦死。
ヨクチ島(欲知)
プサン(釜山)
釜山
1592.4 釜山に上陸。
1950.6 朝鮮戦争でソウル陥落後の臨時首都。(～1953.7)
釜山[広域市]
日本海海戦
1905年
チャウン島(慈恩)
ピグム島(飛禽)
テアクサン島(大黒山)
チン島(珍)
ソアン(所安)群島
チュジャ群島
(楸子)
チェジュ(済州)海峡
チェジュトゥクピョルジャチド
(済州特別自治道)
チェジュ(済州)
ハルラ山(漢拏)
1950
ソギポ(西帰浦)
チェジュ島
(済州)
西水道
朝鮮海峡
対馬
金田城跡
元寇古戦場跡
東水道
対馬海峡
玄界灘
壱岐
沖ノ島
小呂島
1591年，豊臣秀吉が朝鮮名護屋城跡，出兵の拠点として築城。
平戸
平戸島
宇久島
五島列島
福江島
唐津焼
伊万里焼
有田焼
佐世保
西彼杵半島
長崎
島原半島
日本国
JAPAN
1895年，日清戦争講和条約
下関
北九州
福岡
筑紫山地
佐賀
久留米
大牟田
小代焼
熊本
八代
九州山地
阿蘇山
1592
久住山
1791
直方
上野焼
中津
周防灘
萩焼
深川焼
山口
防府
見島
126°
128°
130°
34°
36°
やってみよう
⑤図のⓐ～ⓓから
むかしの王朝の都（◉）をみつけ，
その都市を①図で確かめてみよう。
歴史をみる手がかり
⑤朝鮮半島の王朝の変遷
0
200km
〔韓国歴史地図，ほか〕
ⓐ4～5世紀
勿吉
丸都
高句麗
平壌
慰礼城
熊津(公州)
泗沘(扶余)
百済
加耶諸国
金城(慶州)
新羅
倭
ⓑ8世紀ごろ
唐
中京顕徳府
東京竜原府
西京鴨緑府
渤海
南京南海府
平壌
新羅
金城(慶州)
石窟庵
仏国寺
大宰府
日本
ⓒ13世紀ごろ
元
千里長城
(高麗の長城)
平壌(西京)
開城(開京)
高麗
海印寺
慶州(東京)
合浦(馬山)
対馬
済州島
博多
日本
ⓓ16世紀ごろ
女真
白頭山
明
鴨緑江
平壌
朝鮮
漢城
慶州
塩浦
乃而浦
富山浦(釜山)
対馬
日本
黄海
日本海
対馬海峡

③ 第二次世界大戦後の東南アジア

年次	おもなできごと
1945年	日本の支配終了，独立戦争の展開 インドネシア独立戦争(～49年)❶ ベトナム民主共和国独立
1946年	インドシナ戦争(～54年) フィリピン共和国成立❷
1948年	ビルマ連邦共和国成立(現在のミャンマー❸)
1954年	ジュネーヴ協定 →インドシナ3国〔ベトナム・ラオス❹・カンボジア❺〕独立承認 東南アジア条約機構(SEATO)成立
1957年	マラヤ連邦独立
1963年	マレーシア成立❻
1965年	シンガポール独立❼ ベトナム戦争(～75年，→p.24②)
1967年	東南アジア諸国連合(ASEAN)成立
1976年	ベトナム社会主義共和国成立❽ →南北統一
1984年	ブルネイ独立❾
1993年	カンボジア王国再建
2002年	東ティモール独立❿

※❶～❿は①図を参照。

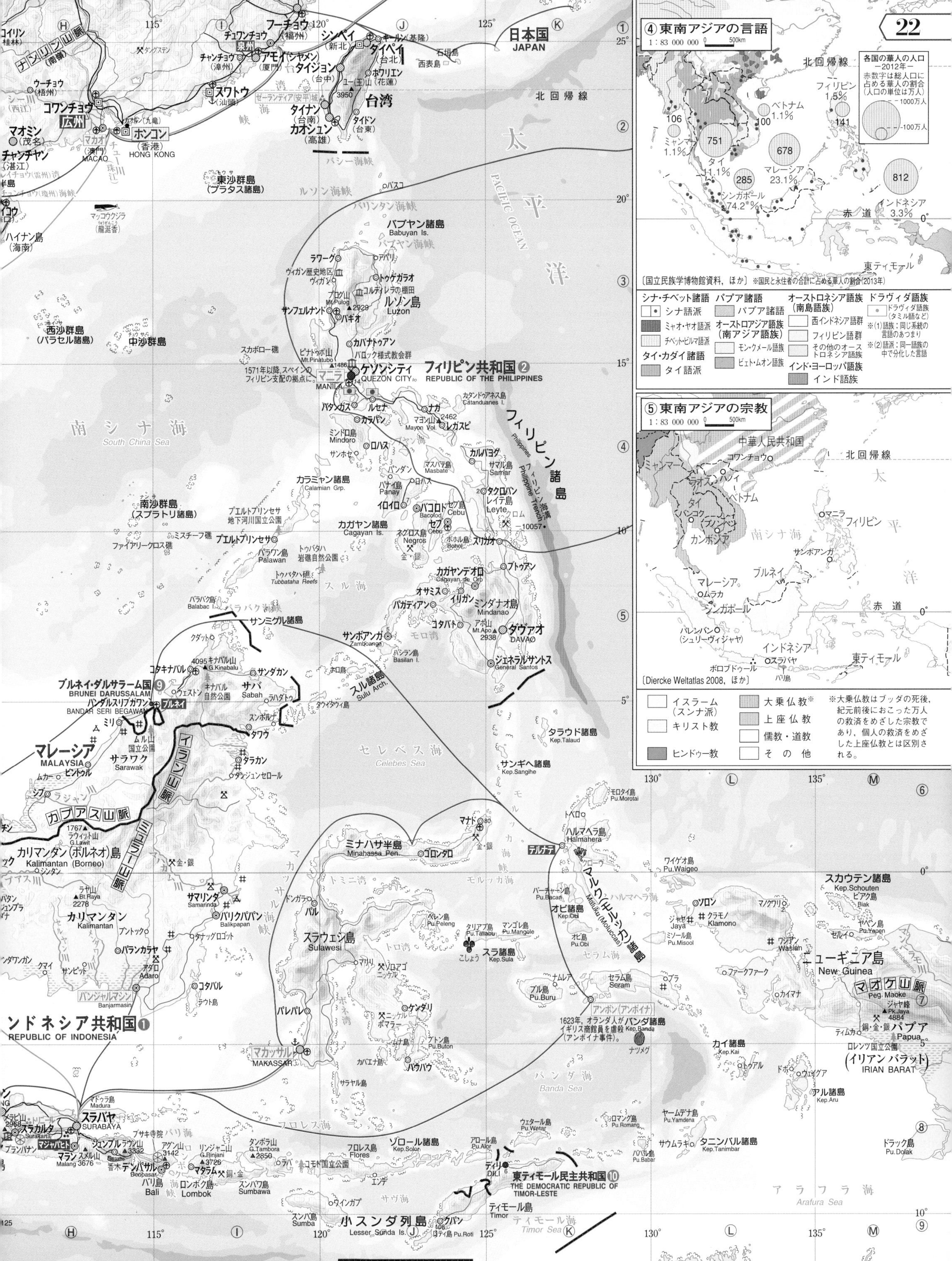

22
④東南アジアの言語
1：83 000 000
北回帰線
各国の華人の人口
−2012年−
赤数字は総人口に占める華人の割合(人口の単位は万人)
1000万人
100万人
フィリピン 1.5%
141
ベトナム 1.1%
100
106
ミャンマー 1.1%
751
タイ 11.1%
678
マレーシア 23.1%
285
シンガポール 74.2%
812
インドネシア 3.3%
赤道
東ティモール
〔国立民族学博物館資料，ほか〕※国民と永住者の合計に占める華人の割合(2013年)
シナ・チベット諸語
シナ語派
ミャオ・ヤオ語派
チベット・ビルマ語派
タイ・カダイ諸語
タイ語派
パプア諸語
パプア諸語
オーストロアジア語族(南アジア語族)
モン・クメール語族
ビェト・ムオン語族
オーストロネシア語族(南島語族)
西インドネシア語群
フィリピン語群
その他のオーストロネシア語群
インド・ヨーロッパ語族
インド語族
ドラヴィダ語族
ドラヴィダ語族(タミル語など)
※(1)語族：同じ系統の言語のあつまり
※(2)語派：同一語族の中で分化した言語
⑤東南アジアの宗教
1：83 000 000
中華人民共和国
ミャンマー
コワンチョウ
北回帰線
ラオス
ハノイ
ベトナム
タイ
バンコク
プノンペン
カンボジア
マニラ
フィリピン
南シナ海
サンボアンガ
ブルネイ
マレーシア
ムラカ
シンガポール
赤道
パレンバン(シュリーヴィジャヤ)
インドネシア
スラバヤ
ボロブドゥール
バリ島
東ティモール
太平洋
〔Diercke Weltatlas 2008，ほか〕
イスラーム(スンナ派)
キリスト教
ヒンドゥー教
大乗仏教※
上座仏教
儒教・道教
その他
※大乗仏教はブッダの死後、紀元前後におこった万人の救済をめざした宗教であり、個人の救済をめざした上座仏教とは区別される。
日本国
JAPAN
フーチョウ(福州)
チュワンチョウ
泉州
アモイ(シヤメン)(厦門)
チャンチョウ(漳州)
スワトウ(汕頭)
シンペイ(新北)
タイペイ(台北)
キールン(基隆)
タイジョン(台中)
ホワリエン(花蓮)
ユー山(玉山) 3950
台湾
タイナン(台南)
カオシュン(高雄)
タイドン(台東)
ゼーランディア(安平)城
石垣島
西表島
北回帰線
ナンリン山脈(南嶺)
ウーチョウ(梧州)
コワンチョウ
広州
マカオ(澳門) MACAO
ホンコン(香港) HONG KONG
マオミン(茂名)
チャンチャン(湛江)
ハイナン島(海南)
バシー海峡
東沙群島(プラタス諸島)
ルソン海峡
バリンタン海峡
バブヤン諸島 Babuyan Is.
バブヤン海峡
ラワーグ
アパリ
ヴィガン歴史地区
ヴィガン
トゥゲガラオ
コルディレラの棚田
ルソン島 Luzon
サンフェルナンド
バギオ
プログ山 Mt.Pulog 2929
カバナトゥアン
バロック様式教会群
ピナトゥボ山 Mt.Pinatubo 1486
フィリピン共和国②
ケソンシティ QUEZON CITY
REPUBLIC OF THE PHILIPPINES
マニラ MANILA
1571年以降，スペインのフィリピン支配の拠点に。
スカボロー礁
西沙群島(パラセル諸島)
中沙群島
太平洋
PACIFIC OCEAN
バタンガス
ルセナ
ナガ
カタンドゥアネス島 Catanduanes I.
マヨン山 Mayon Vol. 2462
レガスピ
カラパン
ミンドロ島 Mindoro
南シナ海 South China Sea
フィリピン諸島
Philippines
フィリピン海溝 Philippine Trench
ロハス
カルバヨグ
サマル島 Samar
マスバテ島 Masbate
カラミャン諸島 Calamian Grp.
パナイ島 Panay
イロイロ
バコロド Bacolod
セブ島 Cebu
セブ Cebu
タクロバン
レイテ島 Leyte
ネグロス島 Negros
ボホール島 Bohol
スリガオ
−10057
南沙群島(スプラトリ諸島)
プエルトプリンセサ地下河川国立公園
プエルトプリンセサ
ミスチーフ礁
ファイアリークロス礁
パラワン島 Palawan
トゥバタハ岩礁自然公園
トゥバタハ礁 Tubbataha Reefs
スル海
カガヤンデオロ Cagayan de Oro
ブトゥアン
オサミス
イリガン
ミンダナオ島 Mindanao
パガディアン
バラバク島 Balabac I.
バラバク海峡
サンミゲル諸島
コタバト
アポ山 Mt.Apo 2938
ダヴァオ DAVAO
サンボアンガ Zamboanga
バシラン島 Basilan I.
ジェネラルサントス General Santos
モロ湾
ホロ島
スル諸島 Sulu Arch.
タウィタウィ島
クダット
キナバル山 G.Kinabalu 4095
コタキナバル
サンダカン
サバ Sabah
キナバル自然公園
ラハダトゥ
ブルネイ・ダルサラーム国⑨
BRUNEI DARUSSALAM
バンダルスリブガワン
BANDAR SERI BEGAWAN
ブルネイ
ミリ
ムル山国立公園
スンポルナ
タワウ
タラカン
タンジュンセロール
セレベス海 Celebes Sea
タラウド諸島 Kep.Talaud
サンギヘ諸島 Kep.Sangihe
マレーシア MALAYSIA
サラワク Sarawak
ビントゥル
ムカー
シブ
イラン山脈
ラジャン川
カプアス山脈
ミュラー山脈
ウィラット山 G.Lawit 1767
カリマンタン(ボルネオ)島 Kalimantan (Borneo)
シンタン
ラヤ山 Bt.Raya 2278
カリマンタン Kalimantan
サマリンダ Samarinda
バリクパパン Balikpapan
ブントック
タナッグロゴット
パランカラヤ
アダロ Adaro
サンピット
バンジャルマシン Banjarmasin
コタバル
ラウト島
インドネシア共和国①
REPUBLIC OF INDONESIA
モロタイ島 Pu.Morotai
トベロ
ハルマヘラ島 Halmahera
テルナテ
マナド
ミナハサ半島 Minahassa Pen.
ゴロンタロ
トミニ湾
モルッカ海
モルッカ海峡
ハルマヘラ海
ワイゲオ島 Pu.Waigeo
バチャン島 Pu.Bacan
オビ諸島 Kep.Obi
オビ島 Pu.Obi
マルク(モルッカ)諸島 Maluku (Moluccas)
ソロン
ジャヤ Jaya
クラモノ Klamono
ミゾール島 Pu.Misool
ワシアン Wasian
スカウテン諸島 Kep.Schouten
ビアク島 Biak
ヤペン島 Pu.Yapen
マノクワリ
セルイ
ドンガラ
パル
スラウェシ島 Sulawesi
ペレン島 Pu.Peleng
タリアブ島 Pu.Taliabu
マンゴレ島 Pu.Mangole
スラ諸島 Kep.Sula
こしょう
トロ湾
マリリ
ソロアコ
ニッケル
ケンダリ
マカッサル海峡
ボネ湾
パレパレ
マカッサル MAKASSAR
ブトン島 Pu.Buton
ムナ島
バウバウ
カバエナ島
サラヤル島
セラム海
セラム島 Seram
ブル島 Pu.Buru
ナムレア
ブラ
アンボン(アンボイナ)
1623年，オランダ人がイギリス商館員を虐殺(アンボイナ事件)。
バンダ諸島 Kep.Banda
ナツメグ
バンダ海 Banda Sea
ニューギニア島 New Guinea
ファークファーク
カイマナ
マオケ山脈 Peg.Maoke
ジャヤ峰 Pk.Jaya 4884
パプア Papua
ティムカ
ロレンツ国立公園
(イリアンバラット) IRIAN BARAT
カイ諸島 Kep.Kai
トゥアル
ドボ
アル諸島 Kep.Aru
ヤームデナ島 Pu.Yamdena
タニンバル諸島 Kep.Tanimbar
サウムラキ
ロマング島 Pu.Romang
ババル島 Pu.Babar
ウェタール島 Pu.Wetar
アロール島 Pu.Alor
ディリ DILI
東ティモール民主共和国⑩
THE DEMOCRATIC REPUBLIC OF TIMOR-LESTE
ティモール島 Timor
ティモール海 Timor Sea
アラフラ海 Arafura Sea
ドラック島 Pu.Dolak
マドゥラ島
スラバヤ SURABAYA
スラカルタ Surakarta
マラン Malang
スメル山 3676
ブラカサ寺院
ジャワ海
バリ海
フロレス海
ブロモ山
アグン山 3142
デンパサル Denpasar
バリ島 Bali
ロンボク島 Lombok
リンジャニ山 G.Rinjani 3726
マタラム
スンバワ島 Sumbawa
タンボラ山 G.Tambora 2850
ラバ
コモド国立公園
フロレス島 Flores
エンデ
ソロール諸島 Kep.Solor
サヴ海
ウィンガプ
スンバ島 Sumba
小スンダ列島 Lesser Sunda Is.
クパン
ロティ島 Pu.Roti
115°
120°
125°
130°
135°
25°
20°
15°
10°
5°
0°

東南アジアの植民地化とベトナム戦争

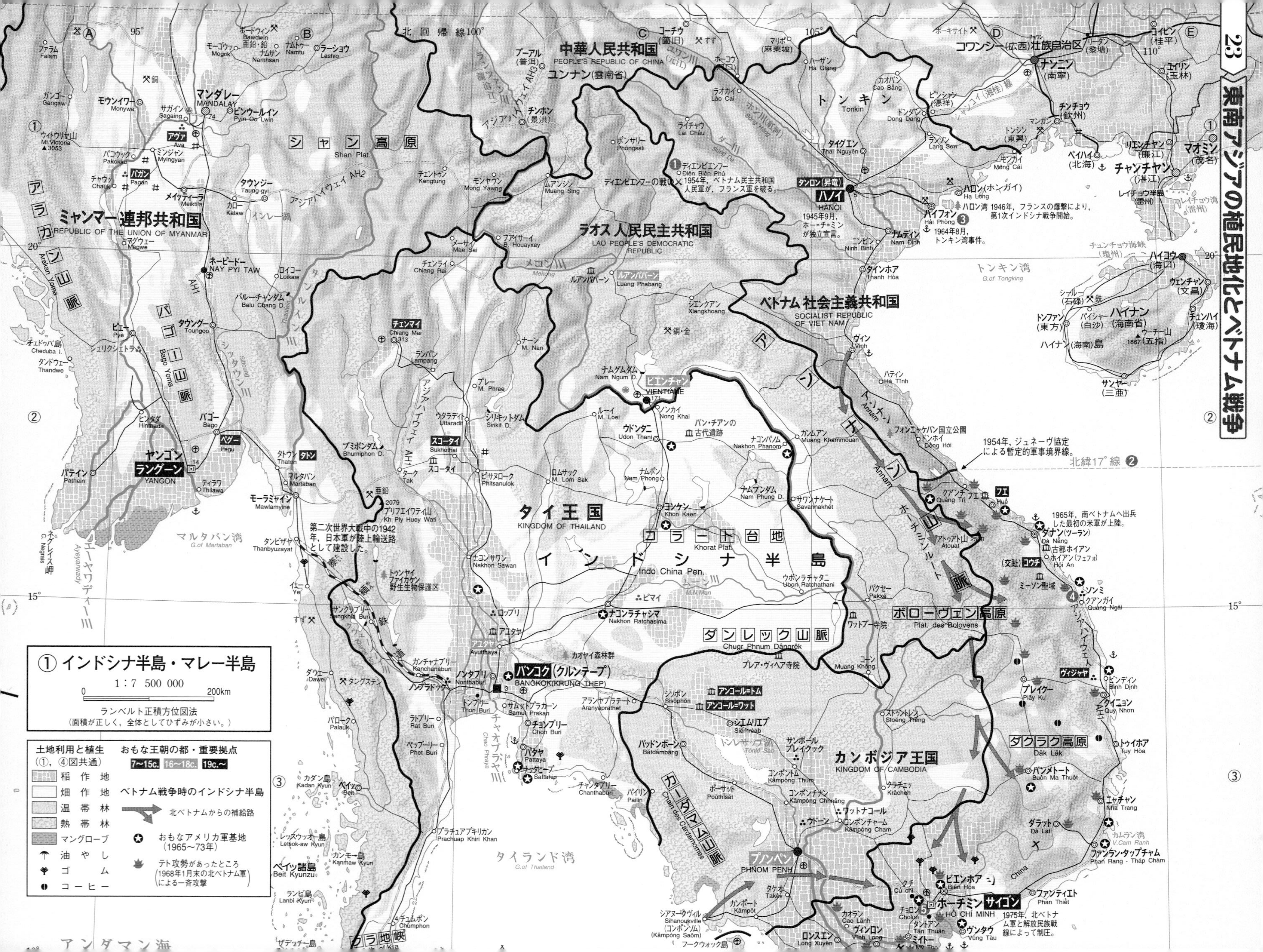

やってみよう 列強がこの地域を植民地として着目した理由の一つに，資源があった。マレー半島にはどのような資源が分布しているか，地図から読み取ろう。

歴史をみる手がかり

②ベトナム戦争の経緯

※❶～❺は①図を参照。

年次	おもなできごと(→p.21②)
1945年	太平洋戦争終了 ベトナム民主共和国(北ベトナム)独立宣言(国家主席ホー=チ=ミン)
1946年	インドシナ戦争(～54年)起こる
1949年	ベトナム国成立 →フランスが支援
1954年	ディエンビエンフーの戦い❶ →フランス軍の敗北 ジュネーヴ協定 →北緯17度線で南北分割❷
1955年	ベトナム共和国(南ベトナム)成立 →アメリカ合衆国が支援
1960年	南ベトナム解放民族戦線結成
1964年	トンキン湾事件❸
1965年	アメリカ軍，北爆開始(～68年)
1968年	テト攻勢(①図中) ソンミ村虐殺事件❹ →アメリカ軍による無差別虐殺 パリ和平会談開始(～73年)
1969年	南ベトナム臨時革命政府成立 ホー=チ=ミン死去
1970年	アメリカ軍，カンボジア侵攻
1971年	南ベトナム軍，ラオス侵攻
1972年	アメリカ軍，北爆再開
1973年	ベトナム(パリ)和平協定調印 →アメリカ軍撤兵
1975年	サイゴン陥落❺
1976年	ベトナム社会主義共和国成立 →南北ベトナムの統一

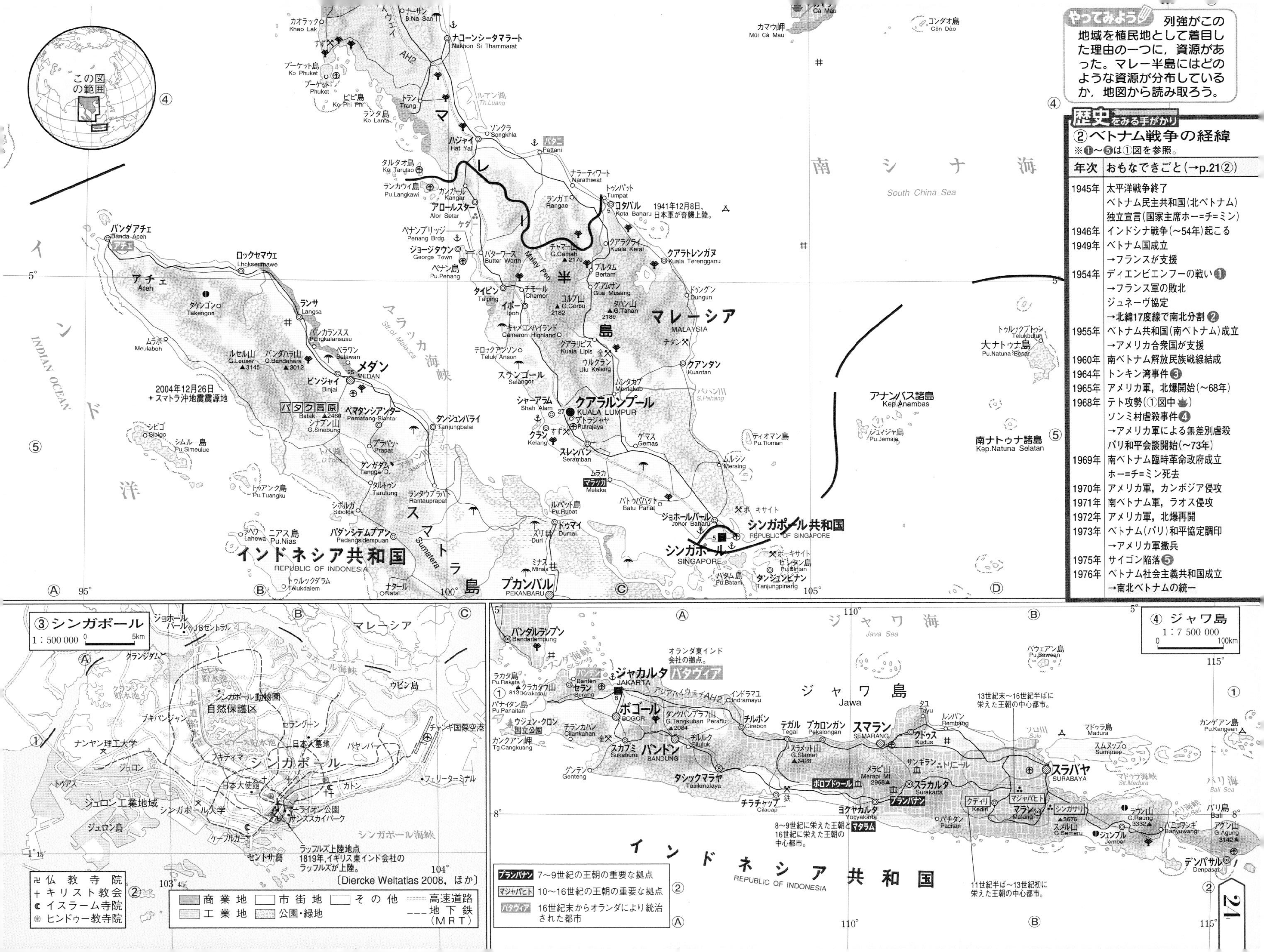

多様な文化が交錯した地

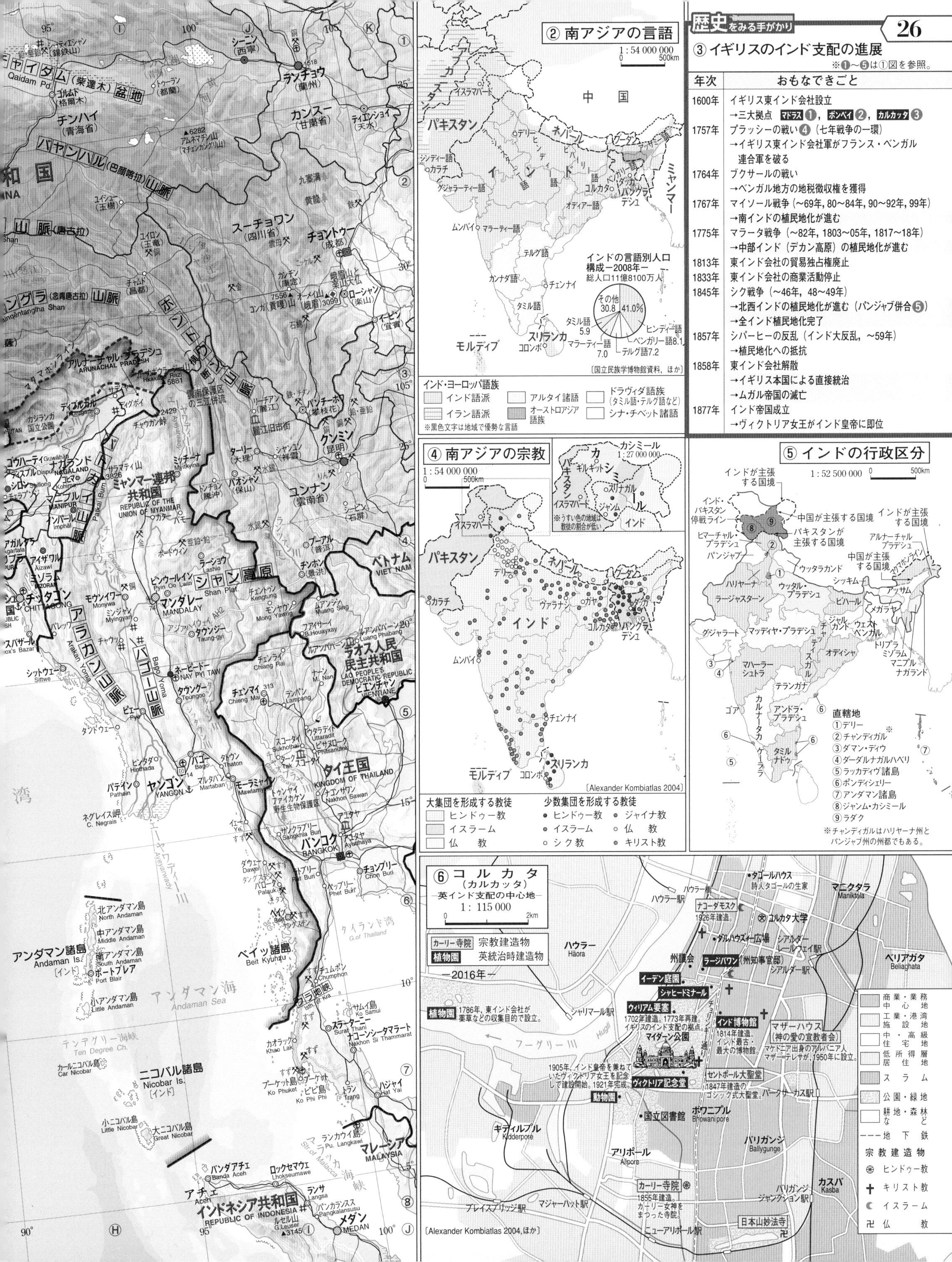

③ イギリスのインド支配の進展

※❶～❺は①図を参照。

年次	おもなできごと
1600年	イギリス東インド会社設立 →三大拠点 マドラス❶，ボンベイ❷，カルカッタ❸
1757年	プラッシーの戦い❹（七年戦争の一環） →イギリス東インド会社軍がフランス・ベンガル連合軍を破る
1764年	ブクサールの戦い →ベンガル地方の地税徴収権を獲得
1767年	マイソール戦争（～69年，80～84年，90～92年，99年） →南インドの植民地化が進む
1775年	マラータ戦争（～82年，1803～05年，1817～18年） →中部インド（デカン高原）の植民地化が進む
1813年	東インド会社の貿易独占権廃止
1833年	東インド会社の商業活動停止
1845年	シク戦争（～46年，48～49年） →北西インドの植民地化が進む（パンジャブ併合❺） →全インド植民地化完了
1857年	シパーヒーの反乱（インド大反乱，～59年） →植民地化への抵抗
1858年	東インド会社解散 →イギリス本国による直接統治 →ムガル帝国の滅亡
1877年	インド帝国成立 →ヴィクトリア女王がインド皇帝に即位

仏教の発祥とイスラームの伝播

アフガニスタン・イスラム共和国
ISLAMIC REPUBLIC OF AFGHANISTAN
パキスタン・イスラム共和国
ISLAMIC REPUBLIC OF PAKISTAN
イ
ン
INDIA
ヒンドゥークシ山脈
Hindu Kush
カラコルム山脈
Karakoram Range
スライマン山脈
Sulaiman Range
大インド（タール）砂漠
Great Indian Des.
インダス平原
Indus Plain
インダス川
Indus
アラビア海
Arabian Sea
北回帰線
デカン高原
Deccan
ヴィンディア山脈
Vindhya Range
サトプーラ山脈
Satpura Range
カブール
（カーブル）
KABUL
ムガル帝国の創始者バーブルの根拠地。
バーミアーン
Bāmiān
ガズニー
Ghazni
ガズナ朝の本拠地で、ここからインドに進出。
カイバー峠
Khyber P.
交通の要衝。中央アジアからインド北部へ入る唯一のルートにある。
2世紀～4世紀に建立されたガンダーラ様式の仏教寺院。
タフティバーイ
北西辺境州
NORTH WEST FRONTIER
スワート渓谷
ペシャーワル
PESHAWAR
プルシャプラ
イスラマバード
ISLAMABAD
ラワルピンディ
RAWALPINDI
タキシラ
ジャンム・カシミール
JAMMU AND KASHMIR
スリナガル
SRINAGAR
ラダク
LADĀKH
フンザ
Hunza
ギルギット
Gilgit
K2（チョゴリ山）
（ゴッドウィンオースティン山）
8611
ガシャーブルム山
Gasherbrum
8068
ナンガパルバット山
8126
クンジェラブ峠
Khunjerab P.
カラコルム峠
Karakoram P.
ホタン
（和田）
Hotan
ルトク（日土）
Rutog
ガル（噶爾）
Gar
1959年、ラサからダライ＝ラマ14世が移り、亡命政府を樹立。
ダラムシャラー
Dharmshala
ヒマーチャル・プラデシュ
HIMĀCHAL PRADESH
チベット仏教、ジャイナ教の聖地
カンリンボチェ
Kangrinboqê Feng
シムラ
Shimla
ナンダデヴィ山
Nanda Devi
7820
ナンダデヴィ国立公園
ウッタラカンド
UTTARAKHAND
デーラドゥーン
Dehra Dūn
パンジャブ
Punjab
パンジャブ
PUNJAB
ジェルム
Jhelum
ジェルム川
チェナブ川
ロータス城塞
マングラダム
ジャンム
Jammu
シアールコート
Sialkot
グジュラーンワーラ
GUJRĀNWĀLA
ラホール
LAHORE
ラホール城
シク教の総本山。
黄金寺院
アムリットサル
AMRITSAR
ジャランダル
Jalandhar
ルディヤーナー
LUDHIĀNA
フィローズプル
Firozpur
チャンディガル
Chandigarh
ファイサラーバード
FAISALABAD
ジャングマギアナ
Jhang Maghiana
デライスマイルハーン
Dera Ismāil Khān
ムルターン
MULTĀN
ハラッパー
Harappa
穀物倉や炉を備えた作業場などが確認される。
サトレジ川
Sutlej
バハーワルプル
Bahāwalpur
デラガージハーン
Dera Ghāzi Khān
タウンサダム
Taunsa Barrage
クエッタ
Quetta
ボラーン峠
Bolān P.
チャマン
Chaman
ムスリムバーグ
Muslimbāgh
ゾーブ
Zhob
カンダハル
Kandahār
カラート
Qalāt
カジャキダム
Kajaki D.
ヌシキ
Nushki
カラート
Kalāt
シビ
Sibi
ジャコババード
Jacobābād
グドゥダム
Guddu D.
カーンプル
Khānpur
前25世紀～前18世紀ごろに栄えた計画都市。
サッカルダム
Sukkur D.
モヘンジョ＝ダロ
サッカル
Sukkur
バルーチスタン
Balūchestān
ベーラ
Bela
シャーダドプル
Shāhdādpur
グーラームモハメッドダム
Ghulam Mohamed D.
ハイデラバード
HYDERĀBĀD
ミールプルカース
Mīrpur Khās
カラチ
KARĀCHI
タッタの歴史的建造物
100万人以上が眠るイスラーム世界最大の墓地。
シンド
Sindh
ハリヤーナ
HARYĀNA
シルサ
Sirsa
ヒサール
Hisār
バティンダ
Bhatinda
パティアーラ
Patiāla
アムバーラ
Ambāla
カルナール
Karnāl
パーニーパット
Pānipat
パーニーパット
1526年
サハーランプル
Sahāranpur
ハリドワール
Haridwār
コーベット国立公園
メーラト
MEERUT
デリー
DELHI
フマユーン廟
クトゥブ・ミナール
ロータク
Rohtak
ラーンプル
Rāmpur
ムラーダーバード
Morādābād
バレーリ
Bareilly
シャージャハーンプル
Shāhjahānpur
アリーガル
Aligarh
マトゥラ
Mathura
アグラ
AGRA
タージ＝マハル
アグラ城塞
ファテープル・シークリー
イターワ
Etāwah
カナウジ
Kannauj
ウッタル・プラデシュ
UTTAR PRADESH
バラトプル
Bharatpur
インディラ・ガンディー運河
Indira Gandhi C.
ビーカーネル
Bikāner
カーリーバンガン
シカール
Sikar
アルワル
Alwar
ラージャスターン
RĀJASTHĀN
ジャンタル・マンタル天文台
アンベール城
ケオラデオ国立公園
ジャイプル
JAIPUR
ジャイサルメール城塞
ジャイサルメール
Jaisalmer
ポカラン
Pokaran
1974年・1998年，ポカラン近郊で地下核実験。
メフランガル城塞
ジョドプル
JODHPUR
プシュカル
Pushkar
アジメール
Ajmer
亜鉛・鉛
ランプラアグチャ
Rampra Agucha
ランタンボール国立公園
トンク
Tonk
グワリオル
GWALIOR
カーンプル
KANPUR
ジャーンシー
Jhansi
マールワール
Marwār Junction
コタ
KOTA
ジャイナ教の聖地
アーブー山
ジャマールコトラ
Jhamar Kotra
ウダイプル
Udaipur
ピチョーラー湖
カジュラーホ
パンナ
Panna
ダイヤモンド
パーランプル
Pālanpur
ザワール
Zawar
マヘサーナ
Mahesāna
ガンディナガル
Gandhinagar
ドーラヴィーラー
ラクパト
Lakhpat
カッチ大湿地
Rann of Kachchh
カッチ小湿地
Little Rann of Kachchh
ブージ
Bhuj
カンドラ
Kandla
アーメダーバード
AHMADĀBĀD
ロータル
カッチ湾
G.of Kachchh
ジャームナガル
Jamnagar
ドワルカ
Dwārka
グジャラート
GUJARĀT
ラージコト
RĀJKOT
ヴァドーダラ
VADODARA
ゴドラ
Godhra
チャンパネール・パーヴァガドゥ遺跡公園
ギルナール山
ジャイナ教寺院群
ゴンダル
Gondal
バーウナガル
Bhavnagar
ポルバンダル
Porbandar
ジューナーガド
Jūnāgadh
ギル国立公園
ヴェラーヴァル
Verāval
ディウ
Diu
17世紀，ムガル帝国最大の貿易港。メッカ巡礼の拠点として繁栄。
スーラト
SŪRAT
ナブサリ
Navsāri
カンバート湾
G.of Khambhāt
ダマン
Damān
ビーナイターワ
Bina Etāwa
ラージガル
Rajgarh
サーガル
Sāgar
ラトラム
Ratlam
ウジャイン
Ujjain
ボパール
BHOPĀL
サーンチー
前3世紀～12世紀建立の仏教遺跡。
ビンベットカの洞窟群
インドール
INDORE
マッディヤ・プラデシュ
MADHYA PRADESH
ジャバルプル
JABALPUR
ナルマダ川
Narmada
ブルハンプル
Burhānpur
マハーラーシュトラ
MAHARASHTRA
ナーグプル
NAGPUR
アムラーヴァティ
Amrāvati
ワルダ
Wardha
アコラ
Akola
前1世紀～7世紀の仏教石窟寺院。
アジャンター
エローラ
仏教，ジャイナ教，ヒンドゥー教が併存する石窟遺跡。
チャンドラプル
Chandrapur
マンガン
この図の範囲

① インダス川・ガンジス川流域

1：7 800 000

0 100 200km

ランベルト正角円錐図法

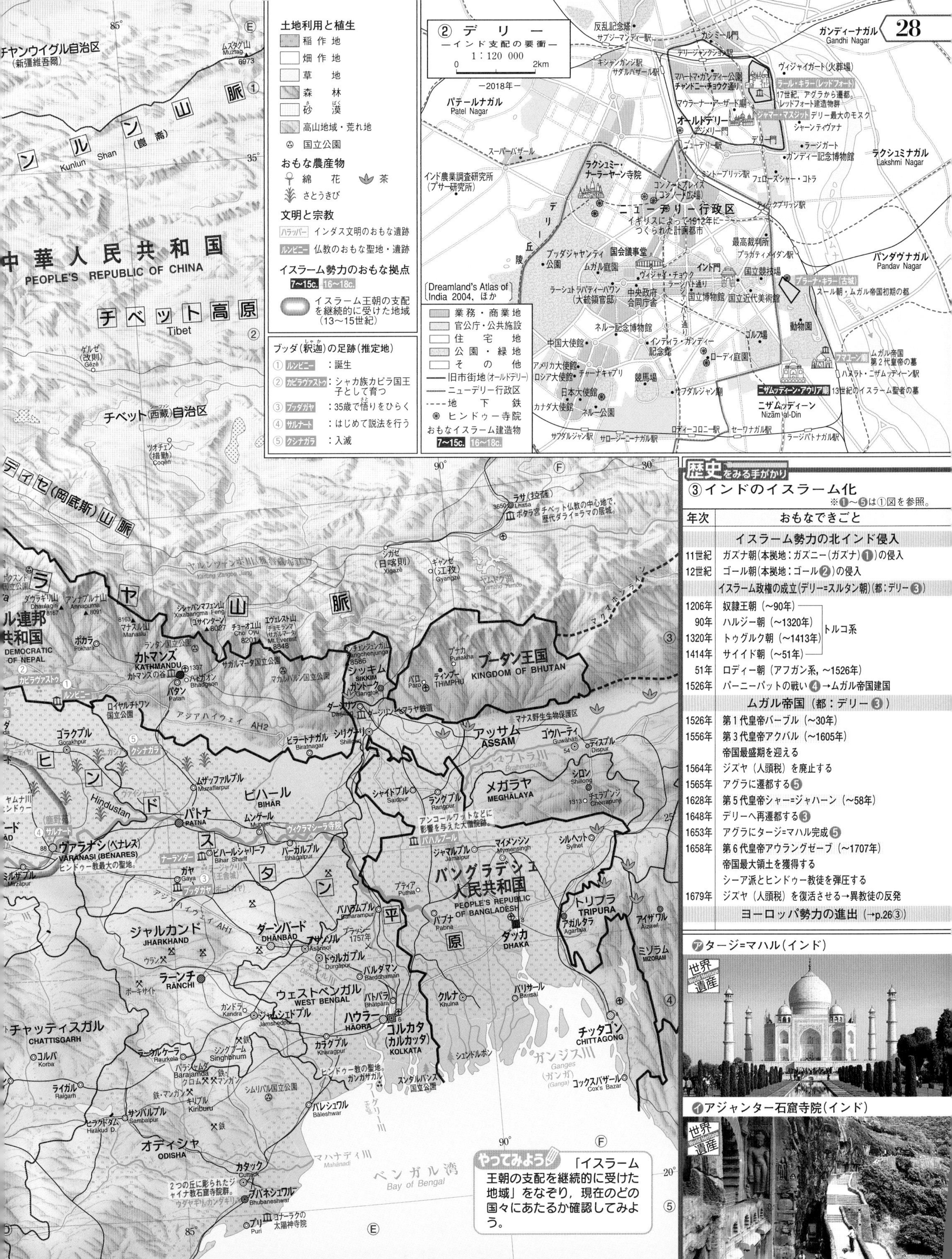

歴史をみる手がかり

③インドのイスラーム化

※❶～❺は①図を参照。

年次	おもなできごと
	イスラーム勢力の北インド侵入
11世紀	ガズナ朝（本拠地：ガズニー（ガズナ）❶）の侵入
12世紀	ゴール朝（本拠地：ゴール❷）の侵入
	イスラーム政権の成立（デリー=スルタン朝）（都：デリー❸）
1206年	奴隷王朝（～90年） トルコ系
90年	ハルジー朝（～1320年） トルコ系
1320年	トゥグルク朝（～1413年） トルコ系
1414年	サイイド朝（～51年） トルコ系
51年	ロディー朝（アフガン系，～1526年）
1526年	パーニーパットの戦い❹→ムガル帝国建国
	ムガル帝国（都：デリー❸）
1526年	第1代皇帝バーブル（～30年）
1556年	第3代皇帝アクバル（～1605年） 帝国最盛期を迎える
1564年	ジズヤ（人頭税）を廃止する
1565年	アグラに遷都する❺
1628年	第5代皇帝シャー=ジャハーン（～58年）
1648年	デリーへ再遷都する❸
1653年	アグラにタージ=マハル完成❺
1658年	第6代皇帝アウラングゼーブ（～1707年） 帝国最大領土を獲得する シーア派とヒンドゥー教徒を弾圧する
1679年	ジズヤ（人頭税）を復活させる→異教徒の反発
	ヨーロッパ勢力の進出（→p.26③）

ア タージ=マハル（インド） 世界遺産

イ アジャンター石窟寺院（インド） 世界遺産

やってみよう 「イスラーム王朝の支配を継続的に受けた地域」をなぞり，現在のどの国々にあたるか確認してみよう。

29 トルコ系民族の台頭とイスラーム世界
① 中央アジア
1：16 000 000
0 100 200 300km
正距円錐図法
土地利用と植生
耕地
灌漑地
草地・牧草地
針葉樹林
温帯林
熱帯林
砂漠
高山地域・ツンドラ
パイプライン（原油）
おもな交易路
おもな草原の道
おもなオアシスの道
王朝の興亡
トルコ系が多数派を占める国や地域
トルコ系イスラーム王朝の都
7～15c.
16～18c.
19c.～
サライ
モンゴル帝国を構成したハン国の都
1 カバルダ・バルカル共和国（ロシア）
2 北オセチア・アラニヤ共和国（ロシア）
3 イングシェチア共和国（ロシア）
4 チェチェン共和国（ロシア）
5 アブハジア自治共和国（ジョージア）
6 アジャール自治共和国（ジョージア）
7 南オセチア自治州（ジョージア）
8 ナヒチェヴァン自治共和国（アゼルバイジャン）
9 ナゴルノ・カラバフ自治州（アゼルバイジャン）
モスクワ
MOSKVA
ニジニーノヴゴロド
NIZHNIY NOVGOROD
カザン
KAZAN'
カザン＝ハン国の都がおかれた。
タタールスタン共和国
TATARSTAN
バシコルトスタン共和国
BASHKORTOSTAN
ウファ
UFA
チェリャビンスク
エカテリンブルク
ロシア
中央ロシア高地
ヴォルガ川
ヴォロネジ
VORONEZH
サマーラ
SAMARA
サラトフ
Saratov
ヴォルゴグラード
VOLGOGRAD
ヴォルガ・ドン運河
サライ
キプチャク＝ハン国の都
カスピ海沿岸低地
アストラハン
Astrakhan
アストラハン＝ハン国の都がおかれた。
ウクライナ
UKRAINE
キーウ（キエフ）
ハリコフ
KHARKIV
ドニエプロペトロフスク
ザポロージエ
オデッサ
ODESA
クリム（クリミア）半島
モルドバ共和国
REPUBLIC OF MOLDOVA
キシナウ（キシニョフ）
CHIŞINĂU
ルーマニア
ROMANIA
ブカレスト
BUCHAREST
ブルガリア共和国
REPUBLIC OF BULGARIA
ソフィア
SOFIA
黒海沿岸低地
ロストフ
ROSTOV-NA-DONU
アゾフ海
Sea of Azov
黒海
Black Sea
カルムイキア共和国
KALMYKIYA
イスタンブール
（コンスタンティノープル）
ISTANBUL
1453年 オスマン帝国
ボスポラス海峡
エディルネ
オスマン帝国の都（1361～1453年）
ブルサ
BURSA
オスマン帝国の初期の都
アンカラ
ANKARA
トルコ共和国
REPUBLIC OF TURKEY
小アジア
Asia Minor
ポントス山脈
アナトリア高原
Anatolia
コンヤ
KONYA
ルーム＝セルジューク朝の都（11世紀末～1308年）
トロス山脈
イズミル
İZMİR
アンタルヤ
ANTALYA
カイセリ
KAYSERI
アダナ
ADANA
ガジアンテップ
GAZIANTEP
ディヤルバクル
DIYARBAKIR
キプロス共和国
REPUBLIC OF CYPRUS
ニコシア
NICOSIA
地中海
MEDITERRANEAN SEA
カフカス山脈
ジョージア
GEORGIA
トビリシ
T'BILISI
アルメニア共和国
REPUBLIC OF ARMENIA
エレバン
YEREVAN
アゼルバイジャン共和国
REPUBLIC OF AZERBAIJAN
バクー
BAKU
ダゲスタン共和国
DAGESTAN
カスピ海
Caspian Sea
タブリーズ
TABRIZ
イル＝ハン国の都
チャルディラーンの戦い（1514年）
1971年、ラムサール条約締結。
エルブールズ山脈
テヘラン
カラジ
ダマーヴァンド山
Col. Damavand
5670
イラン・イスラム共和国
ISLAMIC REPUBLIC OF IRAN
ペルシア
Persia
カヴィール砂漠
Das. Kavīr
ルート砂漠
Das. Lūt
イラン高原
Plat. of Iran
ザグロス山脈
Kūh. Zagros
イスファハーン
EŞFAHĀN
サファヴィー朝の都。1597年～18世紀にかけて繁栄。
シーラーズ
SHIRAZ
マシュハド
MASHHAD
ニーシャープール
セルジューク朝の中心都市の一つ。
ホラサーン
Khorāsān
ケルマーン
Kermān
イラク共和国
REPUBLIC OF IRAQ
バグダッド
BAGHDAD
1055年、セルジューク朝のトゥグリル＝ベグが入城。
メソポタミア
Mesopotamia
モスル
MOSUL
バスラ
AL BAŞRAH
シリア・アラブ共和国
SYRIAN ARAB REPUBLIC
ダマスカス
DAMASCUS
ハラブ
HALAB
シリア砂漠
Syrian Des.
レバノン共和国
LEBANESE REPUBLIC
ベイルート
BEIRUT
イスラエル国
STATE OF ISRAEL
エルサレム
JERUSALEM
ヨルダン・ハシェミット王国
HASHEMITE KINGDOM OF JORDAN
アンマン
AMMAN
エジプト・アラブ共和国
ARAB REPUBLIC OF EGYPT
アレクサンドリア
ALEXANDRIA
カイロ
CAIRO
マムルーク朝の都
ギーザ
AL GIZAH
ポートサイド
スエズ
シナイ半島
Sinai
ナイル川
Nile
紅海
Red Sea
アスワン
Aswan
アスワンハイダム
Aswan High D.
ナセル湖
ルクソール
Luxor
クウェート国
STATE OF KUWAIT
クウェート
ネフド砂漠
（ナフード）
An Nafūd
サウジアラビア王国
KINGDOM OF SAUDI ARABIA
ヒジャーズ
Hijaz
アラビア高原
Arabian Plat.
ナジュド
Najd
リヤド
RIYADH
メッカ（マッカ）
MECCA（MAKKAH）
メディナ（マディーナ）
MEDINA（AL MADĪNAH）
ジッダ
JIDDAH
アラビア半島
Arabian Pen.
ダフナ砂漠
ルブアルハリ砂漠
Ar Rub' al Khālī
北回帰線
ペルシア湾（アラビア湾）
Persian Gulf
バーレーン王国
KINGDOM OF BAHRAIN
マナーマ
MANAMA
カタール国
STATE OF QATAR
ドーハ
DOHA
アラブ首長国連邦
UNITED ARAB EMIRATES
アブダビ
ABU DHABI
ドバイ
DUBAYY
ホルムズ海峡
Str. of Hormuz
オマーン湾
G. of Oman
オマーン国
SULTANATE OF OMAN
マスカット
MUSCAT
オマーン（飛地）
トルクメニスタン
TURKMENISTAN
アシガバット
ASHGABAT
カラクーム砂漠
Pes. Karakumy
カラカルパクスタン共和国
QORAQALPOG'ISTON
アラル海
Aral'skoye More
1960年の湖岸線
ウスチュルト台地
Plato Ustyurt
ウルゲンチ
ホラズム＝シャー朝の都
ヒヴァ＝ハン国の都
カザフスタン
中央アジア
Central Asia
アティラウ
アクトベ（アクチュビンスク）
オラル
オルスク

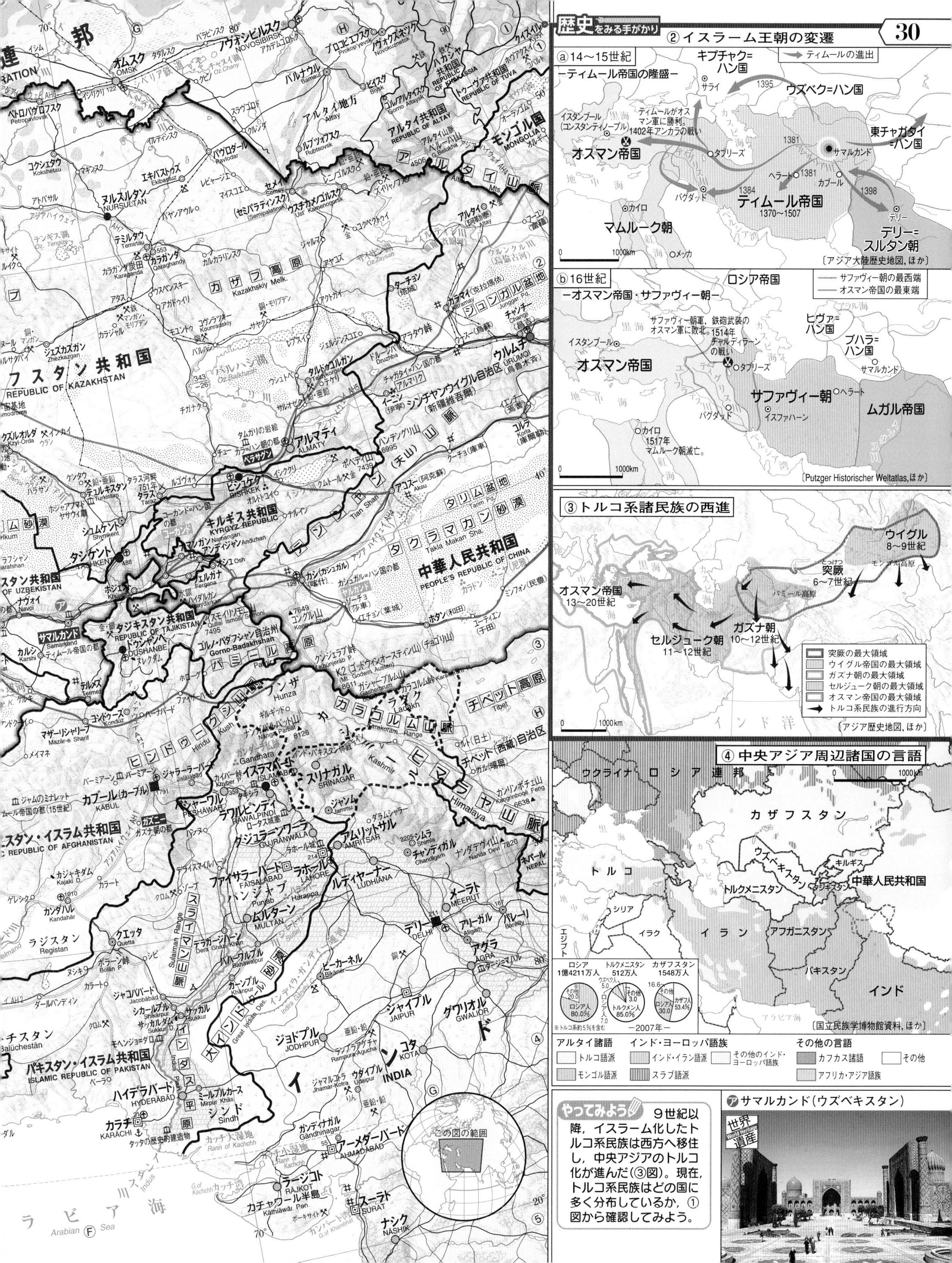

歴史をみる手がかり
30
② イスラーム王朝の変遷
ⓐ 14～15世紀
－ティムール帝国の隆盛－
ティムールの進出
キプチャク＝ハン国
サライ
1395
ウズベク＝ハン国
イスタンブール（コンスタンティノープル）
ティムールがオスマン軍に勝利。1402年アンカラの戦い
オスマン帝国
タブリーズ
1381
サマルカンド
東チャガタイ＝ハン国
ヘラート
1381
カブール
1384
バグダッド
ティムール帝国
1370～1507
1398
デリー
カイロ
マムルーク朝
メッカ
デリー＝スルタン朝
0 1000km
〔アジア大陸歴史地図，ほか〕
ⓑ 16世紀
－オスマン帝国・サファヴィー朝－
ロシア帝国
サファヴィー朝の最西端
オスマン帝国の最東端
黒海
サファヴィー朝軍，鉄砲武装のオスマン軍に敗北。1514年チャルディラーンの戦い
ヒヴァ＝ハン国
ブハラ＝ハン国
イスタンブール
オスマン帝国
タブリーズ
サマルカンド
サファヴィー朝
ヘラート
バグダッド
イスファハーン
ムガル帝国
カイロ
1517年マムルーク朝滅亡。
0 1000km
〔Putzger Historischer Weltatlas, ほか〕
③ トルコ系諸民族の西進
ウイグル 8～9世紀
突厥 6～7世紀
モンゴル高原
パミール高原
オスマン帝国 13～20世紀
ガズナ朝 10～12世紀
セルジューク朝 11～12世紀
突厥の最大領域
ウイグル帝国の最大領域
ガズナ朝の最大領域
セルジューク朝の最大領域
オスマン帝国の最大領域
トルコ系民族の進行方向
インド洋
0 1000km
〔アジア歴史地図，ほか〕
④ 中央アジア周辺諸国の言語
ウクライナ
ロシア連邦
カザフスタン
ウズベキスタン
キルギス
タジキスタン
中華人民共和国
トルコ
トルクメニスタン
シリア
イラク
イラン
アフガニスタン
パキスタン
インド
エジプト
0 1000km
ロシア 1億4211万人
トルクメニスタン 512万人
カザフスタン 1548万人
その他 20.0
ロシア人 80.0%
ウズベク人 5.0
ロシア人 7.0
その他 3.0
トルクメン人 85.0%
その他 16.6
ロシア人 30.0
カザフ人 53.4%
※トルコ系約5％を含む
－2007年－
〔国立民族学博物館資料，ほか〕
アルタイ諸語
トルコ語派
モンゴル語派
インド・ヨーロッパ語族
インド・イラン語派
スラブ語派
その他のインド・ヨーロッパ語族
その他の言語
カフカス諸語
アフリカ・アジア語族
その他
やってみよう
9世紀以降，イスラーム化したトルコ系民族は西方へ移住し，中央アジアのトルコ化が進んだ（③図）。現在，トルコ系民族はどの国に多く分布しているか，①図から確認してみよう。
ア サマルカンド（ウズベキスタン）
世界遺産
カザフスタン共和国
REPUBLIC OF KAZAKHSTAN
キルギス共和国
KYRGYZ REPUBLIC
タジキスタン共和国
REPUBLIC OF TAJIKISTAN
中華人民共和国
PEOPLE'S REPUBLIC OF CHINA
パキスタン・イスラム共和国
ISLAMIC REPUBLIC OF PAKISTAN
インド
INDIA
アルマティ
ビシュケク
タシケント
サマルカンド
ドゥシャンベ
イスラマバード
カブール
デリー
カラチ
ヌルスルタン
カザフ高原
タクラマカン砂漠
テンシャン山脈
カラコルム山脈
ヒマラヤ山脈
ヒンドゥークシ山脈
パミール高原
アラビア海

① オリエント
1：8 000 000
0 100 200km
正距円錐図法
稲作地
耕地
灌漑地
草地
森林
砂漠・荒れ地
小麦
綿花
なつめやし
おもな油田
ダヴィデ王・ソロモン王時代のヘブライ王国の領域（推定）（前1000年ごろ～前922年ごろ）
モーセの「出エジプト」ルート（推定）（前13世紀ごろ）
古代のおもな国の都・中心都市
メンフィス エジプト・メソポタミア文明（～前6世紀）
エルサレム フェニキア人，アラム人，ヘブライ人，ペルシア人，ギリシャ人など（前15世紀～前5世紀）
セレウキア ヘレニズム期以降（前4世紀～6世紀）
この図の範囲
黒海
Black Sea
地中海
MEDITERRANEAN SEA
紅海
Red Sea
トルコ共和国
REPUBLIC OF TURKEY
小アジア
Asia Minor
アナトリア高原
クゼイアナドール山脈
トロス山脈
カッパドキア
Cappadocia
アナトリア（ルーム）
Anatolia
イスタンブール
İSTANBUL
アンカラ
ANKARA
ブルサ
BURSA
イズミル
İZMİR
コンヤ
KONYA
カイセリ
KAYSERİ
アダナ
ADANA
ガジアンテップ
GAZİANTEP
ディヤルバクル
DIYARBAKIR
サムスン
Samsun
トラブゾン
Trabzon
エルズルム
Erzurum
マラティヤ
Malatya
メルシン（イチェル）
アンタルヤ
Antalya
デニズリ
Denizli
ボスポラス海峡
Bosporus
マルマラ海
Marmara Denizi
トロイ
ペルガモン
サルデス
エフェソス
ミレトス
ハットゥシャ
ヒッタイトの都
リュディア王国の都（前7世紀～前546年）
マンジケルト 1071年
キプロス共和国
REPUBLIC OF CYPRUS
キプロス島
Cyprus
ニコシア
NICOSIA
クレタ島
Kriti
ロードス島
Rodos
シリア・アラブ共和国
SYRIAN ARAB REPUBLIC
ダマスカス
DAMASCUS
アラム人の王国。交易活動の中心地。
ハラブ
HALAB
アレッポ
メソポタミアへの隊商路の起点。
ハマー
HAMĀH
ヒムス（ホムス）
HIMS
ラッカ
AR RAQQAH
デイルアッズール
DAYR AZ-ZAWR
パルミラ（タドムル）
2・3世紀ごろ東西貿易で栄えたオアシス都市。
ドゥラ＝エウロポス
ユーフラテス川
Euphrates
ラージキーヤ（ラタキーア）
AL LĀDHIQĪYAH (LATAKIA)
ウガリト
カデシュ 前1286年頃
アンティオキア
セレウコス朝の都。
アンタキヤ（ハタイ）
イドリブ
IDLIB
カルケミシュ（前605年）
エデッサ（260年）
ハランエ（前53年）
ハサカ
AL HASAKAH
アッシリアの都。（前8世紀～）
シリア砂漠
Syrian Des.
レバノン共和国
LEBANESE REPUBLIC
ベイルート
BEIRUT
ビブロス
フェニキア文字の最古の碑文。
シドン
ティルス
フェニキア人の交易の中心都市。
ゴラン高原
イスラエル国
STATE OF ISRAEL
テルアヴィヴ
Tel Aviv-Yafo
エルサレム
JERUSALEM
ヘブライ王国・ユダ王国の都。
パレスチナ自治区
ガザ
ヘブロン
死海
ネゲヴ
Negev
ヨルダン・ハシェミット王国
HASHEMITE KINGDOM OF JORDAN
アンマン
AMMAN
ペトラ
ナバテア人の交易都市。
アカバ
イラク共和国
REPUBLIC OF
トランスアラビアンパイプライン（タップライン）（送油停止中）
サウジアラビア王国
KINGDOM OF SAUDI ARABIA
ネフド砂漠（ナフード）
An Nafūd
アラビア半島
Arabian Pen.
ヒジャーズ
ナジュド
アラビア高原
Arabian Plat.
メディナ
MEDINA
ヤスリブ
ジョウフ
Al Jawf
タブーク
Tabūk
エジプト・アラブ共和国
ARAB REPUBLIC OF EGYPT
カイロ（カーヒラ）
CAIRO
ギーザ
AL GĪZA
メンフィス
古王国の都。
アレクサンドリア
ALEXANDRIA
アレクサンドロスの遠征により建設された。プトレマイオス朝の都。
マンスーラの戦い（1221年・1250年）
下エジプト
ポートサイド
Port Said
スエズ
Suez
シナイ半島
Sinai
シナイ山
アマルナ
新王国・アメンホテプ4世時代の都。（前14世紀）
テーベ
中・新王国の都。
ルクソル
Luxor
王家の谷
アスワン
Aswān
アスワンハイダム
ナイル川
Nile
上エジプト
リビア高地
Libyan Plat.
カッタラ窪地
Qattāra Dep.
シャルキヤ砂漠

「肥沃な三日月地帯」と古代オリエントの変遷
② 古代オリエントの変遷
ⓐ 前16〜前11世紀 ーヒッタイト・カッシート・ミタンニ・新王国エジプトによる覇権争いー
ミケーネ文明
ヒッタイトの勢力範囲
ミタンニの勢力範囲
カッシートの勢力範囲
エジプトの勢力範囲
黒海
カスピ海
地中海
ハットゥシャ
ヒッタイト
ミタンニ
アッシリア
カッシート
バビロン
ミケーネ
クノッソス
ビブロス
シドン
ティルス
メンフィス
アマルナ
テーベ
エジプト
アラム人
アラビア半島
現在の海岸線
アラム人の進出
「海の民」の進出
フェニキア人の進出
0 500km
ⓑ 前7〜前6世紀 ーアッシリアによる統一と四王国分裂ー
アッシリアの最大領域(前660年ごろ)
ビュザンティオン
リュディア王国
サルデス
カルケミシュ 前605年
ニネヴェ
アッシュール
エクバタナ
メディア王国
バクトラ
新バビロニア王国
サイス
エルサレム
バビロン
スーサ
バビロン捕囚 前586年〜前538年
前586年 ユダ王国滅亡
エジプト(第26王朝)
前600年ごろの四王国
新バビロニア王国
メディア王国
リュディア王国
エジプト
ⓒ 前6〜前5世紀前半 ーアケメネス朝による統一ー
トラキア
スキタイ人
アテネ
サルデス
ミレトス
リュディア
フリギア
キリキア
アルメニア
ソグディアナ
バクトリア
ニネヴェ
エクバタナ
アケメネス朝ペルシア
ペセストゥーン
バビロニア
ティルス
サイス
メンフィス
バビロン
スーサ
ペルシス
ペルセポリス
成立期のペルシアの領土
ダレイオス1世の時代の領域(前500年ごろ)
王の道(約2400km,111の宿駅)
〔Putzger Historischer Weltatlas〕
やってみよう 古代より文明が栄えたメソポタミア・エジプトの自然環境のようすを,大河と灌漑地の広がりに注目しながらみてみよう。
トルクメニスタン TURKMENISTAN
アゼルバイジャン共和国 REPUBLIC OF AZERBAIJAN
アルメニア共和国 REPUBLIC OF ARMENIA
エレバン YEREVAN
バクー BAKU
バクー油田
城塞都市
カスピ海 Caspian Sea
タブリーズ TABRIZ
チャルディラーン 1514年
ウルミエ
ラシュト Rasht
エルブールズ山脈 Reshteh-ye Alborz
ダマヴァンド山 5670
テヘラン TEHRAN
カラジ KARAJ
イラン・イスラム共和国 ISLAMIC REPUBLIC OF IRAN
ハマダーン Hamadān
エクバタナ メディアの都(前8世紀末〜前550年)
コム QOM
カヴィール砂漠 Das. Kavīr
セムナーン Semnān
ケルマンシャー Kermānshāh
ニハーヴァンド アラブ軍がササン朝を(642年)破りペルシアを占領。
ザグロス山脈 Kūh-hā-ye Zāgros
イスファハーン ESFAHĀN
イラン高原 Plat. of Iran
ペルシア Persia
バグダッド BAGHDAD
クテシフォン パルティア王国・ササン朝ペルシアの都。
バビロン バビロン第一王朝,新バビロニア王国の都。
ジャルモ 人類最古の農耕集落。
スーサ アケメネス朝ペルシアの都。
シュメール人の都市国家。ギルガメシュ王を輩出。
ウルク
ウル
エリドゥ
ラガシュ
バスラ AL BASRAH
アフワーズ AHVĀZ
アバダン Ābādān
前24〜前6世紀ごろの海岸線
パサルガダエ
アケメネス朝ペルシアの王宮跡
ペルセポリス
シーラーズ SHĪRĀZ
ファルス Fārs
クウェート国 STATE OF KUWAIT
ペルシア湾(アラビア湾) Persian Gulf
バーレーン王国 KINGDOM OF BAHRAIN
マナーマ MANAMA
カタール国 STATE OF QATAR
ドーハ DOHA
ダフナー砂漠 Ad Dahnā'
リヤド RIYADH
ルブアルハリ砂漠 Ar Rub'al Khālī
アラブ首長国連邦 UNITED ARAB EMIRATES
アブダビ ABU DHABI
ドバイ DUBAYY
ホルムズ海峡 Str. of Hormuz
オマーン(飛地) OMAN
オマーン湾 G. of Oman
オマーン国 SULTANATE OF OMAN
マスカット MUSCAT
北回帰線
バンダレアッバース Bandar-e 'Abbās

33 今も攻防の続く聖書の舞台

エルサレム旧市街

―三大宗教の聖地―

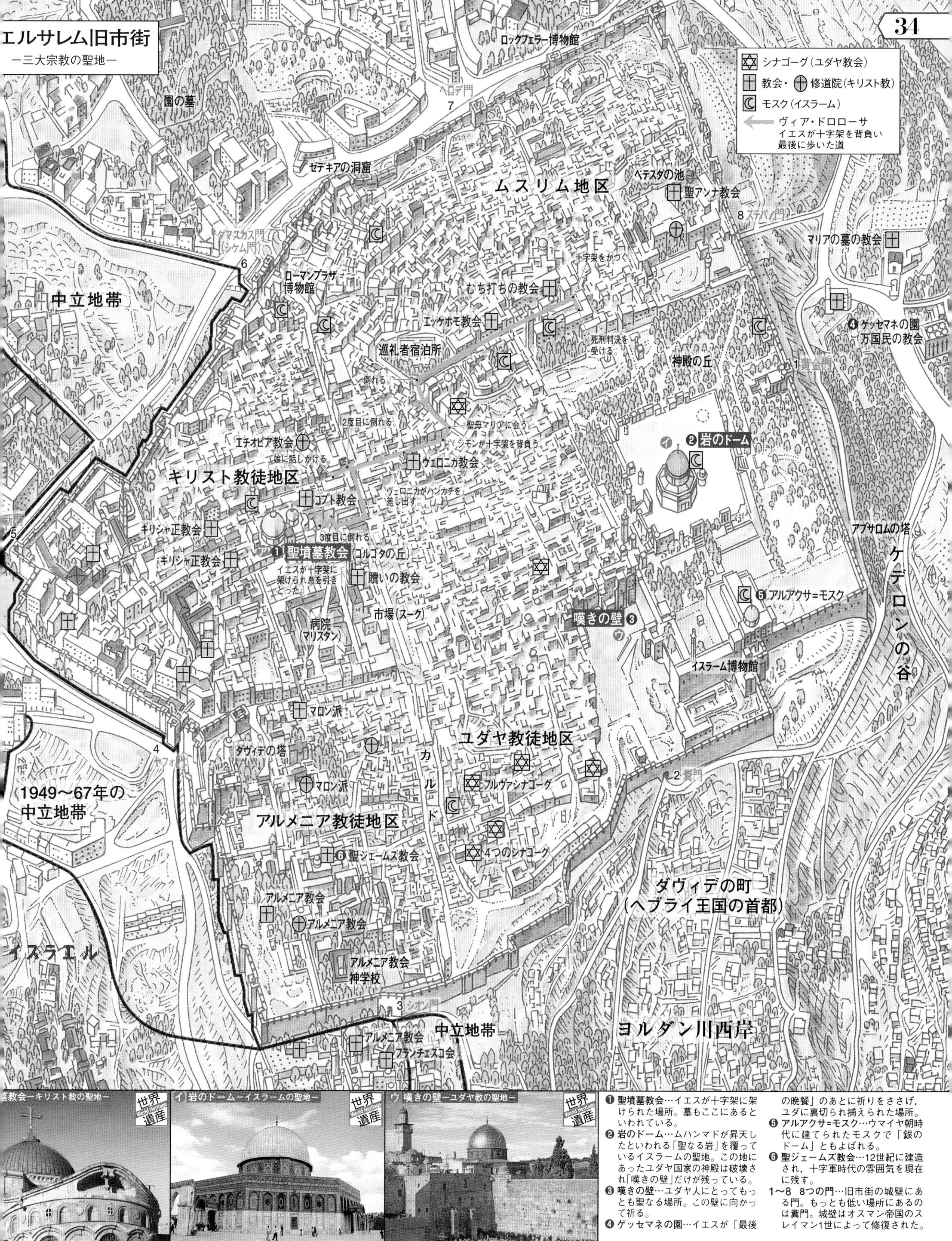

ア 聖墳墓教会―キリスト教の聖地―

イ 岩のドーム―イスラームの聖地―

ウ 嘆きの壁―ユダヤ教の聖地―

❶ **聖墳墓教会**…イエスが十字架に架けられた場所。墓もここにあるといわれている。

❷ **岩のドーム**…ムハンマドが昇天したといわれる「聖なる岩」を覆っているイスラームの聖地。この地にあったユダヤ国家の神殿は破壊され「嘆きの壁」だけが残っている。

❸ **嘆きの壁**…ユダヤ人にとってもっとも聖なる場所。この壁に向かって祈る。

❹ **ゲッセマネの園**…イエスが「最後の晩餐」のあとに祈りをささげ，ユダに裏切られ捕えられた場所。

❺ **アルアクサ=モスク**…ウマイヤ朝時代に建てられたモスクで「銀のドーム」ともよばれる。

❻ **聖ジェームズ教会**…12世紀に建造され，十字軍時代の雰囲気を現在に残す。

1～8　8つの門…旧市街の城壁にある門。もっとも低い場所にあるのは糞門。城壁はオスマン帝国のスレイマン1世によって修復された。

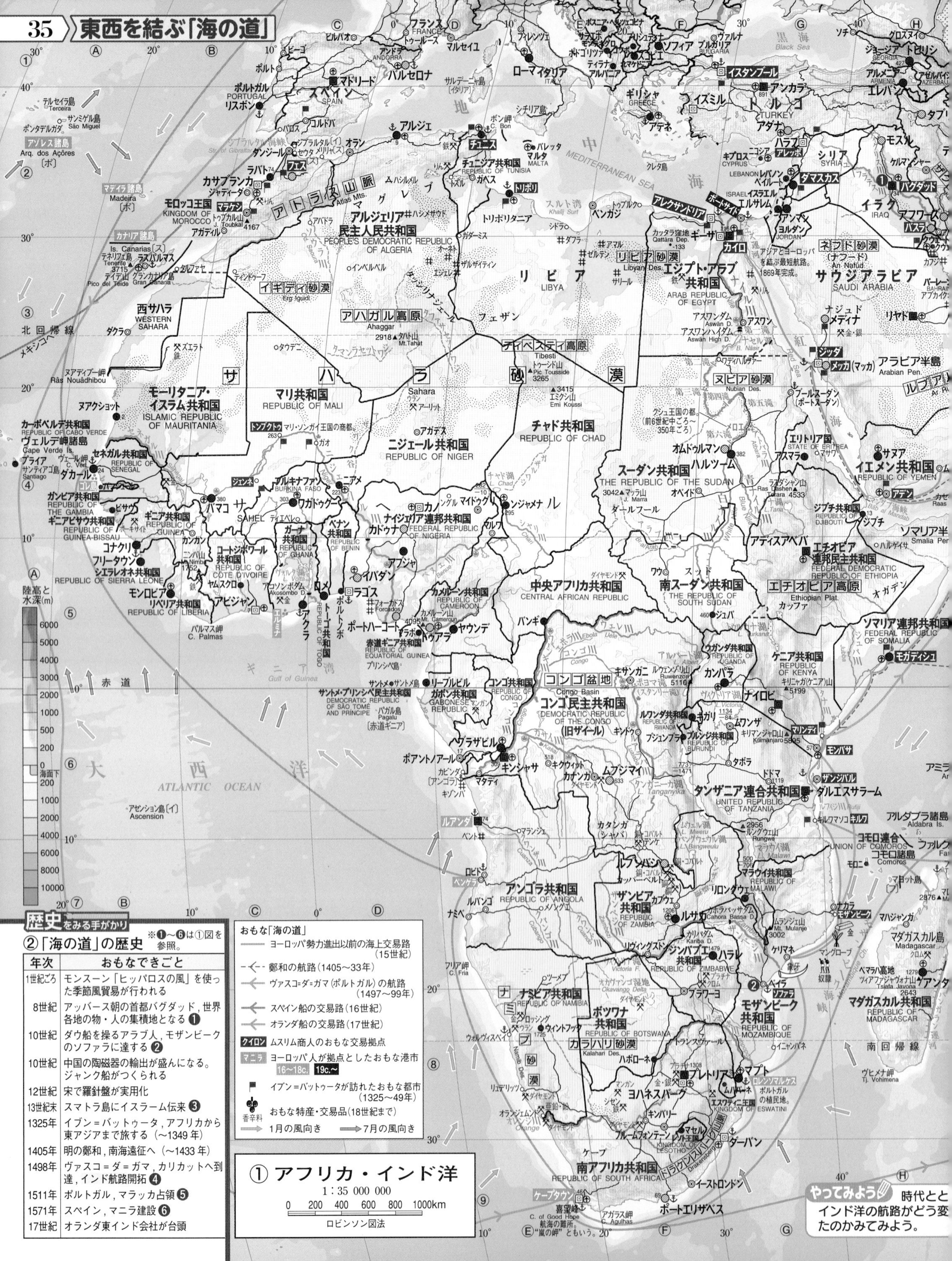

歴史をみる手がかり

②「海の道」の歴史

※❶～❻は①図を参照。

年次	おもなできごと
1世紀ごろ	モンスーン「ヒッパロスの風」を使った季節風貿易が行われる
8世紀	アッバース朝の首都バグダッド，世界各地の物・人の集積地となる ❶
10世紀	ダウ船を操るアラブ人，モザンビークのソファラに達する ❷
10世紀	中国の陶磁器の輸出が盛んになる。ジャンク船がつくられる
12世紀	宋で羅針盤が実用化
13世紀末	スマトラ島にイスラーム伝来 ❸
1325年	イブン＝バットゥータ，アフリカから東アジアまで旅する（～1349年）
1405年	明の鄭和，南海遠征へ（～1433年）
1498年	ヴァスコ＝ダ＝ガマ，カリカットへ到達，インド航路開拓 ❹
1511年	ポルトガル，マラッカ占領 ❺
1571年	スペイン，マニラ建設 ❻
17世紀	オランダ東インド会社が台頭

ア ダウ船 釘を使わないアラブの木造帆船。ムスリム商人はモンスーンを利用してインド洋を往来した。現在もペルシア湾岸で使われている。

イ ジャンク船 中国の伝統的な木造帆船。大河や運河を通じた国内の交易や南海交易に活躍した。現在も中国沿岸や河川で使われている。

ウ ガレオン船(複製) ヨーロッパの帆船。16世紀半ばから18世紀ごろまで活躍した。積載量が多く大型商船・軍艦として運用された。

イスラーム世界の成立と発展

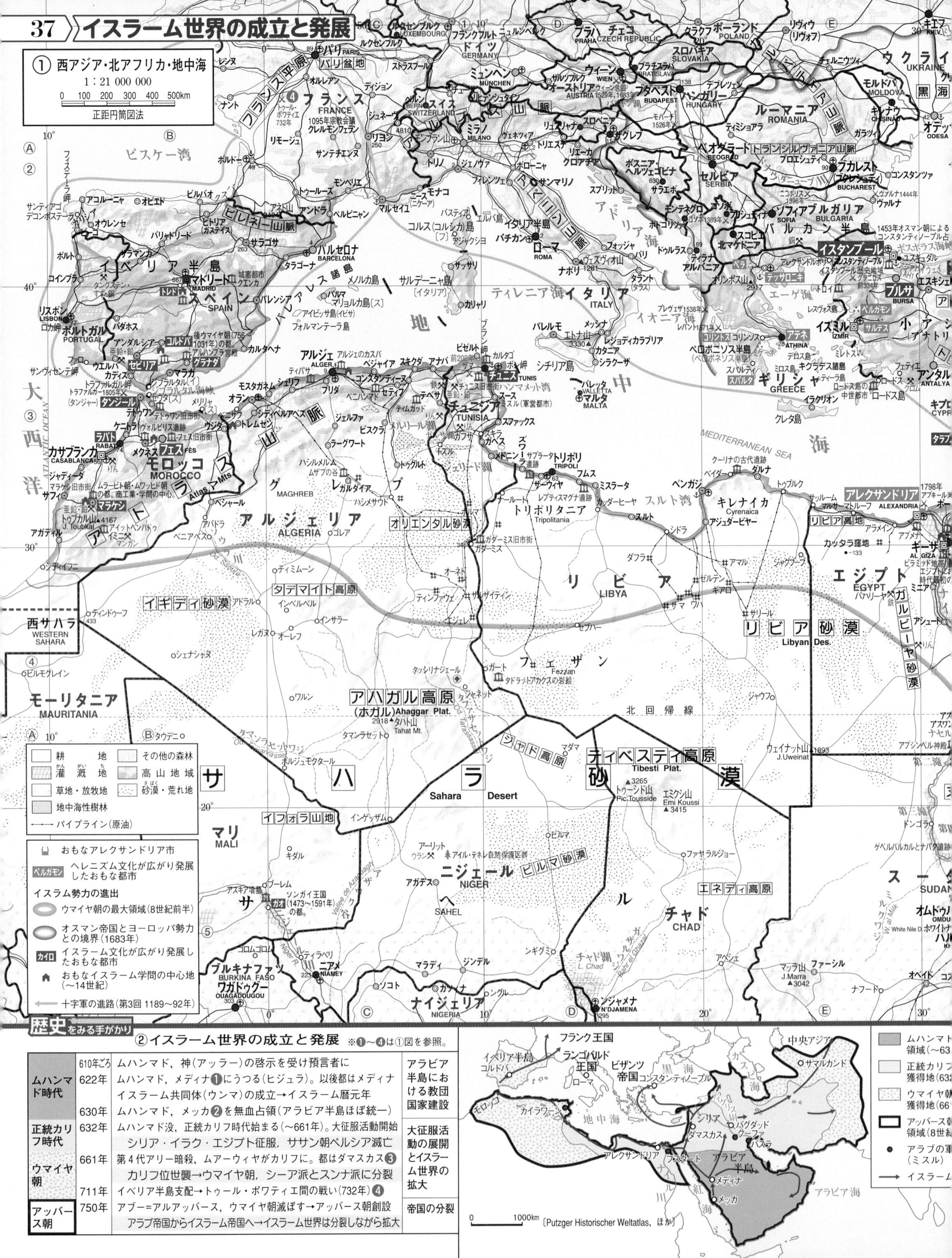

歴史をみる手がかり

②イスラーム世界の成立と発展

※❶〜❹は①図を参照。

ムハンマド時代	610年ごろ	ムハンマド，神(アッラー)の啓示を受け預言者に	アラビア半島における教団国家建設
	622年	ムハンマド，メディナ❶にうつる(ヒジュラ)。以後都はメディナ	
		イスラーム共同体(ウンマ)の成立→イスラーム暦元年	
	630年	ムハンマド，メッカ❷を無血占領(アラビア半島ほぼ統一)	
正統カリフ時代	632年	ムハンマド没，正統カリフ時代始まる(〜661年)。大征服活動開始	大征服活動の展開とイスラーム世界の拡大
		シリア・イラク・エジプト征服，ササン朝ペルシア滅亡	
ウマイヤ朝	661年	第4代アリー暗殺，ムアーウィヤがカリフに。都はダマスカス❸	
		カリフ位世襲→ウマイヤ朝，シーア派とスンナ派に分裂	
	711年	イベリア半島支配→トゥール・ポワティエ間の戦い(732年)❹	
アッバース朝	750年	アブー=アルアッバース，ウマイヤ朝滅ぼす→アッバース朝創設	帝国の分裂
		アラブ帝国からイスラーム帝国へ→イスラーム世界は分裂しながら拡大	

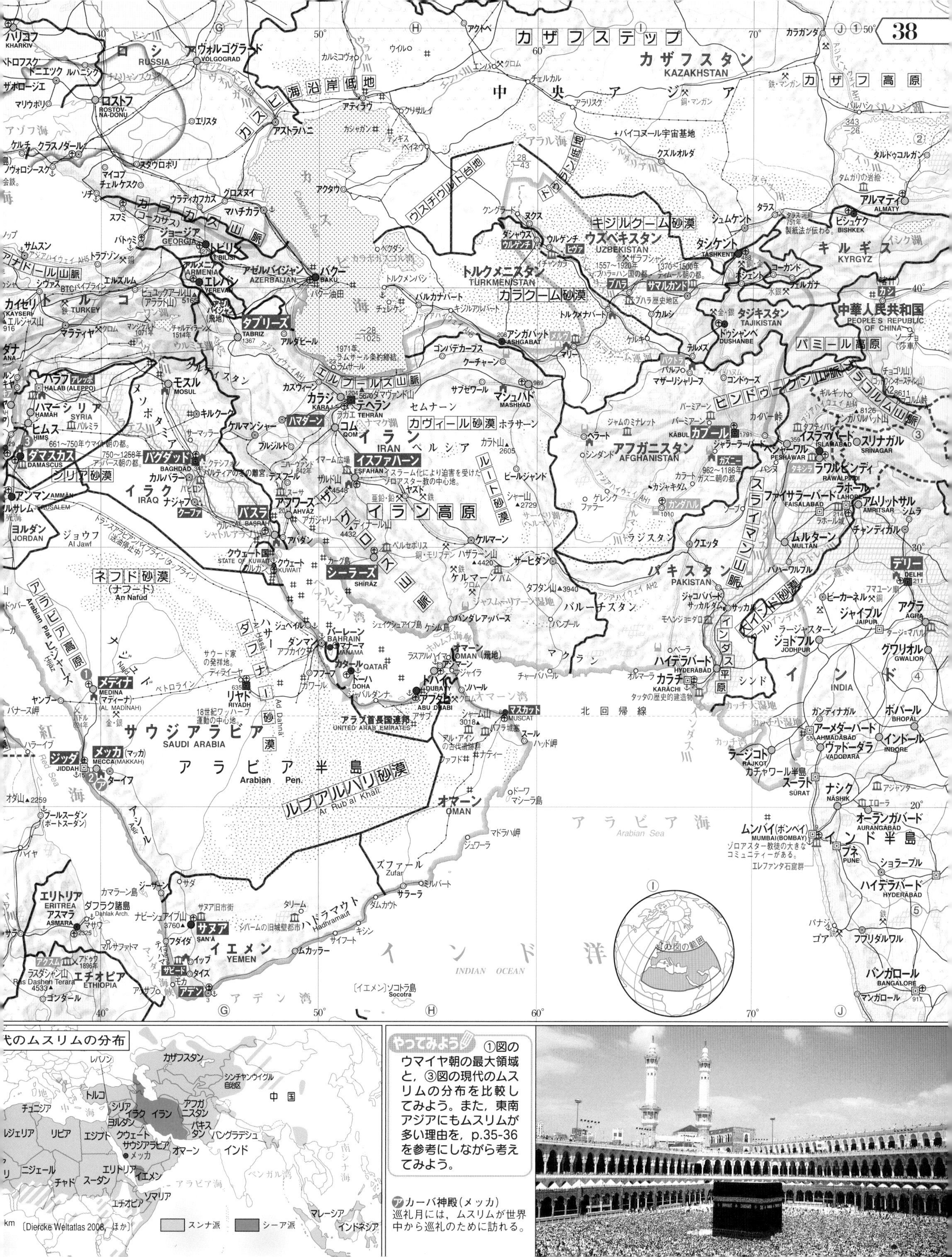

やってみよう ①図のウマイヤ朝の最大領域と，③図の現代のムスリムの分布を比較してみよう。また，東南アジアにもムスリムが多い理由を，p.35-36を参考にしながら考えてみよう。

Ⓐカーバ神殿(メッカ)
巡礼月には，ムスリムが世界中から巡礼のために訪れる。

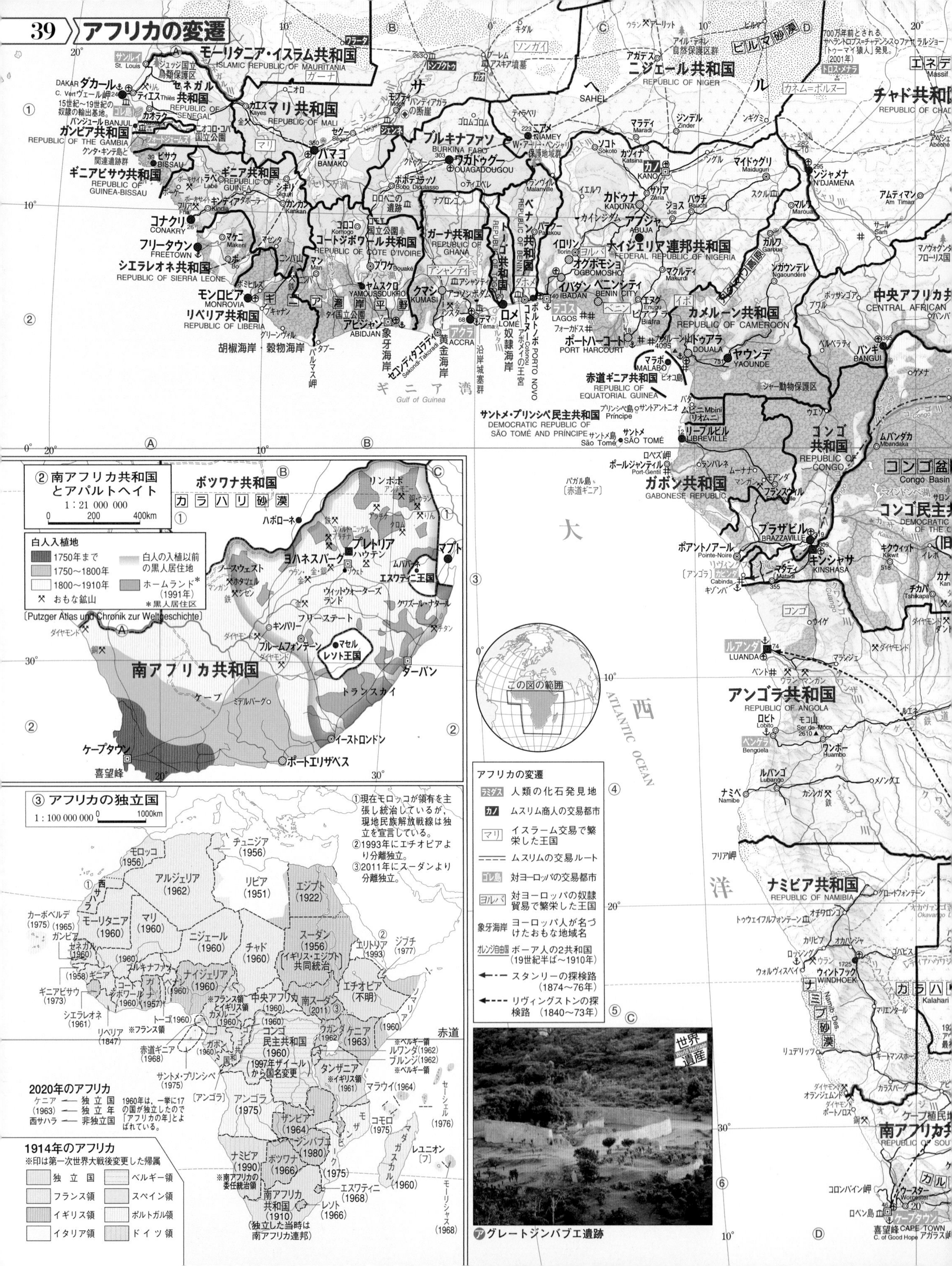

39 アフリカの変遷
モーリタニア・イスラム共和国
ISLAMIC REPUBLIC OF MAURITANIA
ニジェール共和国
REPUBLIC OF NIGER
チャド共和国
REPUBLIC OF CHAD
ビルマ砂漠
サヘル
700万年前とされる、サヘラントロプス=チャデンシス「トゥーマイ猿人」発見。(2001年)
アイル・テネレ自然保護区
アガデス
アガデス
ダカール
DAKAR
セネガル共和国
REPUBLIC OF SENEGAL
15世紀～19世紀の奴隷の輸出基地。
ジュッジ国立鳥類保護区
マリ共和国
REPUBLIC OF MALI
バンディアガラの断崖
ブルキナファソ
BURKINA FASO
ワガドゥーグー
OUAGADOUGOU
ガンビア共和国
REPUBLIC OF THE GAMBIA
クンタ・キンテ島と関連遺跡群
ビサウ
BISSAU
ギニアビサウ共和国
REPUBLIC OF GUINEA-BISSAU
ギニア共和国
REPUBLIC OF GUINEA
バマコ
BAMAKO
ニアメ
NIAMEY
W・アーリ・ペンジャリ保護地域群
ンジャメナ
N'DJAMENA
コナクリ
CONAKRY
フリータウン
FREETOWN
シエラレオネ共和国
REPUBLIC OF SIERRA LEONE
モンロビア
MONROVIA
リベリア共和国
REPUBLIC OF LIBERIA
コートジボワール共和国
REPUBLIC OF CÔTE D'IVOIRE
ヤムスクロ
YAMOUSSOUKRO
アビジャン
ABIDJAN
ガーナ共和国
REPUBLIC OF GHANA
クマシ
KUMASI
アクラ
ACCRA
トーゴ共和国
ロメ
LOMÉ
ベナン共和国
REPUBLIC OF BENIN
ポルトノボ
PORTO NOVO
コトヌー
ナイジェリア連邦共和国
FEDERAL REPUBLIC OF NIGERIA
アブジャ
ABUJA
カドゥナ
KADUNA
カノ
KANO
イバダン
IBADAN
オグボモショ
OGBOMOSHO
ベニンシティ
BENIN CITY
ラゴス
LAGOS
ポートハーコート
PORT HARCOURT
カメルーン共和国
REPUBLIC OF CAMEROON
ドゥアラ
DOUALA
ヤウンデ
YAOUNDE
マラボ
MALABO
赤道ギニア共和国
REPUBLIC OF EQUATORIAL GUINEA
サントメ・プリンシペ民主共和国
DEMOCRATIC REPUBLIC OF SÃO TOMÉ AND PRÍNCIPE
サントメ
SÃO TOMÉ
中央アフリカ共和国
CENTRAL AFRICAN
バンギ
BANGUI
リーブルビル
LIBREVILLE
ガボン共和国
GABONESE REPUBLIC
コンゴ共和国
REPUBLIC OF CONGO
コンゴ盆地
Congo Basin
コンゴ民主共和国
ブラザビル
BRAZZAVILLE
キンシャサ
KINSHASA
ポアントノアール
Pointe-Noire
ギニア湾岸平野
胡椒海岸・穀物海岸
象牙海岸
黄金海岸
奴隷海岸
ギニア湾
Gulf of Guinea
大西洋
ATLANTIC OCEAN
アンゴラ共和国
REPUBLIC OF ANGOLA
ルアンダ
LUANDA
ベンゲラ
ナミビア共和国
REPUBLIC OF NAMIBIA
ウィントフック
WINDHOEK
ナミブ砂漠
カラハリ
ケープタウン
CAPE TOWN
喜望峰
C. of Good Hope
南アフリカ共和国
② 南アフリカ共和国とアパルトヘイト
1：21 000 000
白人入植地
1750年まで
1750～1800年
1800～1910年
白人の入植以前の黒人居住地
ホームランド*(1991年)
*黒人居住区
おもな鉱山
〔Putzger Atlas und Chronik zur Weltgeschichte〕
ボツワナ共和国
カラハリ砂漠
ハボローネ
プレトリア
ヨハネスバーグ
マプト
エスワティニ王国
キンバリー
ブルームフォンテーン
マセル
レソト王国
ダーバン
トランスカイ
イーストロンドン
ポートエリザベス
ケープタウン
喜望峰
南アフリカ共和国
③ アフリカの独立国
1：100 000 000
①現在モロッコが領有を主張し統治しているが、現地民族解放戦線は独立を宣言している。
②1993年にエチオピアより分離独立。
③2011年にスーダンより分離独立。
モロッコ(1956)
チュニジア(1956)
アルジェリア(1962)
リビア(1951)
エジプト(1922)
モーリタニア(1960)
マリ(1960)
ニジェール(1960)
チャド(1960)
スーダン(1956)〔イギリス・エジプト共同統治〕
エリトリア(1993)
ジブチ(1977)
ナイジェリア(1960)
エチオピア〔不明〕
中央アフリカ(1960)
南スーダン(2011)
カメルーン(1960)
ウガンダ(1962)
ケニア(1963)
コンゴ民主共和国(1960)〔1997年ザイールから国名変更〕
タンザニア
アンゴラ(1975)
ザンビア(1964)
ジンバブエ(1980)
ナミビア(1990)
ボツワナ(1966)
南アフリカ共和国(1910)〔独立した当時は南アフリカ連邦〕
レソト(1966)
エスワティニ(1968)
マラウイ(1964)
コモロ(1975)
セーシェル(1976)
モーリシャス(1968)
レユニオン〔フ〕
リベリア(1847)
シエラレオネ(1961)
ギニアビサウ(1973)
カーボベルデ(1975)
赤道ギニア(1968)
サントメ・プリンシペ(1975)
2020年のアフリカ
ケニア(1963) ― 独立国
西サハラ ― 非独立国
1960年は、一挙に17の国が独立したので「アフリカの年」とよばれている。
1914年のアフリカ
※印は第一次世界大戦後変更した帰属
独立国
ベルギー領
フランス領
スペイン領
イギリス領
ポルトガル領
イタリア領
ドイツ領
アフリカの変遷
人類の化石発見地
ムスリム商人の交易都市
イスラーム交易で繁栄した王国
ムスリムの交易ルート
対ヨーロッパの交易都市
対ヨーロッパの奴隷貿易で繁栄した王国
ヨーロッパ人が名づけたおもな地域名
ボーア人の2共和国(19世紀半ば～1910年)
スタンリーの探検路(1874～76年)
リヴィングストンの探検路(1840～73年)
この図の範囲
世界遺産
グレートジンバブエ遺跡

④アフリカ諸王国の変遷
ⓐ10世紀ころ
ファーティマ朝
イスラーム帝国
アッバース朝
トンブクトゥ
クンビ=サレー
ガーナ王国
カネム=ボルヌー王国
ファーシル
エチオピア帝国
サハラ交易路
イスラームの伝播
ー塩金交易が栄え，イスラームが流入したー
0 1000km
ⓑ14～15世紀
イスラーム諸王朝
カイロ
マムルーク朝
マリ王国
トンブクトゥ
ガオ
ジェンネ
カネム=ボルヌー王国
エチオピア帝国
ベニン王国
モガディシュ
コンゴ王国
マリンディ
モンバサ
ザンジバル
キルワ
モザンビーク
ソファラ
モノモタパ王国
金の主産地
岩塩の主産地
サハラ交易路
アラブ人交易都市
スワヒリ語が通じる地域
ヴァスコ=ダ=ガマの航路（1497～98年）
0 1000km
ーサハラ交易が発展し，東部ではスワヒリ文化が形成されたー
ⓒ16世紀ころ
サード朝 モロッコ
オスマン帝国
ソンガイ王国
トンブクトゥ
ガオ
カネム=ボルヌー王国
ハウサ諸国
エチオピア帝国
ベニン王国
マリンディ
モガディシュ
モンバサ
ザンジバル
コンゴ王国
南米へ
キルワ
モノモタパ王国
モザンビーク
ソファラ
ポルトガルの拠点都市・島
ポルトガルの航路
ポルトガルの奴隷貿易
Complete History of the World, ほか
ーポルトガルが入植し，奴隷貿易がはじめられたー
0 1000km
⑤アフリカの言語
ホワイトアフリカ
ブラックアフリカ
0°
0 1000km
*イスラエルはヘブライ語
〔国立民族学博物館資料〕
アフリカ・アジア語族（セム・ハム語族）
セム語派（アラビア語など）
チャド語派
クシ語派
ベルベル語派
ニジェール・コルドファン諸語（バンツー語，ヨルバ語など）
マンデ語群
クワ語群
ナイル・サハラ諸語（マサイ語など）
大西洋語群
アダマワ東部語群
コイサン語族
ボルタ語群
ベヌエ・コンゴ語群
インド・ヨーロッパ語族
オーストロネシア語族
やってみよう
アフリカの言語分布と現在の国境を比較してみよう。
①中・南アフリカ
1：24 000 000
0 200 400km
ランベルト正積方位図法
土地利用と植生
畑作地
その他の森林
草地・牧草地
砂漠
サバナ
高山地域
熱帯林
同緯度同縮尺の日本（南半球において）
スーダン共和国 THE REPUBLIC OF THE SUDAN
南スーダン共和国 THE REPUBLIC OF SOUTH SUDAN
エリトリア国 STATE OF ERITREA
サウジアラビア SAUDI ARABIA
オマーン OMAN
イエメン YEMEN
サヌア SAN'A
アデン Aden
ジブチ共和国 REPUBLIC OF DJIBOUTI
ジブチ DJIBOUTI
ソマリア半島 Somalia Pen.
エチオピア高原 Ethiopian Plat.
エチオピア連邦民主共和国 FEDERAL DEMOCRATIC REPUBLIC OF ETHIOPIA
アディスアベバ ADDIS ABABA
ソマリア連邦共和国 FEDERAL REPUBLIC OF SOMALIA
モガディシュ MOGADISHU
ハルツーム KHARTOUM
オムドゥルマン OMDURMAN
アスマラ ASMARA
340万年前の成人女性の人骨「ルーシー」発見（1974年）
440万年前のラミダス猿人発見（1992年）
ウガンダ共和国 REPUBLIC OF UGANDA
ケニア共和国 REPUBLIC OF KENYA
カンパラ KAMPALA
ナイロビ NAIROBI
赤道
ルワンダ共和国 REPUBLIC OF RWANDA
キガリ KIGALI
ブルンジ共和国 REPUBLIC OF BURUNDI
ブジュンブラ BUJUMBURA
360万年前の二足歩行する猿人の足跡発見（1972年）
1959年ジンジャントロプス=ボイセイ
1964年ホモ=ハビリス発見
マサイ草原
キリマンジャロ山 Kilimanjaro
モンバサ Mombasa
マリンディ Malindi
タンザニア連合共和国 UNITED REPUBLIC OF TANZANIA
ダルエスサラーム DAR ES SALAAM
ザンジバル Zanzibar
キルワ
キルワキシワニ遺跡
インド洋 INDIAN OCEAN
セーシェル共和国 REPUBLIC OF SEYCHELLES
ビクトリア VICTORIA
セーシェル諸島 Seychelles
アミラント諸島 Amirante Is.
アルダブラ諸島 Aldabra Is.
ファルクハル諸島 Farquhar Is.
コモロ諸島 Comoros
コモロ連合 UNION OF COMOROS
モロニ MORONI
マラウイ共和国 REPUBLIC OF MALAWI
リロングウェ LILONGWE
ルサカ LUSAKA
ハラレ HARARE
ジンバブエ共和国 REPUBLIC OF ZIMBABWE
グレートジンバブエ
モザンビーク共和国 REPUBLIC OF MOZAMBIQUE
モザンビーク海峡
モザンビーク Moçambique
ベイラ Beira
ソファラ
マダガスカル島 Madagascar
マダガスカル共和国 REPUBLIC OF MADAGASCAR
アンタナナリボ ANTANANARIVO
モーリシャス共和国 REPUBLIC OF MAURITIUS
ポートルイス PORT LOUIS
マスカレン諸島 Mascarene Is.
レユニオン島 Réunion
南回帰線
プレトリア PRETORIA
ヨハネスバーグ JOHANNESBURG
マプト MAPUTO
エスワティニ王国 KINGDOM OF ESWATINI
330万年前の猿人の左腕と左手を発見。（1999年）
ピーターマリッツバーグ Pietermaritzburg
ダーバン DURBAN
イーストロンドン East London
ポートエリザベス PORT ELIZABETH
マセル MASERU
ドラケンスバーグ山脈 Drakensberg

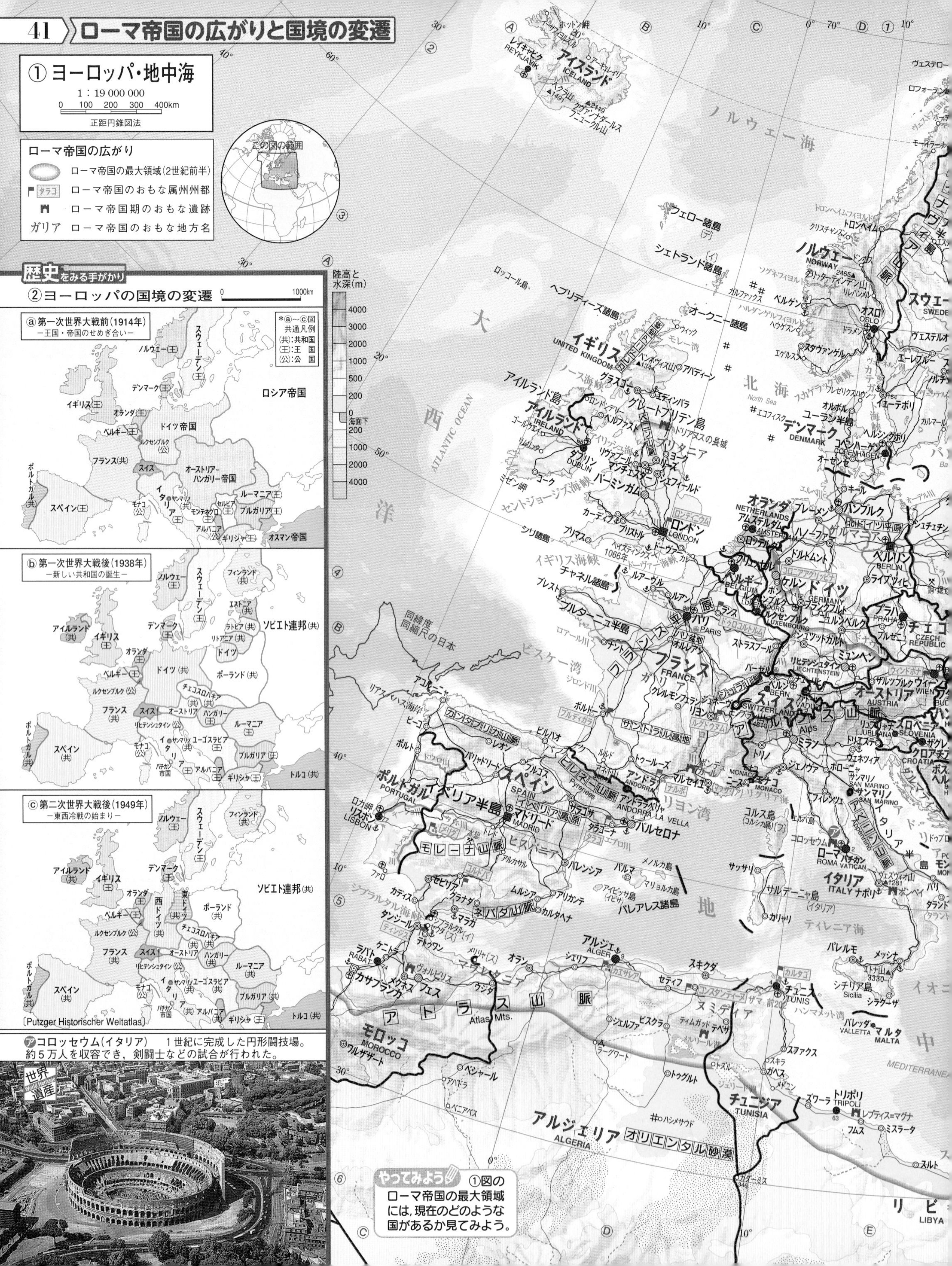

㋐コロッセウム(イタリア)　1世紀に完成した円形闘技場。約5万人を収容でき，剣闘士などの試合が行われた。

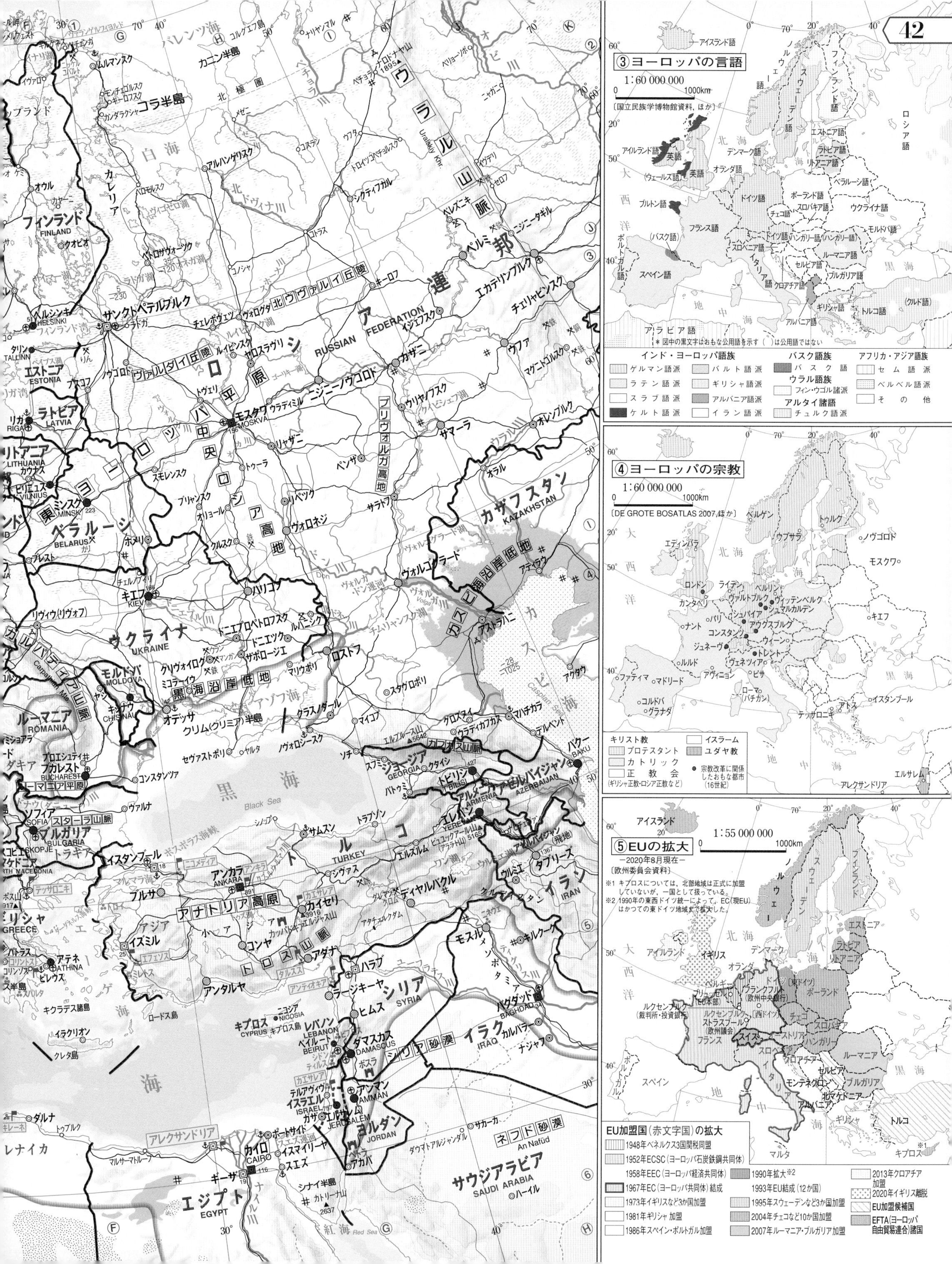

③ヨーロッパの言語
1:60 000 000
0 1000km
〔国立民族学博物館資料, ほか〕
＊図中の黒文字はおもな公用語を示す（ ）は公用語ではない
インド・ヨーロッパ語族
ゲルマン語派
ラテン語派
スラブ語派
ケルト語派
バルト語派
ギリシャ語派
アルバニア語派
イラン語派
バスク語族
バスク語
ウラル語族
フィン・ウゴル語派
アルタイ諸語
チュルク語派
アフリカ・アジア語族
セム語派
ベルベル語派
その他
アイルランド語
英語
(ウェールズ語)
ブルトン語
(バスク語)
ポルトガル語
スペイン語
フランス語
ドイツ語
オランダ語
デンマーク語
ノルウェー語
スウェーデン語
フィンランド語
エストニア語
ラトビア語
リトアニア語
ポーランド語
チェコ語
スロバキア語
ハンガリー語
スロベニア語
クロアチア語
イタリア語
ルーマニア語
セルビア語
ブルガリア語
モルドバ語
ウクライナ語
ベラルーシ語
ロシア語
ギリシャ語
アルバニア語
トルコ語
(クルド語)
アラビア語
④ヨーロッパの宗教
1:60 000 000
0 1000km
〔DE GROTE BOSATLAS 2007, ほか〕
キリスト教
プロテスタント
カトリック
正教会
(ギリシャ正教・ロシア正教など)
イスラーム
ユダヤ教
● 宗教改革に関係したおもな都市(16世紀)
ベルゲン
トゥルク
ウプサラ
エディンバラ
ノヴゴロド
モスクワ
ロンドン
ライデン
ベルリン
ヴィッテンベルク
ヴァルトブルク
シュマルカルデン
カンタベリ
キエフ
シュパイア
アウクスブルク
パリ
ナント
コンスタンツ
ウィーン
ジュネーヴ
トレント
ルルド
ヴェネツィア
アヴィニョン
ピサ
ファティマ
マドリード
ローマ(バチカン)
イスタンブール
コルドバ
グラナダ
テッサロニキ
アトス
エルサレム
アレクサンドリア
⑤EUの拡大
−2020年8月現在−
〔欧州委員会資料〕
1:55 000 000
0 1000km
※1 キプロスについては、北部地域は正式に加盟していないが、一国として扱っている。
※2 1990年の東西ドイツ統一によって、EC(現EU)はかつての東ドイツ地域まで拡大した。
EU加盟国(赤文字国)の拡大
1948年ベネルクス3国関税同盟
1952年ECSC(ヨーロッパ石炭鉄鋼共同体)
1958年EEC(ヨーロッパ経済共同体)
1967年EC(ヨーロッパ共同体)結成
1973年イギリスなど3か国加盟
1981年ギリシャ加盟
1986年スペイン・ポルトガル加盟
1990年拡大※2
1993年EU結成(12か国)
1995年スウェーデンなど3か国加盟
2004年チェコなど10か国加盟
2007年ルーマニア・ブルガリア加盟
2013年クロアチア加盟
2020年イギリス離脱
EU加盟候補国
EFTA(ヨーロッパ自由貿易連合)諸国
アイスランド
ノルウェー
スウェーデン
フィンランド
エストニア
ラトビア
リトアニア
デンマーク
アイルランド
イギリス
オランダ
ベルギー
ブリュッセル(EU本部)
フランクフルト(欧州中央銀行)
(東ドイツ)
(西ドイツ)
ポーランド
ルクセンブルク(裁判所・投資銀行)
ストラスブール(欧州議会)
チェコ
スロバキア
オーストリア
ハンガリー
ルーマニア
フランス
スイス
スロベニア
クロアチア
セルビア
モンテネグロ
北マケドニア
アルバニア
ブルガリア
イタリア
ギリシャ
スペイン
ポルトガル
マルタ
トルコ
キプロス
ロシア連邦
RUSSIAN FEDERATION
ウラル山脈
中央ロシア高原
東ヨーロッパ平原
北ウヴァルイ丘陵
ヴァルダイ丘陵
プリヴォルガ高地
カスピ海沿岸低地
黒海沿岸低地
カフカス山脈
バレンツ海
白海
カニン半島
コラ半島
カレリア
フィンランド
FINLAND
ヘルシンキ
HELSINKI
サンクトペテルブルク
エストニア
ESTONIA
タリン
TALLINN
ラトビア
LATVIA
リガ
RIGA
リトアニア
LITHUANIA
カウナス
ビリニュス
VILNIUS
ベラルーシ
BELARUS
ミンスク
MINSK
モスクワ
MOSKVA
ウクライナ
UKRAINE
キエフ
KIEV
モルドバ
MOLDOVA
キシナウ
CHISINAU
ルーマニア
ROMANIA
ブカレスト
BUCHAREST
ルーマニア平原
ブルガリア
BULGARIA
ソフィア
SOFIA
スターラ山脈
カザフスタン
KAZAKHSTAN
ジョージア
GEORGIA
トビリシ
TBILISI
アルメニア
ARMENIA
エレバン
YEREVAN
アゼルバイジャン
AZERBAIJAN
バクー
BAKU
トルコ
TURKEY
アンカラ
ANKARA
イスタンブール
ボスポラス海峡
アナトリア高原
トロス山脈
イラン
IRAN
タブリーズ
イラク
IRAQ
バグダッド
BAGHDAD
シリア
SYRIA
ダマスカス
DAMASCUS
シリア砂漠
レバノン
LEBANON
ベイルート
BEIRUT
キプロス
CYPRUS
ニコシア
NICOSIA
イスラエル
ISRAEL
エルサレム
JERUSALEM
ヨルダン
JORDAN
アンマン
AMMAN
エジプト
EGYPT
カイロ
CAIRO
サウジアラビア
SAUDI ARABIA
ネフド砂漠
An Nafūd
シナイ半島
紅海
Red Sea
黒海
Black Sea
カスピ海
Caspian Sea
地中海
アゾフ海
クリム(クリミア)半島
ギリシャ
GREECE
アテネ
ATHINA
クレタ島
ロードス島
キクラデス諸島
ヴォルガ川
ドン川
ドニエプル川
ヴォルゴグラード
アストラハニ
サマーラ
カザニ
ニジニーノヴゴロド
ペルミ
エカテリンブルク
チェリャビンスク
ウファ
オレンブルク
オデッサ
セヴァストポリ
ロストフ
ハリコフ
ドニエプロペトロフスク
アルハンゲリスク
ムルマンスク

① ヨーロッパ要部
1：7 000 000
0 100 200km
正距円錐図法
この図の範囲
フランク王国の変遷
教皇領（789年）
フランク王国の領土（814年）※
※カール大帝没年
キリスト教の広がり
ローマ ローマ=カトリック教会にかかわる重要地
おもな修道院
おもな大学（14世紀まで）
東西ドイツの国境（1949～90年）
スコットランド
SCOTLAND
北アイルランド
NORTHERN IRELAND
アイルランド
IRELAND
ダブリン
DUBLIN
グレートブリテン及び北アイルランド連合王国（イギリス）
UNITED KINGDOM OF GREAT BRITAIN AND NORTHERN IRELAND
ウェールズ
WALES
イングランド
ENGLAND
ロンドン
LONDON
ペニン山脈
チェヴィオット丘陵
サザン高地
ヨーク
カンタベリ
カトリック布教の中心地
イギリス海峡
English Ch.
北海
North Sea
デンマーク王国
KINGDOM OF DENMARK
コペンハーゲン
COPENHAGEN
ユーラン半島（ユトランド半島）
Jylland
オランダ王国
KINGDOM OF THE NETHERLANDS
アムステルダム
AMSTERDAM
ユトレヒト
ベルギー王国
KINGDOM OF BELGIUM
ブリュッセル
BRUXELLES
ルクセンブルク大公国
GRAND DUCHY OF LUXEMBOURG
ドイツ連邦共和国
FEDERAL REPUBLIC OF GERMANY
ハンブルク
HAMBURG
ブレーメン
マクデブルク
ケルン
KÖLN
アーヘン
カロリング朝の中心地
北ドイツ平原
アルデンヌ高原
ヴォルムス
コンスタンツ
コンスタンツ公会議 1414～18年 教会大分裂（大シスマ）終結
宗教和議1555年 アウクスブルク
ミュンヘン
MÜNCHEN
バイエルン
フランス共和国
FRENCH REPUBLIC
パリ
PARIS
パリ盆地
ロアール盆地
ブルターニュ半島
ノルマンディー
ピカルディー
ロレーヌ
ブルゴーニュ
シトー
1098年 修道会設立 森林の開墾に努めた。
クリュニー
クレルモン
宗教会議 1095年 十字軍の派遣を提唱。
サントラル高地
セヴェンヌ山脈
アキテーヌ盆地
トゥールーズ
アヴィニョン
1309～77年 教皇庁移転。
プロヴァンス
マルセイユ
ヴェルダン条約 843年
メルセン条約 870年
ビスケー湾
Bay of Biscay
リヨン湾
G. du Lion
スイス連邦
SWISS CONFEDERATION
ベルン
BERN
ジュラ山脈
アルプス山脈
リヒテンシュタイン公国
PRINCIPALITY OF LIECHTENSTEIN
モナコ公国
PRINCIPALITY OF MONACO
ミラノ
MILANO
ロンバルディア平原
パダノ＝ヴェネタ平野
トレント
トリエント公会議 1543～63年 対抗宗教改革の決定
カノッサ
カノッサの屈辱 1077年
ボローニャ
リグリア海
Ligurian Sea
コルス島（コルシカ島）（フ）
Corse
サルデーニャ島（イタリア）
ローマ=カトリック教会の中心地。
ローマ
ROMA
バチカン市国
STATE OF THE CITY OF VATICAN
地中海
MEDITERRANEAN SEA
ピレネー山脈
Pyrenees
アンドラ公国
PRINCIPALITY OF ANDORRA
スペイン王国
KINGDOM OF SPAIN
イベリア半島
Pen. Iberica
メセタ
カタルーニャ
バルセロナ
BARCELONA
マドリード
MADRID
陸高と水深(m)
4000
3000
2000
1000
500
200
100
0
海面下
200
1000
2000
4000

フランク王国の変遷とキリスト教の広がり

やってみよう ①図と④図を比べて，フランク王国の広がりとかかわりの深い宗教を見つけよう。

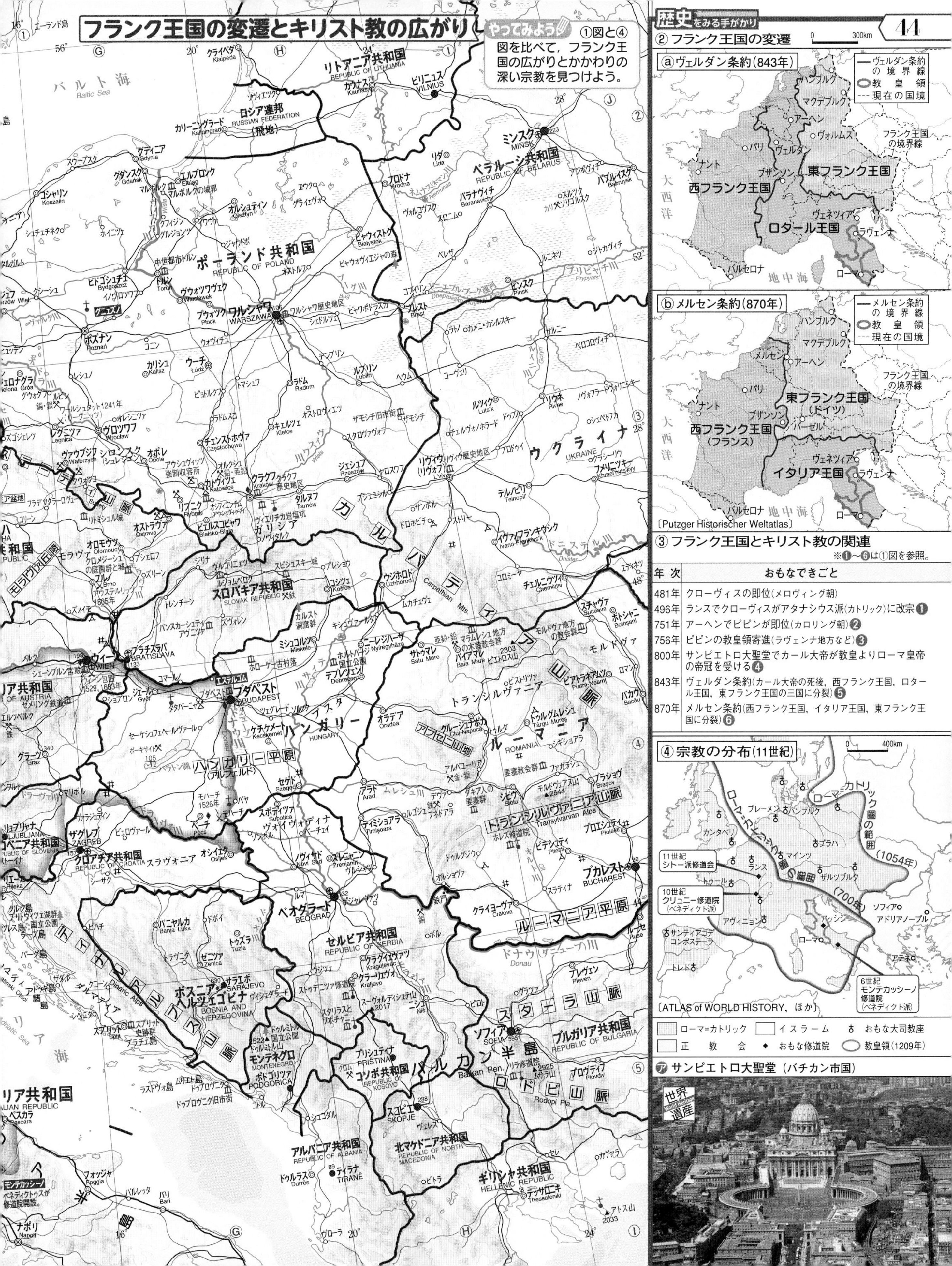

② フランク王国の変遷

ⓐ ヴェルダン条約（843年）

ⓑ メルセン条約（870年）

〔Putzger Historischer Weltatlas〕

③ フランク王国とキリスト教の関連

※❶～❻は①図を参照。

年 次	おもなできごと
481年	クローヴィスの即位（メロヴィング朝）
496年	ランスでクローヴィスがアタナシウス派（カトリック）に改宗❶
751年	アーヘンでピピンが即位（カロリング朝）❷
756年	ピピンの教皇領寄進（ラヴェンナ地方など）❸
800年	サンピエトロ大聖堂でカール大帝が教皇よりローマ皇帝の帝冠を受ける❹
843年	ヴェルダン条約（カール大帝の死後，西フランク王国，ロタール王国，東フランク王国の三国に分裂）❺
870年	メルセン条約（西フランク王国，イタリア王国，東フランク王国に分裂）❻

④ 宗教の分布（11世紀）

〔ATLAS of WORLD HISTORY，ほか〕

㋐ サンピエトロ大聖堂（バチカン市国）

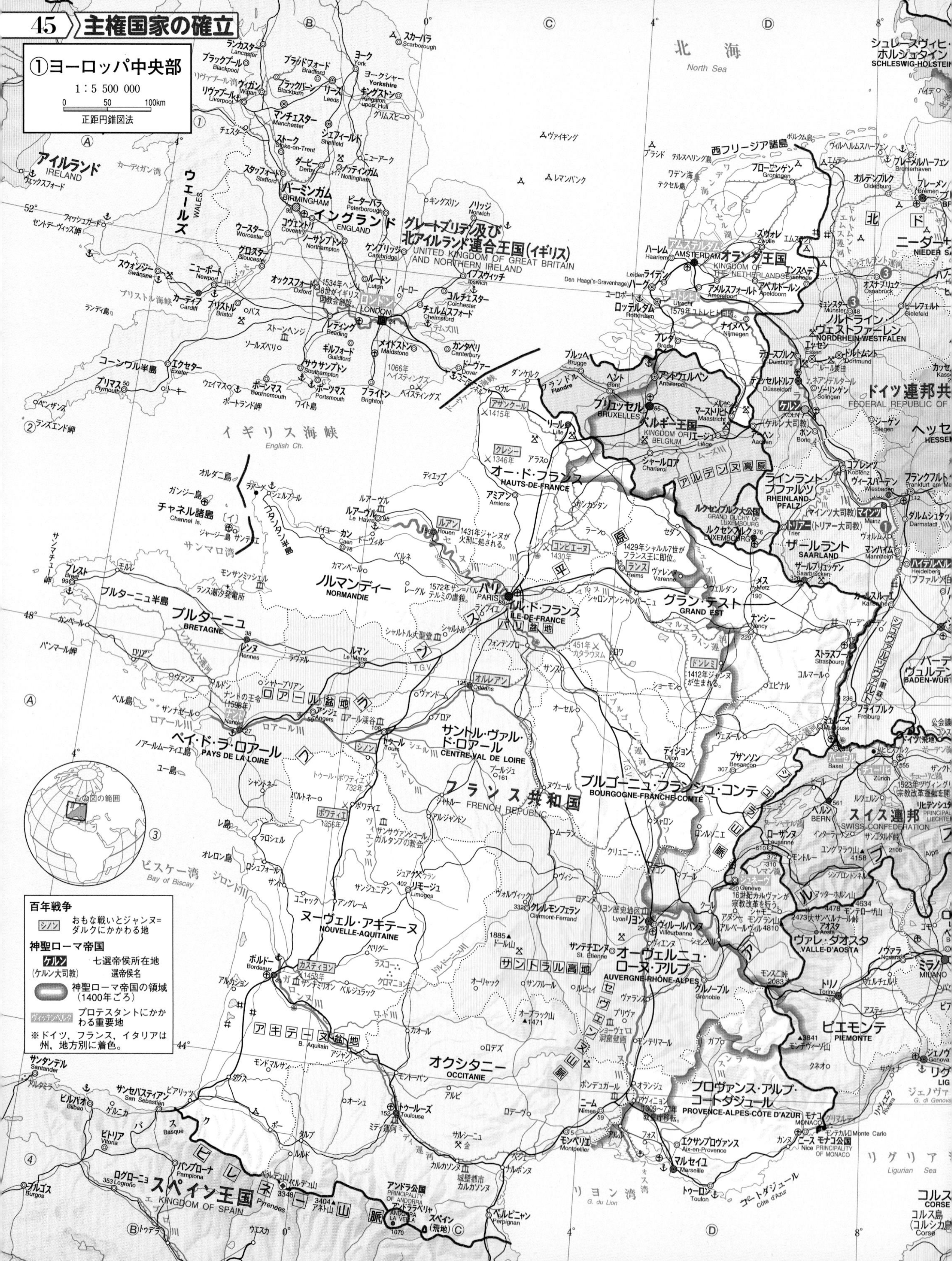
①ヨーロッパ中央部
1：5 500 000
0 50 100km
正距円錐図法
百年戦争
シノン おもな戦いとジャンヌ=ダルクにかかわる地
神聖ローマ帝国
ケルン 七選帝侯所在地
(ケルン大司教) 選帝侯名
神聖ローマ帝国の領域(1400年ごろ)
ヴィッテンベルク プロテスタントにかかわる重要地
※ドイツ、フランス、イタリアは州、地方別に着色。
北海
North Sea
イギリス海峡
English Ch.
ビスケー湾
Bay of Biscay
リヨン湾
G. du Lion
リグリア海
Ligurian Sea
グレートブリテン及び北アイルランド連合王国(イギリス)
UNITED KINGDOM OF GREAT BRITAIN AND NORTHERN IRELAND
アイルランド
IRELAND
イングランド
ENGLAND
ウェールズ
WALES
ロンドン
LONDON
1534年ヘンリ8世がイギリス国教会創設。
1066年ヘイスティングズ
オランダ王国
KINGDOM OF THE NETHERLANDS
アムステルダム
AMSTERDAM
1579年ユトレヒト同盟。
ベルギー王国
KINGDOM OF BELGIUM
ブリュッセル
BRUXELLES
ルクセンブルク大公国
GRAND DUCHY OF LUXEMBOURG
ドイツ連邦共和国
FEDERAL REPUBLIC OF
フランス共和国
FRENCH REPUBLIC
パリ
PARIS
1431年ジャンヌが火刑に処される。
1429年シャルル7世がフランス王に即位。
1412年ジャンヌが生まれる。
1572年サンバルテルミの虐殺。
1598年ナントの王令
1309～77年教皇庁移転。
スイス連邦
SWISS CONFEDERATION
16世紀カルヴァンが宗教改革を行う。
1523年ツヴィングリが宗教改革を開始
モナコ公国
PRINCIPALITY OF MONACO
アンドラ公国
PRINCIPALITY OF ANDORRA
スペイン王国
KINGDOM OF SPAIN
ピレネー山脈
アルプス山脈
ジュラ山脈
パリ盆地
ロアール盆地
アキテーヌ盆地
サントラル高地
セヴェンヌ山脈
アルデンヌ高原
ノルマンディー
NORMANDIE
ブルターニュ
BRETAGNE
オー・ド・フランス
HAUTS-DE-FRANCE
イル・ド・フランス
ILE-DE-FRANCE
グラン・テスト
GRAND EST
ペイ・ド・ラ・ロアール
PAYS DE LA LOIRE
サントル・ヴァル・ド・ロアール
CENTRE-VAL DE LOIRE
ブルゴーニュ・フランシュ・コンテ
BOURGOGNE-FRANCHE-COMTE
ヌーヴェル・アキテーヌ
NOUVELLE-AQUITAINE
オーヴェルニュ・ローヌ・アルプ
AUVERGNE-RHÔNE-ALPES
オクシタニー
OCCITANIE
プロヴァンス・アルプ・コートダジュール
PROVENCE-ALPES-CÔTE D'AZUR
ピエモンテ
PIEMONTE
ヴァレ・ダオスタ
VALLE-D'AOSTA
ザールラント
SAARLAND
ノルトライン・ヴェストファーレン
NORDRHEIN-WESTFALEN
ラインラント・プファルツ
RHEINLAND-PFALZ
コルス島(コルシカ島)
Corse

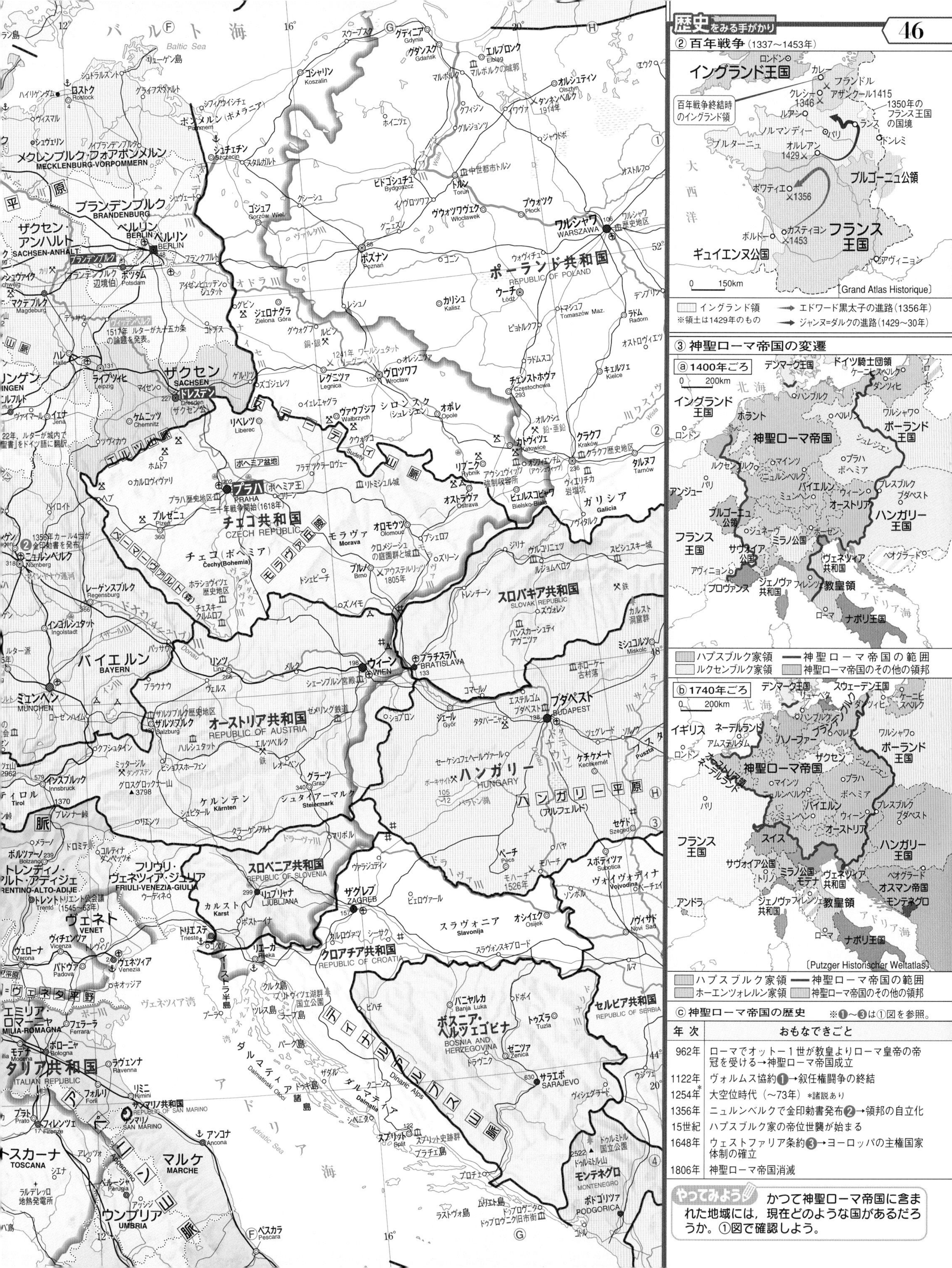

ⓒ 神聖ローマ帝国の歴史　※❶～❸は①図を参照。

年 次	おもなできごと
962年	ローマでオットー1世が教皇よりローマ皇帝の帝冠を受ける→神聖ローマ帝国成立
1122年	ヴォルムス協約❶→叙任権闘争の終結
1254年*	大空位時代（～73年）*諸説あり
1356年	ニュルンベルクで金印勅書発布❷→領邦の自立化
15世紀	ハプスブルク家の帝位世襲が始まる
1648年	ウェストファリア条約❸→ヨーロッパの主権国家体制の確立
1806年	神聖ローマ帝国消滅

やってみよう かつて神聖ローマ帝国に含まれた地域には，現在どのような国があるだろうか。①図で確認しよう。

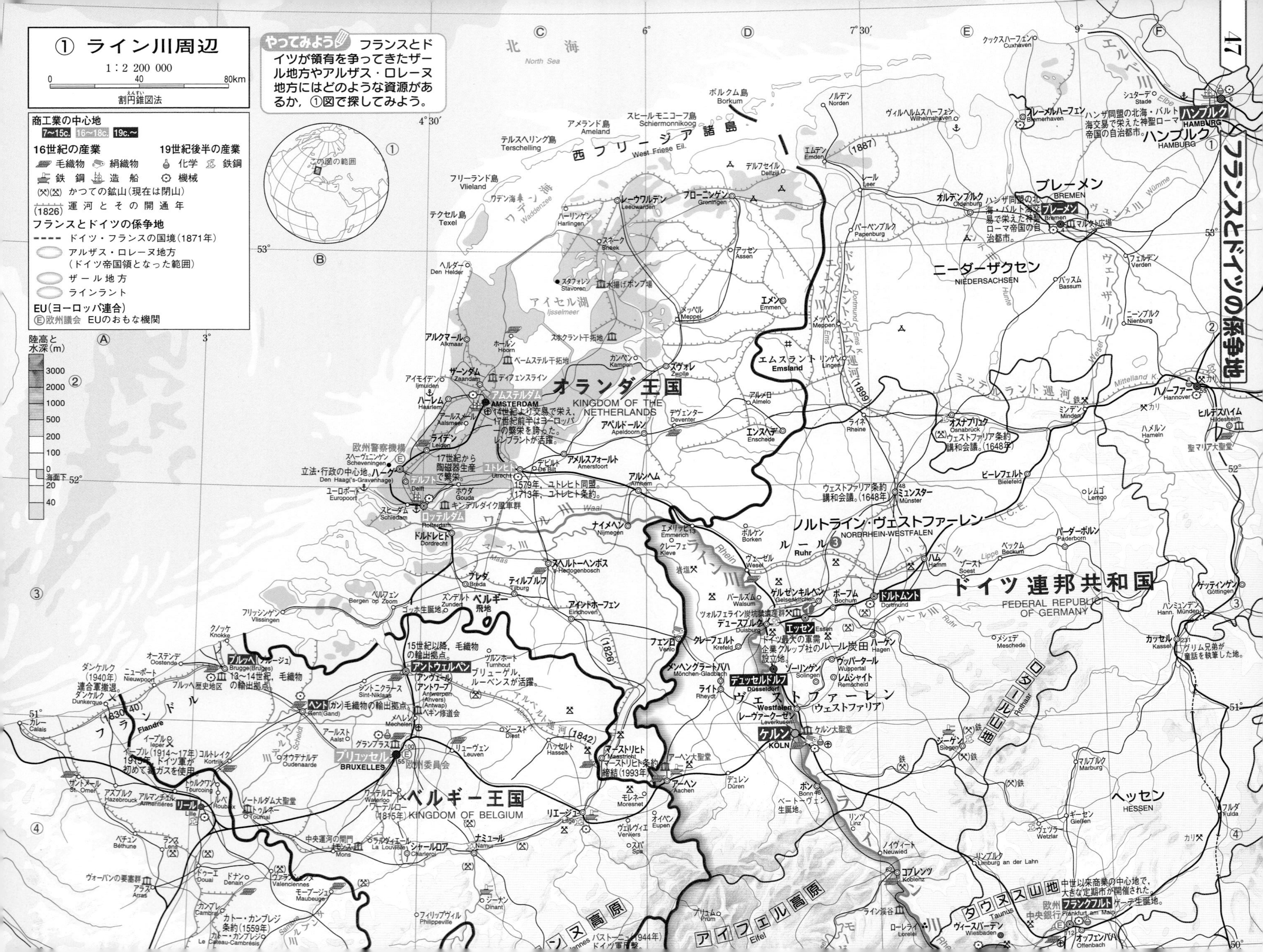
① ライン川周辺
1：2 200 000
0 40 80km
割円錐図法
やってみよう フランスとドイツが領有を争ってきたザール地方やアルザス・ロレーヌ地方にはどのような資源があるか，①図で探してみよう。
商工業の中心地 7~15c. 16~18c. 19c.~
16世紀の産業 毛織物 絹織物 鉄鋼 造船
19世紀後半の産業 化学 鉄鋼 機械
かつての鉱山(現在は閉山)
(1826) 運河とその開通年
フランスとドイツの係争地
ドイツ・フランスの国境(1871年)
アルザス・ロレーヌ地方(ドイツ帝国領となった範囲)
ザール地方
ラインラント
EU(ヨーロッパ連合)
Ⓔ欧州議会 EUのおもな機関
陸高と水深(m)
3000 2000 1000 500 200 100 0 海面下 20 40
この図の範囲
北海 North Sea
西フリージア諸島 West Friese Eil.
オランダ王国 KINGDOM OF THE NETHERLANDS
ベルギー王国 KINGDOM OF BELGIUM
ドイツ連邦共和国 FEDERAL REPUBLIC OF GERMANY
ニーダーザクセン NIEDERSACHSEN
ノルトライン・ヴェストファーレン NORDRHEIN-WESTFALEN
ヘッセン HESSEN
ハンブルク HAMBURG
ブレーメン BREMEN
アムステルダム AMSTERDAM
ブリュッセル BRUXELLES
ケルン KÖLN
デュッセルドルフ Düsseldorf
ドルトムント Dortmund
エッセン Essen
フランクフルト Frankfurt am Main
アイフェル高原 Eifel
アルデンヌ高原
タウヌス山地 Taunus
ロタール山地 Rothaar
ルール Ruhr
フランドル Flandre
ヴェストファーレン Westfalen (ウェストファリア)
ライン川 Rhein
ワール川 Waal
マース川 Maas
エムス川 Ems
ヴェーザー川 Weser
エルベ川 Elbe
アイセル湖 Ijsselmeer
ワデン海 Waddenzee
ミッテルラント運河 Mittelland K.
ドルトムント・エムス運河 Dortmund Ems K. (1899)
アルベルト運河 (1842)
ハンザ同盟の北海・バルト海交易で栄えた神聖ローマ帝国の自治都市。
14世紀より交易で栄え，17世紀前半はヨーロッパ一の繁栄を誇った。レンブラントが活躍。
立法・行政の中心地。ハーグ Den Haag('s-Gravenhage)
欧州警察機構
17世紀から陶磁器生産で繁栄。
1579年，ユトレヒト同盟。1713年，ユトレヒト条約。
キンデルダイク風車群
ウェストファリア条約講和会議。(1648年)
ツォルフェライン炭坑業遺産群
ドイツ最大の軍需企業クルップ社のルール炭田設立地。
グリム兄弟が童話を執筆した地。
中世以来商業の中心地で，大きな定期市が開催された。
欧州中央銀行
ゲーテ生誕地
ベートーヴェン生誕地
ケルン大聖堂
アーヘン大聖堂
マーストリヒト条約締結(1993年)
15世紀以降，毛織物の輸出拠点。
ブリューゲル，ルーベンスが活躍。
13~14世紀，毛織物の輸出拠点。
ヘント(ガン)毛織物の輸出拠点
ブルッヘ歴史地区
ダンケルク(1940年)連合軍撤退。
イープル(1914~17年)1915年，ドイツ軍が初めて毒ガスを使用。
ワーテルロー(1815年)
カトー・カンブレジ条約(1559年)
バストーニュ(1944年)ドイツ軍反撃。
ヴォーバンの要塞群
中央運河の閘門
ゴッホ生誕地
ベルギー飛地
グランプラス
欧州委員会
水揚げポンプ場
ベームステル干拓地
スホクラント干拓地
ディフェンスライン
聖マリア大聖堂
マルクト広場
ライン渓谷

②フランスとドイツの国境の変遷

③アルザス・ロレーヌ地方の歴史

年次	おもなできごと　※❶～❹は①図を参照。
～17世紀ころ	神聖ローマ帝国に属する
1648年	ウェストファリア条約 アルザスの大部分がフランス領へ
18世紀後半	ロレーヌを含め全域がフランス領になる
1871年	プロイセン-フランス戦争終結 ドイツ領へ
1914年	第一次世界大戦が勃発（～18年）
1919年	ヴェルサイユ条約締結❶ フランス領へ戻る ザール地方は国際管理地へ❷
1923年	ベルギーとフランスによるルール占領（～25年）❸
1935年	住民投票でザール地方がドイツに復帰❷
1936年	ドイツ軍がラインラントに進駐❹
1939年	第二次世界大戦が勃発（～45年）
1940年	フランス降伏 ドイツが併合
1944年	フランスが奪回 フランス領へ戻る
1952年	ヨーロッパ石炭鉄鋼共同体（ECSC）発足

ⓐストラスブールの旧市街（フランス）
ドイツにもみられる、この地方独特の木組みの家々が集まる。たびたび帰属が変わったため統合の象徴として、欧州議会がおかれている。

世界遺産

ⓘエッセンのツォルフェライン炭坑業遺産群（ドイツ） 20世紀初頭に最盛期を迎え、クルップ社など多くの企業の本部がおかれた。ルール工業地帯を構成する町として繁栄した。

世界遺産

④ イギリスの産業革命

※❶〜❻は①、⑥図を参照。

年次	おもなできごと
1733年	ジョン=ケイが飛び梭を発明 ❶
1764年	ハーグリーヴズがジェニー紡績機を発明 ❷
1768年	アークライトが水力紡績機を発明(69年特許) ❸
1769年	ワットが蒸気機関を改良 ❹
1779年	クロンプトンがミュール紡績機を発明 ❷
1785年	カートライトが力織機を発明
1825年	ストックトン〜ダーリントン間でスティーヴンソンの蒸気機関車が公共交通として初めて運行 ❺
1830年	マンチェスター〜リヴァプール間に鉄道開通 ❻

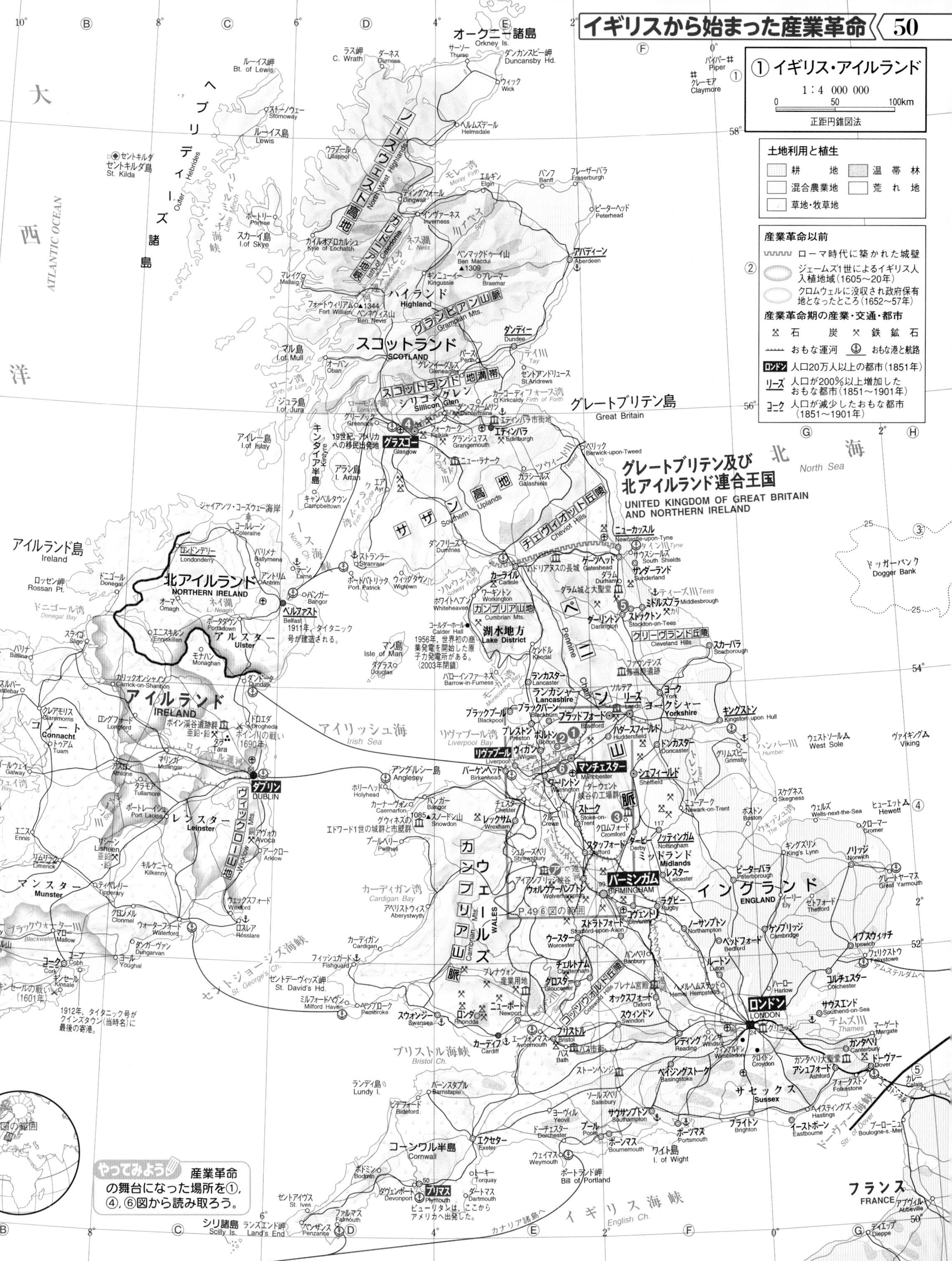
① イギリス・アイルランド
1：4 000 000
0 50 100km
正距円錐図法
土地利用と植生
耕地
温帯林
混合農業地
荒れ地
草地・牧草地
産業革命以前
ローマ時代に築かれた城壁
ジェームズ1世によるイギリス人入植地域（1605～20年）
クロムウェルに没収され政府保有地となったところ（1652～57年）
産業革命期の産業・交通・都市
石炭
鉄鉱石
おもな運河
おもな港と航路
ロンドン 人口20万人以上の都市（1851年）
リーズ 人口が200％以上増加したおもな都市（1851～1901年）
コーク 人口が減少したおもな都市（1851～1901年）
グレートブリテン及び北アイルランド連合王国
UNITED KINGDOM OF GREAT BRITAIN AND NORTHERN IRELAND
グレートブリテン島
Great Britain
アイルランド島
Ireland
アイルランド
IRELAND
北アイルランド
NORTHERN IRELAND
スコットランド
SCOTLAND
イングランド
ENGLAND
ウェールズ
WALES
大西洋
ATLANTIC OCEAN
北海
North Sea
アイリッシュ海
Irish Sea
イギリス海峡
English Ch.
ドーヴァー海峡
Str. of Dover
ブリストル海峡
Bristol Ch.
セントジョージズ海峡
St. George's Ch.
オークニー諸島
Orkney Is.
ヘブリディーズ諸島
ノースウエスト高地
North West Highlands
グランピアン山脈
Grampian Mts.
スコットランド地溝帯
シリコングレン
Sillicon Glen
サザン高地
Southern Uplands
チェヴィオット丘陵
Cheviot Hills
ペニン山脈
Pennine Chain
カンブリア山地
Cumbrian Mts.
湖水地方
Lake District
カンブリア山脈
Cambrian Mts.
コッツウォルド丘陵
Cotswold Hills
ウィックロー山地
Wicklow Mts.
ハイランド
Highland
ロンドン
LONDON
マンチェスター
Manchester
リヴァプール
Liverpool
バーミンガム
BIRMINGHAM
グラスゴー
Glasgow
エディンバラ
Edinburgh
ダブリン
DUBLIN
ベルファスト
Belfast
リーズ
Leeds
ブラッドフォード
Bradford
シェフィールド
Sheffield
ニューカッスル
Newcastle-upon-Tyne
ブリストル
Bristol
プリマス
Plymouth
コーク
Cork
19世紀、アメリカへの移民出発地
1911年、タイタニック号が建造される。
1956年、世界初の商業発電を開始した原子力発電所がある。（2003年閉鎖）
1912年、タイタニック号がクインズタウン（当時名）に最後の寄港。
ピューリタンは、ここからアメリカへ出発した。
ボイン川の戦い（1690年）
キンセールの戦い（1601年）
ハドリアヌスの長城
ダラム城と大聖堂
ファウンテンズ修道院遺跡
アイアンブリッジ峡谷
ダーウェント峡谷の工場群
ボイン渓谷遺跡群
エドワード1世の城群と市壁群
ブレナヴォン産業用地
ブレナム宮殿
バス市街
ストーンヘンジ
カンタベリ大聖堂
エディンバラ市街地
ニュー・ラナーク
P.49 ⑥図の範囲
ドッガーバンク
Dogger Bank
フランス
FRANCE
やってみよう 産業革命の舞台になった場所を①，④，⑥図から読み取ろう。

① パ リ
—フランス革命の舞台—
1：40 000
0 1000m
—2018年—
モンマルトル
MONTMARTRE
モンマルトルの丘
モンマルトル博物館
サクレ・クール寺院
モンマルトル墓地
バティニョル広場
ワグラム広場
消防署
マル・シュアン広場
モンソー公園
凱旋門
アウステルリッツの戦勝を記念してつくられた。
シャルル・ド・ゴール＝エトワール広場
テルヌ広場
ロシア正教会
日本大使館
コンセルバトワール（国立音楽院）
サン・ラザール駅
フランス国鉄 S.N.C.F
ギュスターヴ・モロー美術館
北駅
東駅
ラリボワジエール病院
ビュットショーモン公園
ラファイエット百貨店
オペラ座
内務省
エリゼ宮（大統領官邸）
マドレーヌ寺院
司法省
ヴァンドーム広場
グラン・パレ
プティ・パレ（パリ市立美術館）
ジャコバンクラブ
革命広場（コンコルド広場）
ギロチンを備えた処刑場があった。
オランジュリー美術館
チュイルリー宮殿
パレ・ロワイヤル
革命当時、論客が集まった。
証券取引所
国立図書館旧館
フランス銀行
中央郵便局
サンドニ門
1672年，ルイ14世の戦勝を記念して建造。
サンマルタン門
1674年，オランダ戦争の勝利を記念して建造。
科学技術博物館
レピュブリック広場
タンプル塔
ギメ美術館
ガリエラ服飾美術館
トロカデロ広場
イエナ広場
市立近代美術館
アルマ広場
セーヌ川
Seine
レジスタンス広場
シャイヨ宮
エッフェル塔
1889年，パリ万博で建設。
外務省
ブルボン宮（下院）
カルーゼル凱旋門
オルセー美術館
ルーヴル宮殿（ルーヴル美術館）
革命の象徴から美術館に改装。
フォーラム・デ・アル
ポンピドゥーセンター
国立公文書館
マレ
MARAIS
カルナヴァレ博物館
サンジャック塔
パリ市庁舎
国土地理院
国防省
建設省
文部省
1789年7月14日，民衆はここで武器をとった。
アンヴァリッド（廃兵院）
ナポレオンの墓
シャン・ド・マルス公園
ロダン美術館
フランス学士院
サン・ジェルマン・デ・プレ教会
サンジェルマン・デ・プレ
ST.-GERMAIN DES-PRÉS
コンシェルジュリー（最高裁判所）
シテ島 パリ発祥の地
ノートル・ダム寺院
サンルイ島
バスティーユ広場
かつて牢獄があった。圧政の象徴としてパリ民衆に襲撃された。
オペラバスチーユ
ヴィクトル・ユゴーの家
ボージュ広場
陸軍士官学校
首相官邸
サンシュルピス寺院
海外領土省
オデオン座
クリュニー中世美術館
パリ大学（ソルボンヌ）最古の大学の一つ。
アラブ世界研究所
パリ第6,7大学
リュクサンブール宮（上院）
リュクサンブール庭園
パンテオン
カルティエラタン
QUARTIER LATIN
植物園
モスク
自然史博物館
モンパルナスタワー
モンパルナス墓地
ヴァルドグラース博物館
パリ天文台
2°20′
49°52′
〔Alexander Gesamtausgabe 2004, ほか〕
革命にかかわる地点
オスマンの都市改造でつくられた道路
オペラ座 オスマンの都市改造でつくられたもの
①③図共通
業務・商業中心地区
商業地区
公共施設
住宅地区
工業地区・鉄道用地
公園・緑地
地下鉄と駅
①〜④図共通
歴史的建造物など
〜6c. 7〜15c. 16〜18c. 19c.〜
② パリ周辺
1：750 000
0 10km
パリ
PARIS
セーヌ サンドニ
Seine-St.Denis
ヴァル・ドワーズ
Val-d'Oise
シャルル・ド・ゴール空港
ブールジェ空港
ブーローニュの森
ヴァンセンヌの森
ヴェルサイユ宮殿
オー・ド・セーヌ
Hauts-de-Seine
オルリー空港
1700年ごろまでの市街地
現在の市街地
工業地
森林・緑地
その他
第一次世界大戦後の条約締結地
市界（20区）
③ ベルリン
—東西対立の象徴から再び首都へ—
1：50 000
0 1000m
—2012年—
シャルロッテンブルク宮殿
フリードリヒ1世が王妃ゾフィー＝シャルロッテのために建設。
エジプト博物館
シャルロッテンブルク
CHARLOTTENBURG
ハンザ地区
シュプレー川沿いの商品集積地として栄えたベルリンは1359年にハンザ同盟に加入した。
内務省
ティアガルテン
TIERGARTEN
大統領官邸
首相府
共和国広場
連邦議会
国際文化センター
戦勝記念塔
デンマーク戦争，普墺戦争，普仏戦争の勝利を記念する塔。
ブランデンブルク門
1791年に建てられた。
ベルリンの壁跡
1961〜89年，東西を隔てる壁が築かれた。
国立陶器工場
工科大学
シラー劇場
ベルリンドイツオペラ
動物園
日本大使館
ベルリンフィルハーモニー
ソニーセンター
ポツダム広場
州会議場
財務省
国立絵画館
国立図書館
チャーリー検問所
壁博物館
連邦印刷所
ヴィルヘルム皇帝記念教会
第二次世界大戦で破壊された当時の姿で保存されている。
法務局
連邦裁判所
聖コニシウス教会
トリニタティス教会
ミッテ
MITTE
フンボルト大学
ドイツ歴史博物館
ベルリン大聖堂
マリエン教会
テレビ塔
ベルガモン博物館
ボーデ博物館
ユダヤ教会
シャリテ大学病院
市役所
ニコラス教会
外務省
ヘデュー教会
オペラ座
中央郵便局
ユダヤ博物館
メーリング広場
アメリカ記念図書館
ベックラー公園
クロイツベルク
KREUZBERG
クライスト公園
ヴィクトリア公園
パウル教会
シェーネベルク
SCHÖNEBERG
空輸記念碑
1948年ソ連に交通閉鎖された西ベルリンに，アメリカ・イギリスによる大空輸が行われた。
テンペルホーフ空港跡
東西ドイツ統一後につくられたおもな建造物
連邦議事堂
ベルリン劇場
13°20′
52°30′
〔Diercke Weltatlas 2004, ほか〕
④ ベルリン周辺
1：1 100 000
0 10km
市街地
公園・緑地
その他
四国管理界（1945〜90年）
ベルリンの壁（西ベルリン包囲網）（1961〜89年）
フランス管理区
イギリス管理区
ソビエト管理区
アメリカ管理区
ベルリン
ツェツィーリエンホフ宮殿
ポツダム会談 1945年7月
サンスーシ宮殿
ポツダム
テンペルホーフ空港
⑥ アイスランド
1：10 000 000
レイキャビク
REYKJAVÍK
この図の範囲
陸高と水深（m）
2000
1000
500
200
0
200
1000
アムステルダム
AMSTERDAM
ロッテルダム
Rotterdam
ブリュッセル
ブルッヘ
Brugge
フランス
FRANCE

ノルマン人とハンザ同盟の交易

⑧ノルマン人の拡大 ※❶～❹は⑦図を参照。

年次	おもなできごと
8世紀後半	ノルマン人がヨーロッパ各地に移動を始める
862年	ノルマン人（ルーシ）の首長リューリクがノヴゴロド国を建てる（伝承）❶
9世紀	ノヴゴロド公がキエフ公国を建てる❷ ノルマン人がアイスランドを発見，移住
911年	ノルマン人の首長ロロがノルマンディー公に封ぜられ，セーヌ川下流域にノルマンディー公国建国❸
1066年	ヘイスティングズの戦い（ノルマンディー公がイングランドを征服し，ウィリアム1世としてノルマン朝を建てる）
1130年	ノルマン系ルッジェーロ2世がシチリア島と南イタリアにシチリア王国を建国❹

やってみよう ハンザ同盟の中心都市はどこに多いだろうか。また在外商館はどのような都市におかれたか，⑤，⑨図から探してみよう。

㋐ハンザ同盟都市リューベク（ドイツ）
ハンザ商人が塩を保管したれんがづくりの倉庫が連なり，付近には運河がみられる。

スイス連邦
SWISS CONFEDERATION
アルプス山脈
オーストリア共和国
REPUBLIC OF AUSTRIA
ハンガリー
スロベニア共和国
REPUBLIC OF SLOVENIA
クロアチア共和国
REPUBLIC OF CROATIA
ボスニア・ヘルツェゴビナ
BOSNIA AND HERZEGOVINA
モンテネグロ
MONTENEGRO
アルバニア
フランス共和国
FRENCH REPUBLIC
モナコ公国
PRINCIPALITY OF MONACO
サンマリノ共和国
REPUBLIC OF SAN MARINO
バチカン市国
STATE OF THE CITY OF VATICAN
イタリア共和国
ITALIAN REPUBLIC
アルジェリア民主人民共和国
PEOPLE'S DEMOCRATIC REPUBLIC OF ALGERIA
チュニジア共和国
REPUBLIC OF TUNISIA
マルタ共和国
REPUBLIC OF MALTA
ロンバルディア
Lombardia
トレンティノ
Trentino
パダノ＝ヴェネタ平野
Pianura Padano-Veneta
トスカーナ
Toscana
カンパーニャ
Campania
プーリア
Puglia
カラブリア
Calabria
イタリア半島
アペニン山脈
Appennino
ディナルアルプス山脈
Dinaric Alps
ダルマティア
Dalmatia
スラヴォニア
Slavonija
カルスト
Karst
イストラ半島
リグリア海
Ligurian Sea
アドリア海
Adriatic Sea
ティレニア海
Tyrrhenian Sea
イオニア海
Ionian Sea
地中海
MEDITERRANEAN SEA
タラント湾
G. di Taranto
オトラント海峡
Str. of Otranto
メッシナ海峡
Str. di Messina
コルス島
Corse
（コルシカ）
サルデーニャ島
Sardegna
シチリア島
Sicilia
エルバ島
Elba
リパリ諸島
Is. Lipari
ポンツィアネ諸島
Is. Ponziane
パンテルレリア島
I. di Pantelleria
ランペドゥーザ島
I. di Lampedusa
マルタ島
Malta
ミラノ
MILANO
ローマ
ROMA
ナポリ
Napoli
フィレンツェ
Firenze
ヴェネツィア
Venezia (Venice)
ジェノヴァ
Genova
ピサ
Pisa
パドヴァ
Padova
マントヴァ
Mantova
フェラーラ
Ferrara
ボローニャ
Bologna
ウルビーノ
Urbino
ネアポリス
パレルモ
Palermo
メッシナ
Messina
シラクーザ
Siracusa
シラクサ
タラント
Taranto
タラス
ニーケーア
ニース
Nice
カルタゴ
Carthago
チュニス
TUNIS
バレッタ
VALLETTA
リュブリャナ
LJUBLJANA
ザグレブ
ZAGREB
サラエボ
SARAJEVO
ブダペスト
BUDAPEST
ポドゴリツァ
PODGORICA
1859年 ソルフェリーノ
マレンゴ 1800年
1077年、カノッサの屈辱。
1088年創立のヨーロッパで最古の大学の一つ。
ルネサンス期の市街
レオナルド＝ダ＝ヴィンチの生誕地。
メディチ家が庇護。
13世紀後半まで海港都市として繁栄。
前49年、カエサルが渡河し南下。
1209年、フランチェスコが修道院を創立。
1814年ナポレオンが流される。
ナポレオンの出生地。
1929年ラテラーノ協定に基づき成立。
1303年アナーニ事件。
前216年、カルタゴのハンニバル軍がローマ軍を包囲、撃破。
前600年ごろ、ギリシャ人が植民。前306年にローマ化。
中世最古の大学の一つがあり、イスラームの影響を受けた医学で名高い。
前708年ギリシャの植民市。
イスラーム世界の知識が流入。12世紀ルネサンスの中心地。
アルキメデスが活躍。
フェニキア人の植民市。
前202年カルタゴのハンニバルをローマのスキピオが破る。
1530年、ヨハネ騎士団がロードス島から移転。
アッピア街道
フラミニア街道
アウレリア街道
陸高と水深(m)
4000
3000
2000
1000
500
0
200
1000
2000
4000
① イタリア半島・エーゲ海
1：5 500 000
0 50 100km
正距円錐図法
この図の範囲
ギリシャ人の交易
ギリシャ人が建設したおもな
ギリシャ人以外が建設したおもな
古代ローマのおもな街道
イタリア=ルネサンス
イタリア商人のおもな交易路
イタリア商人のおもな進出拠
イタリア=ルネサンスのおもな

②ギリシャ人の植民活動(前8～前4世紀ごろ)
ギリシャ人の植民活動範囲
ギリシャ人の都市
ギリシャ人の植民方向
フェニキア人の植民活動範囲
フェニキア人の都市
フェニキア人の植民方向
スキタイ
黒海
マッサリア(マルセイユ)
イベリア
コルス(コルシカ)島
イタリア
ネアポリス(ナポリ)
マケドニア
トラキア
カディス
ビュザンティオン
タレントゥム
メッシナ
ヌミディア
シラクサ
アテネ
ミレトス
カルタゴ
シチリア島
スパルタ
クレタ島
キプロス島
シドン
フェニキア
ティルス
キレネ
エジプト
地中海
〔世界史アトラス，ほか〕
アクロポリス(ギリシャ，アテネ)　ギリシャ人の都市の中心部には広場や神殿など市民が集まる場所がつくられた。
世界遺産
③ルネサンス期のイタリア(1454年)
神聖ローマ帝国
ヴィスコンティ家 スフォルツァ家
サヴォイア公国
ミラノ
ヴェネツィア共和国
統領・都市貴族
ハンガリー王国
ミラノ公国
マントヴァ
フェラーラ公国
エステ家
ジェノヴァ共和国
ボローニャ
ラグーサ共和国
フィレンツェ共和国
シエナ共和国
メディチ家
アドリア海
コルス島
教皇領
ローマ
ローマ教皇
ナポリ
アラゴン王
サルデーニャ島
ナポリ王国
地中海
パレルモ
メッシナ
シチリア島
〔Grand Atlas Historique，ほか〕
おもな交易都市
エステ家　ルネサンスのおもな後援者
15世紀のイタリアは小国家に分かれ，東方貿易などで交易都市が繁栄した。これらの都市では，豊かな商人などがルネサンスの後援者になった。
フィレンツェの町並み(イタリア)
メディチ家の庇護のもとレオナルド=ダ=ヴィンチなど多くの芸術家が活躍し，壮麗な宮殿や聖堂が建てられた。
世界遺産
ルーマニア ROMANIA
トランシルヴァニア Transylvania
カルパティア山脈 Carpathian Mts.
モルドバ共和国 REPUBLIC OF MOLDOVA
キシナウ(キシニョフ) CHIȘINĂU
ウクライナ UKRAINE
トランシルヴァニア山脈 Transylvanian Alps
ブカレスト BUCHAREST
ワラキア Walachia
ルーマニア平原 Romania Plain
ドナウ川(ダニューブ川)
ブルガリア共和国 REPUBLIC OF BULGARIA
スターラ山脈(バルカン) Stara Pla.
ソフィア SOFIA
バルカン半島 Balkan Pen.
ロドピ山脈 Rodopi Pl.
北マケドニア共和国 REPUBLIC OF NORTH MACEDONIA
スコピエ SKOPJE
黒海 Black Sea
ウルドゥズ山脈 Yıldız Dğl.
東西交易で繁栄し，東ローマ帝国の首都となった。
ビザンティウム コンスタンティノープル
イスタンブール ISTANBUL
1204年第4回十字軍がヴェネツィアの主導で占領。
ニコメディア
トラキア Trakya
マルマラ海 Marmara Denizi
ニケーア 325年公会議
ブルサ BURSA
トロイ シュリーマンが発掘。伝説のトロイ戦争の地とされた。
ギリシャ共和国 HELLENIC REPUBLIC
エーゲ海 Aegean Sea
トルコ共和国 REPUBLIC OF TURKEY
小アジア Asia Minor
ペルガモン ペルガモン王国(前262～前133年)の都
レスヴォス島 前6世紀，女流詩人サッフォーが活躍。
サルデス 世界で初めて金属貨幣がつくられたリディア王国(前7世紀～前546年)の都
イズミル IZMIR スミルナ
エフェソス Ephesus
ミレトス イオニアの中心的ポリス。自然哲学がさかん。
ピタゴリオンとヘラ神殿
ロードス 14世紀初め，ヨハネ騎士団がビザンツから移転。
ロードス島の中世都市
マケドニア Macedonia
テッサロニキ(サロニカ) 前315年，マケドニアのカサンドロス王が建設。
ビザンツ様式建築物
テッサリア Thessalia
メテオラ
ピンドス山脈
アトス山 2033
オリンポス山 2911
ステラエラス(中央ギリシャ) Sterea Ellada
ファルサロス 前48年，カエサル軍がポンペイウス軍に大勝。
テルモピュレー 前480年
カイロネイア 前338年
プラタイア 前479年
マラトン 前490年
アクロポリス
アテネ ATHINA
ピレウス
サラミス 前480年
レパントへ 1571年
ペロポネソス半島 Peloponissos
ミケーネ
コリントス
ティリンス
エピダウロス遺跡
オリンピア遺跡
スパルタ
ナヴァリノ 1827年 ギリシャの独立に結びついた海戦。
エーゲ海諸島 Nissia Egeou
キクラデス諸島 Kiklades
ドデカニサ諸島 Dodekanissa
ティーラ(サントリーニ)島 Thira (Santorini)
アクロティリ
クレタ海 Kritiko Pel.
イラクリオン Irakleio
クノッソス クレタ文明の中心地。
クリティ Kriti
クレタ島 Kriti
カルパソス島 Karpathos
キティラ島 Kithira
みよう　イタリア=ルネサンスの中心都市はどの地域と交易で結びついたか，①図で確認しよう。

55 キリスト教文化とイスラーム文化が重層する地域
① イベリア半島・アフリカ北
1：6 000 000
正距円錐図法
フランス共和国
FRENCH REPUBLIC
アキテーヌ盆地
B. Aquitain
ビスケー湾
Bay of Biscay
カンタブリカ山脈
Cord. Cantabrica
おもな巡礼路
ピレネー山脈
Pyrenees
アンドラ公国
PRINCIPALITY OF ANDORRA
アンドララベリャ
ANDORRA LA VELLA
バスク
Basque
バスク語圏
カタルーニャ
Cataluña
イベリア半島
Pen. Iberica
イベリア高原
Iberian Plat.
ポルトガル共和国
PORTUGUESE REPUBLIC
スペイン王国
KINGDOM OF SPAIN
グアダラマ山脈
Sier. de Guadarrama
マドリード
MADRID
バルセロナ
BARCELONA
サラゴサ(1118)
Zaragoza
バレンシア(1238)
Valencia
トレド
Toledo
(1085)
古都トレド
イスラーム文化の受容の中心となった。
リスボン(1147)
LISBON
ロカ岬
C. da Roca
1497年ヴァスコ＝ダ＝ガマ出港。
サンティアゴデコンポステーラ
Santiago de Compostela
サンティアゴデコンポステーラ イエスの12使徒の1人聖ヤコブ（サンティアゴ）の墓があるとされる。
リアスバハス海岸
Costa de Rías Bajas
フィステーラ岬
C. Fisterra
ガリシア
Galicia
バレアレス諸島
Is. Baleares
マヨルカ
Mallorca
パルマ
1838年ショパンが療養のため滞在。
アイビッサ島（イビサ）
Eivissa
フォルマンテーラ島
Formentera
モレーナ山脈
Sierra Morena
コルドバ(1236)
Córdoba
後ウマイヤ朝
コルドバ歴史地区
セビリア
Sevilla
(1248)ムワッヒド朝
アンダルシア
Andalucia
アンダルシア平原
グラナダ
Granada
(1492)
ナスル朝
アルハンブラ宮殿
ムラセン山
Mulhacén
3482
ネバダ山脈
Sierra Nevada
カディス湾
G. de Cádiz
(1262)カディス
1493年、1502年コロンブス出航。
1492年コロンブス出港。
パロス
Palos
1805年イギリスがフランス・トラファルガー沖でスペイン連合艦隊を破る。
ジブラルタル〔イ〕
Gibraltar
ジブラルタル海峡
Str. of Gibraltar
セウタ〔ス〕
Ceuta
(1580)
イベリア半島と北アフリカ諸国に繰り返し争奪されてきた。
メリリャ〔ス〕
Melilla
(1497)
アルボラン島〔ス〕
Alborán
地中海
MEDITERRANEAN SEA
大西洋
ATLANTIC OCEAN
サンヴィセンテ岬
C. de São Vicente
タンジール
Tangier
テトゥワン旧市街
ラバト
RABAT
カサブランカ
CASABLANCA
フェス
FES
イドリース朝
フェス旧市街
メクネス
Meknès
古都メクネス
ヴォルビリス遺跡
モロッコ王国
KINGDOM OF MOROCCO
アトラス山脈
Atlas Mts.
アルジェ
ALGER
アルジェリア民主人民共和国
PEOPLE'S DEMOCRATIC REPUBLIC OF ALGERIA
オラン
Oran
この図の範囲
歴史をみる手がかり
②レコンキスタの攻防
0 200km
イスラーム勢力の進出方向
キリスト教徒の進出方向
(1147) キリスト教国による陥落年
ⓐ10世紀ころ
レオン王国
ナバラ王国
アラゴン
カタルーニャ諸伯領
後ウマイヤ朝
756～1031
10世紀のイスラーム勢力の範囲
ⓑ12世紀ころ
レオン王国
ナバラ王国
アラゴン王国
カスティリャ王国
ポルトガル王国
12世紀のイスラーム勢力の範囲
後ウマイヤ朝滅亡後，小国分立。レコンキスタ進展
ムラービト朝
ⓒ13世紀ころ
カスティリャ王国
(1230レオン王国と統合と合同)
ナバラ王国
アラゴン王国
ポルトガル王国
13世紀初めのイスラーム勢力の範囲
ナスル朝
1492年滅亡
14～15世紀のイスラーム勢力の範囲
アフリカへ
〔Putzger Atlas und Chronik zur Weltgeschichte，ほか〕
世界遺産

③ ローマ
―永遠の都―
1:40 000
0 500 1000m
―2018年―
バチカン市国
STATE OF THE CITY OF VATICAN
サンピエトロ大聖堂
世界最大の聖堂 カトリックの総本山。
システィーナ礼拝堂
バチカン博物館
サンピエトロ広場
サンタンジェロ城
ローマ皇帝の墓廟として建設され、中世には教皇の城塞。
ポポロ門
ポポロ広場
ボルゲーゼ公園
ヴィラ・ジュリア 国立エトルリア美術館
国立近代美術館
動物園
サラリオ Salario
サラリア門
ピア門
日本大使館
大蔵省
ローマ国立博物館
国立図書館
カストロ・プレトリオ駅
テルミニ駅
ムッソリーニにより大改装された中央駅。
ティブルティーノ Tiburtino
ローマ大学
スペイン広場
スペイン階段
トリニタ・ディ・モンティ教会
国立古典絵画館 (バルベリーニ宮)
大統領官邸 クィリナーレ宮
トレヴィの泉
共和国広場
国防省
オペラ座
国立博物館 (マッシモ宮)
内務省
イタリア銀行
サンタマリアマジョーレ教会
サンロレンツォ門
パンテオン
上院議事堂 (マダマ宮)
下院議事堂 (モンテチトリオ宮)
首相官邸 (キジ宮)
ナヴォーナ広場
市立博物館
ドリーア美術館
ヴェネツィア宮 (美術館)
ヴェネツィア広場
ヴィットリオ=エマヌエーレ2世記念堂
市庁舎
カピトリーノ美術館
フォロ=ロマーノ
古代ローマの公共広場。
コンスタンティヌス帝の凱旋門
サンピエトロ・インヴィンコリ教会
ネロの黄金宮殿跡
真実の口
サンタマリア・イン・コスメディン教会
パラティーノ丘
アヴェンティーノ丘
チェリオ丘
エスクイリーノ丘
ヴィミナーレ丘
クィリナーレ丘
カンピドリオ丘
サンジョバンニインラテラーノ教会
14世紀まで法王庁がおかれていた。
サンジョバンニ門
マジョーレ門
カラカラ浴場跡
カラカラ帝が建設した浴場の遺跡。
サンパウロ門とピラミッド
ローマオスティア駅
オスティエンセ駅
アルデアティーナ門
サンセバスティアーノ門
アッピア街道
ラティーナ門
メトロニア門
アッピオラティノ Appio Latino
FAO (国連食糧農業機関)
マルタ騎士団長の寮
トラステヴェレ Trastevere
サンタマリア・イン・トラステヴェレ教会
ジャニコロの丘
ファルネジーナ荘
スパーダ美術館
フランス大使館 (ファルネーゼ宮)
ガリバルディ像
サンパンクラッツィオ門
シャーラ公園
文部省
ポルテーゼ門
テヴェレ川
業務・商業中心地区
住宅地区
公園・緑地
主要建造物
ローマ時代の遺構
その他
地下鉄と駅
現在も市街に残る城壁
セルウィウス・トゥリウス王の城壁 (前378年ごろ)
ローマ帝国時代の城壁 (アウレリアヌス帝の城壁)
16世紀の城壁
おもな宮殿
現在は美術館として使用
現在は政庁として使用
イ フォロ=ロマーノ 右手前は皇帝が凱旋行進した「聖なる道」。
世界遺産 World Heritage
〔Diercke Weltatlas 2008, ほか〕
おもな古代ローマの遺跡
1 トラヤヌス帝の記念柱
2 カピトリウム(ユピテル神殿)
3 パラティウム(皇帝の館)
4 大競技場
5 コロッセオ(円形競技場)
6 元老院
7 近衛兵営
○ その他のローマ遺跡
▲ 古代ローマ市内の七つの丘
④ イスタンブール
(コンスタンティノープル)
―東ローマ帝国(ビザンツ帝国)からイスラームの都へ―
ヨーロッパ側
アジア側
ボスポラス海峡 Bosporus
第一ボスポラス大橋
黒海へ
金角湾 (ハリチ湾)
マルマラ海 Marmara Denizi
新市街
旧市街
ユスキュダル
ドルマバフチェ宮殿
19世紀に建てられた、ヨーロッパ風のスルタンの居城。
1453年4月23日 防鎖によって金角湾に入れなかったメフメト2世は、4.8kmの丘を、コロを利用して50隻の軍艦を運んだ。
1453年5月初旬
ガラタ塔
14世紀にジェノヴァ人により建てられた。高さ67m。
クズ塔 (乙女の塔)
防鎖
ガラタ橋
アタテュルク橋
フェティエモスク
カリエモスク
コーラ修道院
ファーティフモスク (聖使徒教会)
セレイクモスク
スレイマンモスク
ヴァレンス水道橋
イスタンブール大学
グランドバザール
シルケジ駅
イエニモスク
トプカプ宮殿
19世紀中ごろまでスルタンの居城。
アヤソフィア (聖ソフィア大聖堂)
ギリシャ正教の総本山をモスクに改築。
スルタンアフメトモスク (ブルーモスク)
アフメト1世が建設した巨大なモスク。
テオドシウスのオベリスク
前16世紀にエジプトで建てられたものをテオドシウス帝がここに運んだ。
4世紀に完成し、完成時の皇帝の名がつけられた。旧市街に水を供給。
市庁舎
バヤジットモスク
トプカプ門 (聖ロマノス門)
墓地
イェディクレ ビザンツ帝国の要塞。
ガラタ塔 東ローマ帝国の建造物
(聖使徒教会) 東ローマ帝国の建造物をオスマン帝国が使用 (建造物名)
アヤソフィア イエニモスク オスマン帝国の建造物
オスマン艦隊の山越え

スウェーデン王国
KINGDOM OF SWEDEN
デンマーク王国
KINGDOM OF DENMARK
コペンハーゲン
COPENHAGEN
バルト海
Baltic Sea
ロシア連邦
RUSSIAN FEDERATION
ラトビア共和国
REPUBLIC OF LATVIA
リガ
RIGA
リトアニア共和国
REPUBLIC OF LITHUANIA
ビリニュス
VILNIUS
ロシア連邦
RUSSIAN FEDERATION
(飛地)
ベラルーシ共和国
REPUBLIC OF BELARUS
ミンスク
MINSK
ポーランド共和国
REPUBLIC OF POLAND
ワルシャワ
WARSZAWA
ドイツ連邦共和国
FEDERAL REPUBLIC OF GERMANY
ベルリン
BERLIN
ハンブルク
HAMBURG
北ドイツ平原
チェコ共和国
CZECH REPUBLIC
プラハ
PRAHA
スロバキア共和国
SLOVAK REPUBLIC
オーストリア共和国
REPUBLIC OF AUSTRIA
ウィーン
WIEN
ミュンヘン
MÜNCHEN
ウクライナ
UKRAINE
キエフ
KIEV
カルパティア山脈
ハンガリー
HUNGARY
ブダペスト
BUDAPEST
ハンガリー平原
(アルフェルド)
ルーマニア
ROMANIA
トランシルヴァニア
トランシルヴァニア山脈
モルドバ共和国
REPUBLIC OF MOLDOVA
キシナウ
(キシニョフ)
黒海沿岸
南ベッサラビア
オデッサ
ODESA
ブカレスト
BUCHAREST
ルーマニア平原
Romania Plain
スロベニア共和国
REPUBLIC OF SLOVENIA
リュブリャナ
LJUBLJANA
クロアチア共和国
REPUBLIC OF CROATIA
ザグレブ
ZAGREB
ボスニア・ヘルツェゴビナ
BOSNIA AND HERZEGOVINA
サラエボ
SARAJEVO
ベオグラード
BEOGRAD
セルビア共和国
REPUBLIC OF SERBIA
モンテネグロ
MONTENEGRO
コソボ共和国
REPUBLIC OF KOSOVO
北マケドニア共和国
REPUBLIC OF NORTH MACEDONIA
アルバニア共和国
REPUBLIC OF ALBANIA
ブルガリア共和国
REPUBLIC OF BULGARIA
ソフィア
SOFIA
バルカン半島
Balkan Pen.
スターラ山脈
ギリシャ共和国
HELLENIC REPUBLIC
アテネ
ATHINA
ピンドス山脈
トルコ共和国
REPUBLIC OF TURKEY
小アジア
Asia Minor
イスタンブール
ISTANBUL
黒海
Black Sea
エーゲ海
Aegean Sea
アドリア海
Adriatic Sea
イオニア海
Ionian Sea
ティレニア海
Tyrrhenian Sea
イタリア共和国
ITALIAN REPUBLIC
ローマ
ROMA
バチカン市国
STATE OF THE CITY OF VATICAN
サンマリノ共和国
REPUBLIC OF SAN MARINO
イタリア半島
アペニン山脈
スラブ語派
ロシア語
ベラルーシ語
ウクライナ語
チェコ語・スロバキア語
ポーランド語
セルビア語・クロアチア語
セルビア人
クロアチア人
ムスリム人*
モンテネグロ人
スロベニア語
マケドニア語
*この地域におけるムスリムをい
19世紀後半の境界線
帝国・ドイツ帝国・オーストリア帝国・オス
オスマン帝国が関連
オスマン帝国, バルに関する条約締結地
第一次世界大戦後, 国の首都
帰属・民族問題がおる地方
(Putzger Historischer Weltatla
やってみよう
東ヨー
パ, バルカン半島の人
どこから来たのか, ②
見ながら確かめてみよ
① 東ヨーロッパ・バルカン半島
1:9 000 000
0 100 200km
正距円錐図法

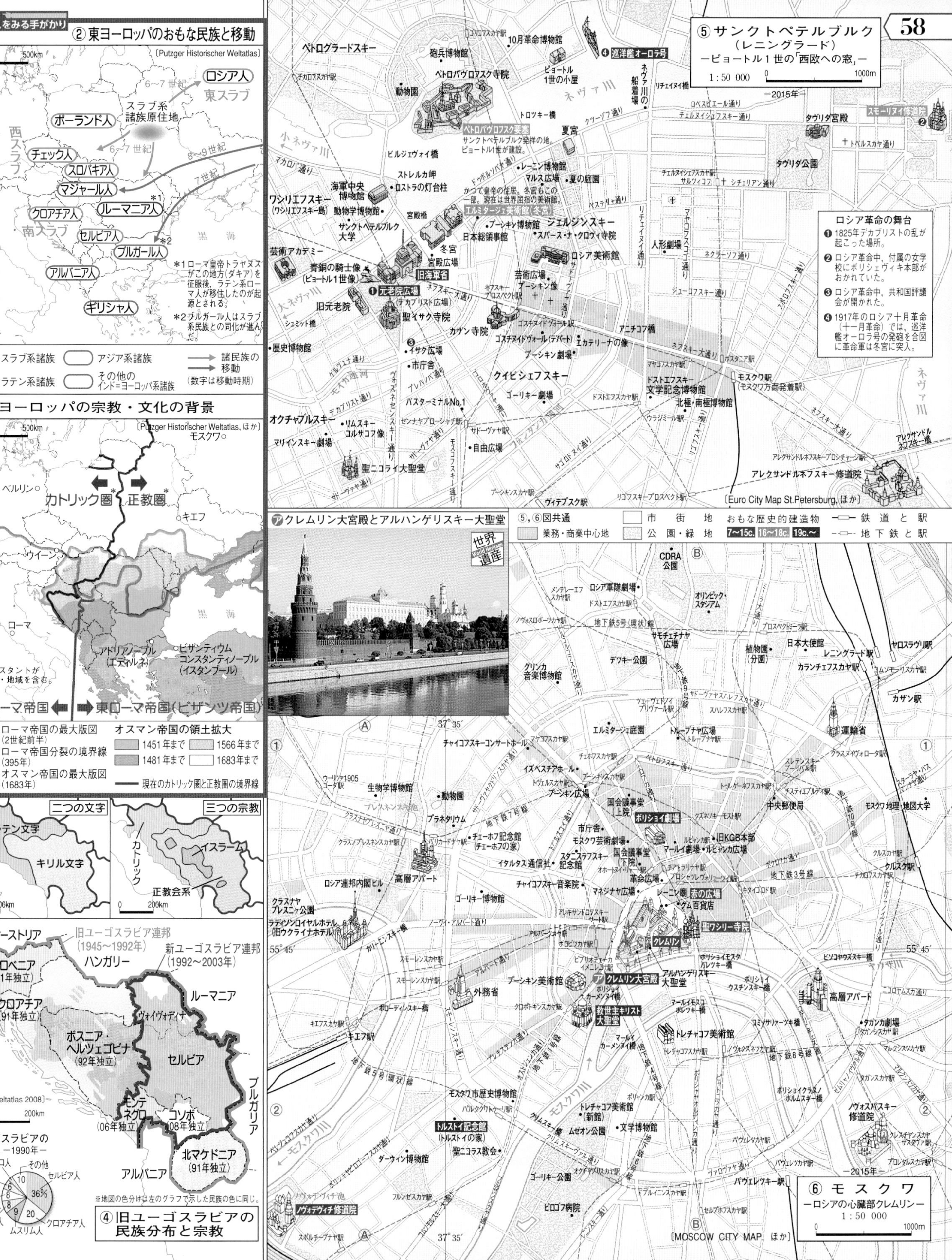
をみる手がかり
②東ヨーロッパのおもな民族と移動
500km
〔Putzger Historischer Weltatlas〕
ロシア人
東スラブ
6~7世紀
スラブ系諸族原住地
ポーランド人
西スラブ
6~7世紀
8~9世紀
チェック人
スロバキア人
マジャール人
7世紀
ルーマニア人 *1
クロアチア人
南スラブ
セルビア人
ブルガール人 *2
黒海
アルバニア人
ギリシャ人
*1ローマ皇帝トラヤヌスがこの地方(ダキア)を征服後，ラテン系ローマ人が移住したのが起源とされる。
*2ブルガール人はスラブ系民族との同化が進んだ。
スラブ系諸族
アジア系諸族
諸民族の移動 (数字は移動時期)
ラテン系諸族
その他のインド=ヨーロッパ系諸族
ヨーロッパの宗教・文化の背景
500km
〔Putzger Historischer Weltatlas, ほか〕
モスクワ
ベルリン
カトリック圏*
正教圏*
キエフ
ウィーン
黒海
ローマ
アドリアノープル(エディルネ)
ビザンティウム コンスタンティノープル(イスタンブール)
スタントが・地域を含む。
ーマ帝国
東ローマ帝国(ビザンツ帝国)
ローマ帝国の最大版図(2世紀前半)
ローマ帝国分裂の境界線(395年)
オスマン帝国の最大版図(1683年)
オスマン帝国の領土拡大
1451年まで
1481年まで
1566年まで
1683年まで
現在のカトリック圏と正教圏の境界線
二つの文字
テン文字
キリル文字
0km
三つの宗教
カトリック
イスラーム
正教会系
0 200km
ーストリア
旧ユーゴスラビア連邦(1945~1992年)
新ユーゴスラビア連邦(1992~2003年)
ロベニア 1年独立)
ハンガリー
ルーマニア
クロアチア (91年独立)
ヴォイヴォディナ
ボスニア・ヘルツェゴビナ (92年独立)
セルビア
ブルガリア
eltatlas 2008〕
200km
モンテネグロ (06年独立)
コソボ (08年独立)
北マケドニア (91年独立)
アルバニア
スラビアの —1990年—
その他
セルビア人
36%
20
クロアチア人
ムスリム人
※地図の色分けは左のグラフで示した民族の色に同じ。
④旧ユーゴスラビアの民族分布と宗教
⑤サンクトペテルブルク(レニングラード) —ピョートル1世の「西欧への窓」—
1:50 000
1000m
—2015年—
ペトログラードスキー
10月革命博物館
④巡洋艦オーロラ号
砲兵博物館
ペトロパヴロフスク寺院
ピョートル1世の小屋
ネヴァ川の船着場
チカロフスカヤ駅
動物園
ネヴァ川
リチェイヌイ橋
トロツキー橋
ペトロパヴロフスク要塞
サンクトペテルブルク発祥の地。ピョートル1世が建設。
夏宮
クツーゾフ通り
ロベスピエール通り
チェルヌイシェフスキー通り
タヴリダ宮殿
スモーリヌイ修道院②
小ネヴァ川
ビルジェヴォイ橋
マカロバ通り
ストレルカ岬
ロストラの灯台柱
レーニン博物館
マルス広場
夏の庭園
タヴリダ公園
トベルスカヤ通り
海軍中央博物館
ワシリエフスキー(ワシリエフスキー島)
動物学博物館
宮殿橋
かつて皇帝の住居。冬宮もこの一部。現在は世界屈指の美術館。
エルミタージュ美術館(冬宮)
チェルヌイシェフスカヤ駅
サルツィコフ
シチェドリン通り
ペステリャ通り
サンクトペテルブルク大学
プーシキン博物館
ジェルジンスキー
スパース・ナ・クロヴィ寺院
日本総領事館
ロシア革命の舞台
❶1825年デカブリストの乱が起こった場所。
❷ロシア革命中，付属の女学校にボリシェヴィキ本部がおかれていた。
❸ロシア革命中，共和国評議会が開かれた。
❹1917年のロシア十月革命(十一月革命)では，巡洋艦オーロラ号の発砲を合図に革命軍は冬宮に突入。
芸術アカデミー
冬宮
人形劇場
宮殿広場
ロシア美術館
ネクラーソフ通り
青銅の騎士像(ピョートル1世像)
旧海軍省
芸術広場
プーシキン像
❶元老院広場(デカブリスト広場)
大ネヴァ川
旧元老院
ネフスキー大通り
ジューコフスキー通り
聖イサク寺院
カザン寺院
シュミット橋
ゴスチヌイドヴォール駅
ゴスチヌイドヴォール(デパート)
エカテリーナの像
アニチコフ橋
歴史博物館
❸イサク広場
プーシキン劇場
ネフスキー大通り
プロスタニア駅
市庁舎
マヤコフスカヤ駅
モスクワ駅(モスクワ方面発着駅)
クイビシェフスキー
ドストエフスキー文学記念博物館
ゴーリキー劇場
ドストエフスカヤ駅
北極・南極博物館
ネヴァ川
バスターミナルNo.1
センナヤプローシャヂ駅
ウラジミール駅
オクチャブルスキー
リムスキー・コルサコフ像
サドーヴァヤ駅
マリインスキー劇場
自由広場
アレクサンドル・ネフスキー橋
アレクサンドルネフスキープロシャーヂ駅
聖ニコライ大聖堂
アレクサンドルネフスキー修道院
プーシキンスカヤ駅
リゴフスキープロスペクト駅
ヴィテプスク駅
〔Euro City Map St.Petersburg, ほか〕
㋐クレムリン大宮殿とアルハンゲリスキー大聖堂
世界遺産
⑤，⑥図共通
業務・商業中心地
市街地
公園・緑地
おもな歴史的建造物 7~15c. 16~18c. 19c.~
鉄道と駅
地下鉄と駅
CDRA公園
ロシア軍隊劇場
オリンピック・スタジアム
地下鉄5号(環状)線
サモチョチナヤ広場
日本大使館
植物園(分園)
レニングラード駅
ヤロスラヴリ駅
カランチェフスカヤ駅
デツキー公園
グリンカ音楽博物館
カザン駅
エルミタージュ庭園
トルーブナヤ広場
37°35′
運輸省
チャイコフスキーコンサートホール
イズベスチヤホール
生物学博物館
動物園
プーシキン広場
国会議事堂(上院)
ボリショイ劇場
中央郵便局
モスクワ地理・地図大学
プラネタリウム
地下鉄7号線
チェーホフ記念館(チェーホフの家)
市庁舎
モスクワ芸術劇場
旧KGB本部
マールイ劇場
ルビャンカ広場
スタニスラフスキー記念館
国会議事堂(下院)
イタルタス通信社
高層アパート
革命広場
地下鉄3号線
クルスク駅
ロシア連邦内閣ビル
チャイコフスキー音楽院
マネジナヤ広場
レーニン廟
赤の広場
クラスナヤプレスニャ公園
ゴーリキー博物館
グム百貨店
ラディソンロイヤルホテル(旧ウクライナホテル)
聖ワシリー寺院
クレムリン
55°45′
プーシキン美術館
㋐クレムリン大宮殿
アルハンゲリスキー大聖堂
外務省
高層アパート
救世主キリスト大聖堂
キエフ駅
トレチャコフ美術館
タガンカ劇場
地下鉄8号線
地下鉄5号(環状)線
モスクワ市歴史博物館
トレチャコフ美術館(新館)
モスクワ川
トルストイ記念館(トルストイの家)
ムゼオン公園
文学博物館
ノヴォスパスキー修道院
ダーウィン博物館
聖ニコラス教会
ゴーリキー公園
パヴェレツキー駅
ピロゴフ病院
ノヴォデヴィチ修道院
〔MOSCOW CITY MAP, ほか〕
—2015年—
⑥モスクワ —ロシアの心臓部クレムリン—
1:50 000
1000m

①東ヨーロッパ・ロシア連邦要部
1：9 500 000
0
300km
ランベルト正積方位図法
(面積が正しく、全体としてひずみが小さい。)
フィンランド
FINLAND
ヘルシンキ
HELSINKI
ストックホルム
STOCKHOLM
サンクトペテルブルク
SANKT PETERBURG
(レニングラード)
ラドガ湖
Ladozhskoye Oz.
フィンランド湾
G. of Finland
タリン
TALLINN
エストニア共和国
REPUBLIC OF ESTONIA
ナルヴァ
1700年
ヒーウマー島
Hiiumaa
サーレマー島
Saaremaa
リガ湾
G. of Riga
リガ
RIGA
ラトビア共和国
REPUBLIC OF LATVIA
ゴトランド島
Gotland
デンマーク
DENMARK
スウェーデン王国
KINGDOM OF SWEDEN
コペンハーゲン
COPENHAGEN
エーランド島
Öland
ボルンホルム島
Bornholm
リューゲン島
Rügen
Baltic Sea
クライペダ
Klaipėda
リトアニア共和国
REPUBLIC OF LITHUANIA
ロシア連邦(飛地)
RUSSIAN FEDERATION
カリーニングラード
Kaliningrad
ヴィリニュス
VILNIUS
カウナス
Kaunas
ベラルーシ共和国
REPUBLIC OF BELARUS
ミンスク
MINSK
ノヴゴロド
Novgorod
プスコフ
Pskov
トヴェリ
Tver'
モスクワ
MOSKVA
1480年 キプチャク=ハン国から独立。
スモレンスク
Smolensk
東ヨーロッパ平原
East European Plain
中央ロシア高地
ヴァルダイ丘陵
ヤロスラヴリ
Yaroslavl'
ロストフ
リャザニ
Ryazan
トゥーラ
Tula
ブリャンスク
Bryansk
オリョール
Orel
クルスク
Kursk
ヴォロネジ
VORONEZH
アゾフ進出への艦隊基地。
クリコヴォ
1380年
ドイツ
GERMANY
ベルリン
BERLIN
ポーランド共和国
REPUBLIC OF POLAND
ワルシャワ
WARSZAWA
グダニスク
Gdańsk
ポズナン
Poznań
ウーチ(ウッジ)
Łódź
ヴロツワフ
Wrocław
クラクフ
Kraków
ドレスデン
Dresden
プラハ
PRAHA
チェコ共和国
CZECH REPUBLIC
ブルノ
Brno
ブレスト
Brest
ピンスク
Pinsk
プリピャチ川
ゴメリ
Homyel'
チェルニヒウ
Chernihiv
キエフ
KIEV
ウクライナ
UKRAINE
リヴィウ(リヴォフ)
L'viv
ハリコフ
KHARKIV
ポルタヴァ
Poltava
1709年
ドニエプル川
ドニエプロペトロフスク
Dnipropetrovs'k
ザポロージエ
Zaporizhzhya
ドネツ丘陵
ドネツィク
Donets'k
マリウポリ
Mariupol'
タガンログ
Taganrog
1774年併合
ウィーン
WIEN
オーストリア
AUSTRIA
ブラチスラバ
BRATISLAVA
スロバキア共和国
SLOVAK REPUBLIC
ブダペスト
BUDAPEST
ハンガリー
HUNGARY
ハンガリー平原
カルパティア山脈
Carpathian Mts.
モルドバ共和国
REPUBLIC OF MOLDOVA
キシナウ
CHIŞINĂU
オデッサ
ODESA
黒海沿岸低地
Prichernomorskaya Nizm.
ヘルソン
Kherson
カホフカ湖
アゾフ海
Sea of Azov
クリム半島(クリミア半島)
Kryms'kyy Piv.(Crimea Pen.)
セヴァストポリ
Sevastopol'
ロシア黒海艦隊の基地。クリミア戦争の激戦地。
1783年
ヤルタ
ケルチ
Kerch
クラスノダール
Krasnodar
ノヴォロシースク
Novorossiysk
ソチ
Sochi
ザグレブ
ZAGREB
クロアチア共和国
REPUBLIC OF CROATIA
ボスニア・ヘルツェゴビナ
BOSNIA AND HERZEGOVINA
サラエボ
SARAJEVO
ディナルアルプス山脈
Dinaric Alps
ルーマニア
ROMANIA
トランシルヴァニア
Transylvania
トランシルヴァニア山脈
Transylvanian Alps
ベオグラード
BEOGRAD
セルビア共和国
REPUBLIC OF SERBIA
モンテネグロ
MONTENEGRO
ポドゴリツァ
PODGORICA
コソボ共和国
REPUBLIC OF KOSOVO
ブカレスト
BUCHAREST
ルーマニア平原
Romania Plain
ドナウ川
Danube
コンスタンツァ
Constanța
ドブロジャ
Dobrogea
ブルガリア共和国
REPUBLIC OF BULGARIA
ソフィア
SOFIA
スタラ(バルカン)山脈
Stara (Balkan) Pl.
ヴァルナ
Varna
カイナルジャ
1774年
バルカン半島
Balkan Pen.
スコピエ
SKOPJE
北マケドニア共和国
REPUBLIC OF NORTH MACEDONIA
ティラナ
TIRANË
アルバニア共和国
ロドピ山脈
Rodopi Pla.
アドリアノープル
1829年
エディルネ
Edirne
イスタンブール
ISTANBUL
ボスポラス海峡
Bosporus
黒海と地中海を結ぶ唯一の水路。ロシアが航行権を求め、それを阻止したい英・仏と対立した。
サンステファノ
1878年
ウンキャルスケレッシ
1833年
マルマラ海
Marmara Denizi
ダーダネルス海峡
Dardanelles
テッサロニキ(サロニカ)
ギリシャ
GREECE
エーゲ海
Aegean Sea
アドリア海
Adriatic Sea
イオニア海
Ionian Sea
イタリア
ITALY
オートラント海峡
Str. of Otranto
黒海
Black Sea
アナドール山脈
トルコ共和国
REPUBLIC OF TURKEY
アンカラ
ANKARA
ブルサ
BURSA
サムスン
Samsun
クズルウルマク川
Kizil Irmak
BTCパイプライン

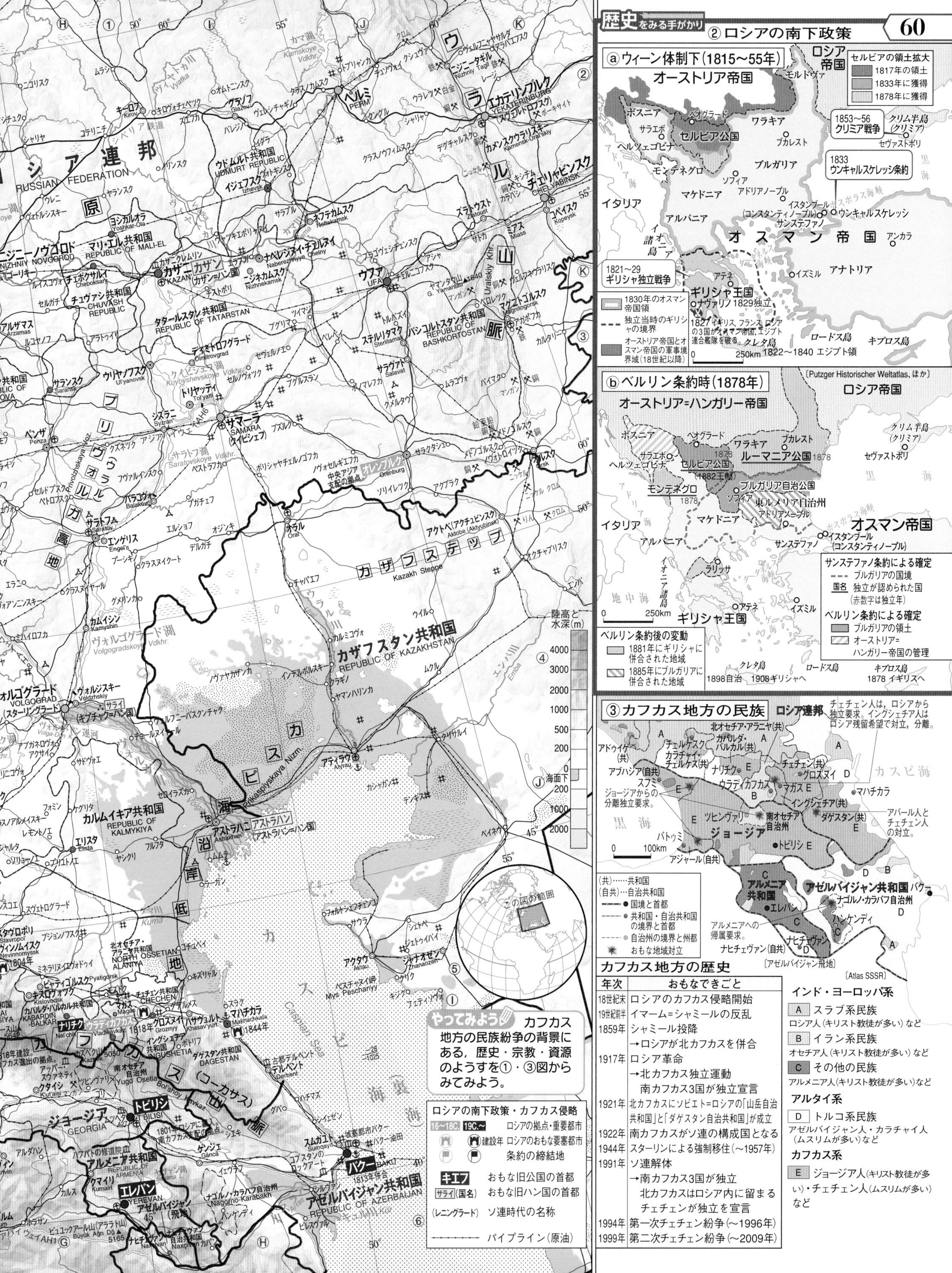

カフカス地方の歴史

年次	おもなできごと
18世紀末	ロシアのカフカス侵略開始
19世紀前半	イマーム=シャミールの反乱
1859年	シャミール投降 →ロシアが北カフカスを併合
1917年	ロシア革命 →北カフカス独立運動 南カフカス3国が独立宣言
1921年	北カフカスにソビエト=ロシアの「山岳自治共和国」と「ダゲスタン自治共和国」が成立
1922年	南カフカスがソ連の構成国となる
1944年	スターリンによる強制移住(～1957年)
1991年	ソ連解体 →南カフカス3国が独立 北カフカスはロシア内に留まる チェチェンが独立を宣言
1994年	第一次チェチェン紛争(～1996年)
1999年	第二次チェチェン紛争(～2009年)

① ロシア周辺
1：25 000 000
0 200 400 600km
心射円筒図法
この図の範囲
グリーンランド
Greenland
北極点
ノルウェー海
スヴァールバル諸島
Svalbard
ゼムリャフランツァヨシファ（フランツヨシフランド）
セーヴェルナヤ
Severnaya Zem.
ノヴァヤゼムリャ
Novaya Zemlya
コラ半島
カニン半島
ヤマル半島
ネネツ自治管区
Nenets
北シベリア低地
Sev.Sibirskaya Nizm.
ヤマロ・ネネツ自治管区
Yamalo Nenets
ハンティ・マンシ自治管区
北極圏
中央シ
ロシア連邦
RUSSIAN FEDERATION
西シベリア低地
Zap.Sibirskaya Ravnina
1582年、イェルマークが占領。シベリア進出の拠点。
東ヨーロッパ平原
ウラル山脈
Uralsky
スカンディナヴィア半島
Scandinavian Pen.
フィンランド
ラップランド
Lappland
ストックホルム
STOCKHOLM
ヘルシンキ
HELSINKI
エストニア
ESTONIA
ラトビア
LATVIA
リトアニア
LITHUANIA
ベラルーシ
BELARUS
ミンスク
MINSK
ポーランド
ワルシャワ
WARSZAWA
ウクライナ
UKRAINE
キエフ
KIEV
モスクワ
MOSKVA
サンクトペテルブルク
ST.PETERSBURG
ニジニーノヴゴロド
NIZHNIY NOVGOROD
カザン
KAZAN
サマーラ
SAMARA
ヴォルゴグラード
VOLGOGRAD
ロストフ
ROSTOV-NA-DONU
エカテリンブルク
YEKATERINBURG
チェリャビンスク
CHELYABINSK
オムスク
OMSK
ノヴォシビルスク
NOVOSIBIRSK
クラスノヤルスク
KRASNOYARSK
カスピ海沿岸低地
カザフステップ
Kazakh Steppe
中央アジア
Central Asia
カザフスタン
KAZAKHSTAN
ヌルスルタン
NURSULTAN
アラル海
トルクメニスタン
TURKMENISTAN
ウズベキスタン
UZBEKISTAN
タシケント
TASHKENT
キジルクーム砂漠
カラクーム砂漠
キルギス
KYRGYZ
ビシュケク
BISHKEK
アルマティ
ALMATY
タジキスタン
TAJIKISTAN
ドゥシャンベ
DUSHANBE
パミール高原
Pamir
アフガニスタン
カブール
KABUL
ヒンドゥークシ山脈
イスラマバード
ISLAMABAD
カラコルム山脈
ジュンガル盆地
テンシャン（天山）山脈
Tian Shan
ウルムチ（烏魯木斉）
タリム盆地
Tarim Pd.
タクラマカン砂漠
Takla Makan Sha.
クンルン山脈（崑崙）
トゥルファン盆地
Turpan Pb.
中華人民共和国
PEOPLE'S REPUBLIC OF CHINA
チャイダム盆地
アルタイ山脈
Altai Mts.
ハンガイ山脈
モンゴル
MONGO
サヤン山脈
トルコ
イラン
テヘラン
TEHRAN
マシュハド
カヴィール砂漠
ルート砂漠
カフカス山脈
バクー
BAKU
トビリシ
エレバン
黒海
Black Sea
ドイツ
ベルリン
BERLIN
チェコ
プラハ
PRAHA
ルーマニア
オデッサ
ODESA
セヴァストーポリ
Sevastopol
土地利用と植生
耕地
草地・牧草地
針葉樹林
温帯林
砂漠
高山地域・ツンドラ・荒地
一年中凍る海
冬に凍る海
パイプライン
共和国・自治共和国の首都
共和国界・自治共和国界
自治州界・自治管区界
❶カバルダ・バルカル共和国（ロシア）
❷北オセチア・アラニヤ共和国（ロシア）
❸イングシェチア共和国（ロシア）
❹チェチェン共和国（ロシア）
❺アブハジア自治共和国（ジョージア）
❻アジャール自治共和国（ジョージア）
❼アドゥイゲ共和国（ロシア）
❽カラチャイ・チェルケス共和国（ロシア）
ベラルーシ BELARUS CIS（独立国家共同体）加盟国

ⓒ ロシアの拡大年表

※❶～❼は①図を参照。

年次	おもなできごと	年次	おもなできごと
1480年	モスクワ大公国が自立	1792年	ラクスマンを根室に派遣❹
1552年	カザン=ハン国を併合	1828年	トルコマンチャーイ条約締結❺ →アルメニア等を獲得
1556年	アストラハン=ハン国を征服	1858年	アイグン条約で黒竜江以北獲得❻
1582年	シビル=ハン国の首都を占領	1860年	北京条約で沿海州を獲得
1689年	清とネルチンスク条約締結❶	1868年	ブハラ=ハン国を保護国化
1712年	サンクトペテルブルクに遷都❷	1873年	ヒヴァ=ハン国を保護国化
1727年	清とキャフタ条約締結❸	1875年	樺太・千島交換条約
1774年	オスマン帝国に勝利 キュチュク=カイナルジャ条約締結 →黒海北岸を領有	1876年	コーカンド=ハン国を併合
		1878年	サンステファノ条約 ベルリン条約
1783年	クリム=ハン国を併合 →黒海へ進出	1881年	イリ条約❼
		1904年	日露戦争（～1905年）

③ 1月の平均気温

ア 凍りつくネヴァ川(サンクトペテルブルク, 2月)

① 南北アメリカ・大西洋
1：57 000 000
0 500 1000 1500km
シヌソイダル図法
アラスカ
デナリ(マッキンリー)山 6190
アンカレジ
ベーリング海
アラスカ湾
アラスカ半島
カナダ
CANADA
ロッキー山脈
Rocky Mts.
プリンスルパート
エドモントン
ウィニペグ
ヴァンクーヴァー
シアトル
ヴィクトリア島
北極圏
バッフィン島
グリーンランド〔デ〕
ギュンビョルン山 3700
ヌーク(ゴットホープ)
アイスランド
ICELAND
レイキャビク
植村山 2540
フェロー諸島〔デ〕
ノルウェー
NORWAY
オスロ
ノルウェー海
オークニー諸島
北海
North Sea
イギリス
UNITED KINGDOM
デンマーク
ダブリン
アイルランド
IRELAND
ブリストル
リヴァプール
ロンドン
ナント
パリ
ビスケー湾
ハドソン湾
ラブラドル海
ラブラドル半島
流氷の限界
ラブラドル高原
英国王の後援で北アメリカ沿岸を探検。
ローレンシア台地
ケベック
ニューファンドランド島
オタワ
モントリオール
ニューイングランド
ニューネーデルラント
ニューヨーク(ニューアムステルダム)
アメリカ合衆国
UNITED STATES OF AMERICA
グレートプレーンズ
プレーリー
中央平原
アパラチア山脈
シカゴ
ワシントンD.C.
ジェームズタウン
ヴァージニア
サンフランシスコ
ロサンゼルス
カリフォルニア半島
ルイジアナ
ヒューストン
チワワ
ヌエバエスパーニャ副王領
メキシコ
MEXICO
メキシコ湾
G.of Mexico
フロリダ半島
バミューダ諸島〔イ〕
ポルトガル
PORTUGAL
リスボン
パロス
スペイン
アゾレス諸島〔ポ〕
サンタマリア島
マデイラ諸島〔ポ〕
ラバト
カサブランカ
モロッコ
カナリア諸島〔ス〕
②図
西サハラ
WESTERN SAHARA
北回帰線
1492年に到達したコロンブスは、ここをアジアの一部と信じた。
サンサルヴァドル島
ハバナ
キューバ
CUBA
西インド諸島
サカテカス
メキシコシティ
グアダラハラ
テノチティトラン
ベラクルス
アカプルコ
ユカタン半島
ジャマイカ
JAMAICA
キングストン
ハイチ
HAITI
サントドミンゴ
ドミニカ共和国
DOMINICAN REPUBLIC
プエルトリコ海溝
アンティグア島
マルティニーク島
バルバドス
グレナダ
GRENADA
トリニダード・トバゴ
TRINIDAD AND TOBAGO
カリブ海
Caribbean Sea
ベルモパン
ベリーズ BELIZE
ホンジュラス
HONDURAS
グアテマラシティ
GUATEMALA グアテマラ
EL SALVADOR エルサルバドル
テグシガルパ
ニカラグア
NICARAGUA
マナグア
サンホセ
コスタリカ
COSTA RICA
パナマ
PANAMA
パナマシティ
アメリカという地名はかれの名アメリゴにちなんだもの。
イギリス・フランス・オランダの奴隷貿易
カーボベルデ
CABO VERDE
プライア
ヴェルデ岬諸島
ダカール
セネガル
SENEGAL
ゴレ島
フォートジェームズ
奴隷輸出基地
ヌアクショット
モーリタニア
MAURITANIA
ギニアビサウ
GUINEA-BISSAU
ビサウ
ギニア
GUINEA
コナクリ
フリータウン
シエラレオネ
SIERRA LEONE
モンロビア
カラカス
ベネズエラ
VENEZUELA
オリノコ川
トルデシリャス条約(1494年)によるスペインとポルトガルの海外領土分界線
スペイン
ポルトガル
ジョージタウン
パラマリボ
ガイアナ
GUYANA
スリナム
SURINAME
ギアナ〔フ〕
オランダの奴隷貿易
大西洋
ATLANTIC OCEAN
赤道
ボゴタ
コロンビア
COLOMBIA
ガラパゴス諸島〔エクアドル〕
イサベラ島
キト
エクアドル
ECUADOR
チンボラソ山 6310
ベレン
マナオス
フォルタレーザ
アンデス山脈
Andes
ペルー
PERU
ペルー海溝
リマ
マチュピチュ
クスコ
太平洋
PACIFIC OCEAN
ブラジル
BRAZIL
セルバ
ブラジル高原
Plat. do Brasil
セラード
レシフェ
1630～54年オランダ領。
サルヴァドル(バイア)
アジアに向かう途中の1500年、遭難したカブラルがブラジルに漂着。
アセンション島〔イ〕
③図
1815年ナポレオン…
1821年没した。
ボリビア
BOLIVIA
ラパス
ポトシ
ペルー副王領
ブラジリア
カンポ
トリンダデ島〔ブラジル〕
南回帰線
パラグアイ
PARAGUAY
アスンシオン
グランチャコ
サンパウロ
リオデジャネイロ
サンフェリクス島〔チリ〕
チリ海溝
チリ
CHILE
アコンカグア山 6959
フアンフェルナンデス諸島〔チリ〕
サンティアゴ
ウルグアイ
URUGUAY
ブエノスアイレス
モンテビデオ
地球の正反対側においた日本(対蹠点)
トリスタンダクーニャ諸島〔イ〕
パンパ
アルゼンチン
ARGENTINA
チロエ島
ウェリントン島
マゼラン海峡
フォークランド諸島(マルビナス諸島)
サウスジョージア島
フエゴ島
オルノス岬(ホーン岬)
この図の範囲
やってみよう アフリカからアメリカ大陸に送り出された奴隷は，どのような作物の栽培のために使われたのか，①図で確認してみよう。
航海者のルート
コロンブス(1492～93年)
カボット(1497～98年)
カブラル(1500～02年)
ヴェスプッチ(1501～02年)
ヨーロッパ人の進出
ルアンダ スペイン・ポルトガルの根拠地(16～18世紀)
ゴレ島 イギリス・フランス・オランダの根拠地(16～18世紀)
ルイジアナ おもな植民地名
スペイン植民地(1700年ごろ)
ポルトガル植民地(1700年ごろ)
奴隷貿易のルート
黒人奴隷を用いたプランテーション作物(16～18世紀)
さとうきび たばこ 綿花
コーヒー カカオ
陸高と水深(m)
6000 4000 2000 1000 500 200 0 海面下 200 1000 2000 4000 6000 8000
② カナリア諸島
カナリア諸島〔ス〕
Is.Canarias
ラパルマ島
テイデ山 3718
サン・クリストバル・デ・ラ・ラグナ
サンタクルス
テネリフェ島
ガラホナイ国立公園
ラスパルマス
グランカナリア島

極地探検のおもな動き ※❶～❻は④⑤図を参照。

1728年	ベーリング(ロシア)ベーリング海に到達❶
1909年	ピアリー(アメリカ合衆国)世界初の北極点到達❷
1911年	アムンゼン(ノルウェー)世界初の南極点到達❸
1912年	スコット(イギリス)南極点到達❹
1912年	白瀬矗(日本)南極大和雪原に到達❺
1978年	植村直己(日本)北極点到達❻

65
ヨーロッパ人が進出した「新大陸」
① 北アメリカ
1：30 000 000
ランベルト正積方位図法
1610年，イギリスのハドソンがアジアへの北西航路をさがして航海。
現地語のカナタ(村落)をカルティエがケベック周辺の地名としてよび，18世紀はじめには全土をさすようになった。
1688年，イギリスのハドソン湾会社が毛皮交易所を設置。
1741年，ロシア皇帝の命を受けたデンマーク生まれのベーリングがアラスカを発見。以後，毛皮を求めた商人が進出。
1608年，フランスのシャンプランが建設。植民地経営の中心地。
1620年，イギリスのプリマスを出港したメイフラワー号でピルグリム=ファーザーズらが上陸。
1625年，オランダが建設。1664年，イギリスが占領し，ニューヨークと改名。
1607年イギリスが北米ではじめて建設に成功した植民地。
アナサジ族が12世紀末までに築いた断崖の住居群。
北極海
ARCTIC OCEAN
ハドソン湾
Hudson Bay
アラスカ湾
G. of Alaska
ベーリング海
Bering Sea
バフィン湾
Baffin Bay
ラブラドル海
Labrador Sea
グリーンランド
Greenland
アイスランド共和国
ICELAND
ロシア連邦
RUSSIAN FEDERATION
アメリカ合衆国
UNITED STATES OF AMERICA
カナダ
CANADA
アラスカ
ALASKA
ユーコン準州
YUKON TERRITORY
ノースウェスト準州
NORTHWEST TERRITORIES
ヌナブト準州
NUNAVUT
ブリティッシュコロンビア
BRITISH COLUMBIA
アルバータ
ALBERTA
サスカチュワン
SASKATCHEWAN
マニトバ
MANITOBA
オンタリオ
ONTARIO
ケベック
QUÉBEC
ニューファンドランド・ラブラドル
NEWFOUNDLAND AND LABRADOR
ロッキー山脈
Rocky Mts.
アパラチア山脈
Appalachian Mts.
グレートプレーンズ
Great Plains
中央平原
Central Plain
ロサンゼルス
LOS ANGELES
ニューヨーク
NEW YORK
ワシントンD.C.
WASHINGTON D.C.
フィラデルフィア
PHILADELPHIA
シカゴ
CHICAGO
トロント
TORONTO
オタワ
OTTAWA
モントリオール
MONTREAL
ボストン
バミューダ諸島
日付変更線
同緯度 同縮尺の日本

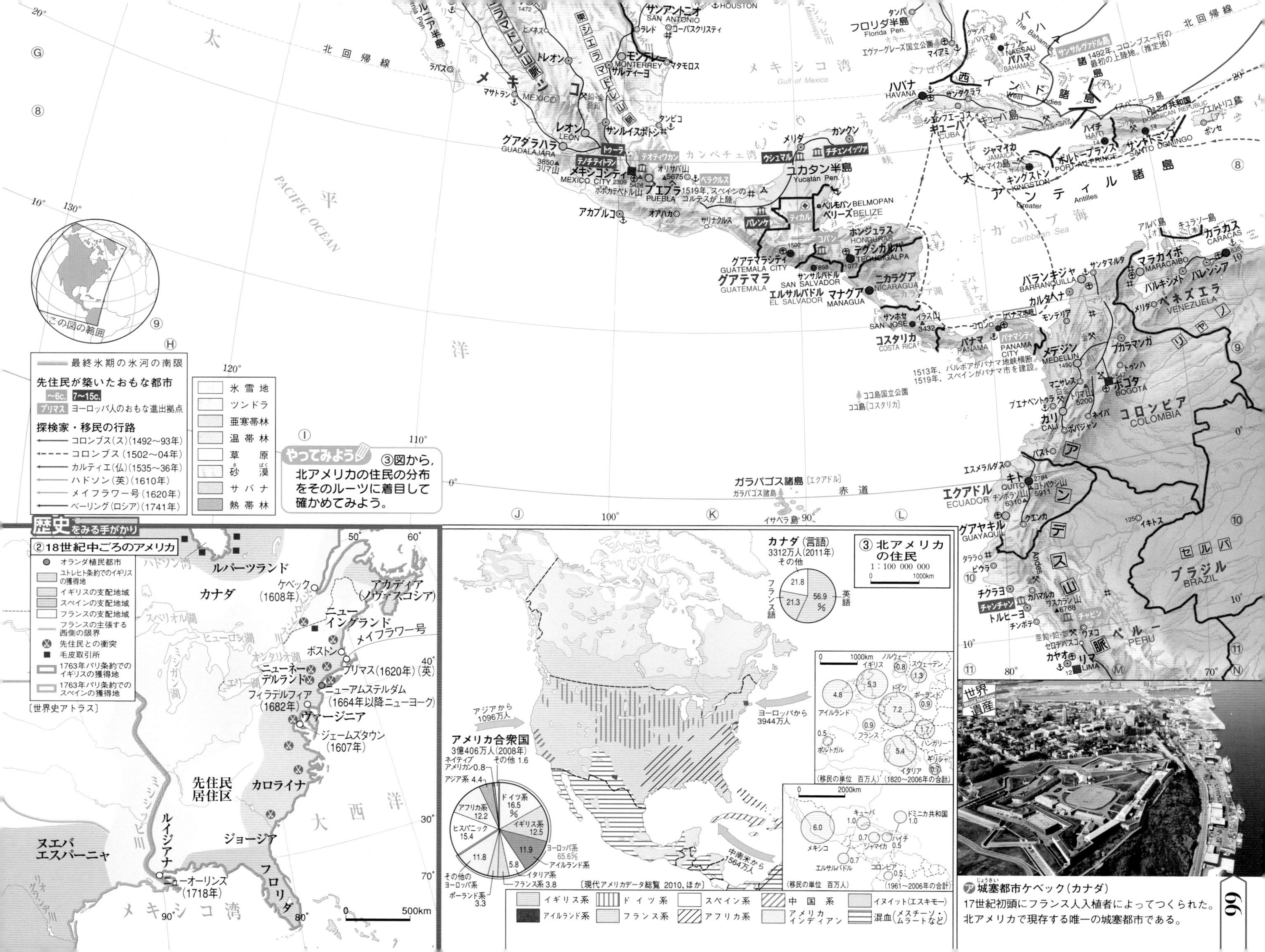

最終氷期の氷河の南限

先住民が築いたおもな都市
~6c. 7~15c.
プリマス ヨーロッパ人のおもな進出拠点

探検家・移民の行路
- コロンブス(ス)(1492～93年)
- コロンブス(1502～04年)
- カルティエ(仏)(1535～36年)
- ハドソン(英)(1610年)
- メイフラワー号(1620年)
- ベーリング(ロシア)(1741年)

氷雪地
ツンドラ
亜寒帯林
温帯林
草原
砂漠
サバナ
熱帯林

やってみよう ③図から、北アメリカの住民の分布をそのルーツに着目して確かめてみよう。

ア 城塞都市ケベック(カナダ)
17世紀初頭にフランス人入植者によってつくられた。北アメリカで現存する唯一の城塞都市である。

67
アメリカ合衆国の独立
アメリカの独立
13植民地の範囲（1776年）
ボストン 独立戦争に関連する地名
西へと進んだ開拓
オマハ 開通当時の大陸横断鉄道の起・終点
おもな大陸横断鉄道
国立公園
赤文字
やってみよう アメリカが独立したときの13植民地を地図から探してみよう。
① アメリカ合衆国
1：16 000 000
0 200 400km
正距円錐図法
陸高と水深（m）
3000
2000
1000
500
200
0
海面下
200
1000
2000
4000
6000
アメリカ合衆国
UNITED STATES OF AMERICA
カナダ
CANADA
メキシコ合衆国
UNITED MEXICAN STATES
ロッキー山脈
カスケード山脈
海岸山脈
シエラネヴァダ山脈
コロラド高原
グレートプレーンズ
中央平原
西シエラマドレ山脈
東シエラマドレ山脈
メキシコ高原
カリフォルニア半島
カリフォルニア湾
太平洋
PACIFIC OCEAN
メキシコ湾
Gulf of Mexico
カンペチェ湾
B. de Campeche
北回帰線
ブリティッシュコロンビア
BRITISH COLUMBIA
アルバータ
ALBERTA
サスカチュワン
SASKATCHEWAN
マニトバ
MANITOBA
オンタリオ
ONTARIO
ワシントン
WASHINGTON
オレゴン
OREGON
アイダホ
IDAHO
モンタナ
MONTANA
ワイオミング
WYOMING
ノースダコタ
NORTH DAKOTA
サウスダコタ
SOUTH DAKOTA
ミネソタ
MINNESOTA
ウィスコンシン
WISCONSIN
ネヴァダ
NEVADA
ユタ
UTAH
コロラド
COLORADO
ネブラスカ
NEBRASKA
アイオワ
IOWA
イリノイ
ILLINOIS
カリフォルニア
CALIFORNIA
アリゾナ
ARIZONA
ニューメキシコ
NEW MEXICO
カンザス
KANSAS
ミズーリ
MISSOURI
オクラホマ
OKLAHOMA
アーカンソー
ARKANSAS
テキサス
TEXAS
ルイジアナ
LOUISIANA
ミシシッピ
MISSISSIPPI
ヴァンクーヴァー
シアトル
ポートランド
サンフランシスコ
ロサンゼルス
オグデン
オマハ
セントポール
ダルース
セントルイス
ニューオーリンズ
カナディアンパシフィック鉄道（1886年開通）
カナディアンナショナル鉄道
グレートノーザン鉄道（1893年開通）
ノーザンパシフィック鉄道（1883年開通）
セントラルパシフィック鉄道（1869年開通）
ユニオンパシフィック鉄道（1869年開通）
サンタフェ鉄道（1880年開通）
サザンパシフィック鉄道（1883年開通）
ソルトレークシティ
デンヴァー
カルガリー
エドモントン
ウィニペグ
ミネアポリス
カンザスシティ
ダラス
ヒューストン
サンアントニオ
エルパソ
フェニックス
ラスヴェガス
サンディエゴ
モンテレー
MONTERREY
グアダラハラ
GUADALAJARA
メキシコシティ
MEXICO CITY
グレートソルト湖
グレートベースン
コロンビア盆地
コロンビア高原
死の谷
モハーヴェ砂漠
イエローストーン国立公園
グランドキャニオン国立公園
ヨセミテ国立公園

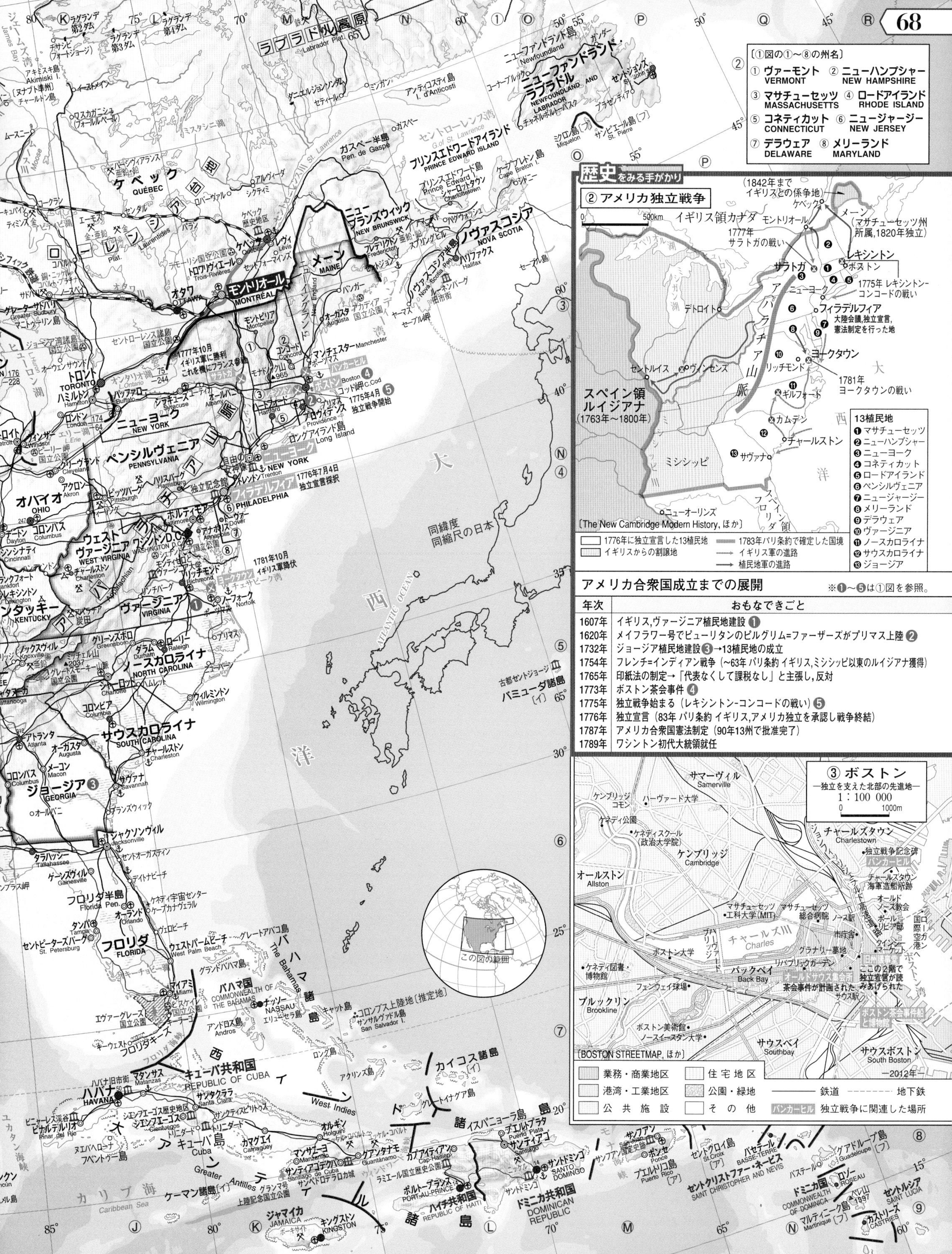

アメリカ合衆国成立までの展開 ※❶～❺は①図を参照。

年次	おもなできごと
1607年	イギリス,ヴァージニア植民地建設 ❶
1620年	メイフラワー号でピューリタンのピルグリム=ファーザーズがプリマス上陸 ❷
1732年	ジョージア植民地建設❸→13植民地の成立
1754年	フレンチ=インディアン戦争(～63年 パリ条約 イギリス,ミシシッピ以東のルイジアナ獲得)
1765年	印紙法の制定→「代表なくして課税なし」と主張し,反対
1773年	ボストン茶会事件 ❹
1775年	独立戦争始まる(レキシントン-コンコードの戦い)❺
1776年	独立宣言(83年 パリ条約 イギリス,アメリカ独立を承認し戦争終結)
1787年	アメリカ合衆国憲法制定(90年13州で批准完了)
1789年	ワシントン初代大統領就任

① アメリカ合衆国
中央部・東部
1：10 000 000
0 100 200km
正距円錐図法
1860年ごろのアメリカ合衆国
南北戦争（1861～65年）の激戦地（数字は年次）
南北戦争関連都市
当時の綿花栽培地
西部開拓の重要道
綿織物・毛織物
鉄鋼
河川の可航上限
グレートプレーンズ
ロッキー山脈
アメリカ合衆国
UNITED STATES OF AMERICA
中央平原
オザーク台地
エドワーズ高原
Edwards Plat.
メキシコ湾岸平野
Gulf Plain
メキシコ湾
Gulf of Mexico
メキシコ合衆国
UNITED MEXICAN STATES
メキシコ高原
Mexico Plat.
東シエラマドレ山脈
Sierra Madre Oriental
スペリオル湖
L.Superior
ミシガン湖
L.Michigan
モンタナ
MONTANA
ノースダコタ
NORTH DAKOTA
サウスダコタ
SOUTH DAKOTA
ミネソタ
MINNESOTA
ワイオミング
WYOMING
ネブラスカ
NEBRASKA
アイオワ
IOWA
ウィスコンシン
WISCONSIN
ミシガン
MICHIGAN
イリノイ
ILLINOIS
インディアナ
INDIANA
オハイオ
OHIO
コロラド
COLORADO
カンザス
KANSAS
ミズーリ
MISSOURI
ケンタッキー
KENTUCKY
テネシー
TENNESSEE
ニューメキシコ
NEW MEXICO
オクラホマ
OKLAHOMA
アーカンソー
ARKANSAS
テキサス
TEXAS
ルイジアナ
LOUISIANA
ミシシッピ
MISSISSIPPI
アラバマ
ALABAMA
ジョージア
GEORGIA
オンタリオ
シカゴ
CHICAGO
セントルイス
St. Louis
カンザスシティ
Kansas City
インディペンデンス
Independence
オレゴン街道・サンタフェ街道の起点
サンタフェ街道
オレゴン街道
ユニオンパシフィック鉄道
BNSF鉄道
デンヴァー
Denver
ミネアポリス
セントポール
ミルウォーキー
デトロイト
インディアナポリス
シンシナティ
ルイヴィル
ナシュヴィル
メンフィス
Memphis
チャタヌーガ
1863.11
アトランタ
ヴィックスバーグ
1863.7
ニューオーリンズ
New Orleans
ダラス
DALLAS
ヒューストン
HOUSTON
サンアントニオ
SAN ANTONIO
オースティン
オクラホマシティ
リトルロック
モンテレー
MONTERREY
ミシシッピデルタ
Mississippi Delta
ミシシッピ川
ミズーリ川
アーカンザス川
レッド川
リオグランデ川
Rio Bravo del Norte

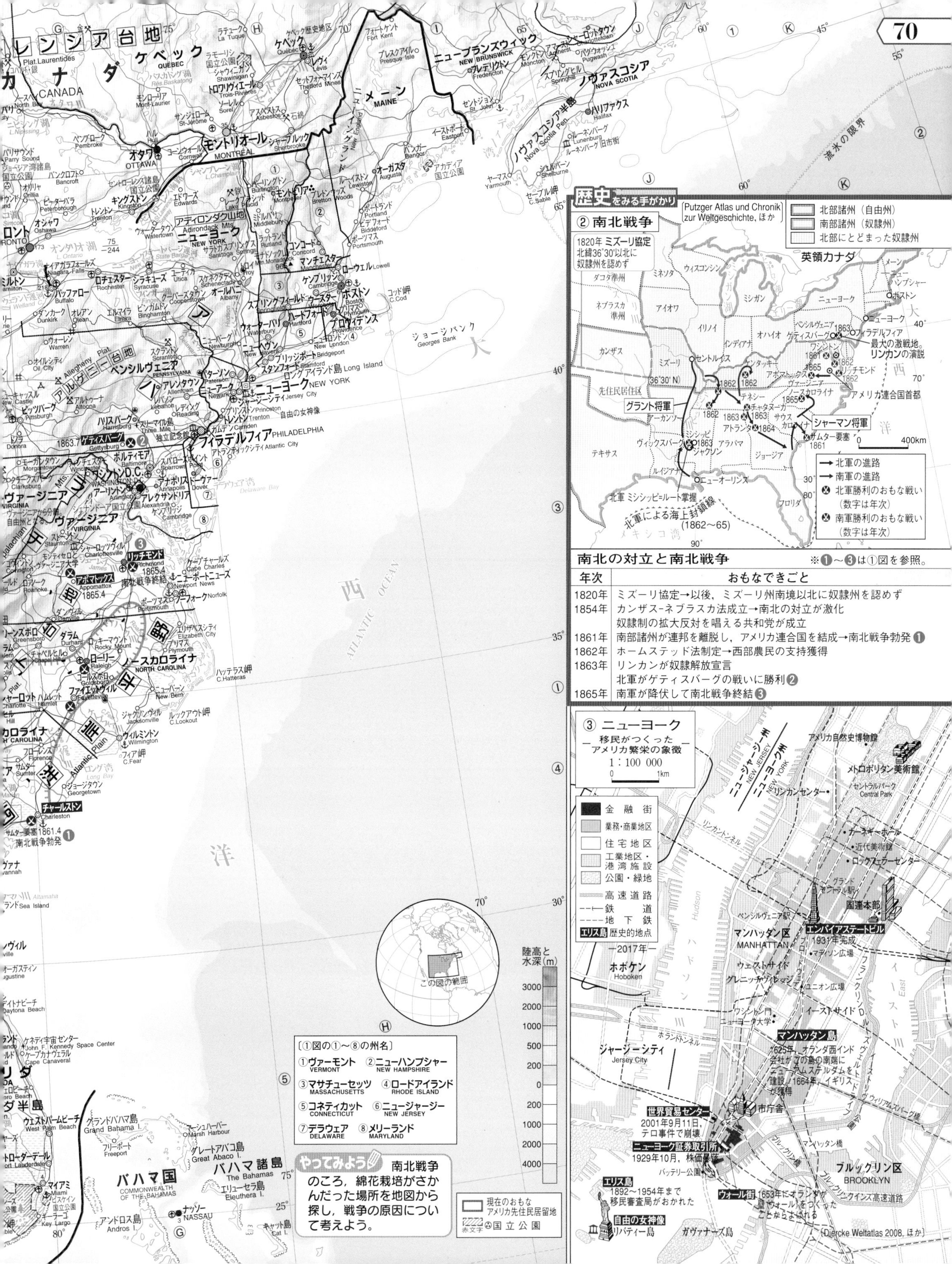

南北の対立と南北戦争

※❶～❸は①図を参照。

年次	おもなできごと
1820年	ミズーリ協定→以後，ミズーリ州南境以北に奴隷州を認めず
1854年	カンザス-ネブラスカ法成立→南北の対立が激化
	奴隷制の拡大反対を唱える共和党が成立
1861年	南部諸州が連邦を離脱し，アメリカ連合国を結成→南北戦争勃発❶
1862年	ホームステッド法制定→西部農民の支持獲得
1863年	リンカンが奴隷解放宣言
	北軍がゲティスバーグの戦いに勝利❷
1865年	南軍が降伏して南北戦争終結❸

やってみよう 南北戦争のころ，綿花栽培がさかんだった場所を地図から探し，戦争の原因について考えよう。

この図の範囲
西部開拓
サクラメント 西部開拓にかかわるおもな地名
大陸横断鉄道（数字は開通した年）
開拓時代のおもな道路
開拓時代の金鉱山発見地
現在のおもなアメリカ先住民居留地
中国人が多く居住する都市（1945年以降）
国立公園
赤文字
陸高と水深(m)
海面下
① アメリカ合衆国西部
1：10 000 000
0 100 200km
正距円錐図法
太平洋
PACIFIC OCEAN
アメリカ合衆国
UNITED STATES OF AMERICA
カナダ
CANADA
メキシコ合衆国
UNITED MEXICAN STATES
ブリティッシュコロンビア
BRITISH COLUMBIA
アルバータ
ALBERTA
サスカチュワン
SASKATCHEWAN
ワシントン
WASHINGTON
オレゴン
OREGON
アイダホ
IDAHO
モンタナ
MONTANA
ワイオミング
WYOMING
ネヴァダ
NEVADA
ユタ
UTAH
コロラド
COLORADO
カリフォルニア
CALIFORNIA
アリゾナ
ARIZONA
ニューメキシコ
NEW MEXICO
ロッキー山脈
カスケード山脈
海岸山脈
シエラネヴァダ山脈
コロンビア高原
コロンビア盆地
グレートベースン
コロラド高原
グレートソルトレーク砂漠
モハーヴェ砂漠
死の谷
サンフランシスコ
1776年フランシスコ派の伝道者が建設
サンノゼ
1777年スペイン人が建設
サクラメント
1848年の金鉱発見後発展
1848年最初の金鉱発見
ロサンゼルス
1781年スペイン人が建設
ラスヴェガス
モルモン教徒が開発 1920年賭博場が州営化され歓楽街に
ソルトレークシティ
1847年モルモン教徒が聖都として建設
1869年鉄道がここで結合
オグデン
ボイシー
1863年金鉱発見
ヘレナ
1864年金鉱発見
ルーイストン
1869年開拓、農書産物取引の中心地
オレゴンシティ
セーラム
1829年、毛皮交易のため町を建設。オレゴン街道の終点
カーソンシティー
1863年金鉱発見 現在はゴーストタウン
トゥーソン
1776年スペイン人が建設
シウダーファレス
サンディエゴ
チャネル諸島
カリフォルニア湾
カリフォルニア半島
グアダルーペ島
〔メキシコ〕
グレートノーザン鉄道(1893)
ノーザンパシフィック鉄道(1883)
ユニオンパシフィック鉄道(1869)
サザンパシフィック鉄道(1883)
カリフォルニア街道
オレゴン街道
イエローストーン国立公園
グランドキャニオン国立公園

やってみよう 西部開拓の進展によって開通した鉄道を地図でたどってみよう。また，このころ発見された金鉱を地図からさがしてみよう。

西部開拓史年表

※❶〜❹は①図を参照。

年次	おもなできごと
1803年	ルイジアナをフランスから購入
1823年	モンロー宣言（ヨーロッパとの相互不干渉を明示）
1830年	インディアン強制移住法 →先住民チェロキー，「涙の旅路」を行く（1838〜39）（②図）
1840年代	「明白な天命（マニフェスト=デスティニー）」→領土拡大を正当化
1845年	テキサス併合❶
1846年	アメリカ=メキシコ戦争（〜48年）
1848年	カリフォルニアをメキシコより獲得❷ カリフォルニアで金鉱発見❸ →ゴールドラッシュ
1861年	南北戦争（〜65年）
1869年	大陸横断鉄道開通❹
1890年	フロンティアの消滅宣言

㋐大陸横断鉄道（モンタナ州）
1869年に最初の大陸横断鉄道が開通。東部と太平洋沿岸を結び，アメリカの発展に大きく寄与した。

① 中央アメリカ
1：18 000 000
0 200 400km
正距円錐図法
やってみよう インカ帝国の「王の道」をたどり，インカ帝国がさかえた場所を確かめてみよう。
アメリカ合衆国
UNITED STATES OF AMERICA
メキシコ合衆国
UNITED MEXICAN STATES
メキシコシティ
MEXICO CITY
メキシコ湾
Gulf of Mexico
カリブ海
Caribbean Sea
大西洋
ATLANTIC OCEAN
太平洋
PACIFIC OCEAN
西インド諸島
West Indies
大アンティル諸島
Greater Antilles
小アンティル諸島
Lesser Antilles
キューバ共和国
REPUBLIC OF CUBA
ハバナ
HAVANA
バハマ国
COMMONWEALTH OF THE BAHAMAS
ナッソー
NASSAU
ジャマイカ
JAMAICA
キングストン
KINGSTON
ハイチ共和国
REPUBLIC OF HAITI
ポルトープランス
PORT-AU-PRINCE
ドミニカ共和国
DOMINICAN REPUBLIC
サントドミンゴ
SANTO DOMINGO
ベリーズ
BELIZE
ベルモパン
BELMOPAN
グアテマラ共和国
REPUBLIC OF GUATEMALA
グアテマラシティ
GUATEMALA CITY
エルサルバドル共和国
REPUBLIC OF EL SALVADOR
サンサルバドル
SAN SALVADOR
ホンジュラス共和国
REPUBLIC OF HONDURAS
テグシガルパ
TEGUCIGALPA
ニカラグア共和国
REPUBLIC OF NICARAGUA
マナグア
MANAGUA
コスタリカ共和国
REPUBLIC OF COSTA RICA
サンホセ
SAN JOSE
パナマ共和国
REPUBLIC OF PANAMA
パナマシティ
PANAMA CITY
コロンビア共和国
REPUBLIC OF COLOMBIA
ボゴタ
BOGOTA
ベネズエラ・ボリバル共和国
BOLIVARIAN REPUBLIC OF VENEZUELA
カラカス
CARACAS
ユカタン半島
Yucatan Pen.
フロリダ半島
Florida Pen.
ヒューストン
HOUSTON
サンアントニオ
SAN ANTONIO
ダラス
DALLAS
ニューオーリンズ
New Orleans
モンテレー
MONTERREY
グアダラハラ
GUADALAJARA
プエブラ
PUEBLA
北回帰線
1655年からイギリス領となり，さとうきび栽培と奴隷貿易で重要な植民地となった。
サンサルヴァドル島 1492年10月，コロンブス一行が最初に上陸した島。
1903年にアメリカが租借して以降，現在もアメリカ海軍基地が置かれている。
スペインのガレオン船による貿易の起点。

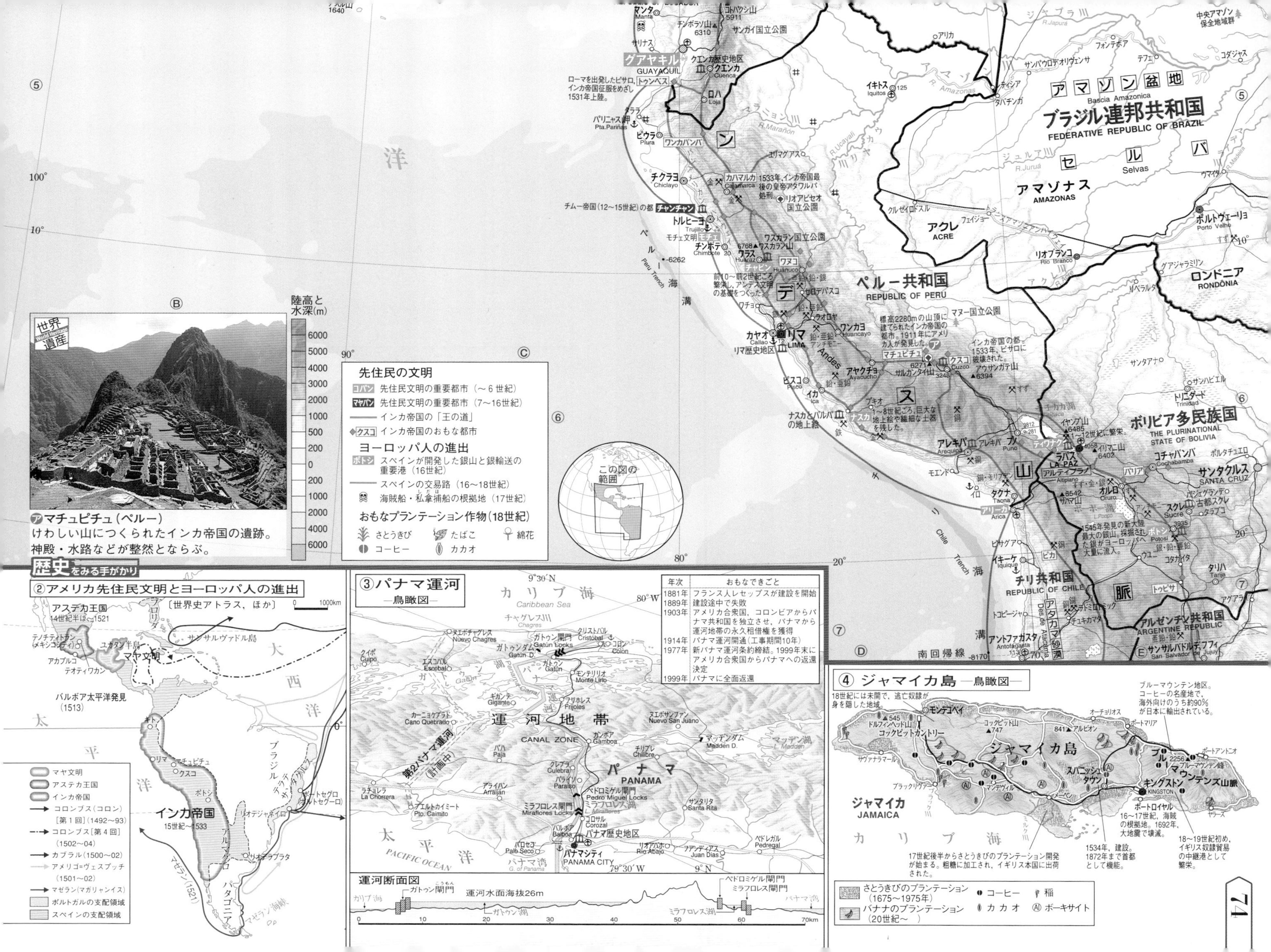

ア マチュピチュ（ペルー）
けわしい山につくられたインカ帝国の遺跡。神殿・水路などが整然とならぶ。

年次	おもなできごと
1881年	フランス人レセップスが建設を開始
1889年	建設途中で失敗
1903年	アメリカ合衆国，コロンビアからパナマ共和国を独立させ，パナマから運河地帯の永久租借権を獲得
1914年	パナマ運河開通（工事期間10年）
1977年	新パナマ運河条約締結。1999年末にアメリカ合衆国からパナマへの返還決定
1999年	パナマに全面返還

① 南アメリカ
1：24 000 000
0 200 400 600km
ランベルト正積方位図法
やってみよう ②図の年表などを手がかりにして，南アメリカの国々のなかから人物名に由来する国名をさがしてみよう。
1494年のトルデシリャス条約によるスペインとポルトガルの海外領土分界線。
西経約45度
マゼラン率いる5隻の船隊が1519.8.10にスペインのセビリアを出港し，大西洋を横断。
大西洋
ATLANTIC OCEAN
赤道
南回帰線
太平洋
PACIFIC OCEAN
カリブ海
Caribbean Sea
ブラジル連邦共和国
FEDERATIVE REPUBLIC OF BRAZIL
ベネズエラ・ボリバル共和国
BOLIVARIAN REPUBLIC OF VENEZUELA
コロンビア共和国
REPUBLIC OF COLOMBIA
エクアドル共和国
REPUBLIC OF ECUADOR
ペルー共和国
REPUBLIC OF PERU
ボリビア多民族国
THE PLURINATIONAL STATE OF BOLIVIA
パラグアイ共和国
REPUBLIC OF PARAGUAY
ガイアナ共和国
REPUBLIC OF GUYANA
スリナム共和国
REPUBLIC OF SURINAME
ギアナ(フ)
GUIANA
パナマ共和国
REPUBLIC OF PANAMA
コスタリカ共和国
REPUBLIC OF COSTA RICA
ニカラグア共和国
REPUBLIC OF NICARAGUA
トリニダード・トバゴ共和国
REPUBLIC OF TRINIDAD AND TOBAGO
アマゾン盆地
Bacia Amazonica
セルバ
Selvas
ブラジル高原
Plat. do Brasil
ギアナ高地
Guiana Highlands
アンデス山脈
リャノ
Llanos
カンポ
グランチャコ
パンタナール
セラード
アマゾン川
R.Amazonas
オリノコ川
R.Orinoco
サンパウロ
SÃO PAULO
リオデジャネイロ
RIO DE JANEIRO
ブラジリア
BRASILIA
サルヴァドル(バイア)
SALVADOR
マナオス
MANAUS
ベレン
BELEM
リマ
LIMA
キト
QUITO
ボゴタ
BOGOTA
カラカス
CARACAS
ラパス
LA PAZ
アスンシオン
ASUNCION
1822年，サン=マルティンがボリバルと会談するも，軍事協力は拒否された。
サン=マルティン，指揮をボリバルにゆだね，アメリカ大陸を去りヨーロッパで隠遁。
1549～1763年ブラジル総督府の所在地。奴隷の輸入港・砂糖の積出港として繁栄。
1763～1960年まで首都。18世紀以降，奴隷の輸入港・金の積出港。
サンパウロの外港で，ブラジル最大のコーヒーの集散地。
パラナ川流域のイエズス会伝道施設群
ロスデスベントゥラドス諸島［チリ］
Is. de Los Desventurados

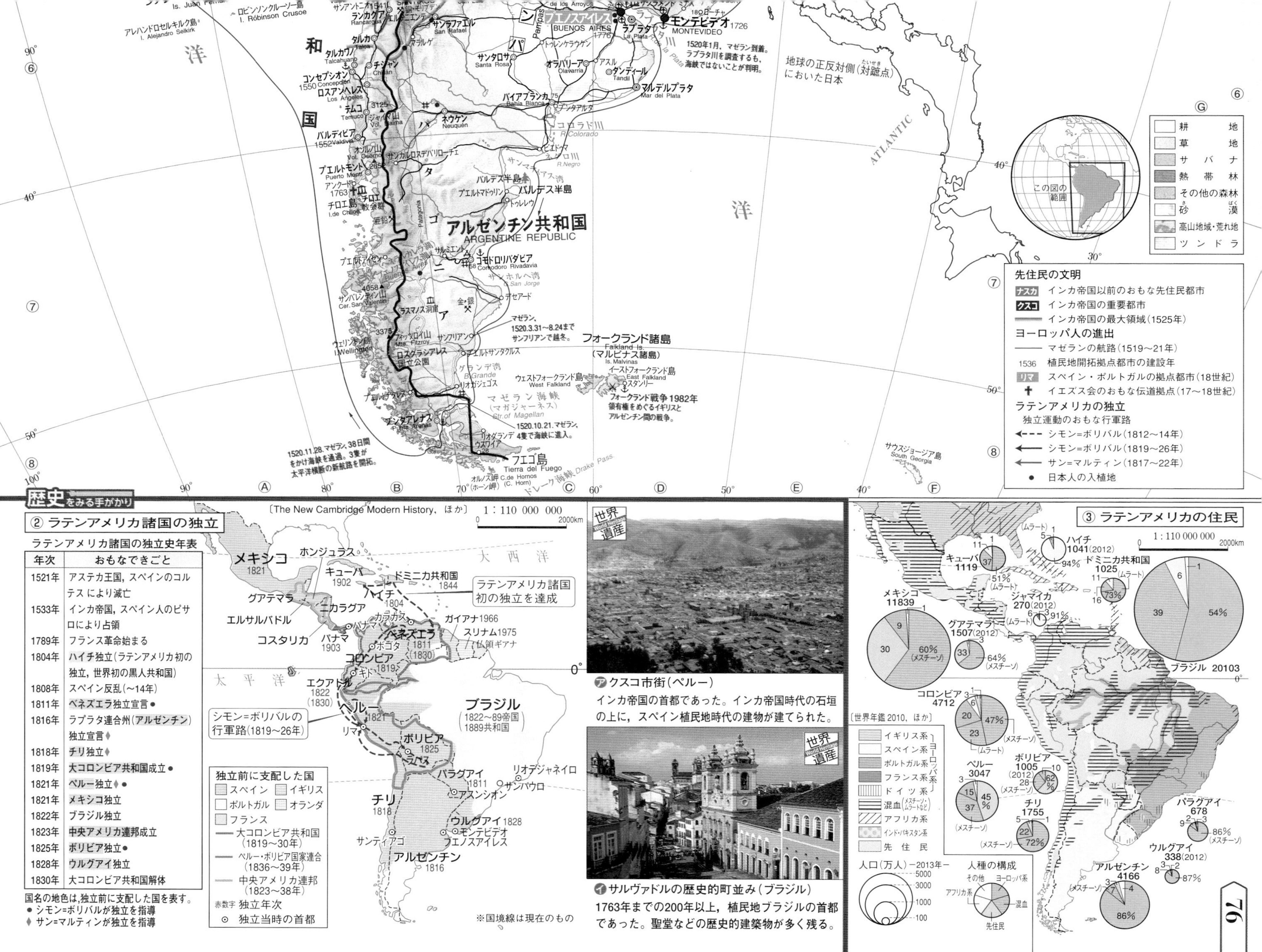

歴史をみる手がかり

② ラテンアメリカ諸国の独立

〔The New Cambridge Modern History，ほか〕 1：110 000 000

ラテンアメリカ諸国の独立史年表

年次	おもなできごと
1521年	アステカ王国，スペインのコルテスにより滅亡
1533年	インカ帝国，スペイン人のピサロにより占領
1789年	フランス革命始まる
1804年	ハイチ独立（ラテンアメリカ初の独立，世界初の黒人共和国）
1808年	スペイン反乱（～14年）
1811年	ベネズエラ独立宣言●
1816年	ラプラタ連合州（アルゼンチン）独立宣言♦
1818年	チリ独立♦
1819年	大コロンビア共和国成立●
1821年	ペルー独立♦●
1821年	メキシコ独立
1822年	ブラジル独立
1823年	中央アメリカ連邦成立
1825年	ボリビア独立●
1828年	ウルグアイ独立
1830年	大コロンビア共和国解体

国名の地色は，独立前に支配した国を表す。
● シモン=ボリバルが独立を指導
♦ サン=マルティンが独立を指導

※国境線は現在のもの

世界遺産

ア クスコ市街（ペルー）
インカ帝国の首都であった。インカ帝国時代の石垣の上に，スペイン植民地時代の建物が建てられた。

世界遺産

イ サルヴァドルの歴史的町並み（ブラジル）
1763年までの200年以上，植民地ブラジルの首都であった。聖堂などの歴史的建築物が多く残る。

③ ラテンアメリカの住民

1：110 000 000

はるかなる旅路
① 太平洋
1：61 000 000
0 500 1000 1500km
ロビンソン図法
おもな航海のルート(16～19世紀)
マゼラン隊(1519～22年)
タスマン(1642～44年)
クック(1768～71年)
咸臨丸(1860年)
現代
アメリカ軍のおもな基地（アメリカ本土を除く）
タイ APEC（アジア太平洋経済協力会議）への参加国・地域
ミクロネシア、メラネシア、ポリネシアの境界
中央シベリア高原
Sredne Sibirskoye Plosk.
ロシア連邦
RUSSIAN FEDERATION
オホーツク海
Sea of Okhotsk
カムチャツカ半島
モンゴル
MONGOLIA
ウランバートル
ULAN BATOR
ゴビ砂漠
Gobi
中華人民共和国
PEOPLE'S REPUBLIC OF CHINA
朝鮮民主主義人民共和国
DEMOCRATIC PEOPLE'S REPUBLIC OF KOREA
大韓民国
REPUBLIC OF KOREA
日本
JAPAN
東京
東北地方太平洋沖地震震源地
2011年3月11日発生（マグニチュード9.0）。巨大な津波が東日本の太平洋岸を襲い、死者・行方不明者が2万人近くになった。
東シナ海
East China Sea
台湾
フィリピン諸島
フィリピン
PHILIPPINES
マゼラン死亡 1521年
ミクロネシア
マーシャル諸島共和国
REPUBLIC OF THE MARSHALL ISLANDS
ミクロネシア連邦
FEDERATED STATES OF MICRONESIA
パラオ共和国
REPUBLIC OF PALAU
カロリン諸島
Caroline Is.
タイ
THAILAND
ベトナム
VIET NAM
カンボジア
ミャンマー
MYANMAR
ラオス
LAOS
マレーシア
MALAYSIA
シンガポール
SINGAPORE
インドネシア
INDONESIA
スマトラ沖地震震源地(2004年)
大スンダ列島
小スンダ列島
Lesser Sunda Is.
東ティモール
TIMOR-LESTE
パプアニューギニア独立国
INDEPENDENT STATE OF PAPUA NEW GUINEA
ソロモン諸島
ナウル共和国
バヌアツ共和国
REPUBLIC OF VANUATU
マゼランの南下1522年
オーストラリア連邦
COMMONWEALTH OF AUSTRALIA
グレートサンディー砂漠
Great Sandy Des.
グレートヴィクトリア砂漠
Great Victoria Des.
グレートアーテジアン盆地(大鑽井)
Great Artesian Basin
グレートディヴァイディング山脈
グレートバリアリーフ(大堡礁)
コーラル海
Coral Sea
タスマン海
Tasman Sea
インド洋
INDIAN OCEAN
クック1770年
陸高と水深(m)
※①～⑦図共通凡例
③ ビキニ環礁
1：1 500 000
マーシャル諸島共和国
REPUBLIC OF THE MARSHALL ISLANDS
ビキニ環礁
1946年～1958年にアメリカ合衆国が20回以上の核実験を行った。
太平洋
PACIFIC OCEAN
④ フィジー諸島
1：6 500 000
ヴィティレヴ島
Viti Levu I.
1874年イギリス領となる。
フィジー共和国
REPUBLIC OF FIJI
⑤ トンガ
1：1 500 000
トンガ王国
KINGDOM OF TONGA
1845年ツポウが王国統一。
トンガタプ諸島
Tongatapu
⑥ タヒチ島
1：2 500 000
タヒチ島〔フ〕
Tahiti
1847年フランス領に。
⑦ ラパヌイ島(イースター島)
1：1 000 000
ラパヌイ島（イースター島）
Rapa Nui(Easter I.)
チリ
CHILE
ラパヌイ国立公園
ラノララクの石切場
未完成のモアイが残されている。
★モアイ像
歴史をみる手がかり
⑧ 新人の移動
1万8000年前ごろの氷河
当時の海岸線(推定)
新人の広がり(数字は到達推定年代)
※新人は約20万年前にアフリカで現れ、世界各地に広がった。
1万5000年前
約3万年前
4000年前
1万年前
4万年前
0 5000km
〔人類の起原と古代オリエント，ほか〕

ア モアイーラパヌイ島ー(チリ)
10～17世紀ごろまで作られた巨大石像で、祖先をまつるものと考えられている。

79
アジア・太平洋戦争(太平洋戦争)の舞台
① 太平洋諸島
1：30 000 000
0 300 600 900km
ロビンソン図法
おもな列強の勢力圏（1920年ごろ）
日本
アメリカ合衆国
イギリス
オランダ
フランス
日本の委任統治領（1920年）
満州国の範囲（1939年）
日中戦争・太平洋戦争時に日本軍が進出した最大範囲（1942年）
日中戦争・太平洋戦争のおもな戦い（年月は戦闘期間）
ビルマ占領 おもな日本軍の攻勢
東京大空襲 おもな連合軍の反攻
おもな日本軍の空襲地点
B29の爆撃基地
ミクロネシア, メラネシア, ポリネシアの境界
ロシア連邦
RUSSIAN FEDERATION
モンゴル
MONGOLIA
モンゴル高原
ゴビ砂漠
ウランバートル
ULAN BATOR
ノモンハン (1939.5)
大シンアンリン山脈
ソ連対日宣戦 (1945.8.8)
ハバロフスク
チチハル
ハルビン
チャンチュン
ウラジオストク
朝鮮民主主義人民共和国
ピョンヤン
ソウル
大韓民国
プサン
盧溝橋 (1937.7)
ペキン
テンチン
ターリエン
ホワンツー(黄土)高原
中華人民共和国
PEOPLE'S REPUBLIC OF CHINA
南京占領 (1937.12)
ナンキン
シャンハイ
チョンチン
チョントゥー
ウーハン
東シナ海
黄海
日本海
日本国
JAPAN
札幌
仙台
東京
東京大空襲 (1945.3)
広島原爆投下 (1945.8.6)
長崎原爆投下 (1945.8.9)
沖縄島 (1945.4~6)
南西諸島
硫黄島 (1945.2~3)
台湾
ホンコン
英連邦軍降伏 (1941.12)
インパール (1944.3~7)
インド
ミャンマー
ビルマ占領 (1942.3)
ハノイ
ラオス
タイ
インドシナ半島
ベトナム
仏領インドシナ進駐 (北部1940.9,南部1941.7)
カンボジア
バンコク
プノンペン
ホーチミン
マレー半島上陸 (1941.12.8)
マレー沖海戦 (1941.12)
マレーシア
クアラルンプール
シンガポール占領 (1942.2)
シンガポール
ルソン島 (1945.1~8)
マニラ占領 (1942.1)
フィリピン諸島
フィリピン
レイテ島 (1944.10~1945.8)
レイテ沖海戦 (1944.10)
ブルネイ
スマトラ島
カリマンタン島
インドネシア
INDONESIA
蘭領東インド降伏 (1942.3)
ジャカルタ
スラバヤ沖海戦 (1942.2~3)
バタヴィア沖海戦 (1942.2~3)
スンダ列島
ジャワ海
小スンダ列島
東ティモール
アラフラ海
ダーウィン (1942.2)
オーストラリア連邦
COMMONWEALTH OF AUSTRALIA
ニューギニア島
パプアニューギニア独立国
ラバウル (1943.)
珊瑚海海戦 (1942.5)
ビスマーク諸島
マリアナ諸島
マリアナ沖海戦 (1944.6)
サイパン・グアム・テニアン島 (1944.6~8)
日本への原子爆弾搭載機テニアン島から発進。
グアム島
マリアナ海溝
チャレンジャー海淵
パラオ諸島
ペリリュー・アンガウル島 (1944.9~11)
パラオ共和国
カロリン諸島
ミクロネシア連邦
オホーツク海
樺太(サハリン)
千島列島
インド洋
INDIAN OCEAN

② アジア・太平洋戦争（太平洋戦争）のおもな動き

※❶～⑳は①図を参照。

年　次	おもなできごと
1937年7月	盧溝橋事件（日中戦争勃発）❶
12月	蔣介石による国民政府，重慶に移転❷
	日本軍，南京を占領❸
1939年5月	ノモンハン事件で日ソ両軍が衝突❹
1940年3月	汪兆銘による南京政府の成立
7月	日本政府「大東亜共栄圏」構想を発表
9月	北部仏領インドシナ進駐❺
1941年4月	日ソ中立条約調印
7月	南部仏領インドシナ進駐❺
12月	マレー半島上陸❻，真珠湾攻撃❼（太平洋戦争勃発）
1942年1月	マニラ占領❽
2月	シンガポール占領❾
3月	ビルマ占領，蘭領東インド降伏❿
6月	ミッドウェー海戦で日本軍大敗⓫
8月	アメリカ軍がガダルカナル島上陸⓬
1943年2月	ガダルカナル島から撤退
12月	学徒出陣が始まる
1944年6月	アメリカ軍がサイパン島に上陸⓭
	秋よりB29による日本本土空襲の開始
10月	アメリカ軍がレイテ島に上陸⓮
1945年1月	アメリカ軍がルソン島に上陸⓯
3月	アメリカ軍が硫黄島占領⓰
4月	アメリカ軍が沖縄本島に上陸⓱
8月	広島に原爆投下（6日）⓲
	ソ連対日宣戦（8日）⓳
	長崎に原爆投下（9日）⓴
	ポツダム宣言受諾（無条件降伏）
9月	日本が降伏文書に調印

㋐真珠湾攻撃で炎上するアメリカ艦隊

③ サイパン島・テニアン島

④ グアム島

⑤ パラオ

やってみよう 日本軍が優勢であった真珠湾攻撃からミッドウェー海戦までと，劣勢になっていくそれ以降の戦いを地図上で追ってみよう。

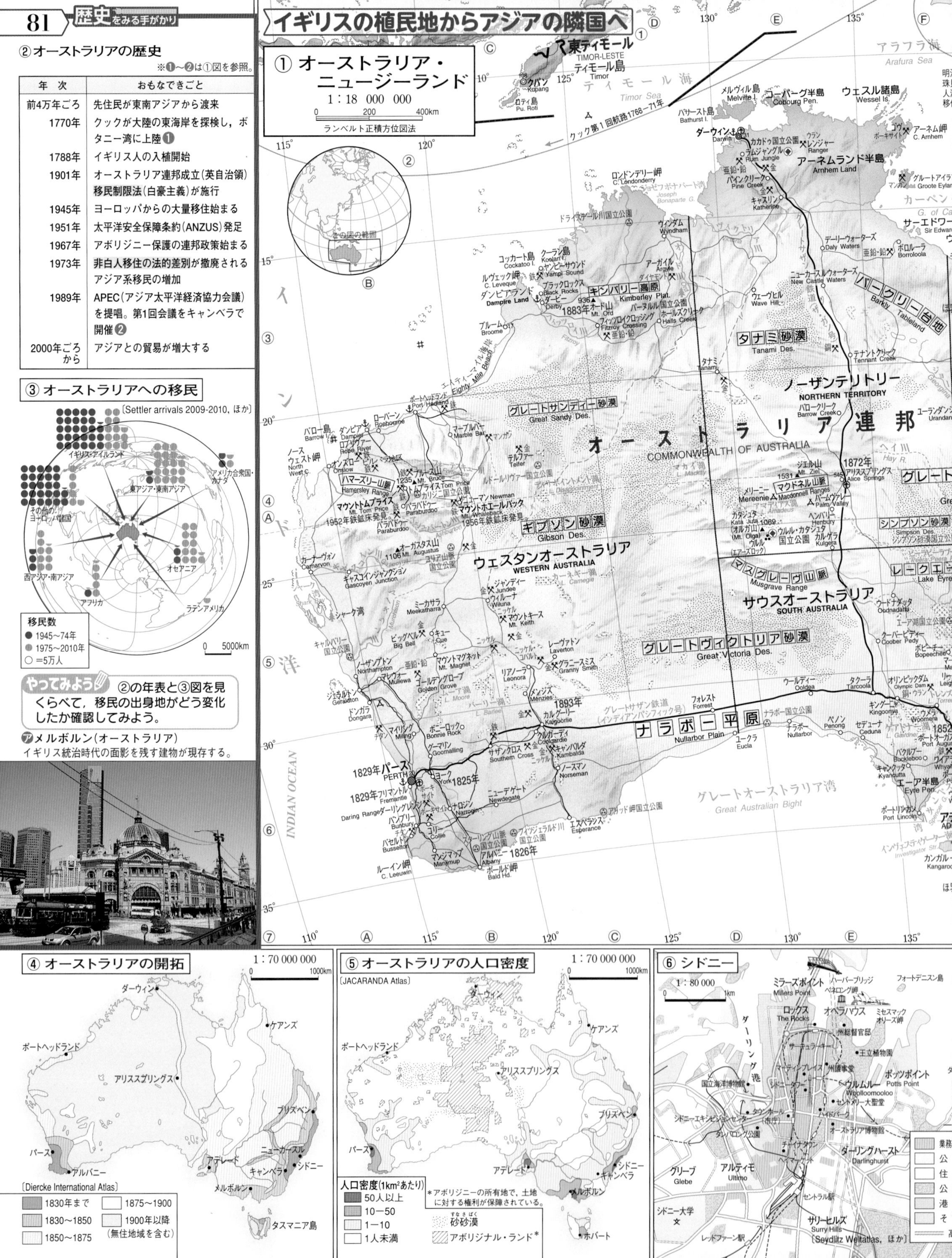

②オーストラリアの歴史

※❶〜❷は①図を参照。

年 次	おもなできごと
前4万年ごろ	先住民が東南アジアから渡来
1770年	クックが大陸の東海岸を探検し，ボタニー湾に上陸❶
1788年	イギリス人の入植開始
1901年	オーストラリア連邦成立（英自治領）移民制限法（白豪主義）が施行
1945年	ヨーロッパからの大量移住始まる
1951年	太平洋安全保障条約（ANZUS）発足
1967年	アボリジニー保護の連邦政策始まる
1973年	非白人移住の法的差別が撤廃されるアジア系移民の増加
1989年	APEC（アジア太平洋経済協力会議）を提唱。第1回会議をキャンベラで開催❷
2000年ごろから	アジアとの貿易が増大する

③オーストラリアへの移民

やってみよう ②の年表と③図を見くらべて，移民の出身地がどう変化したか確認してみよう。

㋐メルボルン（オーストラリア）
イギリス統治時代の面影を残す建物が現存する。

イギリスの植民地からアジアの隣国へ

①オーストラリア・ニュージーランド

④オーストラリアの開拓

⑤オーストラリアの人口密度

⑥シドニー

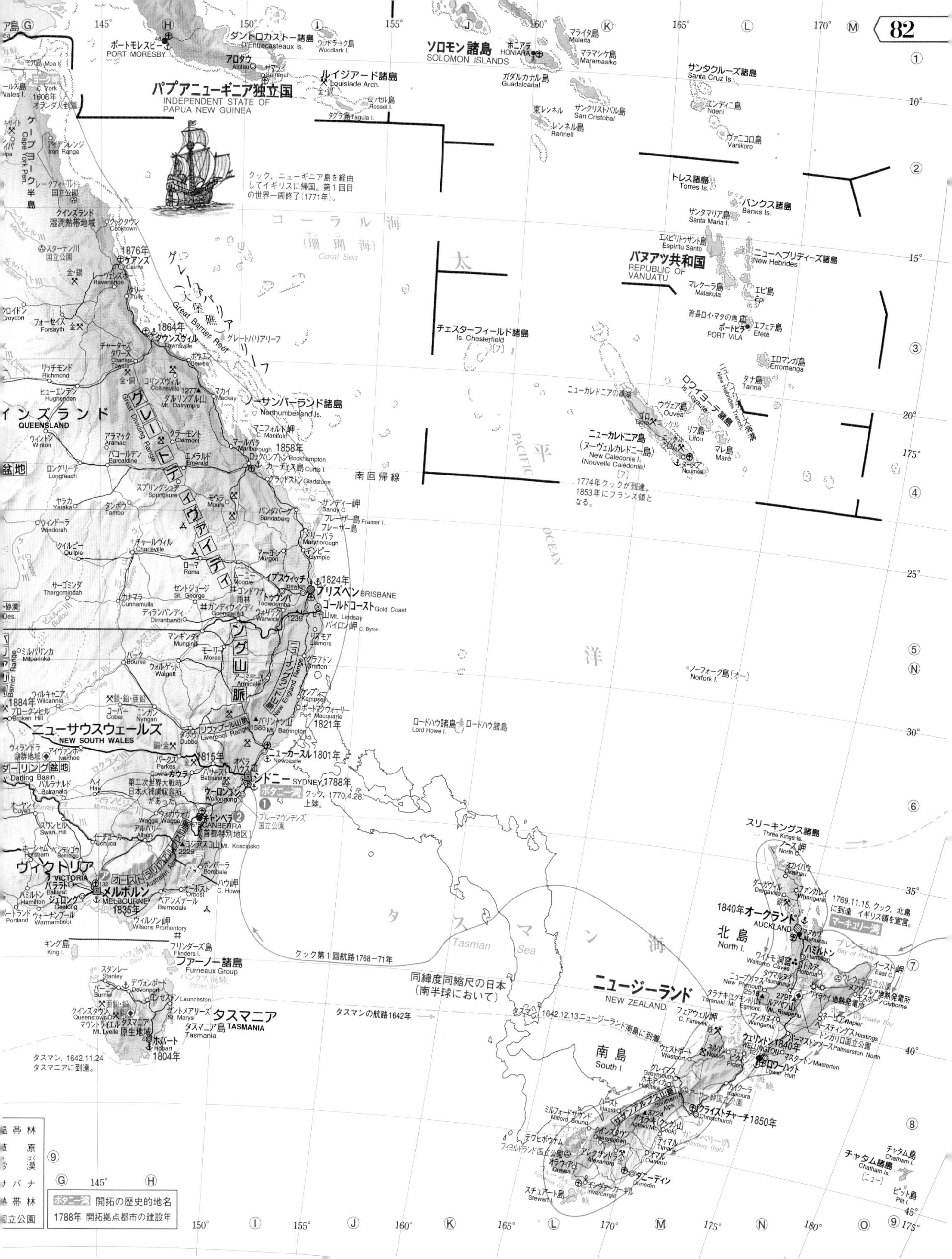

ポートモレスビー PORT MORESBY
ダントルカストー諸島 D'Entrecasteaux Is.
ウッドラーク島 Woodlark I.
ソロモン諸島 SOLOMON ISLANDS
ホニアラ HONIARA
マライタ島 Malaita
マラマシケ島 Maramasike
ガダルカナル島 Guadalcanal
ルイジアード諸島 Louisiade Arch.
ロッセル島 Rossel I.
タグラ島 Tagula I.
パプアニューギニア独立国
INDEPENDENT STATE OF PAPUA NEW GUINEA
アロタウ Alotau
サマライ Samarai
ヨーク岬 C. York
1606年オランダ人到着
ケープヨーク半島 Cape York Pen.
アイアンレンジ Iron Range
レークフィールド国立公園
クック、ニューギニア島を経由してイギリスに帰国。第１回目の世界一周終了(1771年)。
サンタクルーズ諸島 Santa Cruz Is.
エンディニ島 Ndeni
サンクリストバル島 San Cristobal
東レンネル
レンネル島 Rennell
ヴァニコロ島 Vanikoro
トレス諸島 Torres Is.
バンクス諸島 Banks Is.
サンタマリア島 Santa Maria I.
エスピリトゥサント島 Espiritu Santo
ニューヘブリディーズ諸島 New Hebrides
バヌアツ共和国 REPUBLIC OF VANUATU
マレクーラ島 Malakula
エピ島 Epi
首長ロイ・マタの地
ポートビラ PORT VILA
エフェテ島 Efeté
エロマンガ島 Erromanga
タナ島 Tanna
コーラル海（珊瑚海） Coral Sea
クイーンズランド湿潤熱帯地域
クックタウン Cooktown
スターテン川国立公園
1876年 ケアンズ Cairns
レーヴァンズホー Ravenshoe
グレートバリアリーフ（大堡礁） Great Barrier Reef
クロイドン Croydon
フォーセイス Forsayth
1864年 タウンズヴィル Townsville
チャーターズタワーズ Charters Towers
ボウエン Bowen
リッチモンド Richmond
ヒューエンデン Hughenden
コリンズヴィル Collinsville
ダルリンプル山 Mt. Dalrymple
マカイ Mackay
ノーサンバーランド諸島 Northumberland Is.
チェスターフィールド諸島 Is. Chesterfield〔フ〕
ニューカレドニアの礁湖
ロワイヨーテ諸島 Is. Loyauté
ニューヘブリディーズ海溝 New Hebrides Trench
ウヴェア島 Ouvéa
リフ島 Lifou
マレ島 Maré
ニューカレドニア島（ヌーヴェルカレドニー島） New Caledonia I. (Nouvelle Calédonie)〔フ〕
ヌーメア Nouméa
1774年クックが到達。1853年にフランス領となる。
クイーンズランド QUEENSLAND
グレートディヴァイディング山脈 Great Dividing Range
マニフォルド岬 C. Manifold
ウィントン Winton
アラマック Aramac
クラーモント Clermont
バーコールディン Barcaldine
エメラルド Emerald
マールバラ Marlborough
1858年 ロックハンプトン Rockhampton
カーティス島 Curtis I.
グラッドストン Gladstone
南回帰線
ロングリーチ Longreach
スプリングシュア Springsure
ヤラカ Yaraka
タンボウ Tambo
モウラ Moura
バンダバーグ Bundaberg
サンディー岬 Sandy C.
フレーザー島 Fraiser I.
ウィンドーラ Windorah
メリーバラ Maryborough
ギンピー Gympie
クイルピー Quilpie
チャールヴィル Charleville
マーゴン Murgon
ローマ Roma
サーゴミンダ Thargomindah
ゼントジョージ St. George
イプスウィッチ Ipswich
1824年 ブリズベン BRISBANE
ゴールドコースト Gold Coast
トゥウンバ Toowoomba
カナマラ Cunnamulla
ディランバンディ Dirranbandi
ガンディウィンディ Goondiwindi
ウォリック Warwick
リンゼー山 Mt. Lindsay
バイロン岬 C. Byron
リズモア Lismore
マンギンダイ Mungindi
モーリー Moree
ミルパリンカ Milparinka
バーク Bourke
ウォルゲット Walgett
グラフトン Grafton
アーミデール Armidale
ニューイングランド山脈 New England Range
ウィルキャニア Wilcannia
ケンプシー Kempsey
ポートマクウォーリー Port Macquarie
1821年
1884年 ブロークンヒル Broken Hill
コーバー Cobar
ニンガン Nyngan
バリントン山 Mt. Barrington
ニューサウスウェールズ NEW SOUTH WALES
リヴァプール山脈 Liverpool Range
ダボウ Dubbo
ニューカースル Newcastle 1801年
ウィランドラ湖群地域
アイヴァンホー Ivanhoe
1815年
バーサースト Bathurst
シドニー SYDNEY 1788年
ボタニー湾
クック、1770.4.28.上陸。
ダーリング盆地 Darling Basin
パークス Parkes
カウラ Cowra
ヘイ Hay
バルラナルド Balranald
第二次世界大戦時日本人捕虜収容所があった
ウーロンゴン Wollongong
オーヤン Ouyen
ワガウォガ Wagga Wagga
キャンベラ CANBERRA
首都特別地区
ブルーマウンテンズ国立公園
スワンヒル Swan Hill
オルバリー Albury
エチューカ Echuca
コジアスコ山 Mt. Kosciusko
ホーシャム Horsham
ベンディゴ Bendigo
ボンバーラ Bombala
ヴィクトリア VICTORIA
オーストラリアアルプス山脈 Australian Alps
バララト Ballarat
ハミルトン Hamilton
ジーロング Geelong
1835年 メルボルン MELBOURNE
ハウ岬 C. Howe
オーボスト Orbost
ベアンズデール Bairnsdale
ポートランド Portland
ウォーナンブール Warrnambool
ウィルソン岬 Wilsons Promontory
キング島 King I.
フリンダーズ島 Flinders I.
ファーノー諸島 Furneaux Group
バス海峡 Bass Str.
バンクス海峡 Banks Str.
スタンレー Stanley
デヴォンポート Devonport
ローンセストン Launceston
クインズタウン Queenstown
セントメアリーズ St. Marys
マウントライエル Mt. Lyelle
タスマニア原生地域
タスマニア島 Tasmania
タスマニア TASMANIA
ホバート Hobart 1804年
タスマン、1642.11.24 タスマニアに到達。
クック第１回航路1768－71年
タスマン海 Tasman Sea
同緯度同縮尺の日本（南半球において）
タスマンの航路1642年
太平洋 PACIFIC OCEAN
ノーフォーク島 Norfork I.〔オー〕
ロードハウ諸島 Lord Howe I.
スリーキングズ諸島 Three Kings Is.
ノース岬 North C.
オカイハウ Okaihau
ダーガヴィル Dargaville
ファンガレイ Whangarei
1769.11.15. クック、北島に到達 イギリス領を宣言。
マーキュリー湾
1840年 オークランド AUCKLAND
北島 North I.
マヌカウ Manukau
ハミルトン Hamilton
プレンティ湾 Bay of Plenty
ワイトモ洞窟 Waitomo Caves
ロトルア Rotorua
イースト岬 East C.
ニュープリマス New Plymouth
タラナキ(エグモント)山 Taranaki (Mt. Egmont)
ルアペフ山 Mt. Ruapehu
ワンガヌイ Wanganui
ウレウェラ国立公園
ワイラケイ地熱発電所
ギズボーン Gisborne
ホーク湾 Hawke Bay
ネーピア Napier
ヘースティングズ Hastings
トンガリロ国立公園
パーマストンノース Palmerston North
ニュージーランド NEW ZEALAND
タスマン、1642.12.13 ニュージーランド南島に到着。
フェアウェル岬 C. Farewell
ネルソン Nelson
ウェストポート Westport
ピクトン Picton
1840年 ウェリントン WELLINGTON
ロワーハット Lower Hutt
マスタートン Masterton
南島 South I.
グレイマス Greymouth
ホキティカ Hokitika
カイクーラ Kaikoura
ハースト Haast
サザンアルプス山脈 Southern Alps
アオラキ(クック)山 Aoraki (Mt. Cook)
ミルフォードサウンド Milford Sound
1850年 クライストチャーチ Christchurch
クインズタウン Queenstown
ティマルー Timaru
カンタベリー湾 Canterbury Bight
テワヒポウナム
フィヨルドランド国立公園
アレクサンドラ Alexandra
オアマル Oamaru
オラウィア Orawia
ダニーディン Dunedin
インヴァーカーギル Invercargill
スチュアート島 Stewart I.
チャタム諸島 Chatham Is.〔ニュー〕
チャタム島 Chatham I.
ピット島 Pitt I.
ボタニー湾 開拓の歴史的地名
1788年 開拓拠点都市の建設年
温帯林
草原
砂漠
サバナ
熱帯林
国立公園

歴史をみる手がかり

④旧国名・都道府県名対照表

※1871（明治4）年11月時点

地方	国名	廃藩置県※	都府県名
東北地方	陸奥（陸奥）	青森	青森
	陸奥（陸中）	秋田	秋田
		盛岡	岩手
	陸奥（陸前）	水沢	宮城
		仙台	
	陸奥（磐城）	磐前	福島
	陸奥（岩代）	福島	
		若松	
	出羽（羽後）	秋田	秋田
	出羽（羽前）	酒田	山形
		山形	
		置賜	
関東地方	安房	木更津	千葉
	上総		
	下総	新治	
		印旛	
	常陸	新治	茨城
		茨城	
	下野	宇都宮	栃木
		栃木	
	上野	群馬	群馬

地方	国名	廃藩置県※	都府県名
関東地方	武蔵	埼玉	埼玉
		入間	
		東京	東京
	相模	神奈川	神奈川
中部地方	伊豆	足柄	静岡
	駿河	静岡	
	遠江	浜松	
	三河	額田	愛知
	尾張	名古屋	
	美濃	岐阜	岐阜
	飛騨	筑摩	
	信濃	長野	長野
	甲斐	山梨	山梨
	越後	新潟	新潟
		柏崎	
	佐渡	相川	

地方	国名	廃藩置県※	都府県名
中部地方	越中	新川	富山
	能登	七尾	石川
	加賀	金沢	
	越前	足羽	福井
	若狭	敦賀	
近畿地方	近江	長浜	滋賀
		大津	
	山城	京都	京都
	丹波	豊岡	
			兵庫
	丹後		京都
	但馬		兵庫
	播磨	飾磨	
	摂津	兵庫	
		大阪	大阪
	和泉	堺	
	河内		
	大和	奈良	奈良
	紀伊	和歌山	和歌山

地方	国名	廃藩置県※	都府県名
近畿地方	伊勢	度会	三重
	伊賀	安濃津	
	志摩	度会	
	淡路	名東	兵庫
四国地方	阿波		徳島
	土佐	高知	高知
	伊予	宇和島	愛媛
		松山	
	讃岐	香川	香川
中国地方	備前	岡山	岡山
	美作	北条	
	備中	深津	
	備後	広島	広島
	安芸		
	周防	山口	山口
	長門		
	石見	浜田	島根

地方	国名	廃藩置県※	都府県名
中国地方	出雲	島根	島根
	隠岐		
	伯耆	鳥取	鳥取
	因幡		
九州地方	筑前	福岡	福岡
	筑後	三潴	
	豊前	小倉	大分
	豊後	大分	
	日向	美々津	宮崎
	大隅	都城	鹿児島
	薩摩	鹿児島	
	肥後	八代	熊本
		熊本	
	肥前	伊万里	佐賀
		長崎	長崎
	壱岐		
	対馬	伊万里	

①古代の行政区分（畿内・七道）

1：6 000 000

0 100km

道の境界

国の境界

9世紀ごろ

畿内　東海道　東山道　北陸道　山陰道　山陽道　南海道　西海道

日本海　太平洋

陸奥　陸中　羽後　出羽　羽前　陸前　岩代　磐城　佐渡　越後　能登　越中　加賀　越前　下野　上野　常陸　飛騨　信濃　武蔵　下総　上総　安房　相模　甲斐　伊豆　駿河　遠江　三河　尾張　美濃　近江　若狭　山城　丹後　丹波　但馬　因幡　伯耆　出雲　隠岐　石見　美作　備前　備中　備後　安芸　播磨　摂津　和泉　河内　大和　紀伊　伊賀　伊勢　志摩　淡路　讃岐　阿波　伊予　土佐　長門　周防　対馬　壱岐　筑前　豊前　肥前　筑後　豊後　肥後　日向　薩摩　大隅

やってみよう 古代の国名には，「上下」「前後」「遠近」など順序を表す文字のついたものがある。何を基準にしてこの順序がつけられているのか，①図を見て考えてみよう。

㋐熊本のラーメンのパッケージ

「火の国（肥の国）」とは，肥前・肥後の2か国（現在の熊本県・佐賀県・長崎県に相当）が分割される前のよび名であった。肥の字がそれぞれの国名に使われている。

㋑岡山名物の吉
『桃太郎』で有名
団子の「吉備」とは
備中・備後の3
在の岡山県・広島
当）が分割される
び名であった。吉
の字がそれぞれの
使われている。

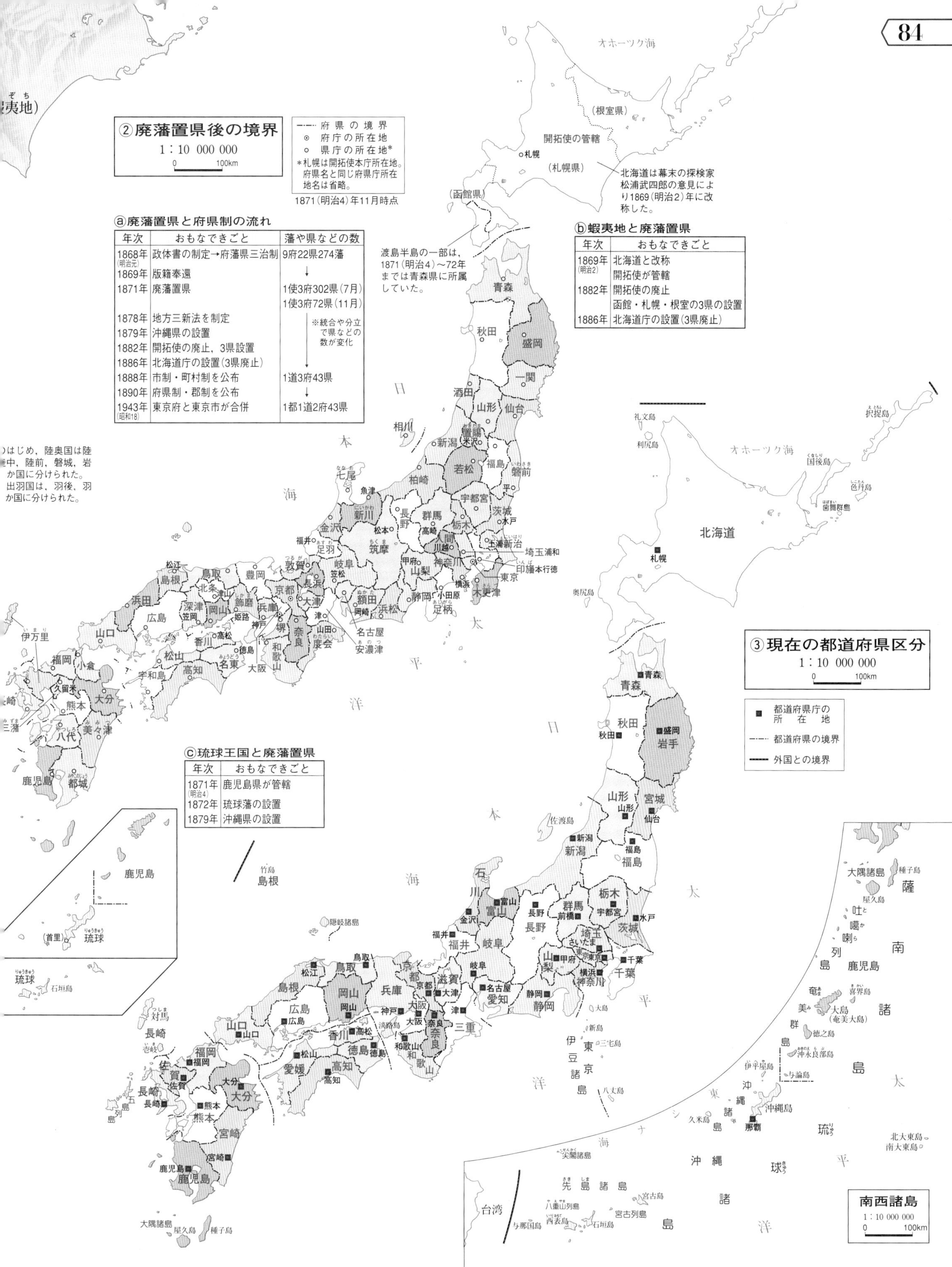

ⓐ廃藩置県と府県制の流れ

年次	おもなできごと	藩や県などの数
1868年(明治元)	政体書の制定→府藩県三治制	9府22県274藩
1869年	版籍奉還	↓
1871年	廃藩置県	1使3府302県（7月）
		1使3府72県（11月）
1878年	地方三新法を制定	↓
1879年	沖縄県の設置	
1882年	開拓使の廃止，3県設置	
1886年	北海道庁の設置（3県廃止）	
1888年	市制・町村制を公布	1道3府43県
1890年	府県制・郡制を公布	↓
1943年(昭和18)	東京府と東京市が合併	1都1道2府43県

ⓑ蝦夷地と廃藩置県

年次	おもなできごと
1869年(明治2)	北海道と改称
	開拓使が管轄
1882年	開拓使の廃止
	函館・札幌・根室の3県の設置
1886年	北海道庁の設置（3県廃止）

ⓒ琉球王国と廃藩置県

年次	おもなできごと
1871年(明治4)	鹿児島県が管轄
1872年	琉球藩の設置
1879年	沖縄県の設置

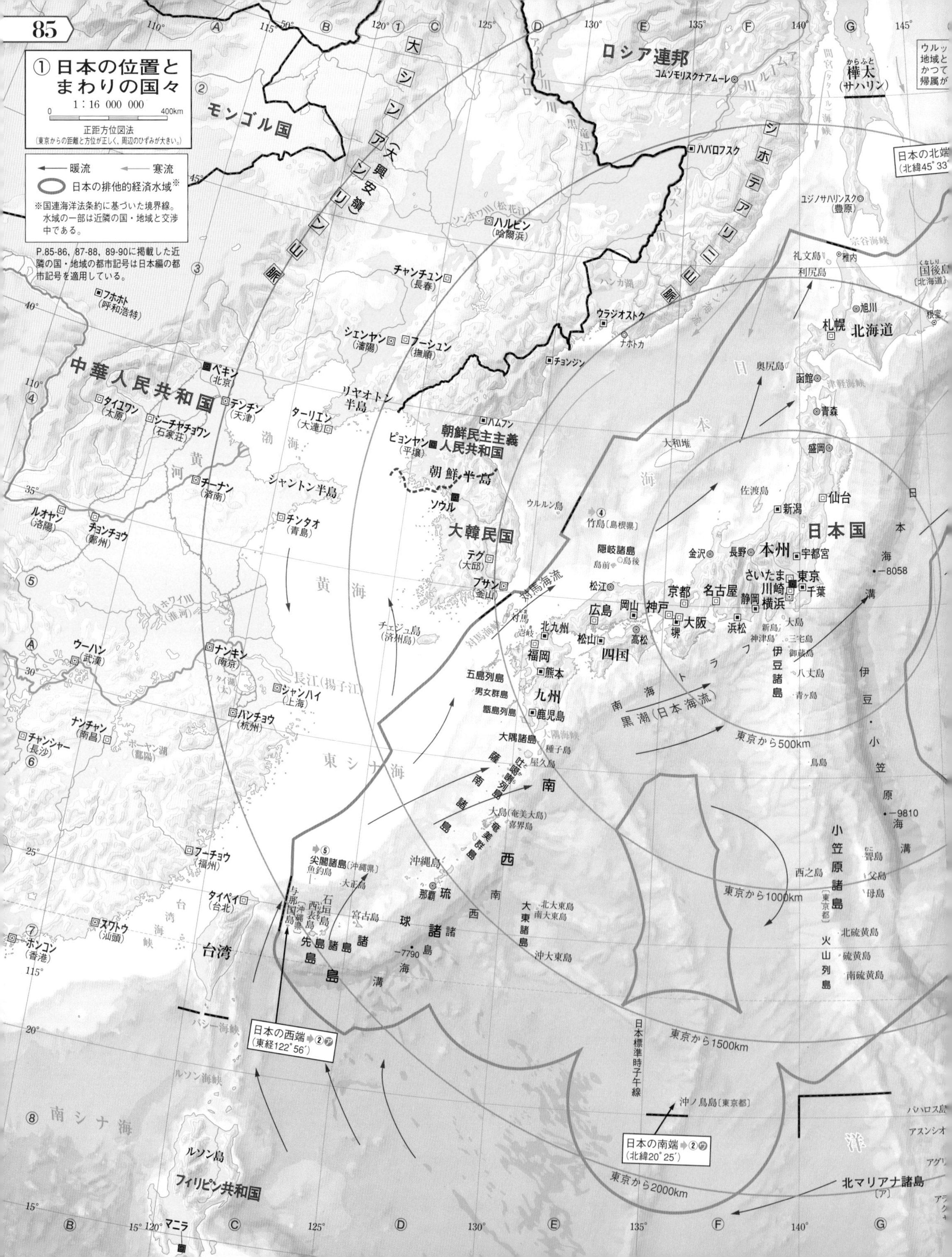
① 日本の位置とまわりの国々
1：16 000 000
0
400km
正距方位図法
（東京からの距離と方位が正しく，周辺のひずみが大きい。）
暖流
寒流
日本の排他的経済水域※
※国連海洋法条約に基づいた境界線。水域の一部は近隣の国・地域と交渉中である。
P.85-86，87-88，89-90に掲載した近隣の国・地域の都市記号は日本編の都市記号を適用している。
ロシア連邦
モンゴル国
中華人民共和国
朝鮮民主主義人民共和国
大韓民国
日本国
フィリピン共和国
台湾
大シンアンリン山脈（大興安嶺）
シホテアリニ山脈
アムール川
ウスリー川
ソンホワ川（松花江）
ハンカ湖
コムソモリスクナアムーレ
ハバロフスク
ハルビン（哈爾浜）
チャンチュン（長春）
シェンヤン（瀋陽）
フーシュン（撫順）
ウラジオストク
ナホトカ
チョンジン
フホホト（呼和浩特）
ペキン（北京）
テンチン（天津）
タイユワン（太原）
シーチャチョワン（石家荘）
チーナン（済南）
ルオヤン（洛陽）
チョンチョウ（鄭州）
チンタオ（青島）
リャオトン半島
ターリエン（大連）
シャントン半島
ピョンヤン（平壌）
ハムフン
朝鮮半島
ソウル
テグ（大邱）
プサン（釜山）
渤海
黄河
黄海
ホワイ川（淮河）
ウーハン（武漢）
ナンキン（南京）
タイ湖
長江（揚子江）
シャンハイ（上海）
ハンチョウ（杭州）
ナンチャン（南昌）
ポーヤン湖（鄱陽）
チャンシャー（長沙）
フーチョウ（福州）
タイペイ（台北）
スワトウ（汕頭）
ホンコン（香港）
台湾海峡
バシー海峡
ルソン海峡
ルソン島
マニラ
南シナ海
東シナ海
チェジュ島（済州島）
日本海
大和堆
ウルルン島
竹島〔島根県〕
隠岐諸島
島前
島後
対馬
壱岐
対馬海峡
対馬海流
五島列島
男女群島
甑島列島
大隅諸島
大隅海峡
種子島
屋久島
吐噶喇列島
薩南諸島
大島（奄美大島）
喜界島
奄美群島
沖縄島
南西諸島
琉球諸島
尖閣諸島〔沖縄県〕
魚釣島
大正島
宮古島
石垣島
西表島
与那国島〔沖縄県〕
先島諸島
那覇
琉球海溝
−7790
大東諸島
北大東島
南大東島
沖大東島
南海トラフ
黒潮（日本海流）
宗谷海峡
間宮（タタール）海峡
樺太（サハリン）
ユジノサハリンスク（豊原）
日本の北端（北緯45°33′）
礼文島
稚内
利尻島
国後島〔北海道〕
根室
旭川
札幌
北海道
奥尻島
函館
津軽海峡
青森
盛岡
佐渡島
新潟
仙台
本州
金沢
長野
宇都宮
さいたま
東京
川崎
千葉
横浜
京都
名古屋
静岡
神戸
大阪
堺
浜松
松江
広島
岡山
高松
松山
北九州
福岡
熊本
鹿児島
九州
四国
大島
新島
神津島
三宅島
御蔵島
八丈島
青ヶ島
伊豆諸島
日本海溝
−8058
伊豆・小笠原海溝
−9810
鳥島
西之島
小笠原諸島〔東京都〕
聟島
父島
母島
火山列島
北硫黄島
硫黄島
南硫黄島
沖ノ鳥島〔東京都〕
日本の南端（北緯20°25′）
日本の西端（東経122°56′）
日本標準時子午線
東京から500km
東京から1000km
東京から1500km
東京から2000km
北マリアナ諸島〔ア〕
パハロス島
アスンシオン島
太平洋
110°
115°
120°
125°
130°
135°
140°
145°
15°
20°
25°
30°
35°
40°
45°
50°

② 日本の東西南北端

㋐日本の西端 ー与那国島ー（沖縄県）

㋑日本の北端 ー択捉島ー（北海道）

㋒日本の南端 ー沖ノ鳥島ー（東京都）

㋓日本の東端 ー南鳥島ー（東京都）

③ 北方領土の変遷

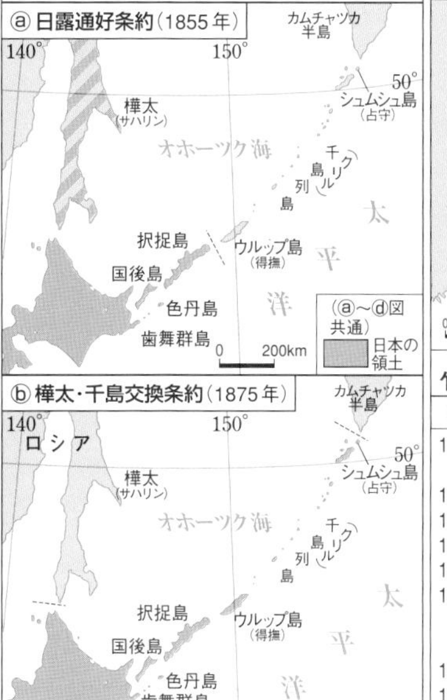

④ 竹島とその位置

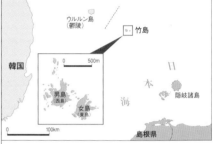

ウルルン島（鬱陵）
竹島
韓国
男島（西島）
女島（東島）
日本海
隠岐諸島
島根県

竹島をめぐる動き

年次	おもなできごと
17世紀	江戸幕府の許可のもと，漁業が行われるようになる
1905年	竹島，日本に編入
1945年	第二次世界大戦終結
1951年	サンフランシスコ平和条約締結
1952年	韓国，李承晩ライン設定により竹島領有権を主張
1954年	韓国，竹島を占拠 日本，国際司法裁判所への付託を韓国に提案するも拒否（以降，韓国は二度拒否）
1965年	日韓基本条約締結
1998年	日韓新漁業協定締結

⑤ 尖閣諸島とその位置

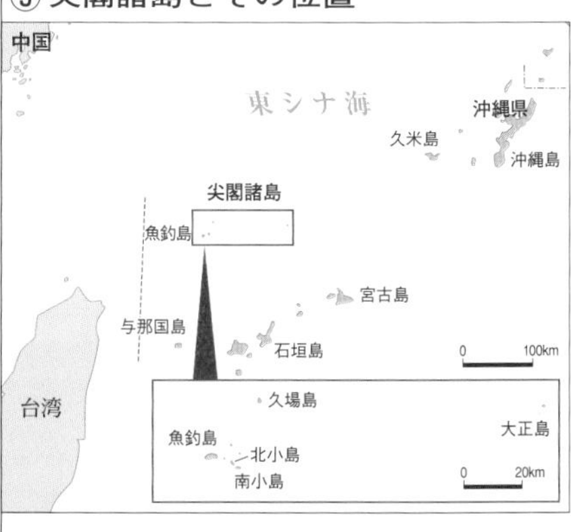

尖閣諸島をめぐる動き

年次	おもなできごと
1895年	尖閣諸島，日本に編入
1945年	第二次世界大戦終結
1969年	東シナ海に石油埋蔵の可能性が判明
1971年	中国，台湾が尖閣諸島の領有権を初めて主張
1972年	沖縄県，日本に復帰
2010年	中国漁船衝突事件
2012年	日本，尖閣諸島を国有化

南鳥島〔東京都〕
日本の東端 ➡②㊀（東経153°59′）

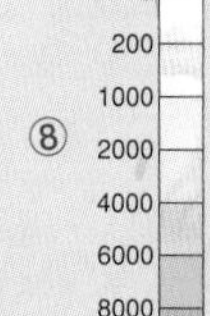

ロシア連邦
RUSSIAN FEDERATION
ウラジオストク
ナホトカ
パルチザンスク
ピョートル大帝湾
朝鮮民主主義人民共和国
DEMOCRATIC PEOPLE'S REPUBLIC OF KOREA
中華人民共和国
チャンパイ(長白)山脈
ハムギョン山脈
ケマ(蓋馬)高原
ランニム(狼林)山脈
チョンジン(清津)
ハムフン(咸興)
キムチェク(金策)
ピョンヤン(平壌)
ラソン(羅先)
リマン海流
トンチョソン湾(東朝鮮湾)
ウォンサン(元山)
朝鮮半島
テベク(太白)山脈
ソベク(小白)山脈
インチョン
ソウル
スウォン(水原)
カンヌン(江陵)
テジョン(大田)
大韓民国
REPUBLIC OF KOREA
テグ(大邱)
ポハン(浦項)
ウルサン(蔚山)
プサン(釜山)
チャンウォン(昌原)
ウルルン島(鬱陵)
竹島〔隠岐の島町〕
北大和堆
大和堆
日本海
対馬海流
隠岐堆
隠岐諸島
舳倉島
対馬海峡
西水道(朝鮮海峡)
東水道
対馬
長崎
佐賀
福岡
熊本
大分
宮崎
鹿児島
九州山地
山口
島根
鳥取
広島
岡山
兵庫
香川
愛媛
徳島
高知
四国山地
中国山地
京都
大阪
和歌山
奈良
滋賀
三重
福井
石川
富山
岐阜
愛知
静岡
長野
山梨
能登半島
松江
金沢
名古屋
神戸
土佐湾
室戸岬
足摺岬
潮岬
伊豆諸島
日本標準時子午線

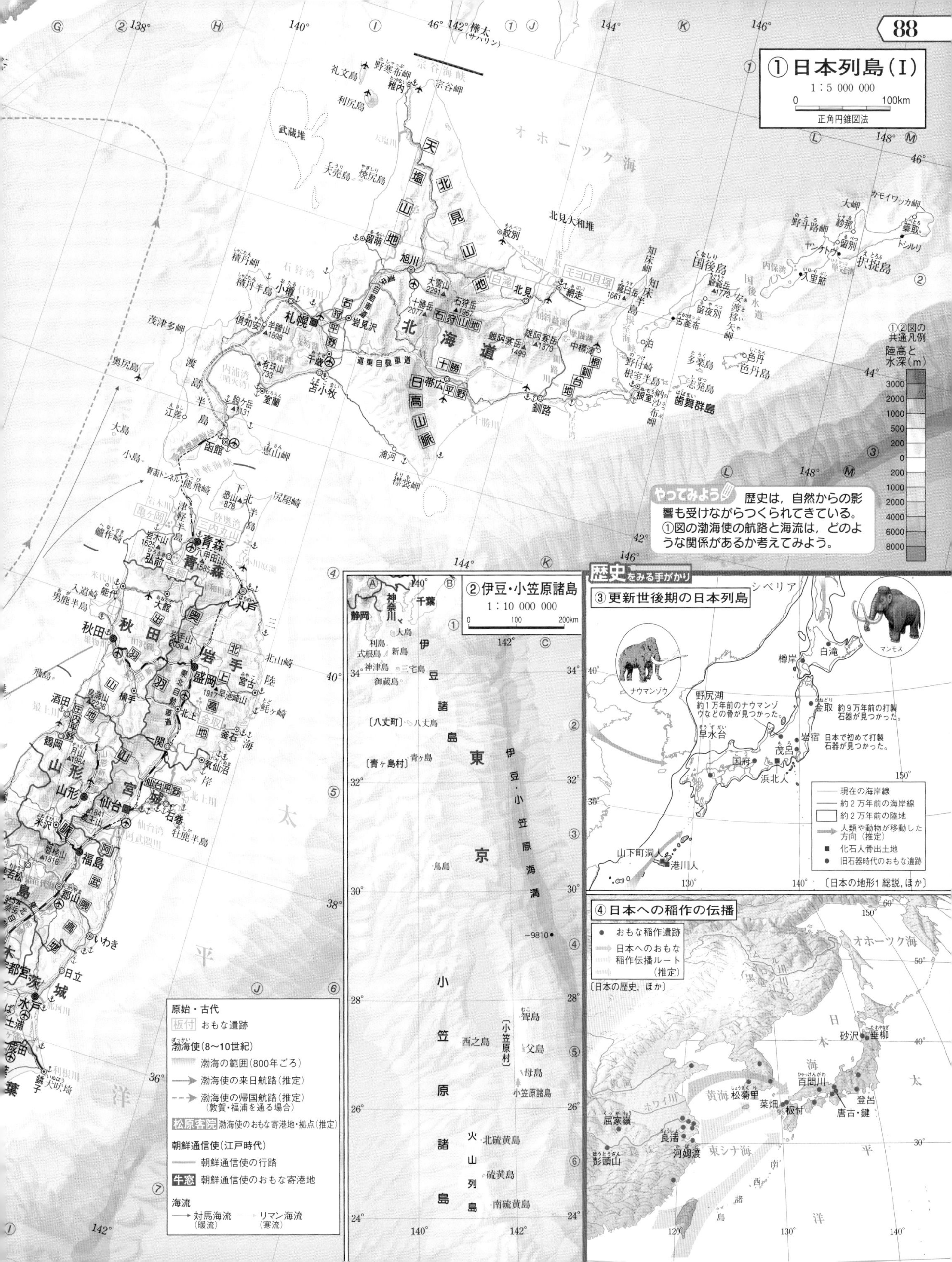

①日本列島(Ⅰ)
1：5 000 000
0 100km
正角円錐図法
オホーツク海
宗谷海峡
宗谷岬
稚内
野寒布岬
礼文島
利尻島
武蔵堆
天売島
焼尻島
天塩山地
北見山地
北見大和堆
紋別
留萌
旭川
大雪山 2291
石狩岳 1967
十勝岳 2077
石狩山地
白滝
モヨロ貝塚
北見
網走
知床半島
知床岬
羅臼岳 1661
国後島
爺爺岳 1772
択捉島
留別
紗那
野斗路岬
大岬
カモイワッカ岬
蘂取
トシルリ
ヤンケトウ
入里節
国後水道
留夜別
古釜布
色丹島
多楽島
志発島
歯舞群島
根室半島
納沙布岬
根室
中標津
根釧台地
雌阿寒岳 1499
雄阿寒岳 1370
北海道
十勝平野
帯広
日高山脈
釧路
襟裳岬
浦河
苫小牧
千歳
石狩平野
札幌
小樽
岩見沢
積丹岬
積丹半島
倶知安
羊蹄山 1898
有珠山 733
内浦湾(噴火湾)
室蘭
駒ケ岳 1131
渡島半島
茂津多岬
奥尻島
江差
大島
小島
函館
恵山岬
津軽海峡
青函トンネル
龍飛崎
恐山 878
下北半島
尻屋崎
津軽半島
亀ケ岡
三内丸山
青森
八甲田山 1585
岩木山 1625
弘前
艫作崎
入道崎
男鹿半島
能代
秋田
大館
八戸
奥羽山脈
岩手山 2038
盛岡
北上高地
早池峰山 1917
宮古
重茂半島
魹ヶ崎
北山崎
三陸海岸
釜石
気仙沼
金取
北上
横手
鳥海山 2236
酒田
庄内平野
鶴岡
月山 1984
山形
仙台
仙台平野
石巻
牡鹿半島
仙台湾
蔵王山 1841
米沢
磐梯山 1816
福島
会津若松
郡山
阿武隈高地
いわき
日立
水戸
宇都宮
成田
銚子
犬吠埼
飛島
粟島
太平洋
やってみよう
歴史は，自然からの影響も受けながらつくられてきている。①図の渤海使の航路と海流は，どのような関係があるか考えてみよう。
①②図の共通凡例
陸高と水深(m)
3000 2000 1000 500 200 0 200 1000 2000 4000 6000 8000
原始・古代
板付 おもな遺跡
渤海使(8〜10世紀)
渤海の範囲(800年ごろ)
渤海使の来日航路(推定)
渤海使の帰国航路(推定)(敦賀・福浦を通る場合)
松原客院 渤海使のおもな寄港地・拠点(推定)
朝鮮通信使(江戸時代)
朝鮮通信使の行路
牛窓 朝鮮通信使のおもな寄港地
海流
対馬海流(暖流)
リマン海流(寒流)
②伊豆・小笠原諸島
1：10 000 000
0 100 200km
静岡
神奈川
千葉
大島
利島
新島
式根島
神津島
三宅島
御蔵島
伊豆諸島
〔八丈町〕八丈島
〔青ヶ島村〕青ヶ島
東京
鳥島
伊豆・小笠原海溝
−9810
小笠原諸島
〔小笠原村〕
聟島
西之島
父島
母島
小笠原諸島
火山列島
北硫黄島
硫黄島
南硫黄島
歴史をみる手がかり
③更新世後期の日本列島
シベリア
マンモス
ナウマンゾウ
白滝
樽岸
野尻湖
約1万年前のナウマンゾウなどの骨が見つかった。
金取 約9万年前の打製石器が見つかった。
岩宿 日本で初めて打製石器が見つかった。
早水台
茂呂
国府
浜北人
山下町洞人
港川人
現在の海岸線
約2万年前の海岸線
約2万年前の陸地
人類や動物が移動した方向(推定)
化石人骨出土地
旧石器時代のおもな遺跡
〔日本の地形1 総説，ほか〕
④日本への稲作の伝播
おもな稲作遺跡
日本へのおもな稲作伝播ルート(推定)
〔日本の歴史，ほか〕
オホーツク海
日本海
砂沢
垂柳
百間川
登呂
唐古・鍵
板付
菜畑
松菊里
黄海
ホワイ川
屈家嶺
良渚
河姆渡
彭頭山
東シナ海
太平洋
南西諸島

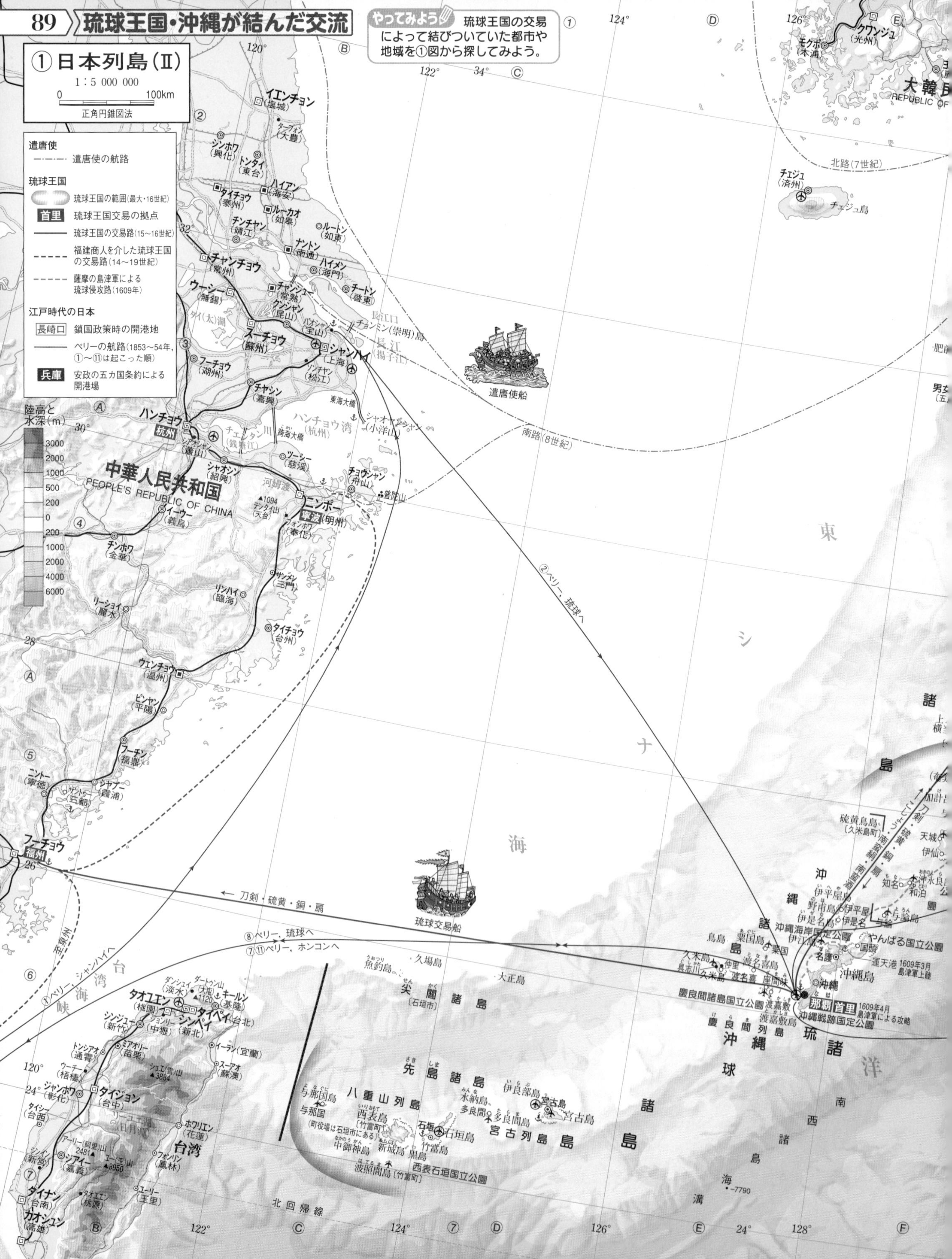

やってみよう 琉球王国の交易によって結びついていた都市や地域を①図から探してみよう。
① 日本列島（Ⅱ）
1：5 000 000
0 100km
正角円錐図法
遣唐使
遣唐使の航路
琉球王国
琉球王国の範囲（最大・16世紀）
首里 琉球王国交易の拠点
琉球王国の交易路（15～16世紀）
福建商人を介した琉球王国の交易路（14～19世紀）
薩摩の島津軍による琉球侵攻路（1609年）
江戸時代の日本
長崎口 鎖国政策時の開港地
ペリーの航路（1853～54年、①～⑪は起こった順）
兵庫 安政の五カ国条約による開港場
陸高と水深（m）
3000
2000
1000
500
200
0
200
1000
2000
4000
6000
中華人民共和国
PEOPLE'S REPUBLIC OF CHINA
大韓民
REPUBLIC OF
イエンチョン（塩城）
シンホワ（興化）
トンタイ（東台）
ハイアン（海安）
タイチョウ（泰州）
ルーカオ（如皋）
チンチャン（靖江）
ルートン（如東）
ナントン（南通）
ハイメン（海門）
チャンチョウ（常州）
ウーシー（無錫）
チャンシュー（常熟）
クンシャン（昆山）
チートン（啓東）
タイ（太）湖
スーチョウ（蘇州）
シャンハイ（上海）
ソンチャン（松江）
長江口
チョンミン（崇明）島
長江（揚子江）
フーチョウ（湖州）
チャシン（嘉興）
ハンチョウ 杭州
シャオシン（紹興）
ツーシー（慈渓）
ハンチョウ湾（杭州）
東海大橋
杭州湾大橋
チョウシャン（舟山）
普陀山
ニンポー 寧波（明州）
イーウー（義烏）
チンホワ（金華）
サンメン（三門）
リンハイ（臨海）
リーショイ（麗水）
タイチョウ（台州）
ウェンチョウ（温州）
ピンヤン（平陽）
フーチン（福鼎）
ニントー（寧徳）
シャプー（霞浦）
フーチョウ 福州
遣唐使船
北路（7世紀）
南路（8世紀）
チェジュ（済州）
チェジュ島
モクポ（木浦）
クワンジュ（光州）
東シナ海
②ペリー、琉球へ
← 刀剣・硫黄・銅・扇
⑧ペリー、琉球へ
⑦⑪ペリー、ホンコンへ
①ペリー、シャンハイへ
琉球交易船
台湾海峡
タオユエン（桃園）
タイペイ（台北）
キールン（基隆）
シンペイ（新北）
シンジュー（新竹）
ジョンリー（中壢）
ミアオリー（苗栗）
イーラン（宜蘭）
スーアオ（蘇澳）
タイジョン（台中）
ジャンホワ（彰化）
ホワリエン（花蓮）
台湾
フォンリン（鳳林）
シアイー（嘉義）
タイナン（台南）
カオシュン（高雄）
ユーリー（玉里）
魚釣島
久場島
大正島
尖閣諸島［石垣市］
先島諸島
八重山列島
与那国島
西表島
石垣島
竹富島
波照間島［竹富町］
西表石垣国立公園
宮古列島
宮古島
伊良部島
多良間島
水納島
沖縄諸島
沖縄島
那覇 首里
1609年4月 島津軍による攻略
運天港 1609年3月 島津軍上陸
やんばる国立公園
慶良間諸島国立公園
沖縄海岸国定公園
沖縄戦跡国定公園
久米島
粟国島
渡名喜島
伊是名島
伊平屋島
与論島
沖永良部島
硫黄鳥島［久米島町］
刀剣・硫黄・銅・扇
慶良間列島
琉球諸島
南西諸島
南西諸島海溝
-7790
北回帰線
太平洋

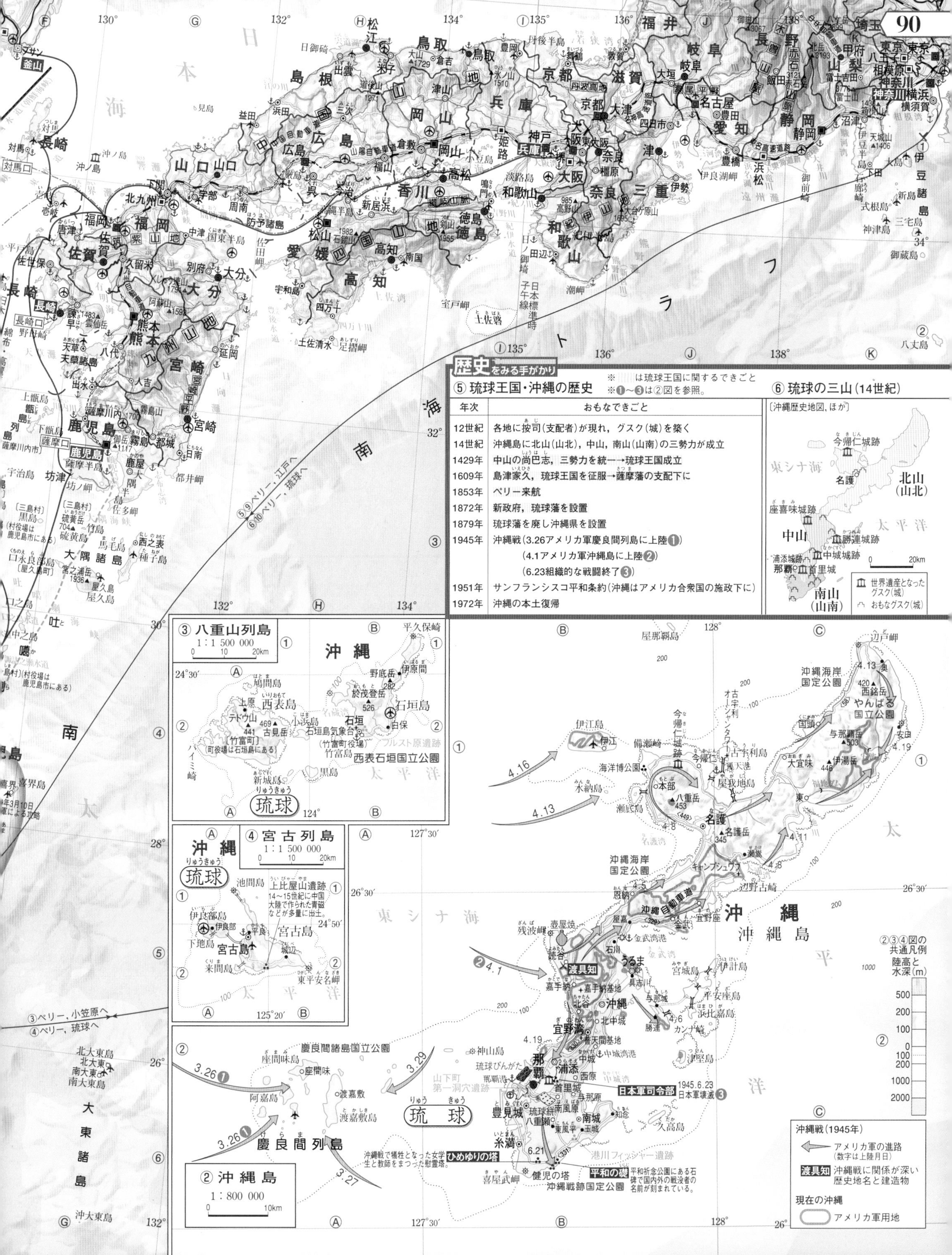

歴史をみる手がかり

⑤ 琉球王国・沖縄の歴史

※ は琉球王国に関するできごと
※❶～❸は②図を参照。

年次	おもなできごと
12世紀	各地に按司(支配者)が現れ，グスク(城)を築く
14世紀	沖縄島に北山(山北)，中山，南山(山南)の三勢力が成立
1429年	中山の尚巴志，三勢力を統一→琉球王国成立
1609年	島津家久，琉球王国を征服→薩摩藩の支配下に
1853年	ペリー来航
1872年	新政府，琉球藩を設置
1879年	琉球藩を廃し沖縄県を設置
1945年	沖縄戦(3.26アメリカ軍慶良間列島に上陸❶) (4.1アメリカ軍沖縄島に上陸❷) (6.23組織的な戦闘終了❸)
1951年	サンフランシスコ平和条約(沖縄はアメリカ合衆国の施政下に)
1972年	沖縄の本土復帰

⑥ 琉球の三山(14世紀)

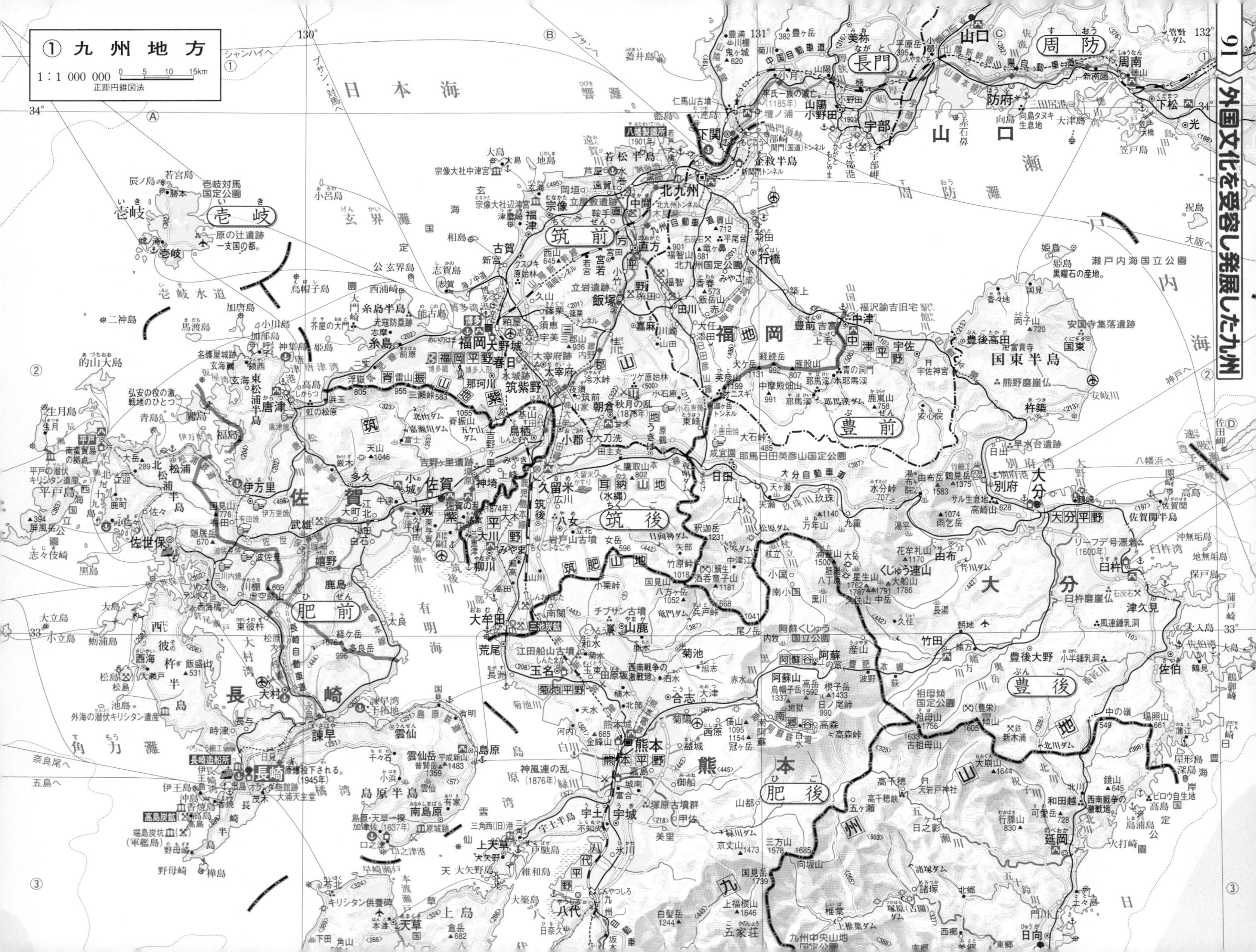
① 九州地方
1：1 000 000
正距円錐図法
0 5 10 15km
日本海
玄界灘
周防灘
壱岐
筑前
筑後
豊前
豊後
肥前
肥後
長門
周防
山口
福岡
佐賀
長崎
熊本
大分
原の辻遺跡 一支国の都。
原爆投下される。(1945年)
神風連の乱 (1876年)
秋月の乱 (1876年)
島原・天草一揆 (1637年)
平戸の潜伏キリシタン遺産
外海の潜伏キリシタン遺産
弘安の役の激戦地のひとつ
姫島 黒曜石の産地。
瀬戸内海国立公園
阿蘇くじゅう国立公園
八幡製鉄所 (1901年)
長崎造船所
三池炭鉱
高島炭鉱

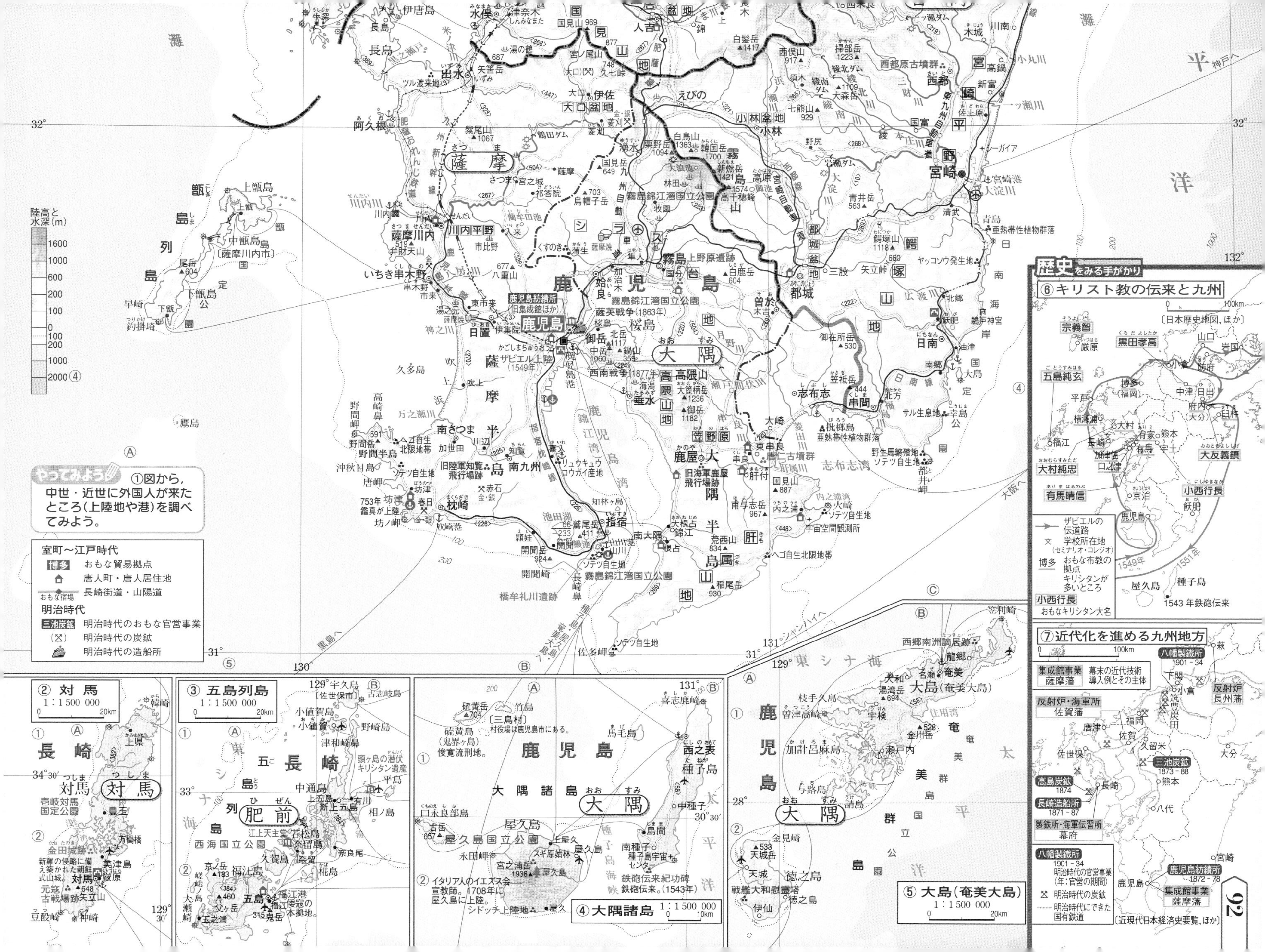
やってみよう
①図から，中世・近世に外国人が来たところ（上陸地や港）を調べてみよう。
室町～江戸時代
博多 おもな貿易拠点
唐人町・唐人居住地
おもな宿場 長崎街道・山陽道
明治時代
三池炭鉱 明治時代のおもな官営事業
明治時代の炭鉱
明治時代の造船所
陸高と水深(m)
1600
1000
600
200
100
0
100
200
1000
2000
歴史をみる手がかり
⑥キリスト教の伝来と九州
〔日本歴史地図，ほか〕
ザビエルの伝道路
学校所在地（セミナリオ・コレジオ）
おもな布教の拠点
キリシタンが多いところ
おもなキリシタン大名
宗義智
黒田孝高
五島純玄
大村純忠
有馬晴信
小西行長
大友義鎮
1549年
1551年
1543 年鉄砲伝来
⑦近代化を進める九州地方
集成館事業 薩摩藩 幕末の近代技術導入例とその主体
反射炉・海軍所 佐賀藩
反射炉 長州藩
八幡製鉄所 1901－34
三池炭鉱 1873－88
高島炭鉱 1874
長崎造船所 1871－87
製鉄所・海軍伝習所 幕府
鹿児島紡績所 1872－78
明治時代の官営事業（年：官営の期間）
明治時代の炭鉱
明治時代にできた国有鉄道
〔近現代日本経済史要覧，ほか〕
②対馬 1：1 500 000
③五島列島 1：1 500 000
④大隅諸島 1：1 500 000
⑤大島（奄美大島） 1：1 500 000
鹿児島
大隅
薩摩
霧島錦江湾国立公園
鹿児島紡績所（旧集成館ほか）
ザビエル上陸（1549年）
薩英戦争（1863年）
西南戦争（1877年）
753年 鑑真が上陸
イタリア人のイエズス会宣教師。1708年に屋久島に上陸。
鉄砲伝来紀功碑 鉄砲伝来。（1543年）
村役場は鹿児島市にある。
俊寛流刑地。
新羅の侵略に備えて築かれた朝鮮式山城。
江上天主堂
頭ヶ島の潜伏キリシタン遺産

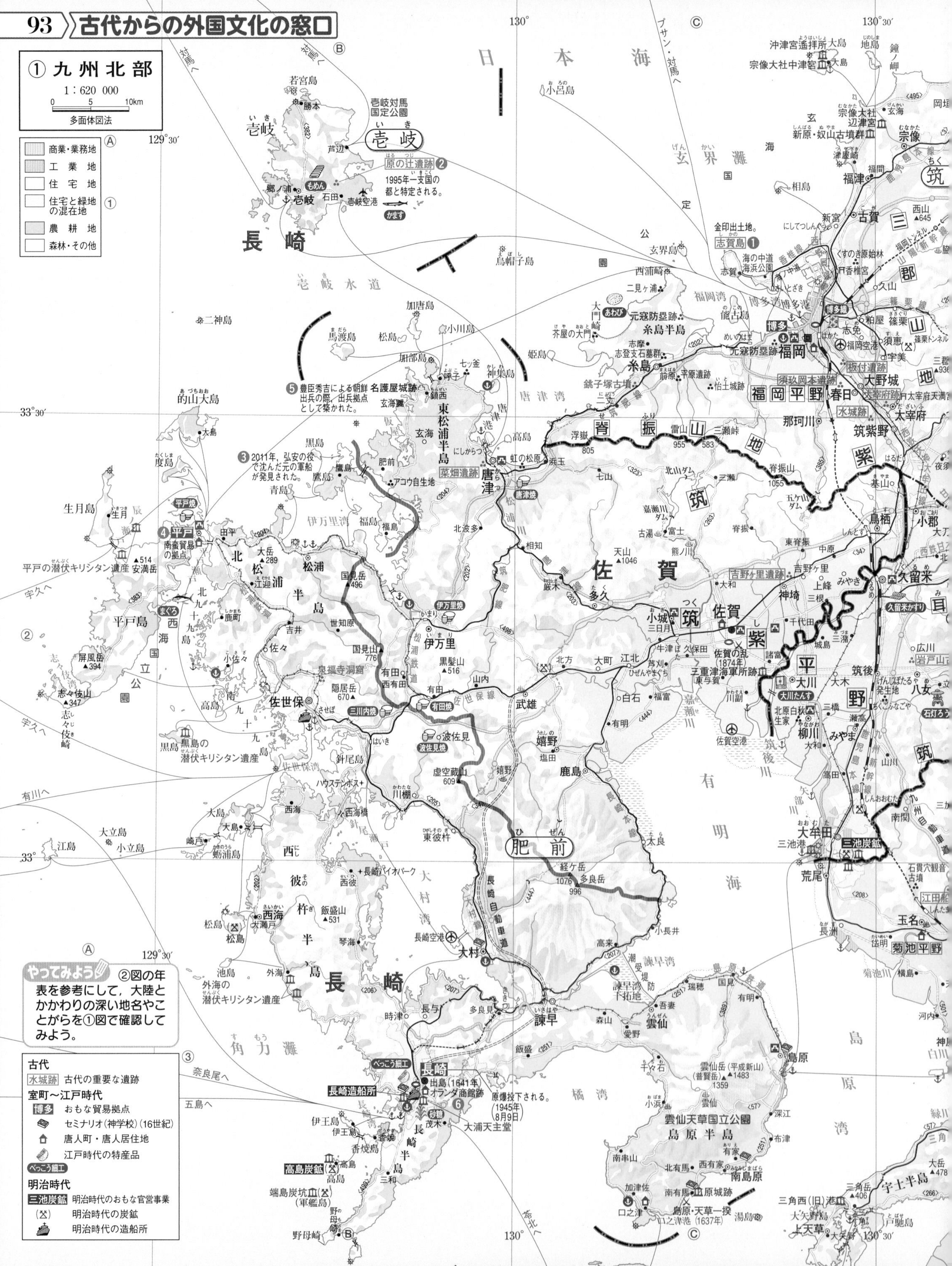

① 九州北部
1：620 000
0 5 10km
多面体図法
商業・業務地
工業地
住宅地
住宅と緑地の混在地
農耕地
森林・その他
日本海
玄界灘
壱岐
壱岐対馬国定公園
原の辻遺跡 ②
1995年一支国の都と特定される。
壱岐水道
長崎
志賀島 ①
金印出土地。
福岡
博多
元寇防塁跡
福岡平野
板付遺跡
須玖岡本遺跡
大宰府跡
水城跡
唐津湾
菜畑遺跡
唐津
⑤ 豊臣秀吉による朝鮮出兵の際，出兵拠点として築かれた。
名護屋城跡
東松浦半島
③ 2011年，弘安の役で沈んだ元の軍船が発見された。
鷹島
④ 平戸
南蛮貿易の拠点
平戸の潜伏キリシタン遺産
北松浦半島
伊万里
伊万里焼
有田焼
三川内焼
波佐見焼
唐津焼
佐賀
佐賀の乱（1874年）
三重津海軍所跡
吉野ケ里遺跡
筑紫平野
久留米
大牟田
三池炭鉱
有明海
肥前
佐世保
黒島の潜伏キリシタン遺産
外海の潜伏キリシタン遺産
西彼杵半島
大村湾
諫早
長崎
出島（1641年オランダ商館跡）
長崎造船所
⑥ 原爆投下される。（1945年8月9日）
大浦天主堂
高島炭鉱
端島炭坑（軍艦島）
長崎半島
角力灘
橘湾
島原半島
雲仙天草国立公園
雲仙岳（平成新山）▲1483
島原
原城跡
島原・天草一揆（1637年）
島原湾
宇土半島
やってみよう ②図の年表を参考にして，大陸とかかわりの深い地名やことがらを①図で確認してみよう。
古代
水城跡 古代の重要な遺跡
室町～江戸時代
博多 おもな貿易拠点
セミナリオ（神学校）（16世紀）
唐人町・唐人居住地
江戸時代の特産品
べっこう細工
明治時代
三池炭鉱 明治時代のおもな官営事業
明治時代の炭鉱
明治時代の造船所

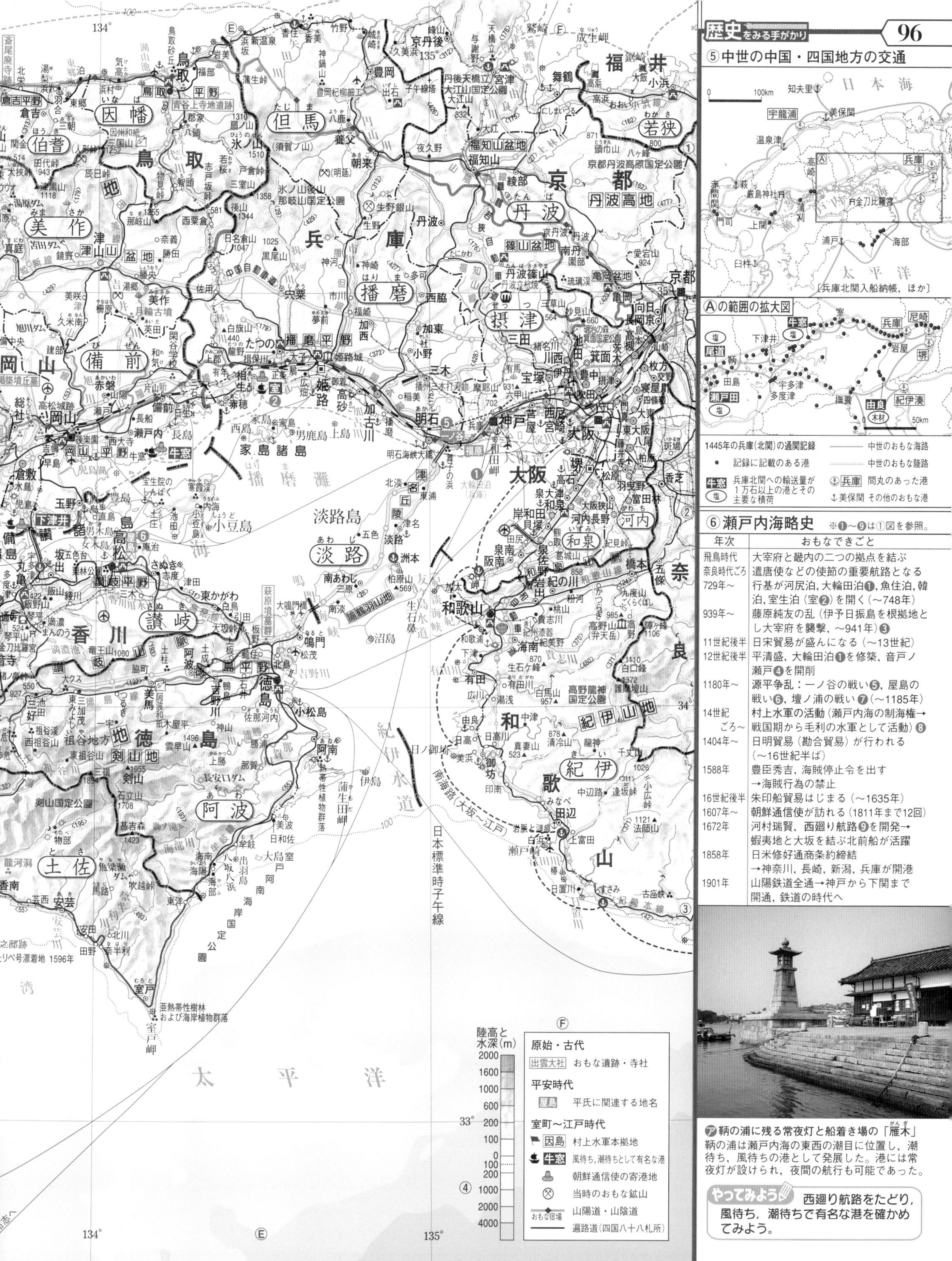

⑤中世の中国・四国地方の交通

〔兵庫北関入船納帳，ほか〕

Ⓐの範囲の拡大図

1445年の兵庫(北関)の通関記録 ── 中世のおもな海路

・記録に記載のある港 ┅ 中世のおもな陸路

牛窓 塩 兵庫北関への輸送量が1万石以上の港とその主要な積荷

⚓兵庫 問丸のあった港

⚓美保関 その他のおもな港

⑥瀬戸内海略史

※❶～❾は①図を参照。

年次	おもなできごと
飛鳥時代 奈良時代ごろ	大宰府と畿内の二つの拠点を結ぶ 遣唐使などの使節の重要航路となる
729年～	行基が河尻泊，大輪田泊❶，魚住泊，韓泊，室生泊（室❷）を開く（～748年）
939年～	藤原純友の乱（伊予日振島を根拠地とし大宰府を襲撃，～941年）❸
11世紀後半	日宋貿易が盛んになる（～13世紀）
12世紀後半	平清盛，大輪田泊❶を修築，音戸ノ瀬戸❹を開削
1180年～	源平争乱：一ノ谷の戦い❺，屋島の戦い❻，壇ノ浦の戦い❼（～1185年）
14世紀ごろ～	村上水軍の活動（瀬戸内海の制海権→戦国期から毛利の水軍として活動）❽
1404年～	日明貿易（勘合貿易）が行われる（～16世紀半ば）
1588年	豊臣秀吉，海賊停止令を出す →海賊行為の禁止
16世紀後半	朱印船貿易はじまる（～1635年）
1607年～	朝鮮通信使が訪れる（1811年まで12回）
1672年	河村瑞賢，西廻り航路❾を開発→蝦夷地と大坂を結ぶ北前船が活躍
1858年	日米修好通商条約締結 →神奈川，長崎，新潟，兵庫が開港
1901年	山陽鉄道全通→神戸から下関まで開通，鉄道の時代へ

㋐鞆の浦に残る常夜灯と船着き場の「雁木（がんぎ）」

鞆の浦は瀬戸内海の東西の潮目に位置し，潮待ち，風待ちの港として発展した。港には常夜灯が設けられ，夜間の航行も可能であった。

やってみよう 西廻り航路をたどり，風待ち，潮待ちで有名な港を確かめてみよう。

97 古代からの政治・商業・信仰の中心地
① 近畿地方
1:1 000 000
多円錐図法
伊勢神宮 おもな神社
鈴鹿関 三関
東大寺 おもな仏教各宗派の拠点・本山
熊野参詣道
東海道・中山道・北陸道・山陽道
② 神戸市中心部
―古くから海外に開けた港町―
1:120 000
―2020年―
商業・業務地
住宅地
森林・緑地
工業地
港湾施設・その他
旧居留地 神戸港開港後につくられたもの

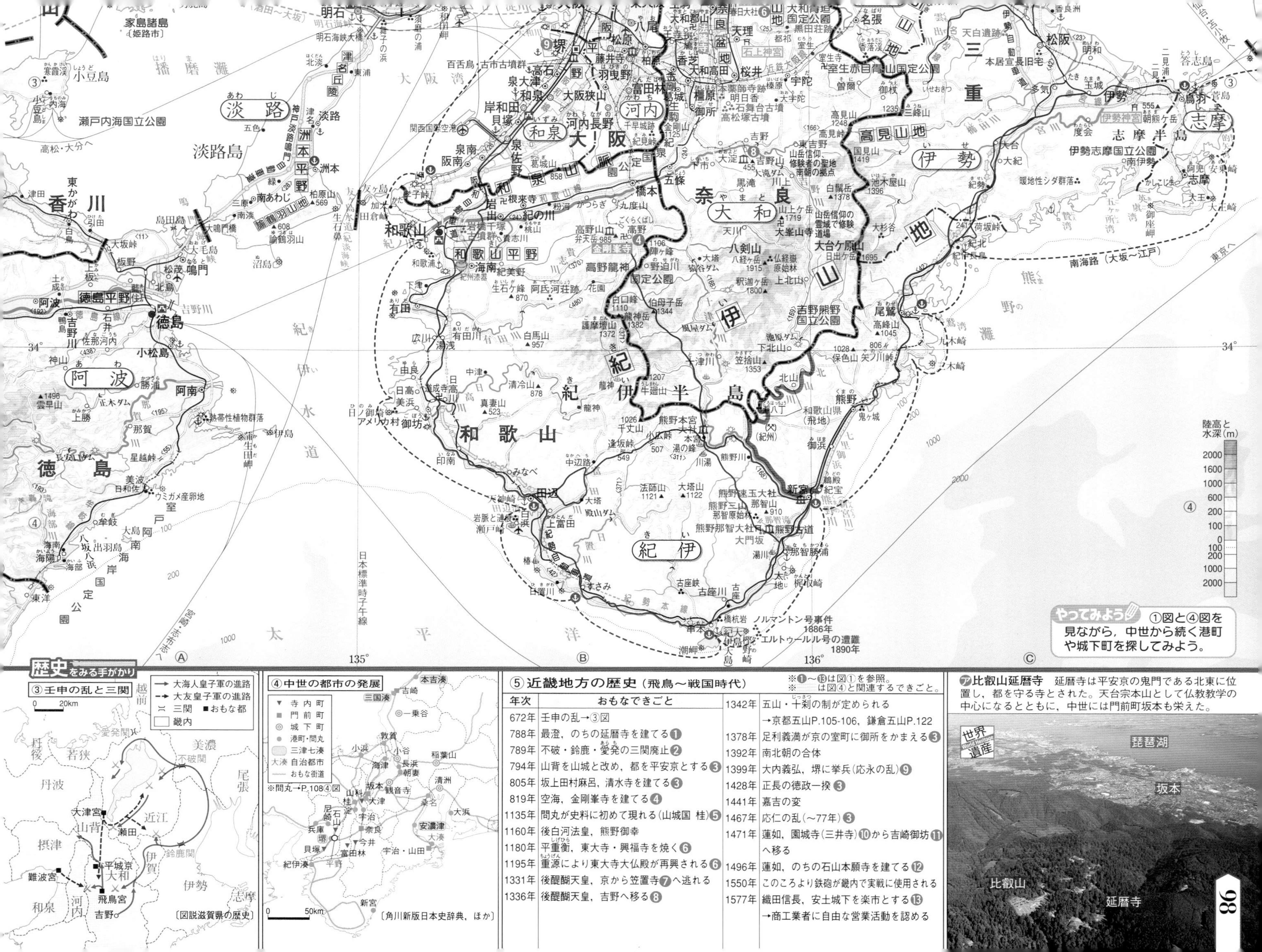

やってみよう
①図と④図を見ながら，中世から続く港町や城下町を探してみよう。
陸高と水深(m)

歴史をみる手がかり

③ 壬申の乱と三関

〔図説滋賀県の歴史〕

④ 中世の都市の発展

※問丸→P.108④図

〔角川新版日本史辞典，ほか〕

⑤ 近畿地方の歴史（飛鳥～戦国時代）

※❶～⑬は図①を参照。
※　　は図④と関連するできごと。

年次	おもなできごと
672年	壬申の乱→③図
788年	最澄，のちの延暦寺を建てる❶
789年	不破・鈴鹿・愛発の三関廃止❷
794年	山背を山城と改め，都を平安京とする❸
805年	坂上田村麻呂，清水寺を建てる❸
819年	空海，金剛峯寺を建てる❹
1135年	問丸が史料に初めて現れる(山城国 桂)❺
1160年	後白河法皇，熊野御幸
1180年	平重衡，東大寺・興福寺を焼く❻
1195年	重源により東大寺大仏殿が再興される❻
1331年	後醍醐天皇，京から笠置寺❼へ逃れる
1336年	後醍醐天皇，吉野へ移る❽
1342年	五山・十刹の制が定められる →京都五山P.105-106，鎌倉五山P.122
1378年	足利義満が京の室町に御所をかまえる❸
1392年	南北朝の合体
1399年	大内義弘，堺に挙兵(応永の乱)❾
1428年	正長の徳政一揆❸
1441年	嘉吉の変
1467年	応仁の乱(～77年)❸
1471年	蓮如，園城寺(三井寺)❿から吉崎御坊⓫へ移る
1496年	蓮如，のちの石山本願寺を建てる⓬
1550年	このころより鉄砲が畿内で実戦に使用される
1577年	織田信長，安土城下を楽市とする⓭ →商工業者に自由な営業活動を認める

㋐比叡山延暦寺

延暦寺は平安京の鬼門である北東に位置し，都を守る寺とされた。天台宗本山として仏教教学の中心になるとともに，中世には門前町坂本も栄えた。

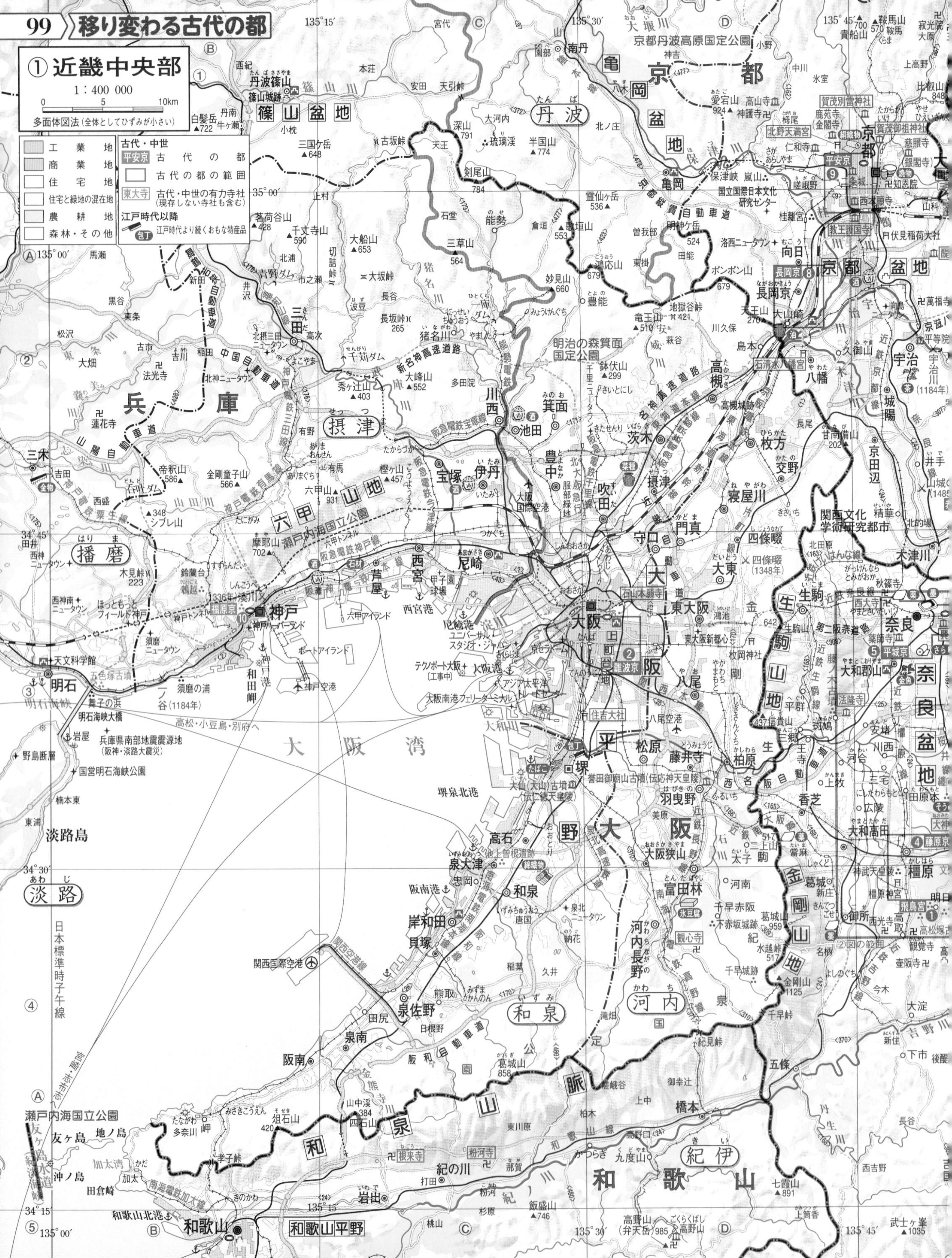

① 近畿中央部
1：400 000
0 5 10km
多面体図法（全体としてひずみが小さい）
工業地
商業地
住宅地
住宅と緑地の混在地
農耕地
森林・その他
古代・中世
平安京 古代の都
古代の都の範囲
東大寺 古代・中世の有力寺社（現存しない寺社も含む）
江戸時代以降
江戸時代より続くおもな特産品
135°00′
135°15′
135°30′
135°45′
35°00′
34°45′
34°30′
34°15′
丹波
京都
亀岡盆地
京都丹波高原国定公園
篠山盆地
丹波篠山
篠山城跡
兵庫
摂津
播磨
六甲山地
瀬戸内海国立公園
明治の森箕面国定公園
平安京
長岡京
京都盆地
大山崎
石清水八幡宮
宇治
八幡
枚方
高槻
茨木
箕面
池田
川西
宝塚
伊丹
豊中
吹田
摂津
寝屋川
守口
門真
大東
四條畷
東大阪
大阪
難波京
石山本願寺
上町台地
住吉大社
大阪湾
尼崎
西宮
芦屋
神戸
福原京
明石
明石海峡大橋
淡路島
淡路
大阪平野
堺
松原
藤井寺
羽曳野
八尾
柏原
生駒山地
奈良
平城京
大和郡山
奈良盆地
法隆寺
飛鳥京
藤原京
橿原
金剛山地
富田林
河内長野
大阪狭山
和泉
岸和田
貝塚
泉佐野
関西国際空港
泉南
阪南
和泉山脈
紀伊
和歌山
和歌山平野
紀の川
根来寺
粉河寺
橋本
五條
高野山
観心寺
河内
和泉

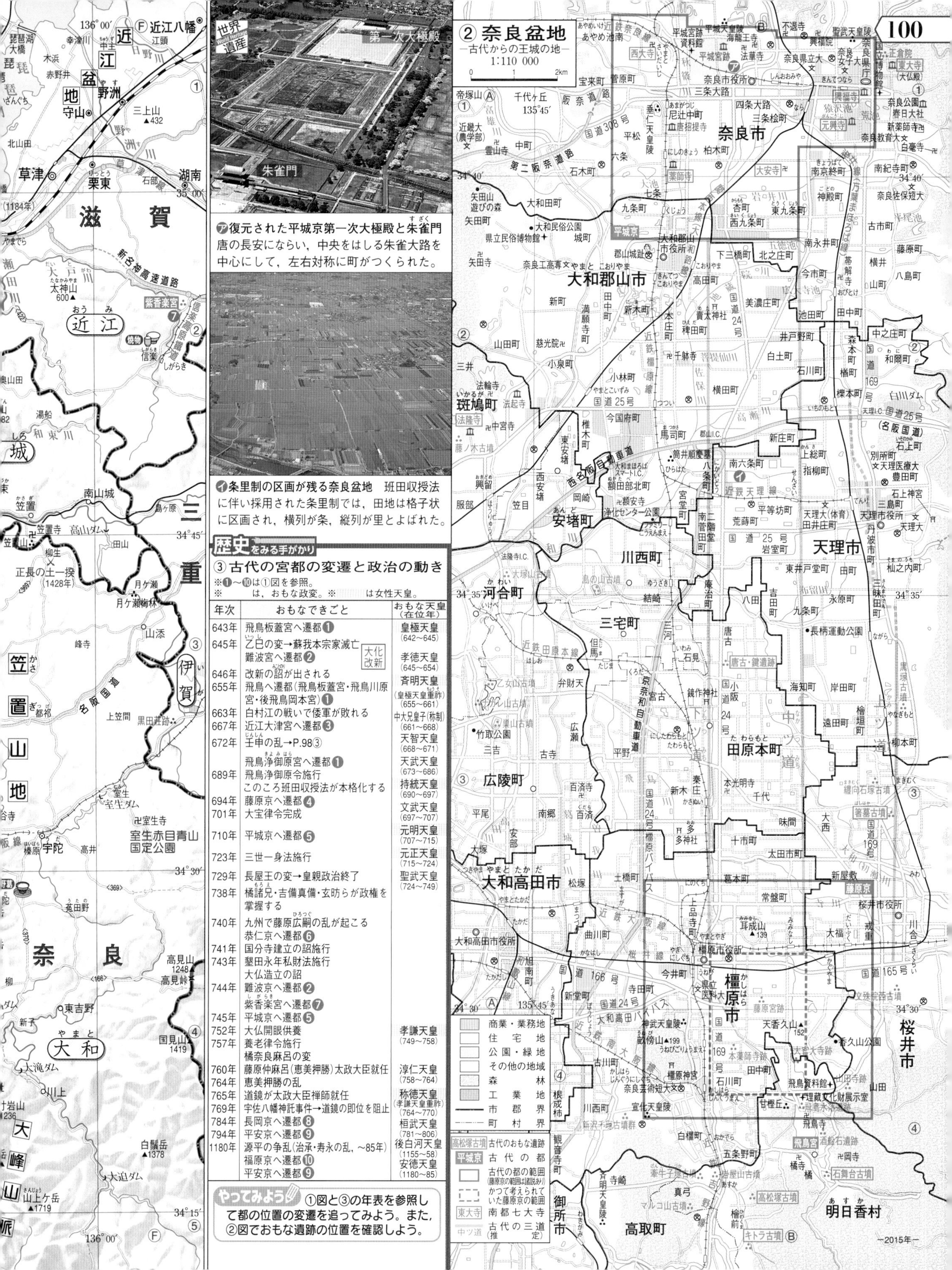

㋐復元された平城京第一次大極殿と朱雀門　唐の長安にならい，中央をはしる朱雀大路を中心にして，左右対称に町がつくられた。

㋑条里制の区画が残る奈良盆地　班田収授法に伴い採用された条里制では，田地は碁盤の目状に区画され，横列が条，縦列が里とよばれた。

歴史をみる手がかり

③ 古代の宮都の変遷と政治の動き

※❶～❿は①図を参照。
※　　は，おもな政変。※　　は女性天皇。

年次	おもなできごと	おもな天皇（在位年）
643年	飛鳥板蓋宮へ遷都❶	皇極天皇（642～645）
645年	乙巳の変→蘇我本宗家滅亡　大化改新	
	難波宮へ遷都❷	孝徳天皇（645～654）
646年	改新の詔が出される	
655年	飛鳥へ遷都（飛鳥板蓋宮・飛鳥川原宮・後飛鳥岡本宮）❶	斉明天皇（皇極天皇重祚）（655～661）
663年	白村江の戦いで倭軍が敗れる	中大兄皇子（称制）（661～668）
667年	近江大津宮へ遷都❸	
672年	壬申の乱→P.98③	天智天皇（668～671）
	飛鳥浄御原宮へ遷都❶	天武天皇（673～686）
689年	飛鳥浄御原令施行	
	このころ班田収授法が本格化する	持統天皇（690～697）
694年	藤原京へ遷都❹	
701年	大宝律令完成	文武天皇（697～707）
710年	平城京へ遷都❺	元明天皇（707～715）
723年	三世一身法施行	元正天皇（715～724）
729年	長屋王の変→皇親政治終了	聖武天皇（724～749）
738年	橘諸兄・吉備真備・玄昉らが政権を掌握する	
740年	九州で藤原広嗣の乱が起こる	
	恭仁京へ遷都❻	
741年	国分寺建立の詔施行	
743年	墾田永年私財法施行	
	大仏造立の詔	
744年	難波京へ遷都❷	
	紫香楽宮へ遷都❼	
745年	平城京へ遷都❺	
752年	大仏開眼供養	孝謙天皇（749～758）
757年	養老律令施行	
	橘奈良麻呂の変	
760年	藤原仲麻呂（恵美押勝）太政大臣就任	淳仁天皇（758～764）
764年	恵美押勝の乱	
765年	道鏡が太政大臣禅師就任	称徳天皇（孝謙天皇重祚）（764～770）
769年	宇佐八幡神託事件→道鏡の即位を阻止	
784年	長岡京へ遷都❽	桓武天皇（781～806）
794年	平安京へ遷都❾	
1180年	源平の争乱（治承・寿永の乱，～85年）	後白河天皇（1155～58）
	福原京へ遷都❿	安徳天皇（1180～85）
	平安京へ遷都❾	

やってみよう　①図と③の年表を参照して都の位置の変遷を追ってみよう。また，②図でおもな遺跡の位置を確認しよう。

歴史をみる手がかり

③淀川・大和川をめぐる歴史

※❶〜❿は①図を参照。

年次	おもなできごと
608年	小野妹子と隋の使者裴世清が，難波から飛鳥まで大和川を船でのぼる
645年	難波宮に遷都❶→淀川と瀬戸内海の接点
784年	長岡京に遷都❷ ］淀川水運を活用
794年	平安京に遷都❸ ］淀川水運を活用
室町時代	淀川に約400の関所が設けられる 大山崎の油座が繁栄する❹
1596年	豊臣秀吉が淀川に文禄堤をつくる（枚方市〜守口市の淀川左岸）
1600年	片桐且元が角倉与一の協力を得て亀瀬岩（大和川中流）を開削❺
1606年	角倉了以が京都の大堰川を開削❻
1611年	角倉了以・素庵父子が高瀬川を開削 →京都〜伏見間の水上交通路（〜1920年）
1684年	河村瑞賢が淀川下流の治水工事を行い，安治川を開く❼
1704年	河内今米村の庄屋・中甚兵衛らが幕命により大和川つけかえ工事を行う❽ 以降，新田開発がさかんになる
1868年	京都府が木津川と宇治川の合流点つけかえ工事開始（〜1910年）❾
1933年	巨椋池の干拓開始（〜41年）→農地となる❿

やってみよう

かつて物資の大量輸送には水運が重要な役割を果たしていた。平安京〜淀川河口の水運のルートを確認してみよう。

尼崎市
西淀川区
福島区
此花区
鶴見区
東大阪市
生駒市
大阪市
城東区
東成区
中央区
西区
浪速区
天王寺区
生野区
港区
大正区
西成区
阿倍野区
東住吉区
住之江区
平野区
住吉区
八尾市
松原市
藤井寺市
柏原市
羽曳野市
堺区
西区
北区
美原区
東区
堺市
大阪狭山市
富田林市
河内長野市
太子町
河南町
千早赤阪村
香芝市
王寺町
三郷町
平群町
斑鳩町
安堵町
河合町
川西町
三宅町
上牧町
広陵町
田原本町
大和高田市
葛城市
御所市
橿原市
桜井市
明日香村
高取町
大淀町
吉野町
下市町
五條市
橋本市
大和郡山市
奈良市
天理市
奈良盆地
生駒山地
金剛山地
和泉山脈
大和高原
和歌山
大阪湾
平城京
藤原京
難波京
飛鳥宮
法隆寺
薬師寺
唐招提寺
東大寺
興福寺
元興寺
大安寺
石上神宮
大神神社
箸墓古墳
纒向石塚古墳
藤原宮跡
甘樫丘
石舞台古墳
高松塚古墳
キトラ古墳
千早城跡
上赤坂城跡
下赤坂城跡
千早城の戦い
観心寺
大仙(大山)古墳(伝仁徳天皇陵)
誉田御廟山古墳(伝応神天皇陵)
住吉大社
智識寺跡
吉野山
金剛山 ▲1125
葛城山 959
信貴山 ▲437
三輪山 ▲467
陸高(m)
1000
600
200
100
50
25
10
0
② 堺市中心部
1：50 000
0 1000m
商業・業務地
住宅地
公園・緑地
その他の地域
工業地
—2019年—
鉄砲鍛冶屋敷跡
小西行長屋敷跡
西本願寺別院
妙国寺
千利休屋敷跡
祥雲寺
大安寺
南宗寺
旧堺灯台
堺市役所
大仙公園
堺市博物館
16世紀の堺
大安寺 おもな建造物
当時の海岸線
当時の市街地

① 大阪市
1：40 000
0 500m
商業・業務地
商業ビル街
住宅地
公園・緑地
その他の地域
工業地
古墳～奈良時代
四天王寺 古代のおもな遺跡・寺社
戦国～江戸時代
大坂冬の陣 大坂のおもな戦い
大阪城 江戸時代中期の上方の政治・経済に関わる建物・地名
明治時代
造幣局 官営工場
昭和初期のおもな工場
繊維
金属・機械
化学
その他
新聞
―2020年―
② 図の範囲
西淀川区
此花区
福島区
北区
西区
港区
大正区
浪速区
西成区
住之江区
住吉区
大阪市
大阪港
天下茶屋
堂島米市場
雑喉場魚市場
中之島
北浜
西船場
船場
堀江
島之内
帝塚山古墳
淀川
安治川
木津川
尻無川
道頓堀川
阪神高速1号環状線
阪神高速16号大阪港線
阪神高速17号西大阪線
阪神高速4号湾岸線
阪神高速2号淀川左岸線
阪神高速15号堺線
国道43号
国道172号
国道26号
大阪環状線
桜島線
ユニバーサル・スタジオ・ジャパン
天保山
4.5
天保山公園
海遊館
大阪税関
築港
京セラドーム
大阪市役所
大阪取引所
近代紡績工業発祥の地
1883年，渋沢栄一らにより大阪紡績が発足。
1831年に河川改修でできた，江戸時代の庶民の行楽地。
梅田
福島
野田
九条
弁天
市岡
泉尾
千島
北村
北恩加島
南恩加島
鶴町
船町
北加賀屋
平林北
柴谷
南港東
南港中
粉浜
帝塚山
万代
135°26′
135°28′
135°30′
34°41′
34°39′

②江戸時代の大坂※

1：40 000

※明治時代初期までは「大坂」と表記していたが，「坂」という字は縁起がよくないとして「大阪」に改称された。

やってみよう ②図の河川や運河は現在どうなっているか，①図を見てみよう。

③大坂のまちの発展

※❶～❼は①図を参照。

年次	おもなできごと
1496年	蓮如が石山御坊をたてる（のちの石山本願寺）
1570年	石山戦争（～80年）
1583年	羽柴秀吉が石山本願寺の跡地に大坂城の築城を開始 ❶
1614年	大坂の役（～15年）→豊臣氏滅ぶ ❶
1619年	江戸幕府が大坂を直轄領にする。大坂町奉行（東西）・大坂城代がおかれる ❷
17世紀後半	井原西鶴が活躍する
	雑喉場町に魚市場が移る ❸
1703年	竹本座で近松門左衛門の『曾根崎心中』が初演される❹。このころ坂田藤十郎・芳沢あやめら活躍（上方歌舞伎）
1730年	堂島米市場が公認される ❺
1772年	天満青物市場が公認される ❻
1784年	二十四組問屋が江戸積み問屋仲間として公認される
1834年	このころ打ちこわしがしきりに起こる
1837年	大塩平八郎の乱 ❼
1868年	新政府により大阪府が設置される

④大坂冬の陣・夏の陣

1：133 000 〔大日本歴史地図〕

⑤大坂城の変遷

〔大阪城天守閣の展示より〕

㋐安治川河口のにぎわい　川をはさんで菱垣廻船と樽廻船の問屋の蔵が並んでいる。大坂から木綿や酒などを江戸へ運んだ。

〈『菱垣新綿番船川口出帆之図』〉

① 京都市
1：48 000
0 500 1000m
商業・業務地
ビル街
住宅地
公園・緑地
その他の地域
森林
工業地
①②図共通
広隆寺 古代のおもな寺社・史跡
相国寺 京都五山
知恩院 仏教のおもな本寺・本山・門跡
(天)天台宗 (言)真言宗 (浄)浄土宗
(真)浄土真宗 (臨)臨済宗
桂離宮 寛永期の文化を代表する建造物
天皇陵
－2020年－
北区
上京区
中京区
下京区
右京区
西京区
南区
東山区
伏見区
向日市
大北山
原谷乾町
大文字山
五山送り火
鹿苑寺(金閣寺)
衣笠山
龍安寺
仁和寺(言)
妙心寺(臨)
北野天満宮
大徳寺(臨)
林下の一つで、一休宗純が活躍
今出川通
京都御所
京都御苑
相国寺
賀茂御祖神社
鴨長明はこの神社の禰宜の家に生まれた。
足利義政の創建。水墨画の周文や雪舟も修行した。
応仁の乱発祥地
今日庵(裏千家)
不審庵(表千家)
官休庵(武者小路千家)
聚楽廻
二条城
二の丸庭園
神泉苑
六角堂(頂法寺)
生け花の池坊流の発祥の地。
本能寺跡
1582年本能寺の変
新撰組壬生屯所跡
壬生寺
西本願寺
東本願寺
京都タワー
京都駅
教王護国寺(言)(東寺)
嵯峨天皇が空海に下賜した。
後白河法皇の命を受け平清盛が創建
蓮華王院
智積院
妙法院(天)
建仁寺
六波羅蜜寺
東福寺
万寿寺
伏見稲荷大社
桂離宮
松尾大社
梅宮大社
広隆寺
天龍寺
大覚寺
嵯峨
嵐山
太秦
桂川
鴨川
国道162号(周山街道)
国道9号(山陰道)
国道1号(京阪国道)
国道171号(西国街道)
国道24号
名神高速道路
山陰本線(嵯峨野線)
阪急京都線
京阪本線
近鉄京都線
地下鉄烏丸線
②図の範囲
鳥羽・伏見の戦い
135°42'
135°45'
35°02'
35°00'
34°58'

やってみよう ①②図を見て，自分の行ってみたい寺社・史跡を３つあげてみよう。

④ 近世の京の歴史

※❶～⑰は①図を参照。▒は文化に関するできごと

年次	おもなできごと
1590年	豊臣秀吉が京都の都市改造に着手
1591年	秀吉により御土居が築かれる❶
1600年	京都所司代がおかれる❷
1603年	出雲阿国らが北野天満宮で歌舞伎踊りを始める❸
	徳川家康が二条城で将軍宣下を受ける❹
1606年	江戸幕府により禁裏・仙洞御所がつくられる❺
1611年	角倉了以が高瀬川の開削に着手する(～14年)❻
	→京と伏見・大坂を結ぶ大動脈 →P.101-102
1620年	２代将軍徳川秀忠の娘・和子入内
	→幕府からの財政援助で，桂離宮❼・修学院離宮❽(1659年完成)の造営などが可能となる
1623年	徳川家光上洛
1627年	紫衣事件で大徳寺❾の沢庵らが処罰される
1662年	伊藤仁斎が堀川に古義堂を開く❿
	このころ，大文字の送り火始まる⓫
	宮崎友禅が友禅染を考案する
1694年	賀茂葵祭が再興される
	このころ，西陣織が最盛期を迎える⓬
1754年	山脇東洋が六角獄舎の刑死者解剖を見る⓭
1788年	天明の京都大火→京都史上最大の大火
1863年	八月十八日の政変
1864年	池田屋事件⓮(新撰組が尊王攘夷派を襲撃)
	禁門(蛤御門)の変⓯
1867年	徳川慶喜が二条城で大政奉還を発表❹
	近江屋で坂本龍馬・中岡慎太郎らが暗殺される⓰
1868年	鳥羽・伏見の戦い⓱
1869年	東京への遷都を事実上決定

㋐ **龍安寺庭園** 禅の精神を取り入れ，抽象的な自然を表した枯山水の庭園。東山文化を代表する庭園の一つ。

世界遺産

㋑ **二条城 二の丸御殿** 内部には，狩野派などによる金碧で彩られた豪華な障壁画，透し彫を施した欄間彫刻がみられる。

世界遺産

㋒ **桂離宮** 右手の古書院は書院造に草庵風の茶室を取り入れた数寄屋造の建築。寛永期の文化を代表する建築の一つ。

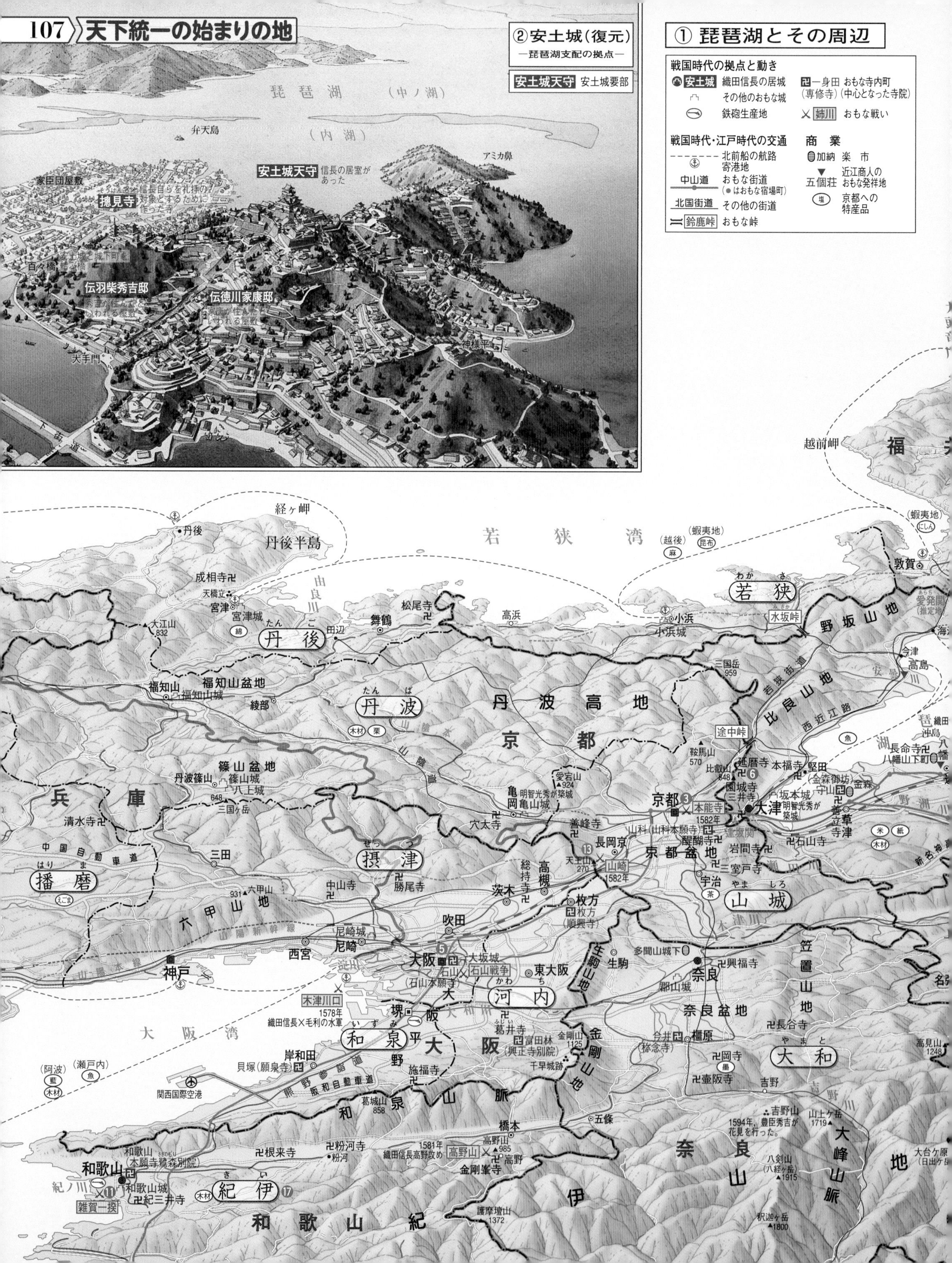

107 天下統一の始まりの地
②安土城(復元)
—琵琶湖支配の拠点—
安土城天守 安土城要部
琵琶湖 (中ノ湖)
弁天島
(内湖)
アミカ鼻
安土城天守 信長の居室があった
家臣団屋敷
信長自らを礼拝の対象とするために作った寺
摠見寺
百々橋
伝羽柴秀吉邸
秀吉が住んだといわれる屋敷
伝徳川家康邸
家康が住んだといわれる屋敷
大手門
下街道
① 琵琶湖とその周辺
戦国時代の拠点と動き
安土城 織田信長の居城
その他のおもな城
鉄砲生産地
一身田 おもな寺内町
(専修寺)(中心となった寺院)
姉川 おもな戦い
戦国時代・江戸時代の交通
北前船の航路
寄港地
中山道 おもな街道
(●はおもな宿場町)
北国街道 その他の街道
鈴鹿峠 おもな峠
商業
加納 楽市
五個荘 近江商人のおもな発祥地
京都への特産品
経ヶ岬
丹後
丹後半島
若狭湾
(越後) (蝦夷地)
敦賀
成相寺
天橋立
宮津
宮津城
大江山 832
丹後
田辺
舞鶴
松尾寺
高浜
小浜
小浜城
若狭
水坂峠
野坂山地
愛発関 (推定地)
今津
高島
越前岬
福
福知山
福知山盆地
福知山城
綾部
丹波
丹波高地
三国岳 959
比良山地
西近江路
若狭街道
途中峠
京都
鞍馬山 570
比叡山 848
延暦寺
本福寺
堅田 (金森御坊)
守山
金森
琵琶湖
沖島
長命寺
八幡山下町
篠山盆地
丹波篠山
篠山城
八上城
648
三国ヶ岳
愛宕山 924
亀岡
明智光秀が築城
亀山城
園城寺 (三井寺)
坂本城
明智光秀が築城
大津
京都
本能寺 1582年
兵庫
清水寺
穴太寺
善峰寺
山科(山科本願寺)
醍醐寺
草津
石山寺
中国自動車道
三田
長岡京
天王山 270
山崎 1582年
京都盆地
岩間寺
三室戸寺
宇治
山城
播磨
六甲山 931
六甲山地
中山寺
勝尾寺
茨木
総持寺
高槻
枚方
枚方 (順興寺)
木津川
笠置山地
山陽新幹線
尼崎城
尼崎
西宮
吹田
大坂城
大阪
石山戦争
(石山本願寺)
東大阪
生駒
生駒山地
多聞山城下
奈良
興福寺
郡山城
奈良盆地
山陽本線
神戸
淀川
木津川口
1578年
織田信長×毛利の水軍
堺
大阪
河内
大和川
大阪湾
和泉
平野
大阪
葛井寺
富田林 (興正寺別院)
金剛山 1125
金剛山地
今井
(称念寺)
橿原
長谷寺
岡寺
大和
高見山 1248
(阿波) (瀬戸内)
岸和田
貝塚(願泉寺)
熊野参詣道
阪和自動車道
施福寺
千早城跡
壷阪寺
吉野
関西国際空港
葛城山 858
和泉山脈
五條
吉野山
1594年、豊臣秀吉が花見を行った。
山上ケ岳 1719
大峰山脈
吉野川
橋本
1581年 織田信長高野攻め
高野山 985
高野
根来寺
粉河寺
粉河
金剛峯寺
和歌山 (本願寺鷺森別院)
和歌山
和歌山城
紀ノ川
紀三井寺
雑賀一揆
紀伊
奈良
八剣山 (八経ヶ岳) 1915
大台ケ原 (日出ケ岳)
地
護摩壇山 1372
和歌山
紀伊
釈迦ヶ岳 1800

③ 天下統一までの道

※　　部は⑤図と関連するもの。❶～⑱は①図を参照。

	年次	おもなできごと
織田信長	1560年	桶狭間の戦い❶
	1567年	美濃攻略→岐阜城へ移る❷
	1568年	足利義昭を奉じ入京❸
	1570年	姉川の戦い❹
		石山戦争が始まる(～80年)❺
	1571年	延暦寺焼き打ち❻
	1573年	室町幕府滅亡❸
	1574年	伊勢長島の一向一揆平定❼
		羽柴秀吉に長浜城を築城させる❽
	1575年	長篠の合戦，越前の一向一揆平定❾
	1576年	安土城の築城開始(～79年)❿
	1577年	紀伊雑賀の一向一揆と戦う⓫
	1580年	柴田勝家が加賀の一向一揆平定⓬
	1582年	天目山の戦い→武田氏滅亡
		本能寺の変❸→自害
豊臣(羽柴)秀吉		毛利氏と和睦，山崎の合戦⓭
		清洲会議⓮→地位を高める
	1583年	賤ヶ岳の戦い⓯
		大坂城の築城開始(～88年)❺
	1584年	小牧・長久手の戦い⓰
	1585年	紀伊平定⓱，四国平定
	1587年	九州平定
	1590年	小田原攻め，奥州平定
		天下統一の完成
徳川家康	1600年	関ヶ原の戦い⓲
	1603年	江戸に幕府を開く
	1614年	大坂冬の陣❺
	1615年	大坂夏の陣❺→豊臣氏滅亡

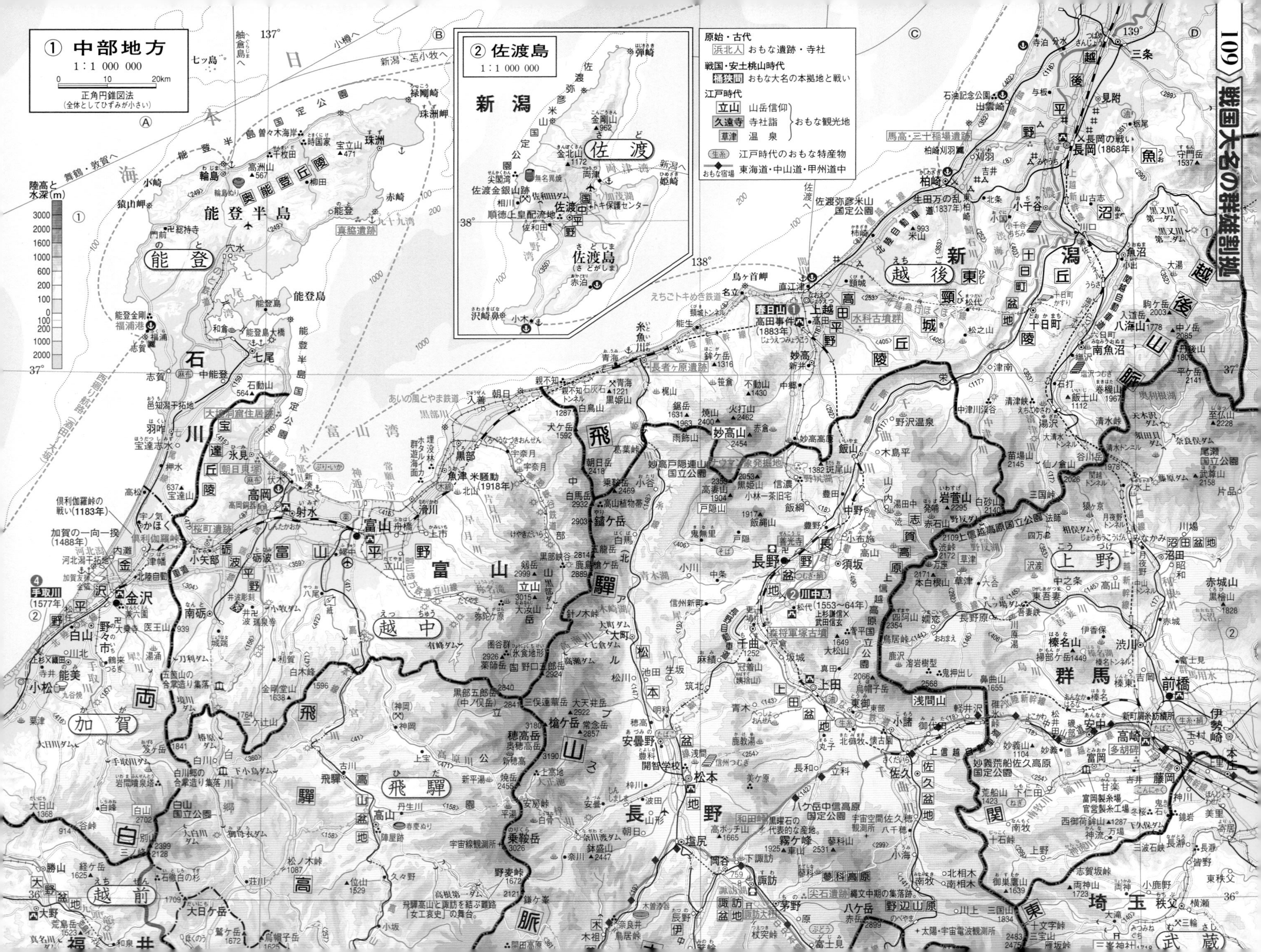

① 中部地方
1：1 000 000
正角円錐図法
(全体としてひずみが小さい)
陸高と水深(m)
② 佐渡島
1：1 000 000
原始・古代 浜北人 おもな遺跡・寺社
戦国・安土桃山時代 桶狭間 おもな大名の本拠地と戦い
江戸時代 立山 山岳信仰
久遠寺 寺社詣
草津 温泉
おもな観光地
生糸 江戸時代のおもな特産物
おもな宿場 東海道・中山道・甲州道中

やってみよう 興味のある戦国大名の本拠地（本城）や戦いを，③図を参考にしながら①図で確認してみよう。

歴史をみる手がかり

③16世紀後半の大名分布

＊地図の色分けは戦国大名や おもな勢力の領域を示す。

武田信玄と上杉謙信の攻防

信玄	おもなできごと ※❶～❹は①図を参照。	謙信
1541年	父信虎を駿河に追放し，家督の座につく	
1547年	「甲州法度之次第」（信玄家法）を定める	
	兄晴景から家督を継承，春日山城に入城❶	1548年
1553年	信玄，信濃の村上義清を攻め，義清が頼った謙信と川中島で戦う（第１回川中島の戦い，以後1564年まで複数回戦う）❷	1553年
1554年	武田，北条，今川三氏の甲相駿三国同盟成立	
	関東管領に就任	1561年
1561年	信玄と謙信，川中島で戦う（第４回川中島の戦い），信玄の弟信繁戦死❷	1561年
1568年	駿河に進攻，今川氏真軍を破る	
1572年	遠江の三方原で徳川家康を破る❸	
	越中・加賀に進攻し支配地を広げる	1574年
	加賀手取川の戦いで織田信長軍を破る❹	1577年

④川中島の戦い（第４回）

①1561年8月14日 上杉軍1万8000，善光寺に到着

②上杉軍，妻女山に布陣

③8月24日 武田軍 茶臼山に布陣

④8月29日 武田軍，海津城へ

⑤9月9日午後10時 上杉軍，霧をたいたまま八幡原へ

⑥9月10日午前1時 武田軍1万2000が妻女山へ 信玄は8000とともに八幡原へ

⑦9月10日午前6時 両軍激突 上杉軍優勢

⑧9月10日正午ごろ 妻女山の武田軍が急いでかけつけ形勢逆転 上杉軍，撤退

⑤近代繊維工業の分布（1906年ごろ）

おもな工場〔工場通覧，ほか〕 製糸 絹織物 綿糸紡績 綿織物 その他の紡績（くず生糸紡績など） おもな官営工場 おもな鉄道

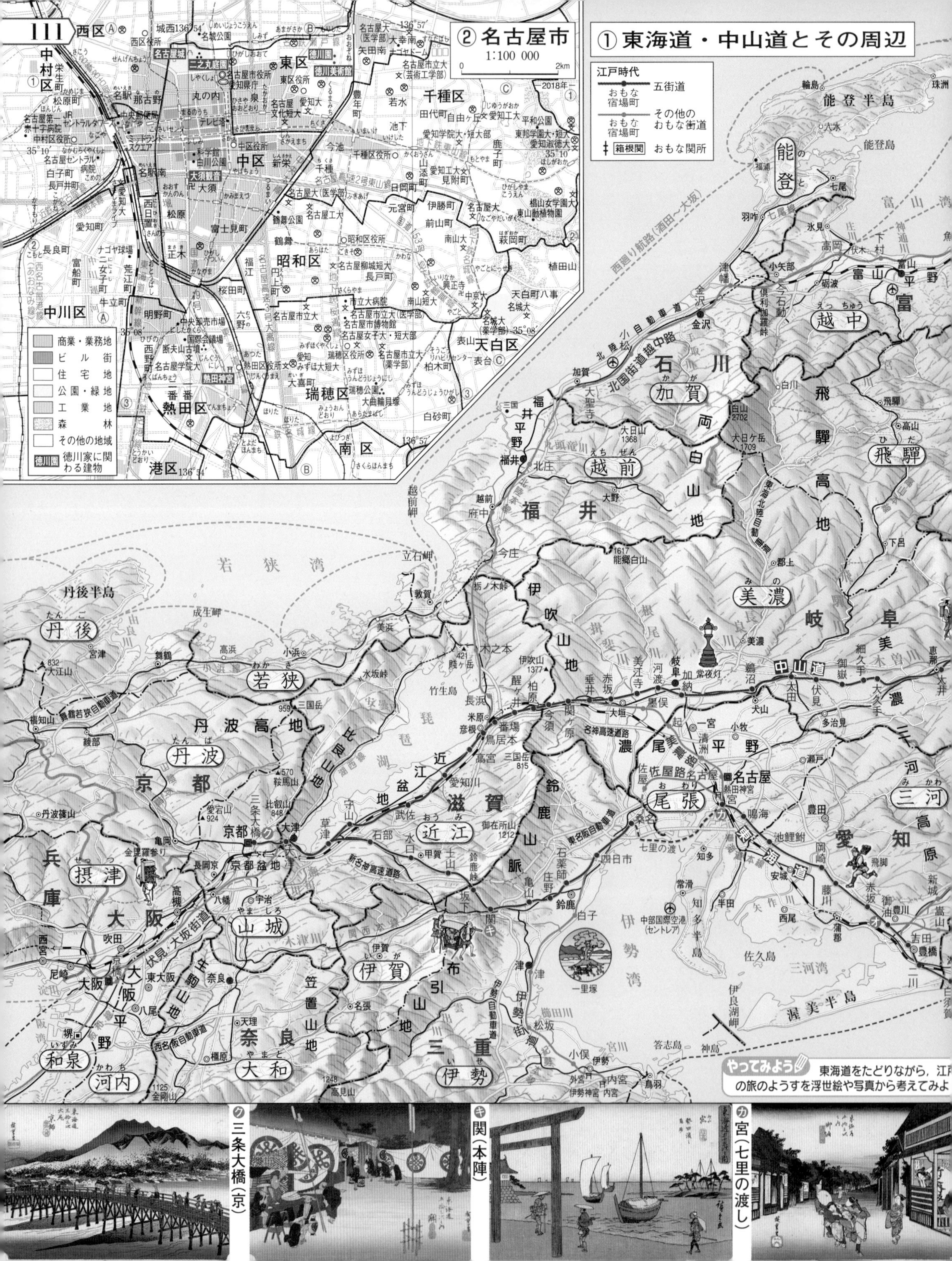

ク 三条大橋（京）
キ 関（本陣）
カ 宮（七里の渡し）

人々が行きかった交通路
112
江戸～京の所要時間
一般男性（東海道経由） 14日前後
継飛脚（東海道経由） 68時間（2.8日）
一般女性（中山道経由） 19日前後
日本海
越後
岩代
磐城
上野
下野
常陸
信濃
甲斐
武蔵
相模
下総
上総
安房
駿河
遠江
伊豆
新潟
福島
群馬
栃木
長野
山梨
埼玉
東京
千葉
神奈川
静岡
茨城
飛驒山脈
木曽山脈
赤石山脈
越後山脈
関東山地
足尾山地
関東平野
越後平野
伊豆半島
房総半島
駿河湾
相模湾
東京湾
太平洋
仙台・松前道（奥州道中）
奥州道中
日光道中
日光例幣使街道
中山道
甲州道中
東海道
北国街道越後路
北国街道
善光寺街道
三国街道
水戸街道
南海路（大坂～江戸）
碓氷関
栗橋関
小仏関
箱根関
福島関
人見女
松並木
茶屋
③宿場町模式図
道標
枡形
茶屋
旅籠
高札場
本陣
脇本陣
枡形
水路
道標
伝馬場（ない場合もある）
問屋場
旅籠
茶屋
〔ビジュアルNIPPON 江戸時代，ほか〕
④浮世絵と写真で見る東海道のようす
（歌川広重 筆『東海道五十三次』）
㋓大井川の渡し
㋒藤枝（問屋場）
㋑箱根関所（復元）
㋐日本橋（江戸）

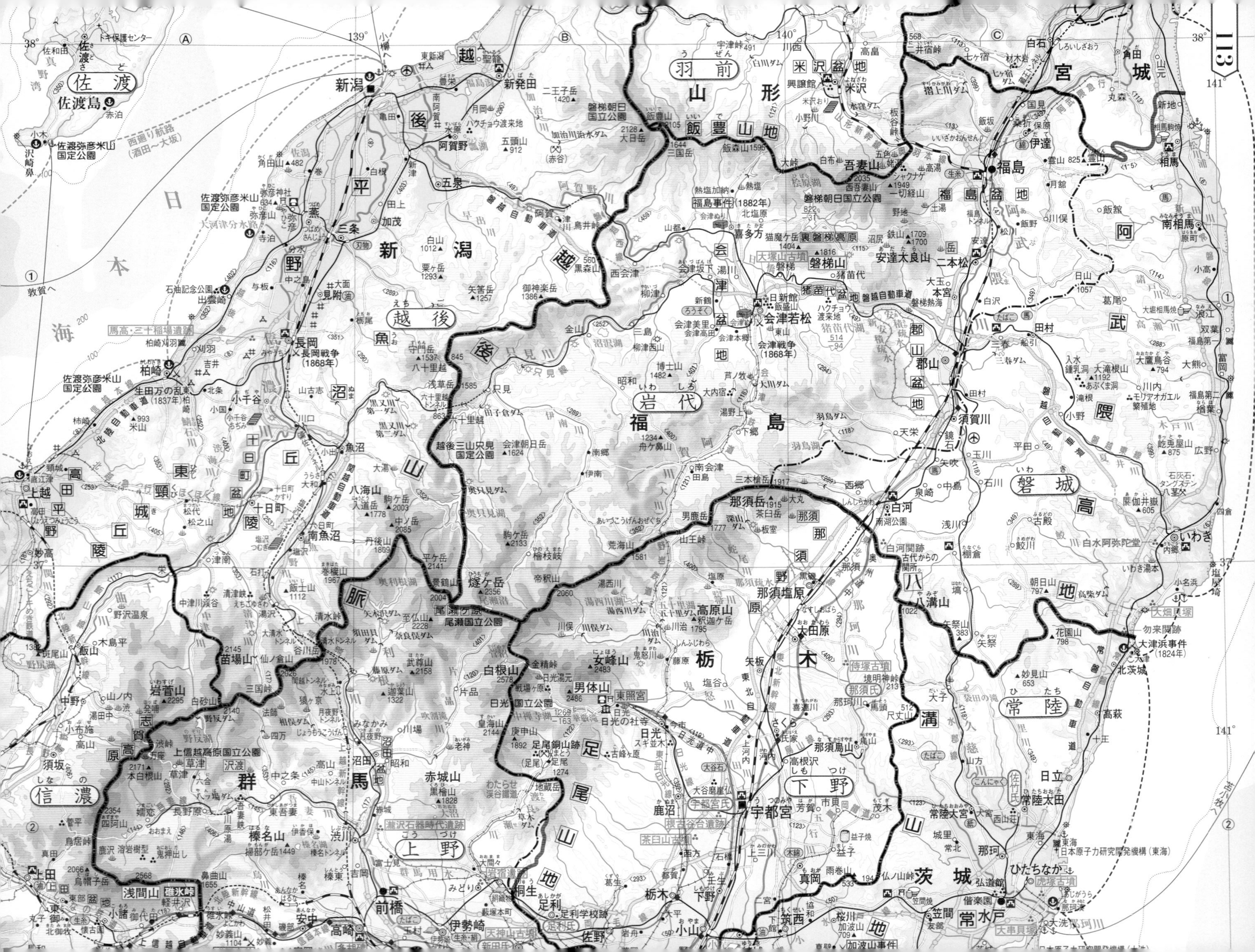
佐渡
佐渡島
日本海
新潟
新発田
越後
新潟
長岡
柏崎
上越
十日町
南魚沼
魚沼
越後三山只見国定公園
尾瀬国立公園
上信越高原国立公園
浅間山
前橋
高崎
伊勢崎
桐生
足利
佐野
群馬
上野
赤城山
榛名山
燧ケ岳
白根山
男体山
女峰山
日光
宇都宮
栃木
下野
那須岳
那須塩原
大田原
八溝山
常陸
水戸
ひたちなか
日立
茨城
福島
岩代
会津若松
喜多方
郡山
白河
須賀川
磐梯山
安達太良山
吾妻山
飯豊山地
羽前
山形
米沢
二本松
伊達
相馬
南相馬
阿武隈高地
磐城
いわき
宮城
白石
角田

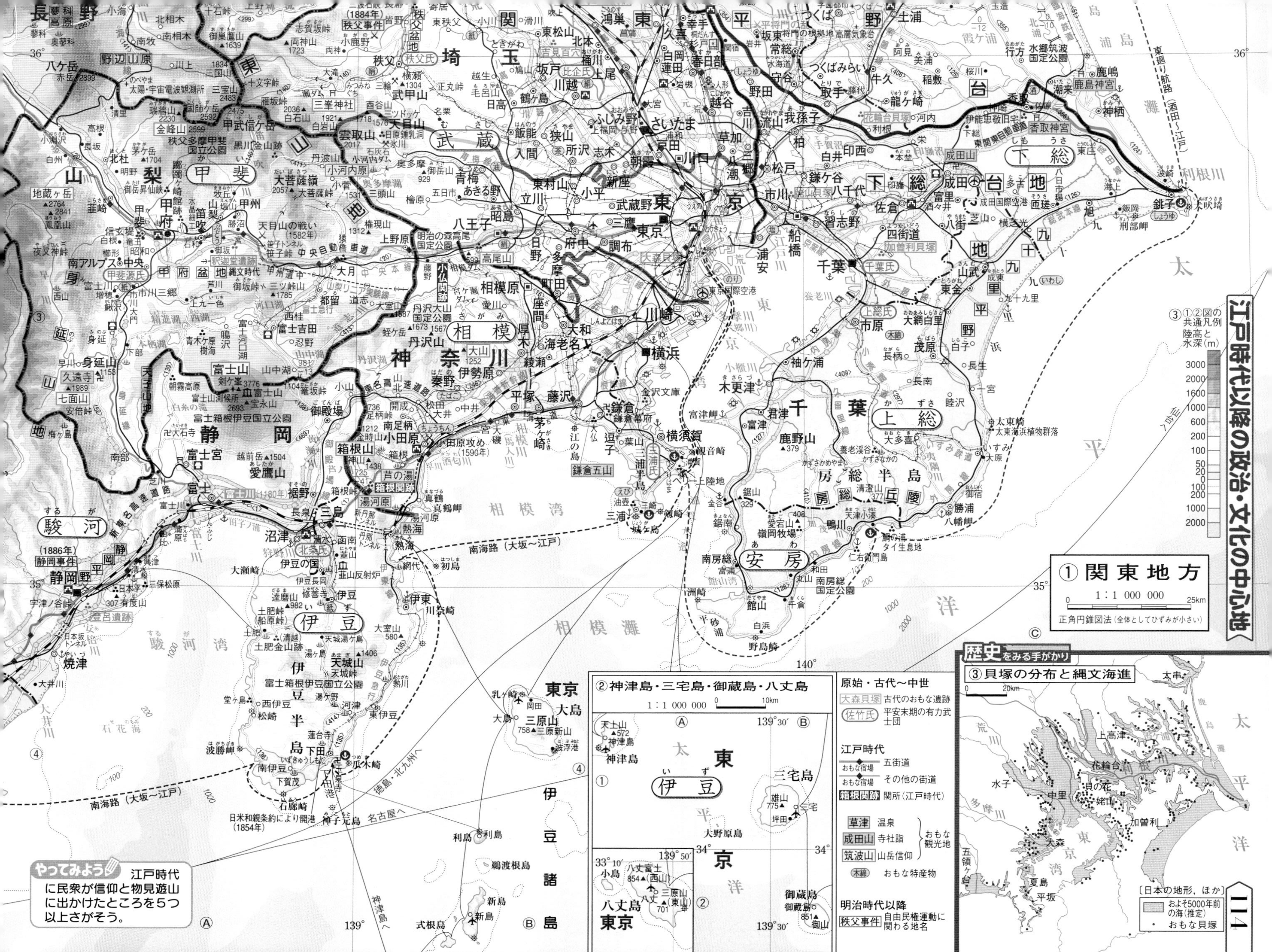
①関東地方
1:1 000 000
正角円錐図法（全体としてひずみが小さい）
③①②図の共通凡例
陸高と水深（m）
②神津島・三宅島・御蔵島・八丈島
1:1 000 000
原始・古代～中世
大森貝塚 古代のおもな遺跡
佐竹氏 平安末期の有力武士団
江戸時代
おもな宿場 五街道
おもな宿場 その他の街道
箱根関跡 関所（江戸時代）
草津 温泉
成田山 寺社詣
筑波山 山岳信仰
おもな観光地
おもな特産物
明治時代以降
秩父事件 自由民権運動に関わる地名
歴史をみる手がかり
③貝塚の分布と縄文海進
日本の地形，ほか
およそ5000年前の海（推定）
おもな貝塚
やってみよう
江戸時代に民衆が信仰と物見遊山に出かけたところを5つ以上さがそう。
太平洋
相模灘
相模湾
駿河湾
東京湾
伊豆諸島
関東平野
下総台地
武蔵
相模
上総
下総
安房
甲斐
駿河
伊豆
房総半島
三浦半島
伊豆半島
富士山
箱根山
東京
横浜
千葉
さいたま
甲府
静岡
八丈島
三宅島
御蔵島
神津島
大島
利島
新島
式根島
秩父事件（1884年）
静岡事件（1886年）
天目山の戦い（1582年）
小田原攻め（1590年）
日米和親条約により開港（1854年）
南海路（大坂～江戸）
東廻り航路（酒田～江戸）

江戸とその周辺の発展

埼玉
東京
神奈川
山梨
静岡
関東
平
武蔵
甲斐
相模
秩父盆地
狭山丘陵
多摩丘陵
相模原
丹沢山地
相模湾
相模灘
東京湾
三浦半島
房総
熊谷
行田
加須
羽生
古河
鴻巣
久喜
東松山
北本
桶川
上尾
春日部
川越
坂戸
鶴ケ島
日高
飯能
狭山
入間
所沢
青梅
羽村
福生
武蔵村山
東大和
東村山
東久留米
清瀬
新座
朝霞
和光
志木
富士見
ふじみ野
さいたま
蕨
戸田
川口
草加
八潮
三郷
越谷
吉川
流山
野田
柏
松戸
市川
船橋
浦安
立川
国分寺
小平
西東京
武蔵野
小金井
三鷹
調布
府中
国立
昭島
あきる野
八王子
日野
多摩
狛江
稲城
町田
東京
川崎
横浜
大和
座間
綾瀬
海老名
厚木
伊勢原
秦野
平塚
茅ケ崎
藤沢
鎌倉
逗子
横須賀
三浦
小田原
箱根山
御殿場
熱海
真鶴
湯河原
木更津
君津
袖ケ浦
秩父
武甲山
雲取山
天目山
丹沢山
蛭ケ岳
大山
江戸時代の山岳信仰。
秩父事件
1884年 秩父困民党蜂起
935年 平将門の乱
埼玉古墳群
大日本帝国憲法の起草地
秀吉の小田原攻め 1590年
南海路（大坂～江戸）
東京湾アクアライン（東京湾横断道路）
ペリー上陸地
生麦事件 1862年
横浜ベイブリッジ
東京国際空港
東京ディズニーランド
東京ディズニーシー
浦賀水道

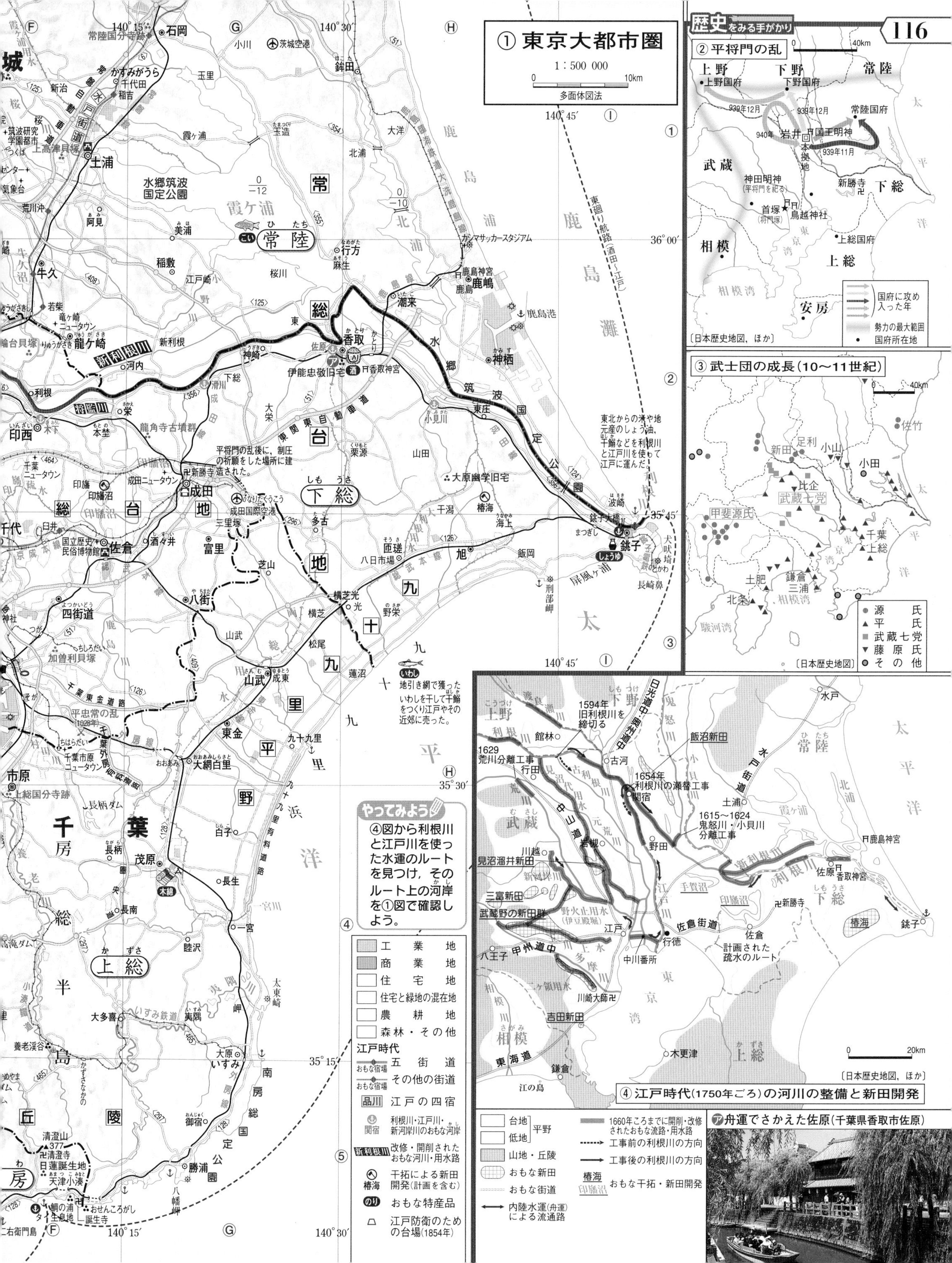

116
歴史をみる手がかり
① 東京大都市圏
1：500 000
0 10km
多面体図法
② 平将門の乱
上野 下野 常陸
上野国府 下野国府 常陸国府
939年12月 939年12月 939年11月 940年
岩井 国王明神 本拠地
武蔵 相模 下総 上総 安房
神田明神（平将門を祀る）
首塚（将門塚）
鳥越神社 新勝寺 上総国府
相模湾
国府に攻め入った年
勢力の最大範囲
国府所在地
〔日本歴史地図，ほか〕
③ 武士団の成長（10～11世紀）
0 40km
佐竹 新田 足利 小山 小田 比企 武蔵七党 甲斐源氏 千葉 上総 土肥 鎌倉 三浦 北条 相模湾 駿河湾
● 源氏
▲ 平氏
■ 武蔵七党
▼ 藤原氏
● その他
〔日本歴史地図〕
東北からの米や地元産のしょう油，干鰯などを利根川と江戸川を使って江戸に運んだ。
平将門の乱後に，制圧の祈願をした場所に建造された。
地引き網で獲ったいわしを干して干鰯をつくり江戸やその近郊に売った。
東廻り航路（酒田～江戸）
常陸 下総 上総 千葉 房総半島 鹿島灘 九十九里浜 太平洋
霞ヶ浦 北浦 新利根川 利根川 将監川 印旛沼
土浦 牛久 龍ケ崎 香取 佐原 潮来 鹿嶋 神栖 銚子 成田 佐倉 八街 旭 東金 大網白里 茂原 勝浦 いすみ 市原
香取神宮 伊能忠敬旧宅 新勝寺 成田国際空港 国立歴史民俗博物館 大原幽学旧宅 加曽利貝塚 龍角寺古墳群 犬吠埼
平忠常の乱（1028年）
やってみよう
④図から利根川と江戸川を使った水運のルートを見つけ，その ルート上の河岸を①図で確認しよう。
工業地
商業地
住宅地
住宅と緑地の混在地
農耕地
森林・その他
江戸時代
五街道
その他の街道
江戸の四宿
利根川・江戸川・新河岸川のおもな河岸
改修・開削されたおもな河川・用水路
干拓による新田開発（計画を含む）
おもな特産品
江戸防衛のための台場（1854年）
④ 江戸時代（1750年ごろ）の河川の整備と新田開発
1594年 旧利根川を締切る
1629 荒川分離工事
1654年 利根川の瀬替工事
1615～1624 鬼怒川・小貝川分離工事
日光道中 奥州道中 水戸街道 中山道 甲州道中 東海道 佐倉街道
飯沼新田 見沼溜井新田 三富新田 武蔵野の新田群 吉田新田
野火止用水（伊豆殿堀） 二ヶ領用水 玉川上水 見沼代用水
手賀沼 印旛沼 椿海
計画された疏水のルート
関宿 古河 行田 川越 江戸 行徳 中川番所 八王子 川崎大師 鎌倉 江の島 木更津 水戸 鹿島神宮 香取神宮 新勝寺 佐原 佐倉 銚子
0 20km
〔日本歴史地図，ほか〕
台地 低地 平野
山地・丘陵
おもな新田
おもな街道
内陸水運（舟運）による流通路
1660年ごろまでに開削・改修されたおもな流路・用水路
工事前の利根川の方向
工事後の利根川の方向
おもな干拓・新田開発
ア 舟運でさかえた佐原（千葉県香取市佐原）

① 現在の東京
1：50 000
0 500 1000m
－2020年－
豊島区
文京区
中野区
新宿区
千代田区
渋谷区
港区
世田谷区
目黒区
品川区

商業・業務地
商業ビル街
住宅地
工業地
公園・緑地
その他の地域
江戸時代
浅草寺 江戸を代表する社寺・場所など
（藩名） おもな大名屋敷など
明治時代
銀座街 初期につくられた建造物など
東京2020オリンピック・パラリンピックのおもな会場予定地
139°48′
139°51′
35°42′
35°40′
35°38′
荒川区
台東区
墨田区
葛飾区
江戸川区
江東区
央区
千葉
浦安市
東日暮里
南千住
小塚原刑場
東四つ木
四ツ木橋
木根川橋
墨田
堤通
東向島
向島百花園
東武博物館
墨田川高
八広
東墨田
西新小岩
東新小岩
中川水門
葛飾あらかわ水辺公園
東京聖栄大
新小岩公園
平井運動公園
平井
松島
江戸川高
関東一高
江戸川区役所
大杉
中央
最勝寺（目黄不動）
小松川高
新小松川橋
荒川大橋
亀戸中央公園
亀戸
亀戸天神
江東商高
立花
橘高
文花
京島
押上
郵政博物館
東京スカイツリー
墨田区役所
吾妻橋
東駒形
業平
たばこと塩の博物館
本所
横川
太平
錦糸
錦糸公園
立志舎高
石原
亀沢
江戸東京博物館
安田学園高
同愛記念病院
旧安田庭園
国技館
両国
回向院
吉良上野介
都立墨東病院
両国高
緑
立川
菊川
住吉
毛利
千歳
新大橋
森下
常盤
深川芭蕉庵跡
清澄
白河
清澄庭園
深川セメント
三好
平野
木場公園
東京都現代美術館
石島
千田
海辺
大江戸高
千石
猿江
猿江恩賜公園
扇橋
北砂
東砂
仙台堀川公園
大島
城東高
小松川
大島小松川公園
中川船番所資料館
東小松川
松江
西一之江
一之江
春江町
葛西工高
北葛西
宇喜田町
宇喜田公園
行船公園
江戸川区自然動物園
西葛西
東葛西
地下鉄博物館
中葛西
総合レクリエーション公園
清新町
臨海町
葛西南高
南葛西
なぎさ公園
東京都中央卸売市場葛西市場
葛西水再生センター
東京団地倉庫
葛西臨海公園
葛西臨海水族園
西なぎさ
東なぎさ
東京ディズニーランド
東京ディズニーシー
舞浜
南砂
東高
深川
冬木
深川警察署
深川不動堂
富岡八幡宮
木場
江東区役所
深川高
公社南砂住宅
運転免許試験場
東陽
古石場
越中島
第三商高
塩浜
越中島貨物駅
潮見
枝川
東京湾マリーナ
新砂
砂町水再生センター
新砂運動場
日本郵便
夢の島マリーナ
夢の島熱帯植物館
夢の島
夢の島公園
新江東清掃工場
夢の島競技場
地盤沈下観測所
辰巳
辰巳の森海浜公園
東雲
辰巳の森緑道公園
新木場
貯木場
東京ヘリポート
若洲
若洲海浜公園
若洲ゴルフリンクス
区立若洲公園
東京港
有明
有明コロシアム
有明テニスの森
東京臨海広域防災公園
がん研有明病院
東京国際展示場（ビッグサイト）
武蔵野大
パレットタウン
中央卸売市場
テプコ豊洲ビル
芝浦工大附属高
ガスの科学館
豊洲
晴海
月島
晴海総合高
東京都立大法科大学院
トリトンスクエア
芝浦工大
東京海洋大
聖路加国際病院
電信中央局
アメリカ公使館
石川島造船所
大川端リバーシティ21
佃
住吉神社
新川
佐賀
福住
東京証券取引所
東京株式取引所
日本橋兜町
第一国立銀行
水天宮
東京シティエアターミナル
日本橋人形町
浜町公園
浅草橋
柳橋
蔵前
蔵前工高
鳥越神社
忍岡高
小島
三筋
白鷗高
元浅草
寿
駒形
雷門
浅草
浅草寺
浅草神社
伝法院
東本願寺
西浅草
松が谷
北上野
上野学園高
源空寺
台東区役所
岩倉高
入谷
下谷
根岸
竜泉
千束
東浅草
今戸
浅草高
隅田公園
日本堤
清川
橋場
三ノ輪
竹台高
一葉記念館
永久寺（目黄不動）
入谷鬼子母神
鷲神社
本所高
向島
首都高速6号線
首都高速7号線
首都高速9号線
首都高速湾岸線
首都高速中央環状線
国道6号
国道14号
国道357号
総武本線
京葉線
京葉道路
清洲橋通り
葛西橋通り
永代通り
明治通り
四ツ目通り
三ツ目通り
新大橋通り
環七通り
船堀街道
科学技術高
中央学院大中央高
小名木川
荒川・砂町水辺公園
荒川河口橋
清砂大橋
新左近川親水公園
紅葉川高
舞浜大橋
サイクリングロード
鉄鋼ふ頭
有明ふ頭橋
夢の大橋
東京有明医療大
有明教育芸術短大
かえつ有明高
新辰巳橋
辰巳水門
至浦安
至新浦安
至瑞江

火事と喧嘩は江戸の華 粋でいなせな江戸っ子の町

ア第三台場

②江戸の上水の整備（概念図）

③江戸のまちの発展

※ はおもな幕政改革。 は⑥図と対応。 ※❶～⑮は①図を参照。

年次	おもなできごと
1456年	太田資長（道灌）が江戸城の築城開始（～57年）
1590年	徳川家康が江戸に入る。小名木川を開削❶。神田上水完成❷
1592年	江戸城二ノ丸工事を開始（～93年）❸。日比谷入江を埋め立てる❹
1603年	家康が征夷大将軍となり，江戸に幕府を開く このころ日本橋に魚市場がつくられた❺
1604年	日本橋を起点に諸街道へ一里塚が置かれる❺
1619年	菱垣廻船による江戸～大坂間の運搬が始まる
1635年	家光，武家諸法度で参勤交代を義務づける
1657年	明暦の大火→④図。江戸城本丸・二ノ丸・三ノ丸を焼失❸ このころから神田の青物市場が活気づく❻
1673年	のちの初代市川団十郎が荒事を演じ人気を博す❼
1683年	三井高利，呉服店を拡張し両替店も開く❽
1690年	綱吉，湯島聖堂を建てる❾
1701年	松の廊下での刃傷事件。（翌年赤穂浪士の吉良邸討ち入り❿）
1716年	吉宗，享保の改革を行う（～45年）
1717年	隅田堤に桜を植樹⓫
1718年	町火消を組織→④図
1722年	小石川養生所の設置⓬
1733年	浅間山が噴火，江戸に灰が降る→P.136
1787年	松平定信，寛政の改革を行う（～93年）
1790年	石川島に人足寄場を設置⓭
1797年	のちの昌平坂学問所が幕府直営の学問所となる❾
1841年	水野忠邦，天保の改革を行う（～43年）
1853年	ペリー，江戸湾沖に来航し開港を求める
1854年	品川沖に台場がつくられる⓮
1855年	安政江戸地震が起こる
1860年	大老井伊直弼，桜田門外で水戸浪士らに暗殺される⓯
1868年	江戸城が無血で開城される❸

④明暦の大火と江戸の防火

1：90 000

⑤ある紀伊藩士の江戸での1か月

※Ⓐ～Ⓙは①図を参照。

1日	麻布・赤坂周辺で買い物（このほかに9月に5回）Ⓐ
9日	四谷で買い物（このほか9月に4回）Ⓑ
17日	増上寺を参詣Ⓒ
20日	浅草寺など浅草方面の寺社を参詣。付近で食事Ⓓ
23日	永代橋付近で食事Ⓔ。回向院などを参詣Ⓕ
26日	伝通院などを参詣Ⓖ。巣鴨周辺で芝居・寄席見物Ⓗ
27日	山王神社に参詣Ⓘ。鮫ヶ橋で三味線を習う（～30日）Ⓙ

※1860年9月のおもな行動。計11日間は紀伊徳川家上屋敷に勤務。
〔酒井伴四郎『江戸江発足日記帳』〕

⑥江戸の流通基地 日本橋 ―密集する商人・職人街―

1：40 000

㋒日本橋の越後屋界隈＜『東都名所 駿河町之図』＞

㋓日本橋周辺の河岸のようす　舟で運んだ荷を陸地に降ろす所は河岸とよばれた。江戸は川や水路が多く，河岸が流通の重要な役割を担った。河岸の周辺には問屋や市が立ち並んだ。＜『江戸図屏風』＞

みよう　①図とP.117-118（を比）較して，江戸から東京へ土地がどのように変化したか大名などに注目し，確認してみよう。

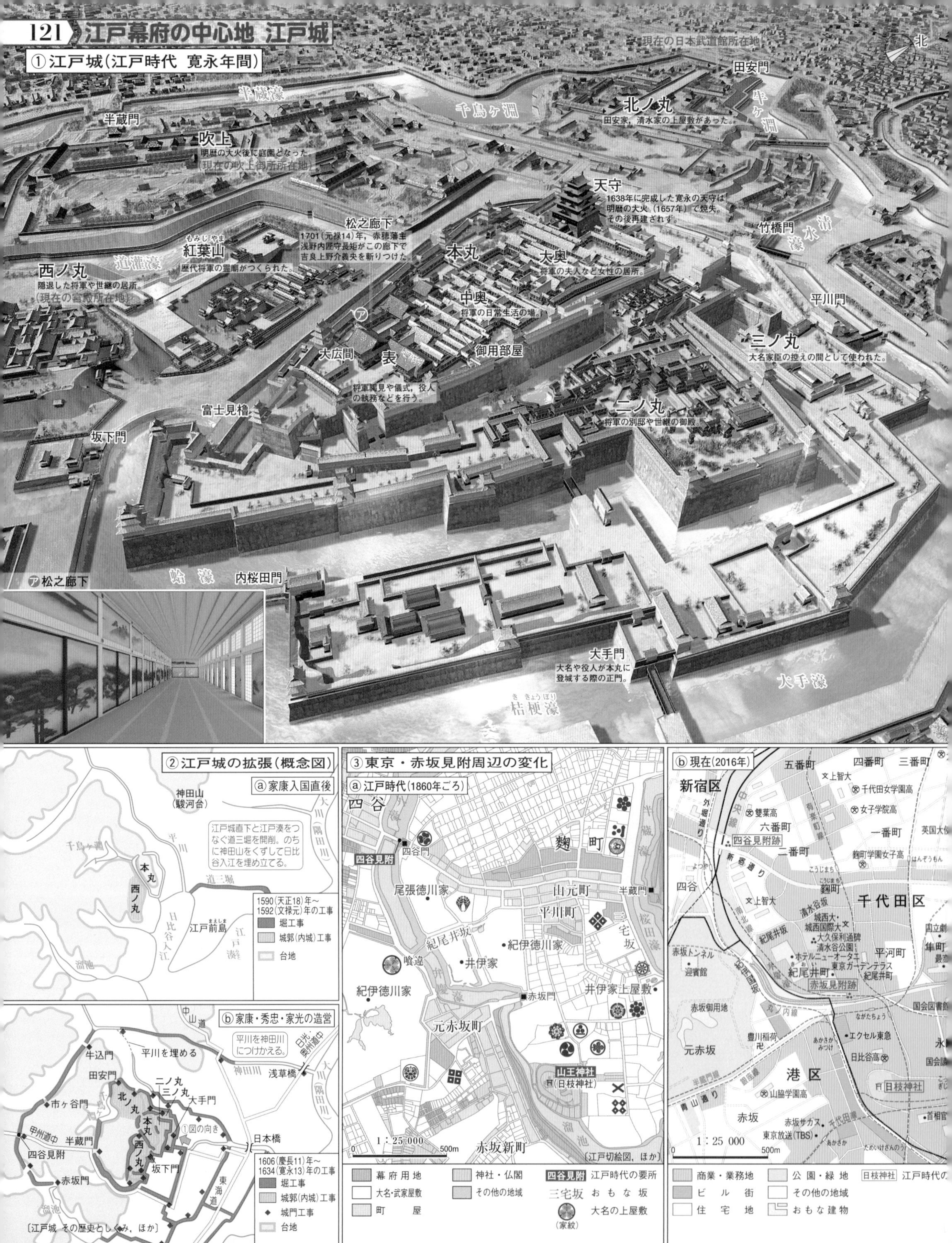

121 江戸幕府の中心地 江戸城
①江戸城(江戸時代 寛永年間)
現在の日本武道館所在地
北
田安門
半蔵濠
千鳥ヶ淵
牛ヶ淵
北ノ丸
田安家，清水家の上屋敷があった。
半蔵門
吹上
明暦の大火後に庭園となった。
(現在の吹上御所所在地)
天守
1638年に完成した寛永の天守は明暦の大火（1657年）で焼失。その後再建されず。
松之廊下
1701(元禄14)年，赤穂藩主浅野内匠守長矩がこの廊下で吉良上野介義央を斬りつけた。
紅葉山
歴代将軍の霊廟がつくられた。
竹橋門
清水濠
道灌濠
本丸
大奥
将軍の夫人など女性の居所。
西ノ丸
隠退した将軍や世継の居所。
(現在の宮殿所在地)
中奥
将軍の日常生活の場。
平川門
ア
大広間
表
御用部屋
三ノ丸
大名家臣の控えの間として使われた。
将軍謁見や儀式，役人の執務などを行う。
富士見櫓
二ノ丸
将軍の別邸や世継の御殿。
坂下門
ア松之廊下
蛤濠
内桜田門
大手門
大名や役人が本丸に登城する際の正門。
大手濠
桔梗濠
②江戸城の拡張(概念図)
ⓐ家康入国直後
神田山(駿河台)
江戸城直下と江戸湊をつなぐ道三堀を開削。のちに神田山をくずして日比谷入江を埋め立てる。
千鳥ヶ淵
平川
大川(隅田川)
本丸
西ノ丸
道三堀
1590(天正18)年～1592(文禄元)年の工事
堀工事
城郭(内城)工事
台地
日比谷入江
江戸前島
江戸湊
溜池
ⓑ家康・秀忠・家光の造営
中山道
平川を神田川につけかえる。
日光・奥州道中
牛込門
平川を埋める
神田川
浅草橋
大川(隅田川)
田安門
二ノ丸
三ノ丸
大手門
市ヶ谷門
北ノ丸
本丸
①図の向き
甲州道中
半蔵門
西ノ丸
日本橋
四谷見附
坂下門
赤坂門
1606(慶長11)年～1634(寛永13)年の工事
堀工事
城郭(内城)工事
城門工事
台地
東海道
溜池
〔江戸城 その歴史としくみ，ほか〕
③東京・赤坂見附周辺の変化
ⓐ江戸時代(1860年ごろ)
四谷
四谷門
四谷見附
麴町
半蔵濠
尾張徳川家
山元町
半蔵門
平川町
三宅坂
桜田濠
紀尾井坂
紀伊徳川家
喰違
井伊家
紀伊徳川家
赤坂門
井伊家上屋敷
元赤坂町
山王神社
(日枝神社)
溜池
1：25 000
0 500m
赤坂新町
〔江戸切絵図，ほか〕
幕府用地
神社・仏閣
四谷見附 江戸時代の要所
大名・武家屋敷
その他の地域
三宅坂 おもな坂
町屋
大名の上屋敷
(家紋)
ⓑ現在(2016年)
五番町
四番町
三番町
新宿区
上智大
千代田女学園高
雙葉高
女子学院高
外堀通り
六番町
一番町
英国大使館
四谷見附跡
二番町
麴町学園女子高
新宿通り
四谷
麴町
上智大
清水谷坂
千代田区
城西大・城西国際大
大久保利通碑
紀尾井坂
清水谷公園
国立劇場
赤坂トンネル
ホテルニューオータニ
東京ガーデンテラス紀尾井町
平河町
隼町
迎賓館
紀尾井町
赤坂見附跡
赤坂御用地
国会図書館
豊川稲荷
エクセル東急
元赤坂
日比谷高
永田町
港区
日枝神社
山脇学園高
青山通り
赤坂
赤坂サカス
首相官邸
東京放送(TBS)
1：25 000
0 500m
商業・業務地
公園・緑地
日枝神社 江戸時代の…
ビル街
その他の地域
住宅地
おもな建物

鎌倉（鎌倉時代）
北
切岸 山の尾根を削って築いた人工の崖。
朝比奈切通し
浄妙寺
建長寺
巨福呂坂切通し
源氏の守護神として尊崇される。
鶴岡八幡宮
大倉幕府 1225年までの幕府。
六浦道
亀ヶ谷坂切通し
寿福寺
若宮幕府 1236～1333年の幕府。
宇都宮辻子幕府 1225～36年の幕府。
釈迦堂口切通し
名越切通し
化粧坂切通し
かまくら
武蔵大路
若宮大路
小町大路
大町大路
JR横須賀線
大仏坂切通し
大仏殿
長谷小路
江ノ島電鉄
由比ケ浜
滑川
材木座海岸
光明寺
極楽寺坂切通し
長谷寺
鎌倉時代に築かれた現存する最古の築港遺跡。
和賀江島
稲瀬川
極楽寺
相模湾
稲村ヶ崎
卍 鎌倉五山
イ 名越切通し
横浜市中心部
1：60 000
横浜港
神奈川台場跡
鈴繁町
橋本町
高島台
栄町
北幸
高島
みなとみらい
パシフィコ横浜ノース
臨港パーク
パシフィコ横浜
横浜美術館
③図の範囲
ランドマークタワー
日本丸
よこはまコスモワールド
横浜みなと博物館
神奈川奉行所跡
赤レンガ倉庫
大桟橋（メリケン波止場）
伊勢山皇大神宮
横浜市役所
横浜税関
神奈川県庁
歴史博物館
開港資料館
開港記念会館
氷川丸
日本大通り
山下公園
マリンタワー
中華街
横浜スタジアム
山下町
外人墓地
港の見える丘公園
大佛次郎記念館
元町
山手資料館
山手町
中区
西区
野毛山動物園
野毛山公園
伊勢佐木町
大通り公園
首都高速神奈川3号狩場線
中村町
唐沢
本牧ふ頭
本牧町
大黒ふ頭
横浜ベイブリッジ
首都高速湾岸線
根岸森林公園
馬の博物館
根岸台
三溪園
地蔵王廟
堀ノ内町
丸山
国道16号
国道1号
久保町
藤棚町
老松町
野毛町
三春台
清水ヶ丘
南太田
井土ヶ谷下町
岩井町
蒔田
中央
平沼
桜木町
山下埠頭
新山下
本牧山頂公園
錦町
塚越
―2020年―
③ 横浜の拡大
ⓐ 1853年ごろ―開港直前―
陸高（m）
戸部村
現在の桜木町駅
弁天社
現在の海岸線
保土ヶ谷道
野毛浦
横浜村
現在の中華街
大岡川
中川
一ッ目沼
金沢道
吉田新田
中村川
ⓑ 1882年ごろ―鉄道開通後―
商業・業務地
住宅地
公園・緑地
水田
畑・茶畑
工場
その他の地域
現在の海岸線
横浜駅（現在の桜木町駅）
日本人居住区
波止場（象の鼻）
伊勢佐木町
横浜公園
外国人居留地
中華街
元町
外国人居留地
かつての吉田新田
図説横浜の歴史、ほか

ア 戊辰戦争の激戦地・若松城（福島県）
原始・古代
胆沢城跡 古代の鎮守府
江戸時代以降
仙台 奥羽越列藩同盟に参加したおもな藩（1868年）
会津戦争 戊辰戦争のおもな戦場
砂鉄 ⚒ 淋代 1965年ころのおもな鉱山
④ 仙台市中心部
1：50 000
0 500 1000m
商業・業務地
商業ビル街
住宅地
公園・緑地
その他の地域
森林
東照宮 伊達家に関わるおもな建造物
－2018年－
青葉区
宮城野区
若林区
太白区
山形
宮城
福島
新潟
羽前
陸前
岩代
磐城
越後
下野
仙台
山形
福島
会津若松
郡山
いわき
米沢
酒田
鶴岡
新庄
一関
気仙沼
石巻
新発田
村上
白河
相馬
大崎
塩竈
磐梯朝日国立公園
蔵王国定公園
栗駒国定公園
三陸復興国立公園
日光国立公園
尾瀬国立公園
越後三山只見国定公園
白河口の戦い
会津戦争（1868年）
仙台（青葉）城跡
多賀城跡
東廻り航路（酒田～江戸）
西廻り航路（酒田～大坂）
太平洋
日本海
仙台湾
金華山沖

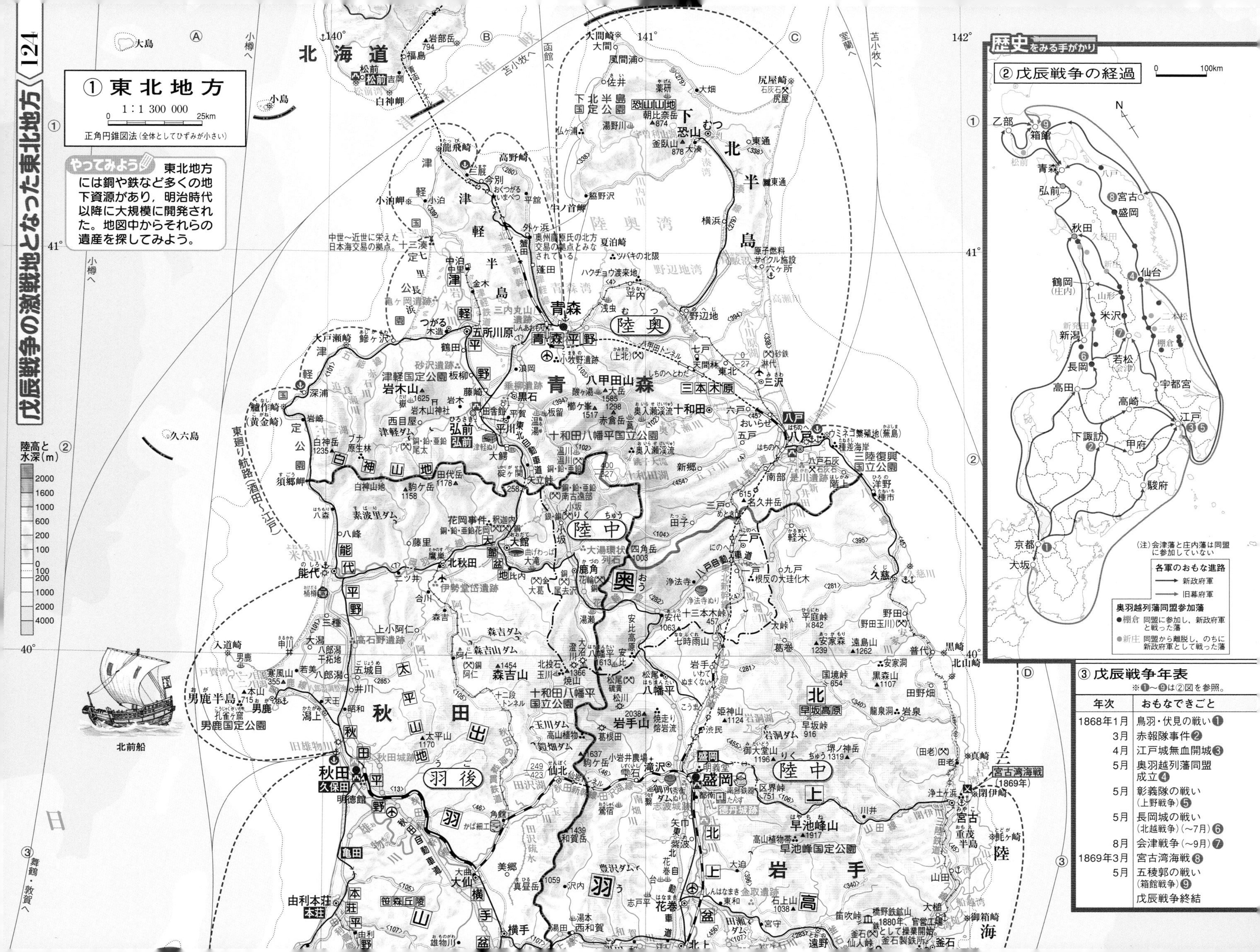

③ 戊辰戦争年表

※❶～❾は②図を参照。

年次	おもなできごと
1868年1月	鳥羽・伏見の戦い❶
3月	赤報隊事件❷
4月	江戸城無血開城❸
5月	奥羽越列藩同盟成立❹
5月	彰義隊の戦い（上野戦争）❺
5月	長岡城の戦い（北越戦争）（～7月）❻
8月	会津戦争（～9月）❼
1869年3月	宮古湾海戦❽
5月	五稜郭の戦い（箱館戦争）❾ 戊辰戦争終結

独自の文化が華開いた東北地方

① 東北地方とその周辺

㋐ 多賀城跡－宮城県多賀城市－

㋑ 松島－宮城県松島町－

㋒ 中尊寺－岩手県平泉町－

やってみよう ③図から
代の守備城を年代の古し
に確認し，朝廷の東北
がどのように進んだかを
図も見て確かめよう。

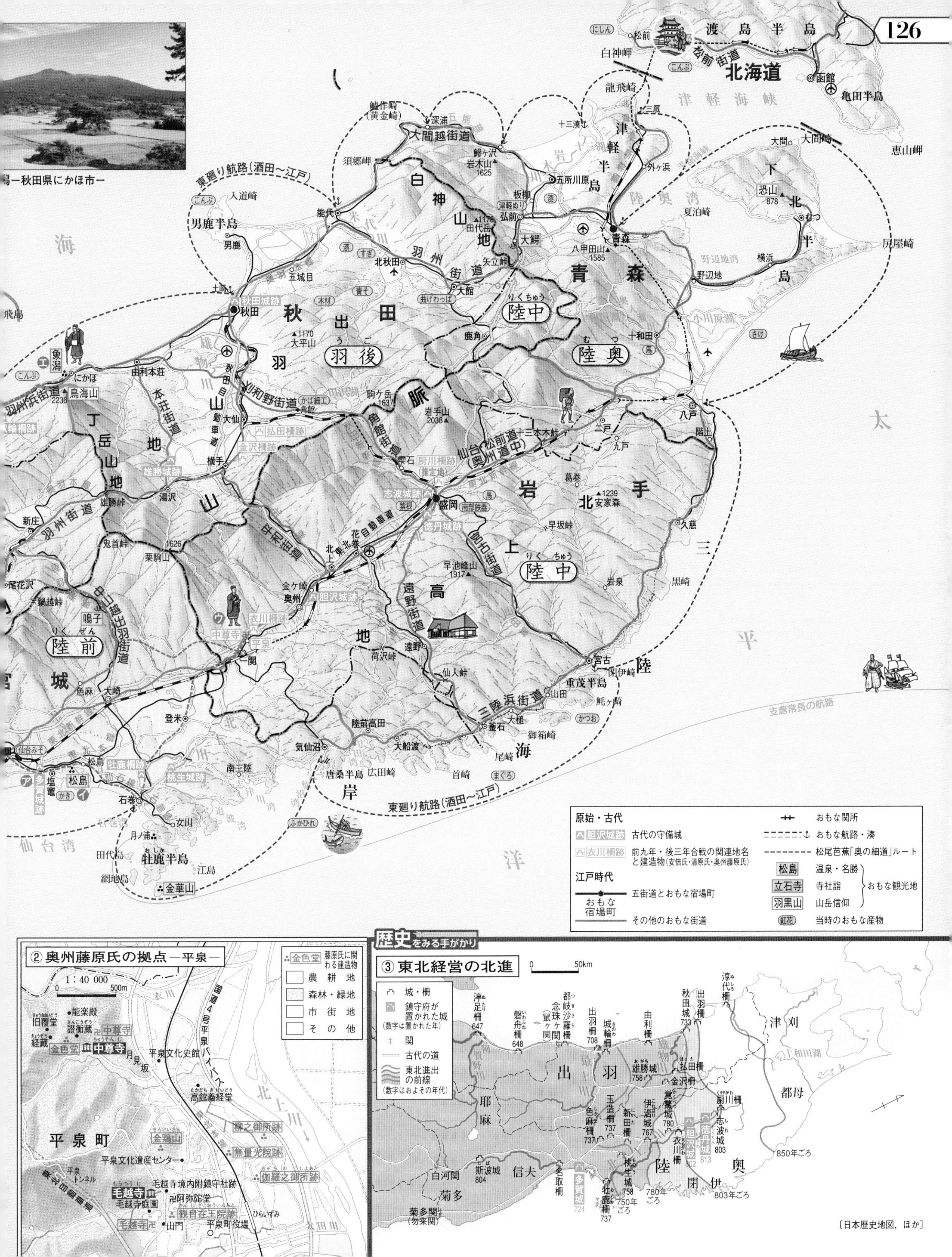

潟ー秋田県にかほ市ー
渡島半島
北海道
松前
松前街道
函館
亀田半島
白神岬
龍飛崎
津軽海峡
三厩
十三湊
津軽半島
外ヶ浜
五所川原
陸奥湾
大間
大間崎
恵山岬
下北半島
恐山
878
むつ
尻屋崎
夏泊崎
青森
八甲田山
1585
野辺地湾
野辺地
横浜
鯵ケ沢
岩木山
1625
深浦
大間越街道
艫作崎
(黄金崎)
須郷岬
白神山地
田代岳
1178
弘前
板柳
大鰐
矢立峠
碇ヶ関
羽州街道
東廻り航路(酒田〜江戸)
入道崎
男鹿半島
男鹿
能代
北秋田
五城目
大館
秋田城跡
秋田
土崎
秋田
出羽
羽後
陸中
陸奥
大平山
1170
鹿角
十和田
小川原湖
象潟
にかほ
由利本荘
鳥海山
2236
羽州浜街道
本荘街道
秋田自動車道
横手
大仙
刈和野街道
角館
駒ケ岳
1637
角館街道
奥羽山脈
岩手山
2038
雫石
厨川柵跡
(推定地)
払田柵跡
金沢柵跡
雄勝城跡
湯沢
雄勝峠
丁岳山地
新庄
羽州街道
鬼首峠
栗駒山
1626
十三本木峠
仙台(松前道中)
(奥州道中)
二戸
九戸
八戸
階上
志波城跡
盛岡
南部鉄器
徳丹城跡
花巻
北上
北上高地
東北自動車道
葛巻
安家森
1239
早坂峠
宮古街道
久慈
岩手
陸中
早池峰山
1917
岩泉
黒崎
尾花沢
中山越出羽街道
鳴子
鍋越峠
金ケ崎
奥州
胆沢城跡
衣川柵跡
中尊寺
平泉
一関
陸前
遠野街道
遠野
荷沢峠
仙人峠
宮古
重茂半島
閉伊崎
山田
魹ヶ崎
三陸浜街道
大槌
釜石
御箱崎
支倉常長の航路
陸前高田
大船渡
気仙沼
尾崎
首崎
唐桑半島
広田崎
南三陸
三陸海岸
大崎
色麻
登米
宮城
松島
塩竈
多賀城跡
牡鹿柵跡
桃生城跡
石巻
女川
月ノ浦
牡鹿半島
田代島
網地島
江島
金華山
仙台湾
日本海
太平洋
飛島
原始・古代
胆沢城跡 古代の守備城
衣川柵跡 前九年・後三年合戦の関連地名と建造物(安倍氏・清原氏・奥州藤原氏)
江戸時代
五街道とおもな宿場町
おもな宿場町
その他のおもな街道
おもな関所
おもな航路・湊
松尾芭蕉「奥の細道」ルート
松島 温泉・名勝
立石寺 寺社詣
羽黒山 山岳信仰
おもな観光地
紅花 当時のおもな産物
② 奥州藤原氏の拠点 ―平泉―
1:40 000
0 500m
金色堂 藤原氏に関わる建造物
農耕地
森林・緑地
市街地
その他
能楽殿
旧覆堂
讃衡蔵
経蔵
金色堂
中尊寺
月見坂
平泉文化史館
高館義経堂
国道4号平泉バイパス
衣川
北上川
柳之御所跡
無量光院跡
伽羅之御所跡
金鶏山
平泉町
平泉文化遺産センター
平泉トンネル
東北自動車道
毛越寺境内附鎮守社跡
毛越寺
毛越寺庭園
阿弥陀堂
観自在王院跡
平泉町役場
山門
ひらいずみ
太田川
歴史をみる手がかり
③ 東北経営の北進
0 50km
城・柵
鎮守府が置かれた城(数字は置かれた年)
関
古代の道
東北進出の前線(数字はおよその年代)
渟足柵 647
磐舟柵 648
都岐沙羅柵
念珠関(鼠ヶ関)
出羽柵 708
城輪柵
由利柵
秋田城 733
出羽柵
渟代柵
津刈
十和田湖
都母
払田柵
金沢柵
雄勝城 758
出羽
耶麻
色麻柵 737
玉造柵 737
新田柵
伊治城 767
覚鱉城 780
胆沢城 802
徳丹城 813
志波城 803
厨川柵
衣川柵
陸奥
閉伊
803年ごろ
850年ごろ
白河関
斯波城 804
信夫
名取柵
多賀城 724
桃生城 758
牡鹿柵 737
750年ごろ
780年ごろ
菊多
菊多関(勿来関)

〔日本歴史地図, ほか〕

① 小樽市
—近代北海道の金融の中心—
—2015 年—
1：35 000
300m
手宮公園
小樽市総合博物館
旧手宮鉄道施設
厩町岸壁
石狩湾
運動公園
日本郵船
下水処理場
色内ふ頭
渋沢倉庫
色内埠頭公園
第三号ふ頭
小樽港
大家倉庫
龍宮神社
富岡ニュータウン
小樽運河
安田銀行
小樽倉庫
(小樽市総合博物館)
第二号ふ頭
港町ふ頭
三井銀行
三井物産
三菱銀行
小樽文学館
小樽美術館
百十三銀行
日本銀行
(金融資料館)
小樽警察署
検察庁
フェリーターミナル
中央ふ頭
ヴェネツィア美術館
後志総合振興局小樽庁舎
小樽聖公会
木材倉庫
水天宮
図書館
小樽市役所
国内フェリーターミナル
裁判所
市民会館
かつない臨海公園
体育館
小樽公園
花園グリーンロード
ア 小樽運河
海岸を埋め立てた際につくられた水路。倉庫へ積み荷を運ぶために重要な役割をはたした。1923（大正12）年完成。
③ 札幌中心部
—北の中心都市—
—2018 年—
1：50 000
500m
西区役所
西区
北区
東区
札幌競馬場
北海道大学
札幌農学校
中央卸売市場
清華亭
北八条
桑園公園
宮の森
北五条
北大植物園
北海道庁
旧道庁
開拓使麦酒醸造所
農学部博物館
時計台
近代美術館
西本願寺別院
知事公館
高等裁判所
大通公園
札幌市役所
テレビ塔
大友堀
宮ケ丘
社会福祉総合センター
大通西
NTT病院
江戸時代末期に開削された丁用水路
米国総領事館
北海道神宮
円山公園
札幌医科大
中央区役所
狸小路
中央保健センター
すすきの
円山球場
円山原始林
円山動物園
中央区
南八条
東本願寺別院
円山
225
豊平館
開拓使の来賓用ホテル
中島公園
札幌コンサートホールKitara
円山西町
双子山
北海道札幌視覚支援学校
旭山記念公園
旭ケ丘
慈啓会病院
伏見稲荷神社
藻岩浄水場
南区
藻岩山
中央図書館
中の島
北海道科学大学
陸上自衛隊駐屯地
豊平
商業・業務地
住宅地
公園・緑地
森林
旧道庁 明治時代につくられたおもな建造物
ビル街(③図のみ)
工業地
その他の地域
①，③，④図共通
② 十三湖周辺（青森県）
—日本海交易の拠点・十三湊—
1：100 000
1km
牧場
磯松
唐川城跡
(中世の山城)
日本海
江戸時代の開削計画地
五所川原市
山王坊跡
安藤氏の守護神と伝えられている。
大沼公園
青森
長根山遺跡
相内
オセドウ貝塚
(縄文前期・中期)
蝦夷地へ
国内産焼き物、中国・高麗産磁器など
中島遺跡
市浦歴史民俗資料館
福島城跡
安藤氏の居城だったと伝えられている。
港湾施設・船着場跡
十三湖
十三
十三湊遺跡
町屋・武家地・領主館跡
江戸時代の開口部
檀林寺跡
七里長浜
明神沼
中泊町
湊神社
浜の明神
栗山
若狭・京都へ
毛皮・コンブ・馬など
鎌倉時代の開口部
つがる市
田
住宅地
畑
鎌倉・室町時代の中心地
森林
草地・砂地
鎌倉・室町時代の交易路 交易品
イ 十三湊
④ 函館市
—幕末に開港した港町—
—2015 年—
1：50 000
500m
函館工業団地
函館中央図書館
函館中央警察署
五稜郭公園
亀田町
北海道教育大学
白鳥町
亀田八幡宮
函館美術館
函館港
千代台公園
本町
万代町
松川町
陸上競技場
オーシャンスタジアム
海岸町
函館中部高
千代台町
函館市国際水産・海洋総合研究センター
人見町
赤十字病院
堀川町
新川町
函館どつく
弁天台場跡
青函連絡船記念館
摩周丸
弁天町
松風町
NHK
日乃出町
函館漁港
ペリー会見所跡
太刀川家住宅店舗
東雲町
大森公園
啄木記念碑
高龍寺
弥生町
高田屋嘉兵衛本店跡
大手町
函館市役所
赤レンガ倉庫群
ロシア領事館
元町公園
旧金森倉庫
亀田川
函館支庁庁舎
イギリス領事館
旧函館区公会堂
旭町
函館西高
ハリストス正教会
元町カトリック教会
栄町
大森浜
函館山
334
函館山ロープウェイ
宝来町
函館公園
住吉公園
住吉漁港
碧血碑
谷地頭町
谷地頭温泉
住吉町
啄木一族の墓
立待岬
津軽海峡
ウ 五稜郭

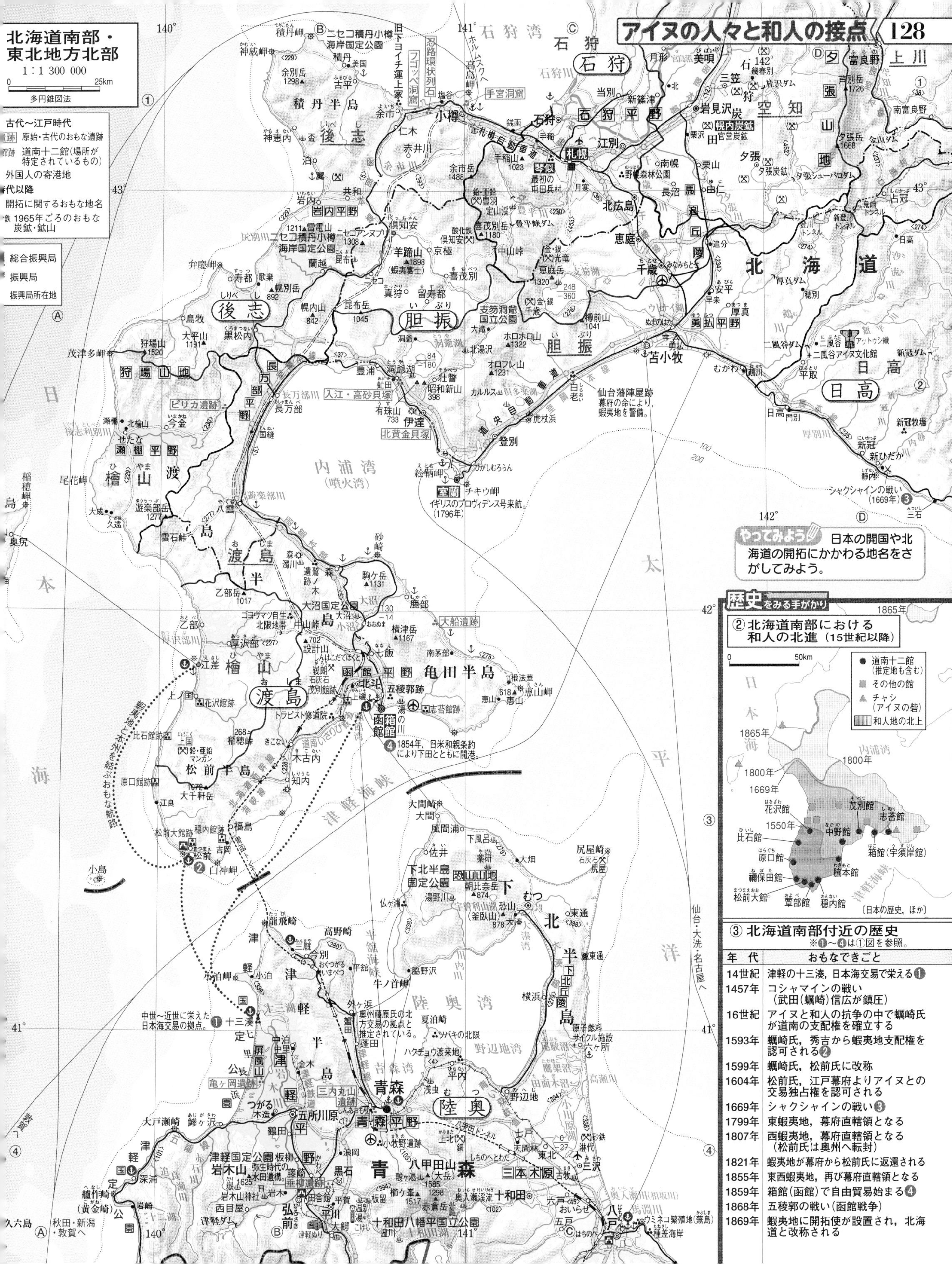

③ 北海道南部付近の歴史

※❶〜❹は①図を参照。

年　代	おもなできごと
14世紀	津軽の十三湊，日本海交易で栄える❶
1457年	コシャマインの戦い（武田（蠣崎）信広が鎮圧）
16世紀	アイヌと和人の抗争の中で蠣崎氏が道南の支配権を確立する
1593年	蠣崎氏，秀吉から蝦夷地支配権を認可される❷
1599年	蠣崎氏，松前氏に改称
1604年	松前氏，江戸幕府よりアイヌとの交易独占権を認可される
1669年	シャクシャインの戦い❸
1799年	東蝦夷地，幕府直轄領となる
1807年	西蝦夷地，幕府直轄領となる（松前氏は奥州へ転封）
1821年	蝦夷地が幕府から松前氏に返還される
1855年	東西蝦夷地，再び幕府直轄領となる
1859年	箱館（函館）で自由貿易始まる❹
1868年	五稜郭の戦い（函館戦争）
1869年	蝦夷地に開拓使が設置され，北海道と改称される

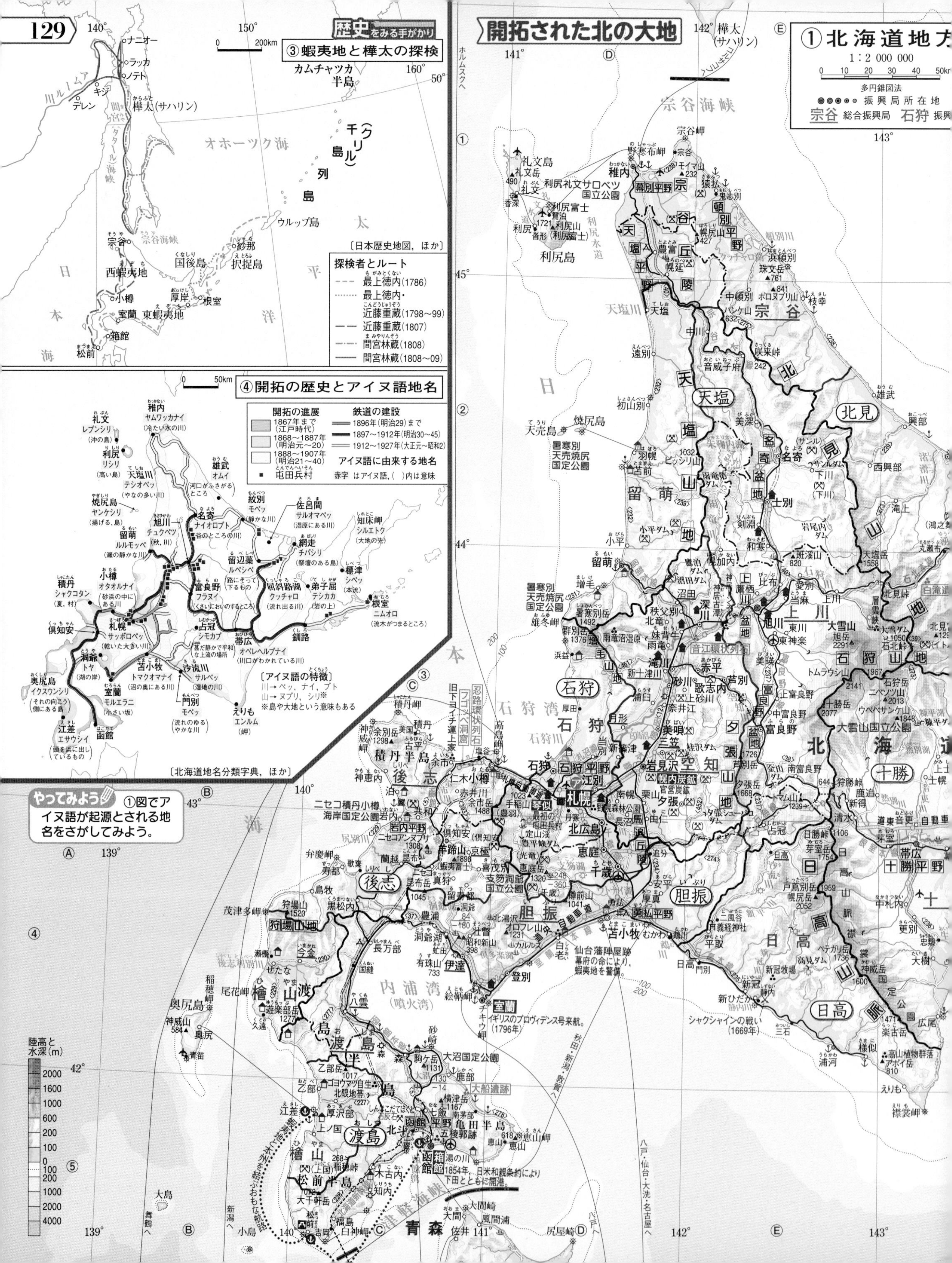
歴史をみる手がかり
開拓された北の大地
③蝦夷地と樺太の探検
0 200km
カムチャツカ半島
オホーツク海
千島(クリル)列島
樺太(サハリン)
間宮海峡
宗谷海峡
ウルップ島
国後島
択捉島
紗那
宗谷
西蝦夷地
東蝦夷地
小樽
室蘭
厚岸
根室
箱館
松前
日本海
太平洋
〔日本歴史地図，ほか〕
探検者とルート
最上徳内(1786)
最上徳内・近藤重蔵(1798〜99)
近藤重蔵(1807)
間宮林蔵(1808)
間宮林蔵(1808〜09)
④開拓の歴史とアイヌ語地名
0 50km
開拓の進展
1867年まで(江戸時代)
1868〜1887年(明治元〜20)
1888〜1907年(明治21〜40)
屯田兵村
鉄道の建設
1896年(明治29)まで
1897〜1912年(明治30〜45)
1912〜1927年(大正元〜昭和2)
アイヌ語に由来する地名
赤字 はアイヌ語，( )内は意味
稚内 ヤムワッカナイ (冷たい水の川)
礼文 レブンシリ (沖の島)
利尻 リシリ (高い島)
天塩川 テシオペッ (やなの多い川)
焼尻島 ヤンケシリ (揚げる，島)
雄武 オムイ (河口がふさがるところ)
紋別 モペッ (静かな川)
名寄 ナイオロプト (谷のところの川)
旭川 チュクペツ (秋，川)
留萌 ルルモッペ (潮の静かな川)
佐呂間 サルオマペッ (湿原にある川)
知床岬 シルエトク (大地の先)
網走 チパシリ (祭壇のある島)
標津 シベツ (本流)
留辺蘂 ルベシベ (道に沿って下るもの)
富良野 フラヌイ (くさいにおいのするところ)
屈斜路湖 クッチャロ (流れ出る口)
弟子屈 テシカガ (岩の上)
根室 ニムオロ (流木がつまるところ)
積丹 シャクコタン (夏，村)
小樽 オタオルナイ (砂浜の中にある川)
倶知安
札幌 サッポロペッ (乾いた大きい川)
占冠 シモカプ (静かで平和な上流の場所)
帯広 オペレペレケプ (川口がわかれている川)
釧路
洞爺 トヤ (湖の岸)
苫小牧 トマクオマナイ (沼の奥にある川)
沙流川 サルペッ (湿原にある川)
奥尻島 イクスンシリ (それの向こう側にある島)
室蘭 モルエラニ (小さい坂)
門別 モペッ (流れのゆるやかな川)
えりも エンルム (岬)
江差 エサウシイ (岬を浜に出している もの)
函館
〔アイヌ語の特徴〕
川→ペッ，ナイ，プト
山→ヌプリ，シリ※
※島や大地という意味もある
〔北海道地名分類字典，ほか〕
やってみよう ①図でアイヌ語が起源とされる地名をさがしてみよう。
①北海道地方
1：2 000 000
0 10 20 30 40 50km
多円錐図法
振興局所在地
宗谷 総合振興局 石狩 振興局
宗谷海峡
宗谷岬
野寒布岬
稚内
礼文島
利尻島
利尻礼文サロベツ国立公園
天塩
宗谷
北見
天塩山地
留萌
上川
旭川
大雪山国立公園
石狩湾
石狩平野
札幌
小樽
積丹半島
後志
羊蹄山
支笏洞爺国立公園
胆振
苫小牧
室蘭
内浦湾(噴火湾)
イギリスのプロヴィデンス号来航。(1796年)
渡島半島
渡島
檜山
奥尻島
大沼国定公園
函館
1854年，日米和親条約により下田とともに開港。
松前半島
津軽海峡
青森
大間崎
十勝
帯広
十勝平野
日高
日高山脈
襟裳岬
仙台藩陣屋跡 幕府の命により，蝦夷地を警備。
シャクシャインの戦い (1669年)
新ひだか
夕張山地
空知
岩見沢
千歳
恵庭
北広島
暑寒別天売焼尻国定公園
陸高と水深(m)
2000
1600
1000
600
200
100
0
100
200
1000
2000
4000
秋田・新潟・敦賀へ
八戸・仙台・大洗・名古屋へ
ホルムスクへ

明治時代以降
開拓に関するおもな地名
おもな屯田兵村
本州からの入植者ゆかりの地名
かつてのおもな炭鉱（1965年）
おもな遺跡
外国人の寄港地
おもな入植地
オホーツク海
北見大和堆
知床岬
知床半島
知床岳 1254
羅臼岳
知床国立公園
硫黄山
羅臼
斜里
海別岳
斜里岳 1547
標津岳
標津
根室
中標津
根室半島
野付崎
野付水道
根室湾
ラクスマン来航。（1792年）
根釧パイロットファーム
別海
厚床
落石岬
浜中
湯沸岬（霧多布岬）
霧多布
霧多布湿原
厚岸
大黒島
尻羽岬
※箱館～厚岸間は海岸沿いに進行。
釧路
釧路湿原国立公園
釧路コールマイン
白糠
弟子屈
阿寒摩周国立公園
網走
網走監獄
モヨロ貝塚
常呂遺跡
能取岬
頭に土器を被った人骨が発掘された遺跡。
標津遺跡群
西月ケ岡遺跡
東釧路貝塚
国後島
爺爺岳 1772
留夜別
古釜布
植内
東沸
泊山
泊
羅臼山
ケラムイ崎
安渡移矢岬
1811年，ロシア人ゴローウニンが国後島で捕らえられる。1813年，高田屋嘉兵衛と交換に釈放され，帰国。
最上徳内の探検路（1786年）
国後水道
歯舞群島
水晶島
志発島
勇留島
秋勇留島
多楽島
色丹島
色丹
色丹水道
択捉島
紗那
留別
散布山 1582
散布半島
単冠山
西単冠山 1629
阿登佐岳 1209
入里節
ベルタルベ山 1221
ベルタルベ崎
1799年，高田屋嘉兵衛が国後島と択捉島の間に航路を発見し，択捉島に漁場を開いた。
小田萌山 1208
ヤンケトウ
1941年，真珠湾攻撃のため日本海軍出航。
単冠湾
神威岳 1323
蘂取
カモイワッカ岬
ラッキベツ岬
トシルリ
太平洋
② 千島列島
1：7 000 000
ロシア連邦
カムチャツカ半島
オゼルノフスキー
ロパトカ岬
シュムシュ島（占守）
パラムシル島（幌筵）
アライド島
シリンキ島
チクラ（千倉）岳 1816
オンネコタン海峡
マカンル島（磨勘留）
オンネコタン島（温祢古丹）
黒石山 1324
ハリムコタン島（春牟古丹）
シャスコタン海峡
エカルマ（越渇磨）島
シャスコタン島（捨子古丹）
黒岳 934
フヨウ（芙蓉）山 1446
マツワ島（松輪）
ラスツア島（羅処和）
ケトイ（計吐夷）山 993
ケトイ島（計吐夷）
シムシル 1539
シムシル島（新知）
シムシル岳（新知）
北ウルップ水道
ウルップ島（得撫）
見島
ウルップ富士 1329（得撫）
トコタン（床丹）
シロタエ（白妙）山 1426
択捉海峡
千島列島
千島・カムチャツカ海溝
−9550
オホーツク海
日本国
樺太から（サハリン）
ソ連軍の侵入（1945年）（数字は占領月日）
ウルップ島からシュムシュ島までの地域はかつて日本が領有していたが，現在は帰属が未定になっている。
陸高と水深（m）
海道旧本庁舎（北海道札幌市）
年に設置された北海道の本庁舎として1888年に完成。
れんが庁舎”とよばれる。

㋐菜畑(なばたけ)遺跡（佐賀県）の水田跡（復元）
縄文時代晩期の土器が出土したほか，同年代の水田跡や，石包丁，鋤(すき)，鍬(くわ)など稲作に関する農具なども発見された。

㋑荒神谷(こうじんだに)遺跡（島根県）（上）
㋒出土した銅剣（左）
1984年に銅剣358本，翌年銅鐸6個，銅矛16本が出土した。

㋓百舌鳥(もず)古墳群（大阪府）
古墳時代には東西・南北４kmの範囲に大小100基をこえる古墳が存在した。現在，前方後円墳の大仙(大山)古墳をはじめ４～６世紀につくられた44基の古墳が残る。

㋔吉見百穴（埼玉県）
６～７世紀につくられた群集墳。丘陵や台地の斜面を掘削した横穴墓は，200基以上確認されている。

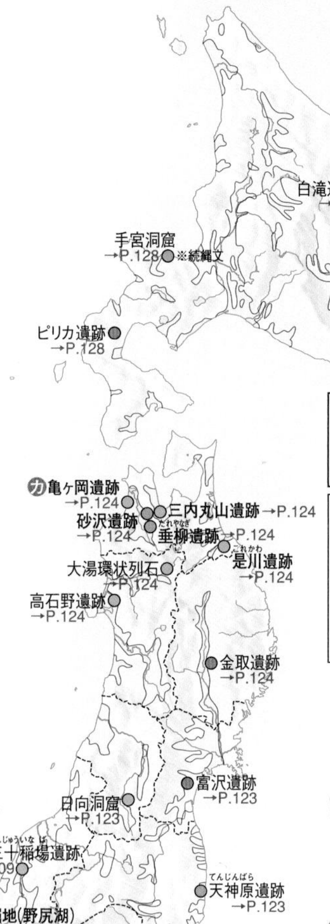

① おもな遺跡の分布

1：8 000 000

沖積地の分布
● おもに旧石器時代の遺跡
● おもに縄文時代の遺跡
● おもに弥生時代の遺跡
（太字は重要な遺跡）
※→P.130は地図帳の参照ページ

〔日本の遺跡と遺産，ほか〕

㋕亀ヶ岡遺跡（青森県）から出土した土偶
<東京国立博物館蔵
重要文化財>

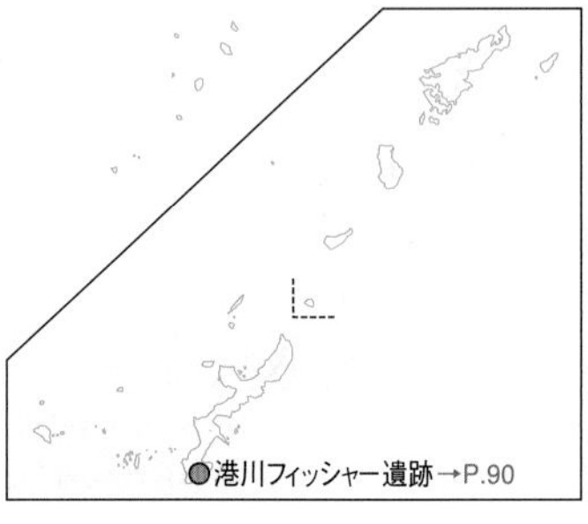

㋖藤ノ木古墳（奈良県）出土の冠と靴（復元）

㋗埼玉(さきたま)古墳群（埼玉県）の一つ稲荷山古墳から出土した鉄剣

② おもな古墳の分布

1：10 000 000

角塚古墳 →P.123
雷神山古墳 →P.123
安久津古墳群 →P.123
大塚山古墳 →P.123
天神山古墳 →P.113
水科古墳群 →P.109
森将軍塚古墳 →P.109
椿井大塚山古墳 →P.101
㋓大仙(大山)古墳 →P.99
造山古墳 →P.96
五色塚古墳 →P.99
西谷墳墓群 →P.95
作山古墳 →P.96
月輪古墳 →P.96
浄楽寺・七ツ塚古墳群 →P.95
王塚古墳 →P.93
二子山古墳 →P.110
箸墓(はしはか)古墳，纒向石塚(まきむくいしづか)古墳 →P.100
多摩川台
長柄桜山
銚子塚古墳 →P.110
高松塚古墳 →P.98
賤機山(しずはた)古墳 →P.110
岩戸山古墳 →P.91
キトラ古墳 →P.100
㋖藤ノ木古墳 →P.99
萩原墳墓群 →P.96
楯築(たてつき)墳丘墓 →P.96
誉田御廟山(こんだごびょうやま)古墳 →P.99
江田船山(えたふなやま)古墳 →P.91
チブサン古墳 →P.91
岩橋千塚古墳群 →P.98
西都原(さいとばる)古墳群 →P.92

● おもな古墳
（太字は重要な古墳）
∴ その他の古墳
※→P.123は地図帳の参照ページ

〔日本の遺跡と遺産，ほか〕

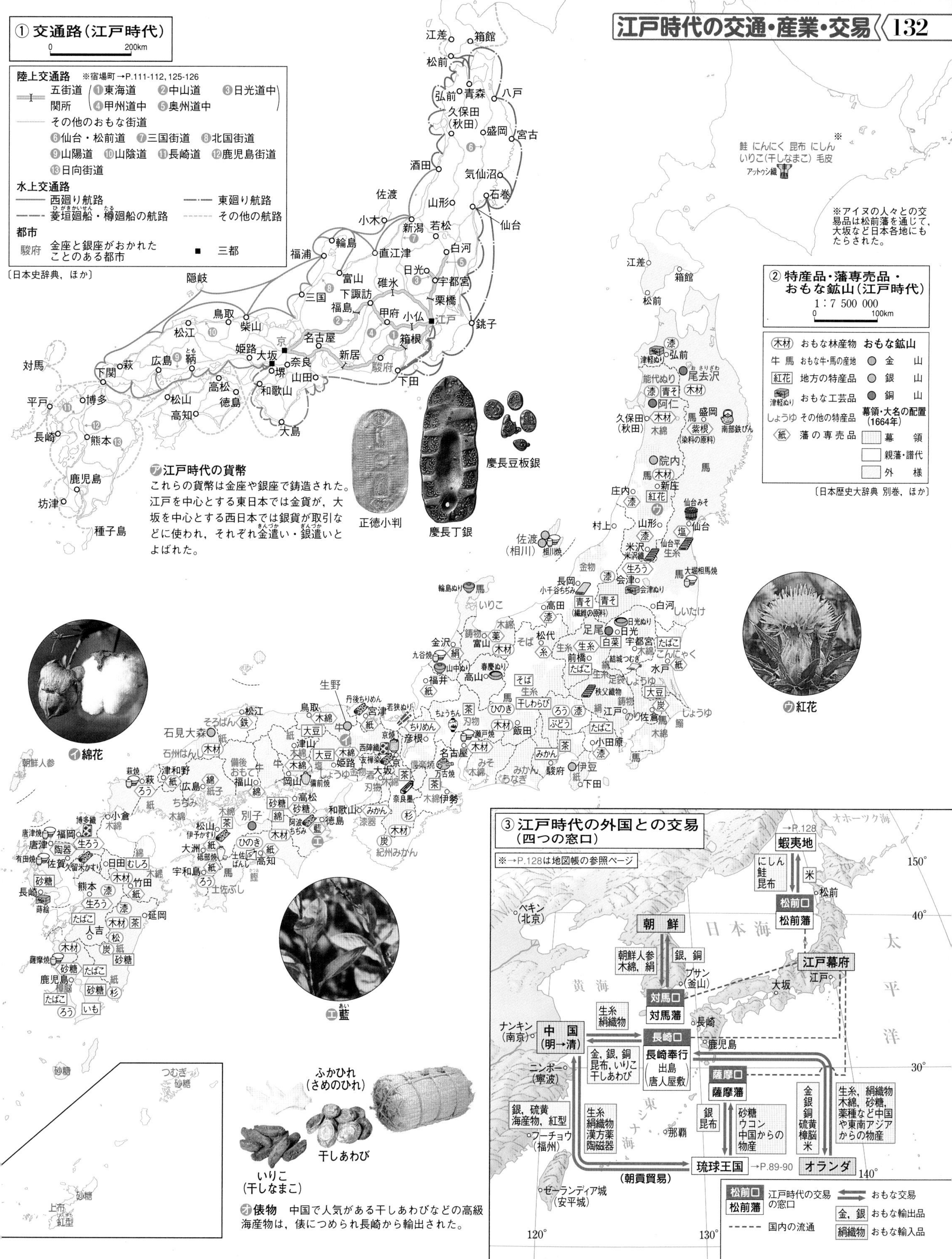

① 交通路(江戸時代)
0 200km
陸上交通路 ※宿場町→P.111-112, 125-126
五街道 ①東海道 ②中山道 ③日光道中 ④甲州道中 ⑤奥州道中
関所
その他のおもな街道
⑥仙台・松前道 ⑦三国街道 ⑧北国街道 ⑨山陽道 ⑩山陰道 ⑪長崎道 ⑫鹿児島街道 ⑬日向街道
水上交通路
西廻り航路
東廻り航路
菱垣廻船・樽廻船の航路
その他の航路
都市
駿府 金座と銀座がおかれたことのある都市
■ 三都
〔日本史辞典，ほか〕
江差 箱館 松前 弘前 青森 八戸 久保田(秋田) 盛岡 宮古 酒田 気仙沼 石巻 仙台 山形 佐渡 小木 新潟 若松 白河 輪島 直江津 福浦 日光 宇都宮 富山 碓氷 栗橋 三国 下諏訪 江戸 銚子 福島 甲府 小仏 隠岐 鳥取 柴山 松江 名古屋 箱根 姫路 大坂 京 新居 対馬 萩 広島 鞆 奈良 堺 山田 駿府 下田 下関 和歌山 高松 平戸 博多 松山 徳島 高知 大島 長崎 熊本 鹿児島 坊津 種子島
ア 江戸時代の貨幣
これらの貨幣は金座や銀座で鋳造された。江戸を中心とする東日本では金貨が，大坂を中心とする西日本では銀貨が取引などに使われ，それぞれ金遣い・銀遣いとよばれた。
正徳小判
慶長丁銀
慶長豆板銀
鮭 にんにく 昆布 にしん いりこ(干しなまこ) 毛皮
アットゥシ織
※アイヌの人々との交易品は松前藩を通じて，大坂など日本各地にもたらされた。
② 特産品・藩専売品・おもな鉱山(江戸時代)
1：7 500 000
0 100km
木材 おもな林産物
牛 馬 おもな牛・馬の産地
紅花 地方の特産品
津軽ぬり おもな工芸品
しょうゆ その他の特産品
紙 藩の専売品
おもな鉱山 金山 銀山 銅山
幕領・大名の配置(1664年) 幕領 親藩・譜代 外様
〔日本歴史大辞典 別巻，ほか〕
尾去沢 阿仁 院内 佐渡(相川) 生野 石見大森 別子 足尾 伊豆
ウ 紅花
イ 綿花
エ 藍
③ 江戸時代の外国との交易(四つの窓口)
※→P.128は地図帳の参照ページ
→P.128 蝦夷地
にしん 鮭 昆布
米
松前口 松前藩
朝鮮
朝鮮人参 木綿，絹
銀，銅
対馬口 対馬藩
江戸幕府
生糸 絹織物
中国(明→清)
長崎口 長崎奉行 出島 唐人屋敷
金，銀，銅 昆布，いりこ 干しあわび
薩摩口 薩摩藩
銀，硫黄 海産物，紅型
生糸 絹織物 漢方薬 陶磁器
銀 昆布
砂糖 ウコン 中国からの物産
金 銀 銅 硫黄 樟脳 米
生糸，絹織物 木綿，砂糖， 薬種など中国や東南アジアからの物産
琉球王国 →P.89-90
オランダ
(朝貢貿易)
ペキン(北京) ナンキン(南京) ニンポー(寧波) フーチョウ(福州) ゼーランディア城(安平城) プサン(釜山) 那覇 長崎 鹿児島 大坂 江戸 松前
日本海 黄海 東シナ海 太平洋 オホーツク海
江戸時代の交易の窓口 おもな交易 金，銀 おもな輸出品 絹織物 おもな輸入品 国内の流通
ふかひれ(さめのひれ)
干しあわび
いりこ(干しなまこ)
オ 俵物 中国で人気がある干しあわびなどの高級海産物は，俵につめられ長崎から輸出された。

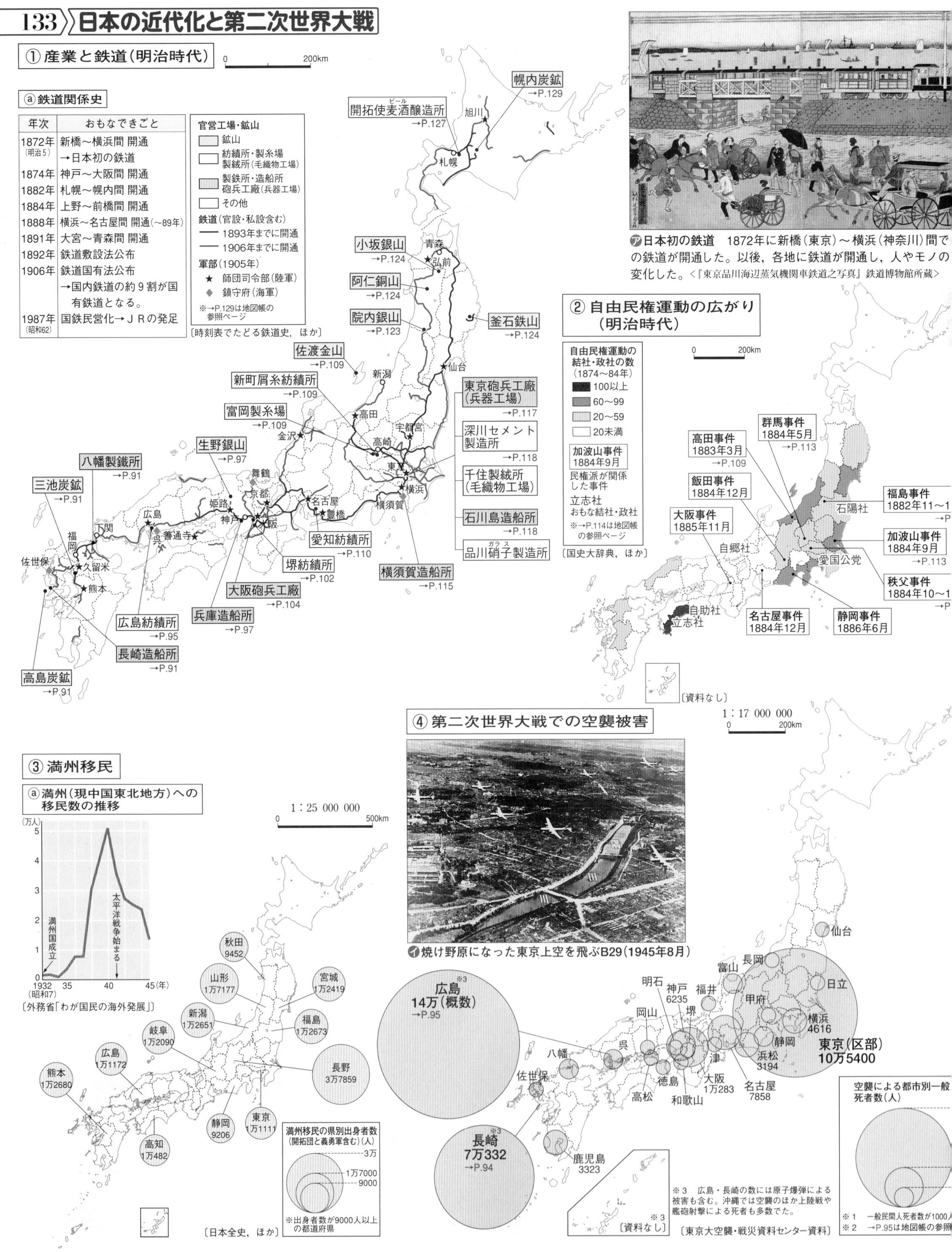

① 産業と鉄道(明治時代)

ⓐ 鉄道関係史

年次	おもなできごと
1872年(明治5)	新橋～横浜間 開通 →日本初の鉄道
1874年	神戸～大阪間 開通
1882年	札幌～幌内間 開通
1884年	上野～前橋間 開通
1888年	横浜～名古屋間 開通(～89年)
1891年	大宮～青森間 開通
1892年	鉄道敷設法公布
1906年	鉄道国有法公布 →国内鉄道の約9割が国有鉄道となる。
1987年(昭和62)	国鉄民営化→JRの発足

〔時刻表でたどる鉄道史，ほか〕

ア 日本初の鉄道　1872年に新橋(東京)～横浜(神奈川)間での鉄道が開通した。以後，各地に鉄道が開通し，人やモノの変化した。〈『東京品川海辺蒸気機関車鉄道之写真』鉄道博物館所蔵〉

② 自由民権運動の広がり(明治時代)

〔国史大辞典，ほか〕

③ 満州移民

ⓐ 満州(現中国東北地方)への移民数の推移

〔外務省「わが国民の海外発展」〕

〔日本全史，ほか〕

④ 第二次世界大戦での空襲被害

イ 焼け野原になった東京上空を飛ぶB29(1945年8月)

※3　広島・長崎の数には原子爆弾による被害も含む。沖縄では空襲のほか上陸戦や艦砲射撃による死者も多数でた。

※1　一般民間人死者数が1000人

※2　→P.95は地図帳の参照

〔東京大空襲・戦災資料センター資料〕

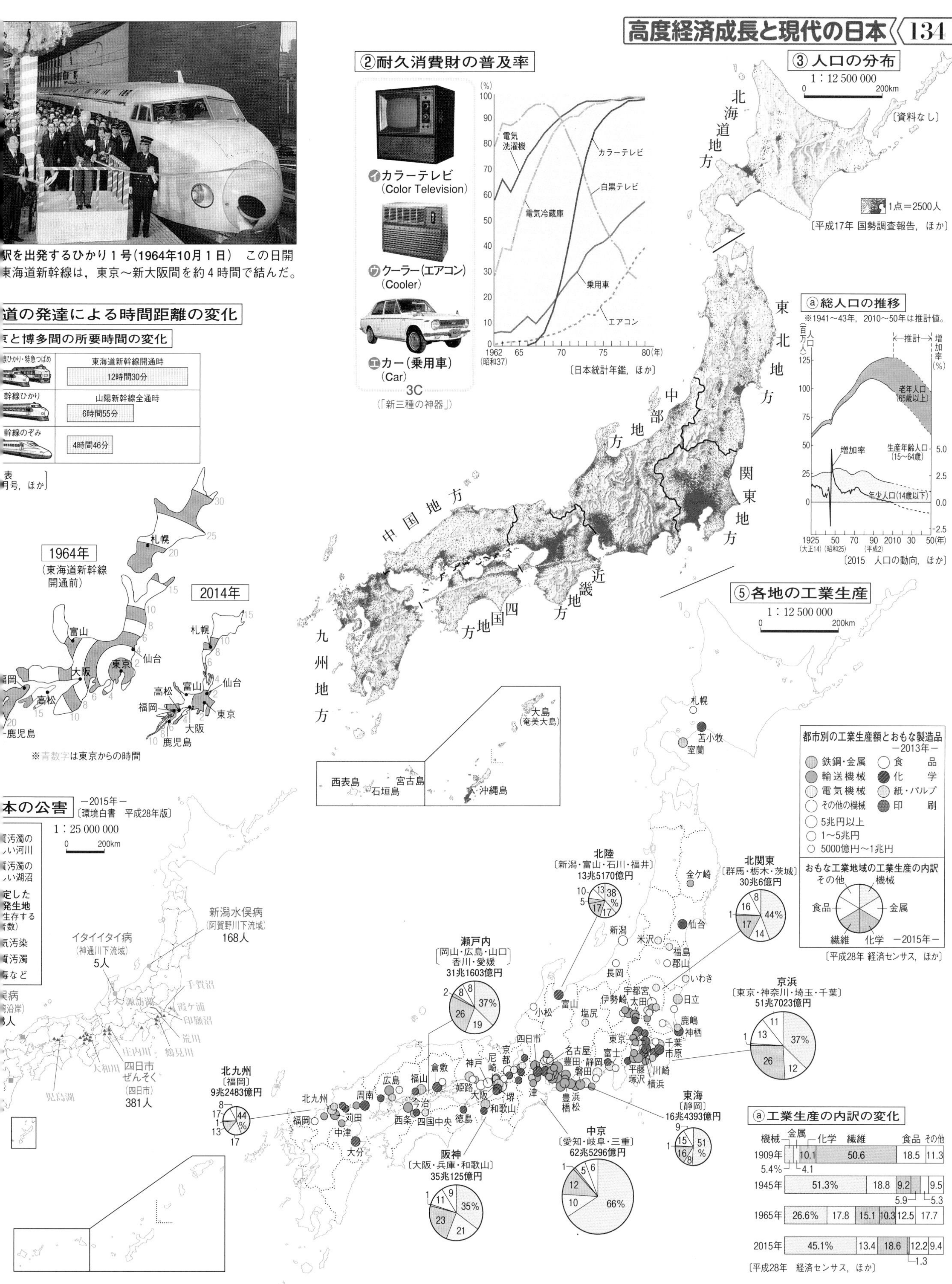

駅を出発するひかり1号(1964年10月1日)　この日開
東海道新幹線は，東京～新大阪間を約4時間で結んだ。
道の発達による時間距離の変化
京と博多間の所要時間の変化
線ひかり・特急つばめ
東海道新幹線開通時
12時間30分
幹線ひかり
山陽新幹線全通時
6時間55分
幹線のぞみ
4時間46分
表
月号，ほか〕
1964年
(東海道新幹線開通前)
2014年
札幌
富山
仙台
大阪
東京
福岡
高松
鹿児島
※青数字は東京からの時間
本の公害
－2015年－
〔環境白書　平成28年版〕
1：25 000 000
0　200km
質汚濁の
い河川
質汚濁の
い湖沼
定した
発生地
生存する
者数)
気汚染
質汚濁
毒など
俣病
湾沿岸)
新潟水俣病
(阿賀野川下流域)
168人
イタイイタイ病
(神通川下流域)
5人
手賀沼
霞ケ浦
印旛沼
諏訪湖
荒川
鶴見川
庄内川
大和川
四日市ぜんそく
(四日市)
381人
児島湖
②耐久消費財の普及率
イカラーテレビ
(Color Television)
ウクーラー(エアコン)
(Cooler)
エカー(乗用車)
(Car)
3C
(「新三種の神器」)
(%)
100
90
80
70
60
50
40
30
20
10
0
電気洗濯機
電気冷蔵庫
カラーテレビ
白黒テレビ
乗用車
エアコン
1962 (昭和37)
65
70
75
80(年)
〔日本統計年鑑，ほか〕
③人口の分布
1：12 500 000
0　200km
〔資料なし〕
1点＝2500人
〔平成17年 国勢調査報告，ほか〕
北海道地方
東北地方
関東地方
中部地方
近畿地方
中国地方
四国地方
九州地方
大島
(奄美大島)
西表島
石垣島
宮古島
沖縄島
ⓐ総人口の推移
※1941～43年，2010～50年は推計値。
(百万人)
推計
増加率(%)
老年人口(65歳以上)
増加率
生産年齢人口(15～64歳)
年少人口(14歳以下)
1925 (大正14)
50 (昭和25)
70
90 (平成2)
2010
30
50(年)
〔2015　人口の動向，ほか〕
⑤各地の工業生産
1：12 500 000
0　200km
都市別の工業生産額とおもな製造品
－2013年－
鉄鋼・金属
輸送機械
電気機械
その他の機械
食品
化学
紙・パルプ
印刷
5兆円以上
1～5兆円
5000億円～1兆円
おもな工業地域の工業生産の内訳
その他
機械
食品
金属
繊維
化学
－2015年－
〔平成28年 経済センサス，ほか〕
札幌
苫小牧
室蘭
北陸
〔新潟・富山・石川・福井〕
13兆5170億円
北関東
〔群馬・栃木・茨城〕
30兆6億円
京浜
〔東京・神奈川・埼玉・千葉〕
51兆7023億円
瀬戸内
〔岡山・広島・山口・香川・愛媛〕
31兆1603億円
北九州
〔福岡〕
9兆2483億円
阪神
〔大阪・兵庫・和歌山〕
35兆125億円
中京
〔愛知・岐阜・三重〕
62兆5296億円
東海
〔静岡〕
16兆4393億円
金ケ崎
仙台
新潟
米沢
福島
郡山
いわき
長岡
日立
鹿嶋
神栖
宇都宮
太田
伊勢崎
富山
小松
塩尻
千葉
市原
東京
川崎
横浜
平塚
塚沢
富士
磐田
静岡
名古屋
豊田
四日市
津
豊浜
橋松
京都
尼崎
神戸
姫路
大阪
堺
和歌山
倉敷
福山
広島
周南
今治
西条・四国中央
徳島
北九州
福岡
苅田
中津
大分
ⓐ工業生産の内訳の変化
機械
金属
化学
繊維
食品
その他
1909年
5.4%
4.1
10.1
50.6
18.5
11.3
1945年
51.3%
18.8
9.2
5.9
5.3
9.5
1965年
26.6%
17.8
15.1
10.3
12.5
17.7
2015年
45.1%
13.4
18.6
1.3
12.2
9.4
〔平成28年　経済センサス，ほか〕

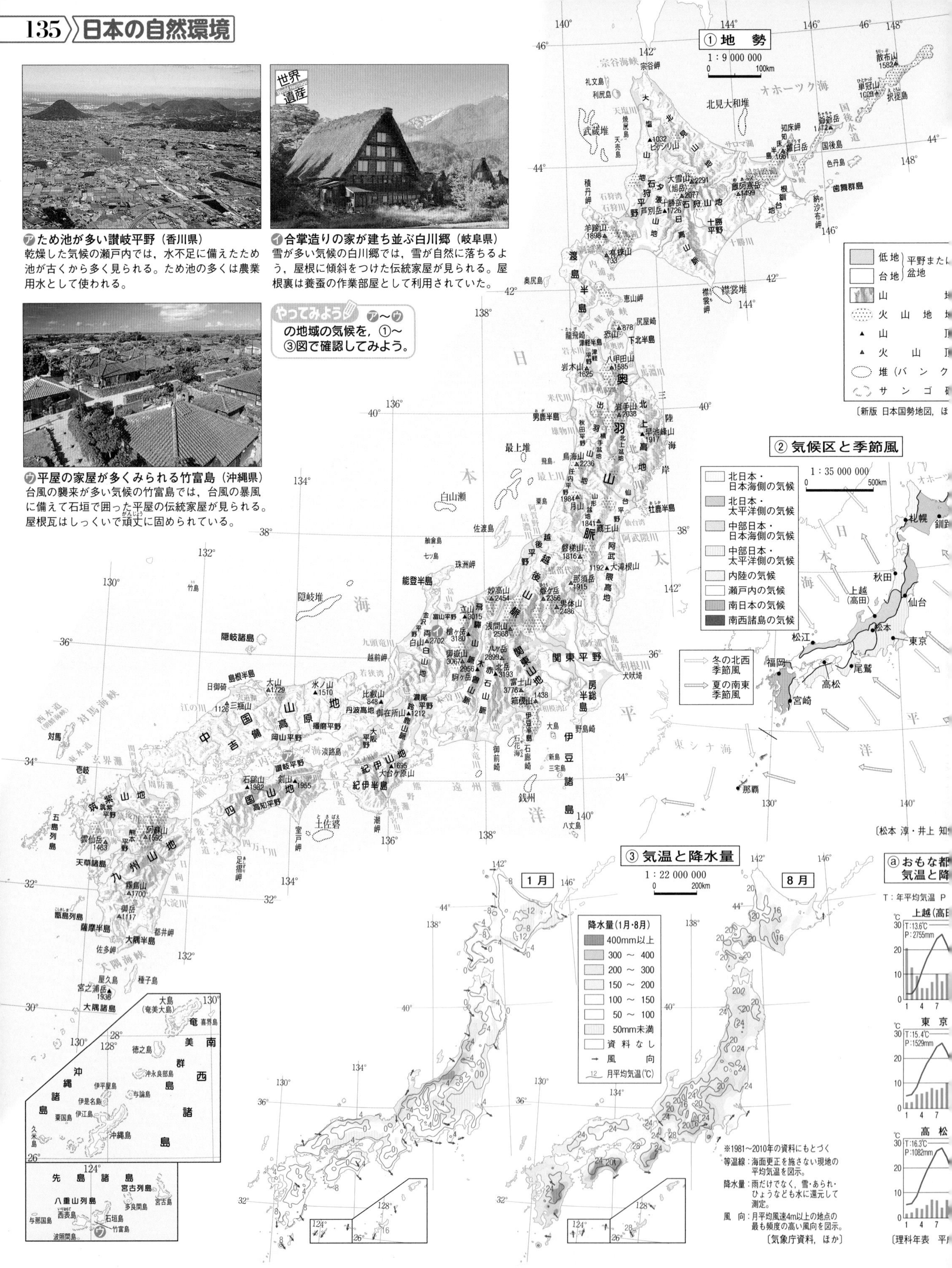

ア ため池が多い讃岐平野（香川県）
乾燥した気候の瀬戸内では，水不足に備えたため池が古くから多く見られる。ため池の多くは農業用水として使われる。

イ 合掌造りの家が建ち並ぶ白川郷（岐阜県）
雪が多い気候の白川郷では，雪が自然に落ちるよう，屋根に傾斜をつけた伝統家屋が見られる。屋根裏は養蚕の作業部屋として利用されていた。

ウ 平屋の家屋が多くみられる竹富島（沖縄県）
台風の襲来が多い気候の竹富島では，台風の暴風に備えて石垣で囲った平屋の伝統家屋が見られる。屋根瓦はしっくいで頑丈に固められている。

① 日本の地震と火山の噴火

3(天明3)年の浅間山の噴火
の噴火による火砕流と岩せつなだれに ふもとの
みこまれ、多くの犠牲者を出した。観光地である
しはこの時できた。<『浅間山天明大噴火之図』>

北アメリカプレート
ーラシアプレート
フィリピン海プレート
太平洋プレート
オホーツク海
日本海
太平洋
日本海溝
南海トラフ
相模トラフ
伊豆・小笠原海溝
南西諸島海溝
伊豆諸島
小笠原諸島
(10cm前後)
(4~6cm)
有珠山(1822年)(1944~45年)昭和新山生成(1977~78年)(2000年)
北海道南西沖(1993年)
渡島大島(1741年)
日本海中部(1983年)
十勝沖(2003年)
北海道東方沖(1994年)
明治三陸(1896年)
昭和三陸(1933年)
東北地方太平洋沖(2011年)
磐梯山(1888年)
糸魚川・静岡構造線(フォッサマグナ)
北丹後(1927年)
福井(1948年)
鳥取県西部(2000年)
熊本(2016年)
浅間山(1721年)(1783年)
関東(1923年)
三原山(1986年)全島民避難
濃尾(1891年)
雄山(三宅島)(1940年)(2000年)全島民避難
東南海(1944年)
昭和南海(1946年)
富士山(1707年)
兵庫県南部(1995年)
年)平成新山生成
桜島 年)陸と地続きになる
〔気象庁資料, ほか〕

ぉな被害地震の震央〔1889(明治22)年以降〕
マグニチュード
M8以上 ● M7~8
関東(1923年) おもな地震名(発生年)
火山
浅間山 おもな火山の噴火
▲ おもな火山頂
プレート
プレートの境界
海洋プレートの移動方向(数字は1年間に動く距離:cm)

本のおもな自然災害

※死:死者, 不明:行方不明者 単位(人)
※地震・津波 火山 台風

おもなできごと (M=マグニチュード)
貞観地震(三陸沿岸:M8.3)死:約1000
明応地震(東海地方:M8.2~8.4)死:約4万1000
慶長地震(伊豆~九州:M7.9)死:約3000
慶長三陸地震(三陸沿岸・北海道東岸:M8.1)死:約5000
宝永地震(中部~九州の太平洋沿岸:M8.6)死:2万以上
富士山噴火〔宝永大噴火〕(関東・東海)大量の噴出物で広範囲が耕作不能
渡島大島噴火(北海道)山体崩壊による津波など 死:1475
八重山地震津波(八重山・宮古:M7.4)死:約1万2000
浅間山噴火 ㋐(群馬)火砕流など 死:1151
雲仙岳噴火(長崎)山体崩壊による津波など 死:1万5188
安政東海地震(関東~近畿の太平洋沿岸:M8.4)死:2000~3000
安政南海地震 ㋑㋓(中部~九州の太平洋沿岸:M8.4)死:数千
安政江戸地震(江戸および付近:M7.0~7.1)死:約1万
濃尾地震(岐阜県西部:M8.0)死:7273
明治三陸地震(三陸沿岸:M8.2)死:2万1959
関東地震[関東大震災](関東:M7.9)死・不明:約10万5000
北丹後地震(京都府北部:M7.3)死:2925
昭和三陸地震(三陸沿岸:M8.1)死・不明:3064
室戸台風(九州~沖縄, 特に大阪)死:2702, 不明:334
東南海地震(静岡, 愛知, 三重:M7.9)死・不明:1223
三河地震(三河湾:M6.8)死:2306
枕崎台風(西日本, 特に広島)死:2473, 不明:1283
昭和南海地震 ㋓(和歌山, 高知:M8.0)死:1330
カスリーン台風(東海以北)死:1077, 不明:853
福井地震(福井県北部:M7.1)死:3769
洞爺丸台風(全国)死:1361, 不明:400
伊勢湾台風(九州を除く全国)死:4697, 不明:401
兵庫県南部地震(兵庫県南部:M7.3)死:6434, 不明:3
東北地方太平洋沖地震 ㋒(東北~関東の太平洋沿岸:M9.0)死:1万9418, 不明:2592(2016年3月8日現在)福島第一原子力発電所事故を誘発

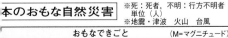

㋒東北地方太平洋沖地震で発生した津波
(宮城県名取市・岩沼市) 巨大な津波が海岸平野へ押し寄せた。<2011年3月11日 手塚耕一郎氏撮影>

② 巨大地震の歴史と教訓

㋑安政南海地震 大坂では津波の被害が甚大だった。
<『地震津浪末代噺之種』大阪歴史博物館蔵>

ⓐ 巨大地震の震源域 ―南海トラフ~駿河トラフ―

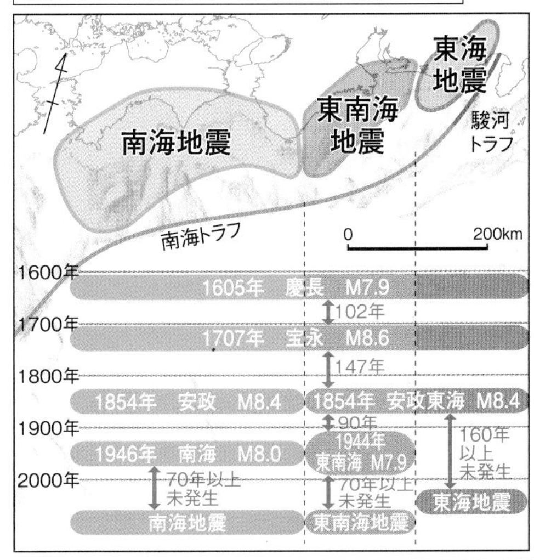

㋓安政南海地震と昭和南海地震の津波の高さを示した碑(徳島県)
駿河トラフから南海トラフにかけてのプレートの境では, 100~150年周期で巨大地震が繰り返し発生している。

④ 水を治める ―山梨県信玄堤―

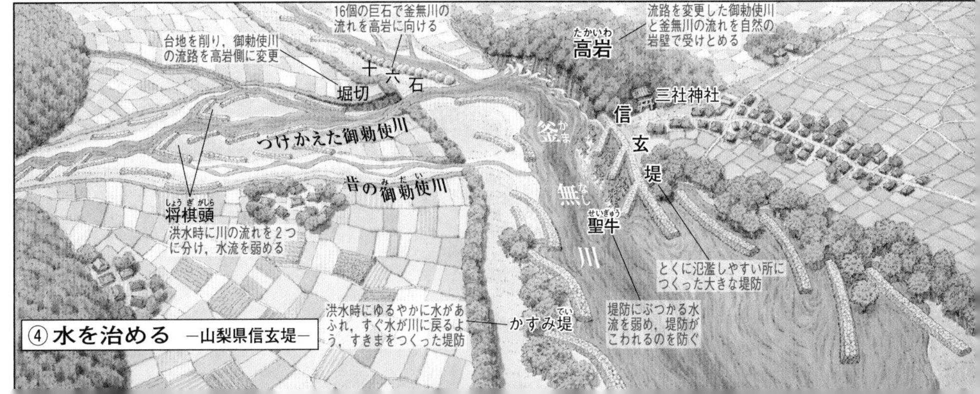

1 山地の地形

① 褶曲山地

Ⓐアルプス山脈

解説 アルプス山脈は，ユーラシアプレートとアフリカプレートがぶつかって大地がもち上がり，さらに押しかぶせられて地層が曲がりくねって（褶曲）できた。白い地層や岩盤の層に吹き寄せられた雪氷の分布から，褶曲のようすがよく見え，今も活発なアルプス・ヒマラヤ造山運動の激しさがよく分かる。

Ⓑアルプスの褶曲運動

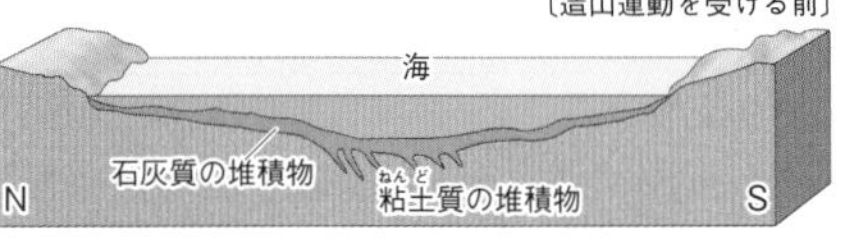

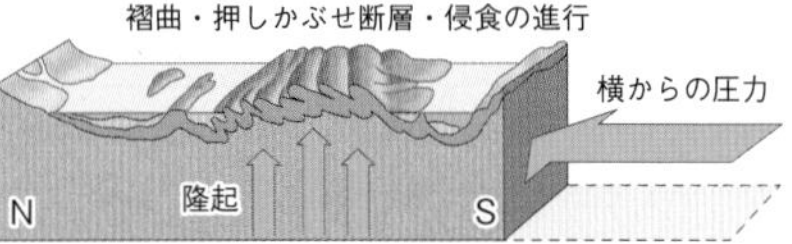

② 断層山地

Ⓐ断層山地の地形

Ⓑ断層の種類

ア.正断層 張力によってできた断層

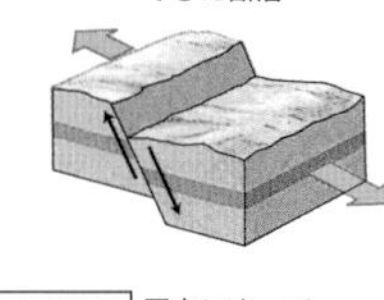

イ.逆断層 圧力によってできた断層

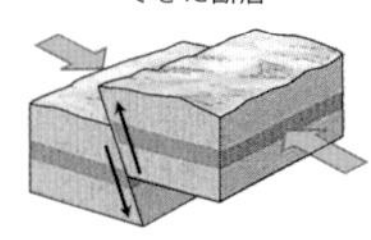

ウ.横ずれ断層 すれちがう力によってできた断層

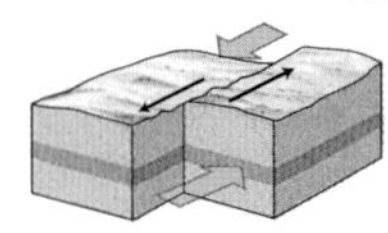

Ⓒ横ずれ断層のサンアンドレアス断層 ―アメリカ合衆国

③ 火山

Ⓐ火山ができる場所

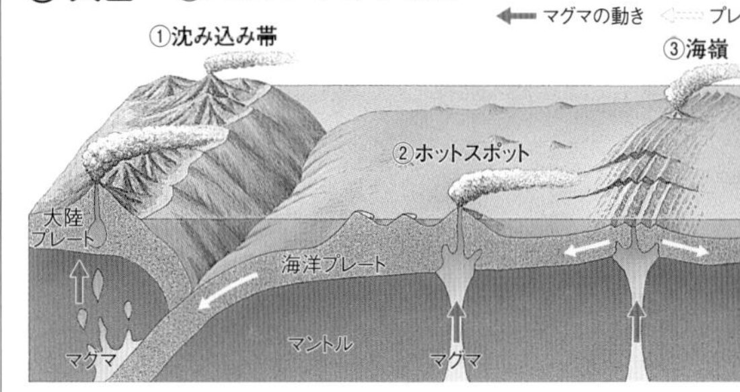

Ⓑ火山がつくる地形

溶岩円頂丘 おもに粘性の大きい溶岩からなる。火口丘などに多い。

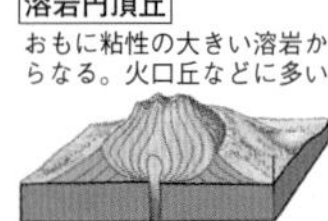

火山岩尖 火口内で固まった溶岩の柱が押し上げられたもの。

マール 爆発によってでき火口状のくぼ地。

溶岩台地 多数の地点から大量の溶岩が流れ出て，一般に千～数万km²の広がりをもつ。

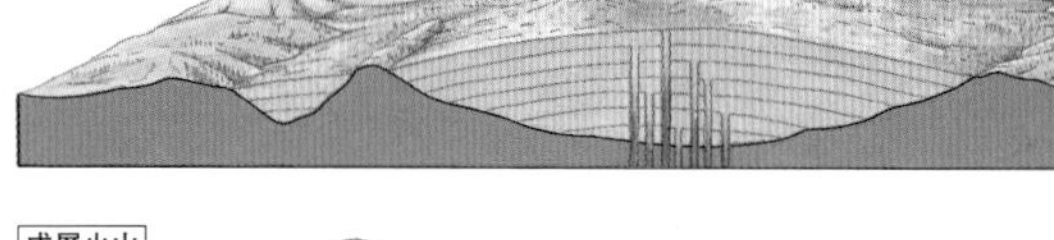

成層火山

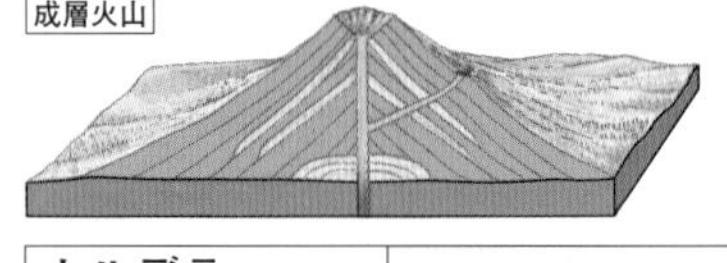

溶岩と火砕物（爆発による放出物）からなる成層火山。

カルデラ ―有珠山

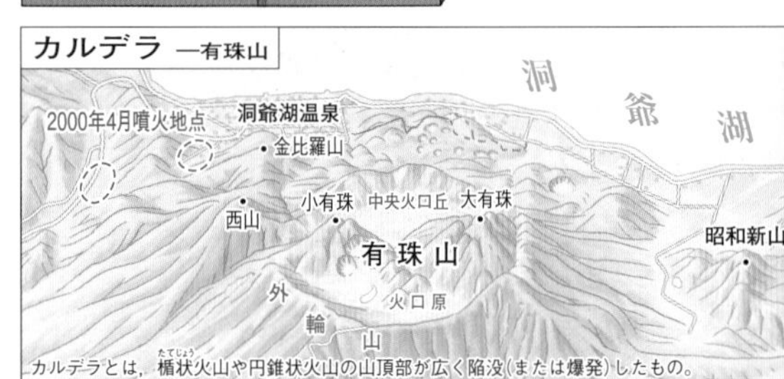

カルデラとは，楯状火山や円錐状火山の山頂部が広く陥没（または爆発）したもの。

2 平野の地形

① 侵食平野

Ⓐ侵食平野の地形

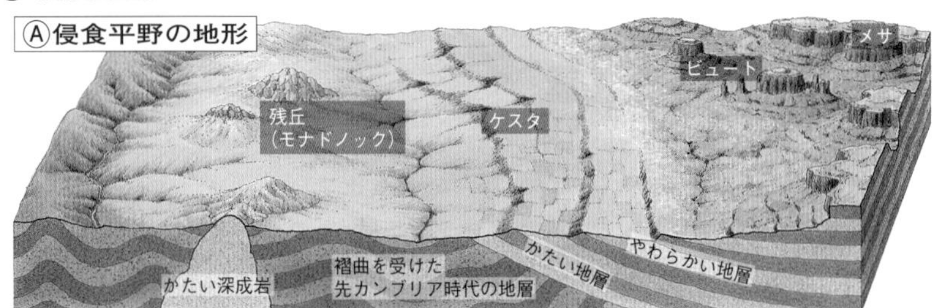

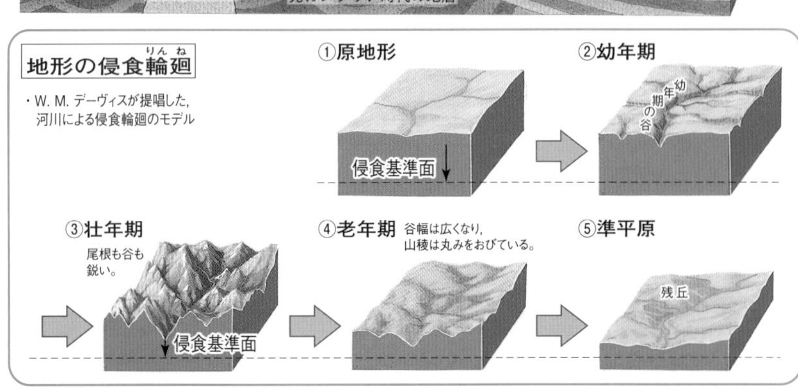

Ⓑケスタ地形 ―パリ盆地

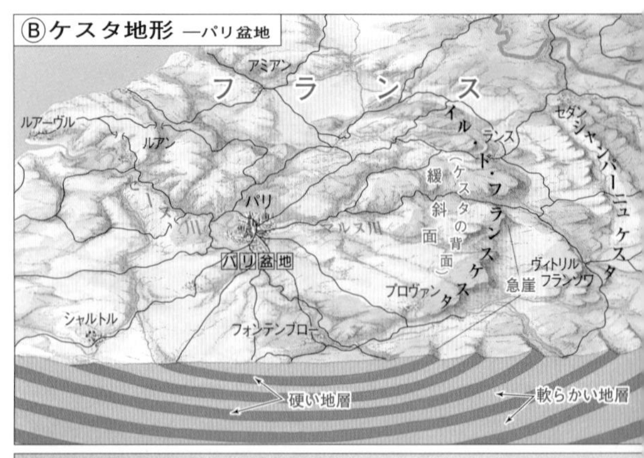

Ⓒモニュメントヴァレー ―アメリカ合衆国

積平野 －新旧地形図の比較で読み取る土地利用の変化－

Ⓐ～Ⓓ図　土地利用の凡例　旧―新

畑　桑畑　水田　果樹園　森林　住宅地・その他

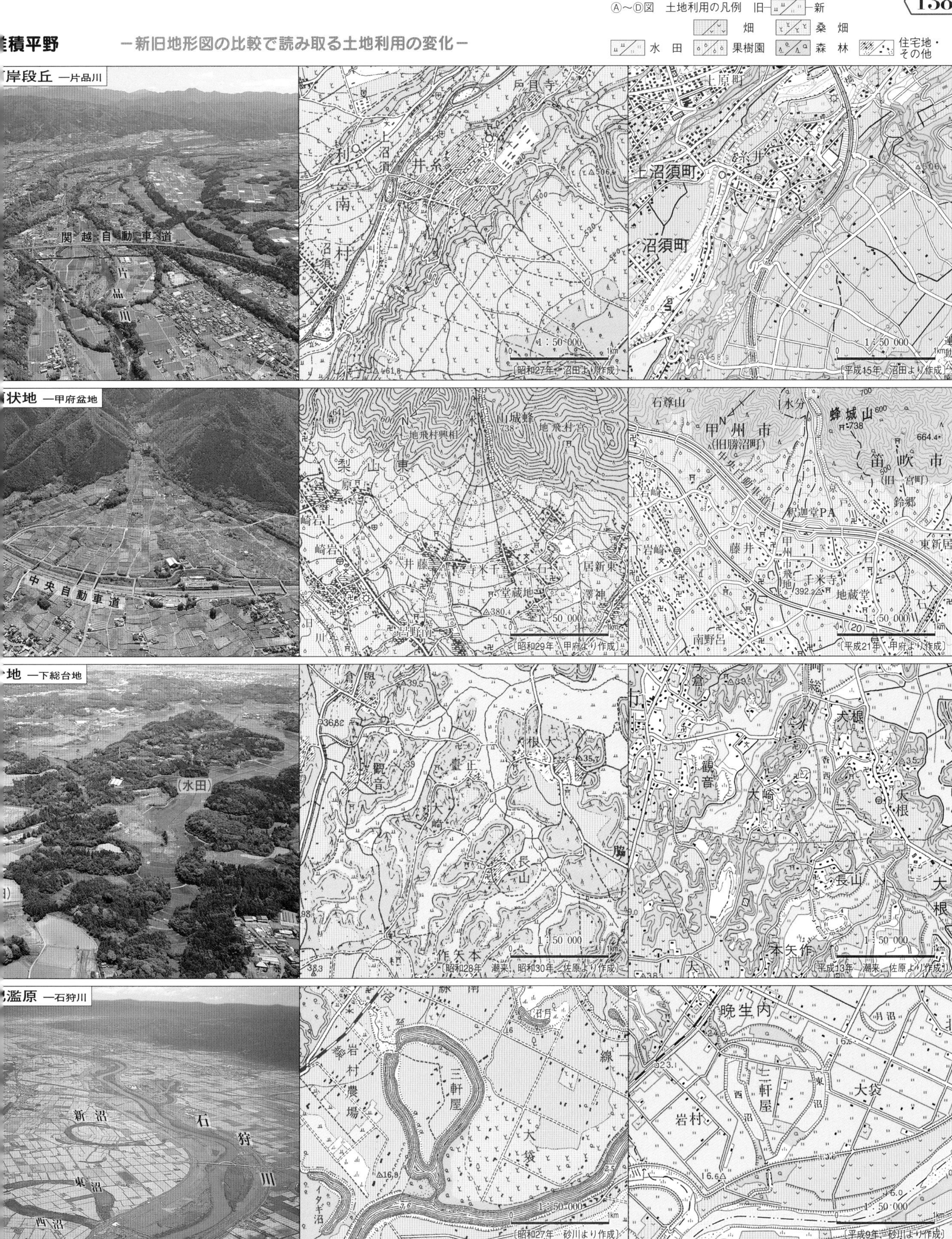

Ⓔ三角州（デルタ）

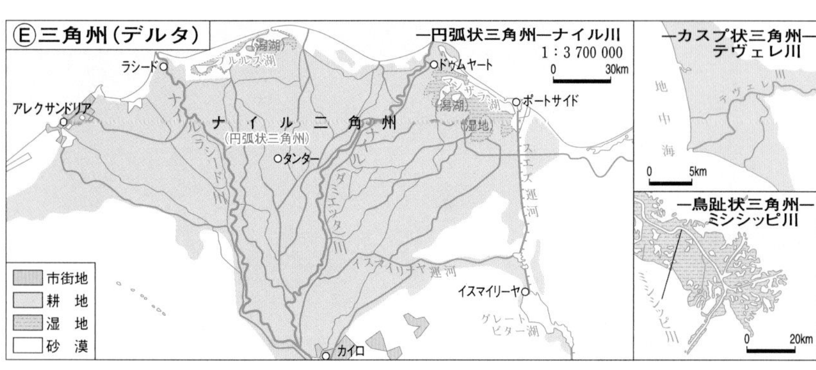

—円弧状三角州—ナイル川

1：3 700 000
0 30km
ラシード
ドゥムヤート
アレクサンドリア
ポートサイド
ナイル三角州
（円弧状三角州）
タンター
湿地
スエズ運河
イスマイリーヤ運河
イスマイリーヤ
グレートビター湖
カイロ
市街地
耕地
湿地
砂漠

—カスプ状三角州—テヴェレ川

地中海
0 5km

—鳥趾状三角州—ミシシッピ川

ミシシッピ川
0 20km

Ⓕガンジスデルタ

サンデシュカリ
バングラデシュ
インド
（水田）
スンダルバンス国立公園
シュンドルボン
（マングローブ）
（マングローブ）
（水田）
ガンジス川河口

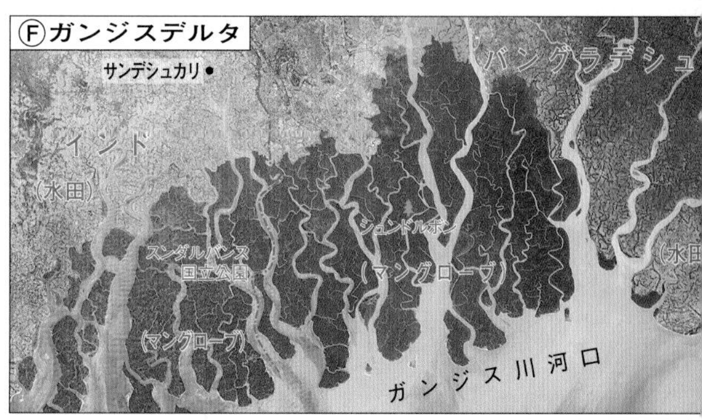

3 海岸の地形

Ⓐフィヨルド —ソグネフィヨルド（ノルウェー）

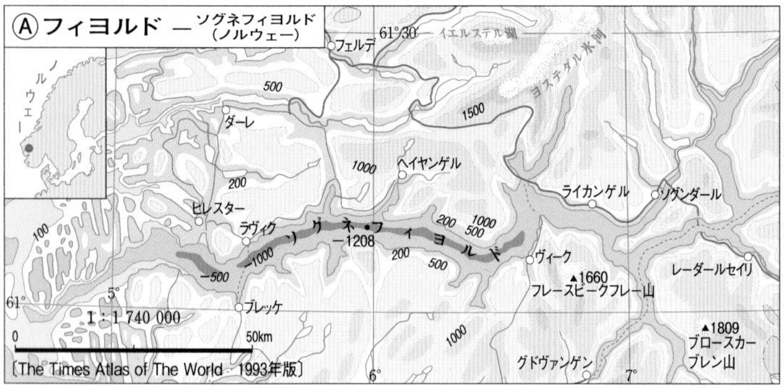

ノルウェー
61°30′
フェルデ
ヨステダル氷河
500
1500
ダーレ
1000
ヘイヤンゲル
200
ライカンゲル
ソグンダール
ヒレスター
ラヴィク
ソグネ・フィヨルド
—1208
200 1000
ヴィーク
—1000
—500
200
500
▲1660
フレースビークフレー山
レーダールセイリ
61°
5°
1：1 740 000
0 50km
ブレッケ
1000
▲1809
ブロースカーブレン山
グドヴァンゲン
6°
7°
〔The Times Atlas of The World 1993年版〕

Ⓑ三角江（エスチュアリ） —セーヌ川河口（フランス）

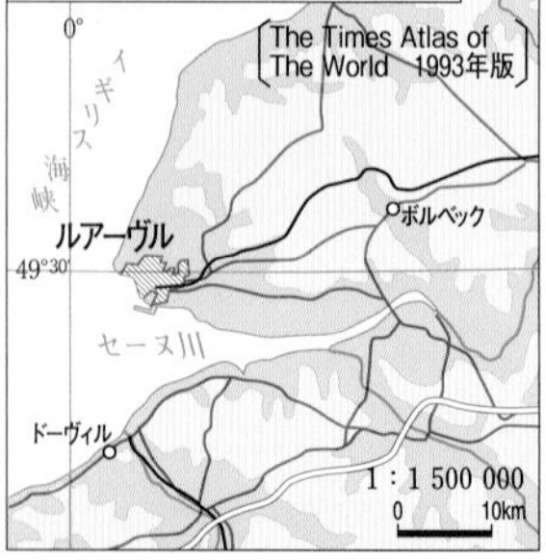

0°
The Times Atlas of The World 1993年版
イギリス海峡
ルアーヴル
ボルベック
49°30′
セーヌ川
ドーヴィル
1：1 500 000
0 10km

Ⓒリアス海岸 —スペイン ガリシア地方

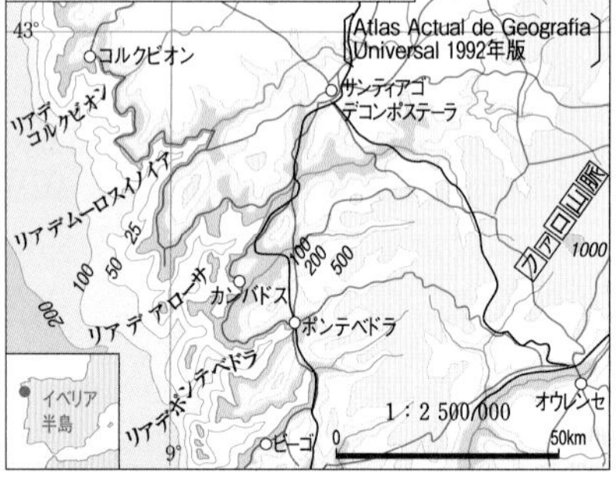

Atlas Actual de Geografia Universal 1992年版
43°
コルクビオン
リアデコルクビオン
サンティアゴデコンポステーラ
リアデムーロスイノイア
カンバドス
リアデアローサ
ポンテベドラ
リアデポンテベドラ
カンタブリア山脈
イベリア半島
1：2 500 000
0 50km
オウレンセ
ビーゴ
9°

Ⓓ海食崖 —福井県

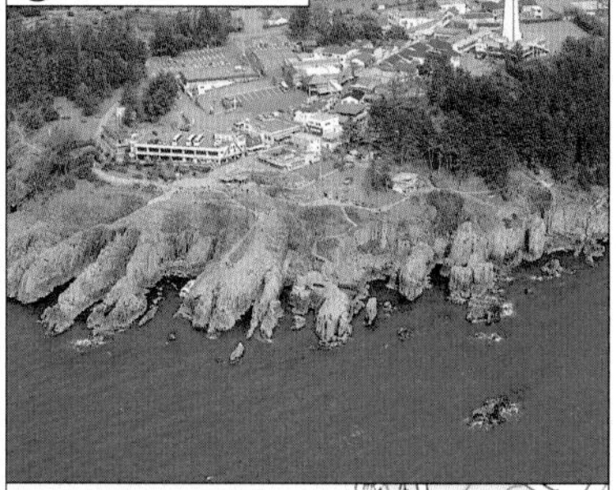

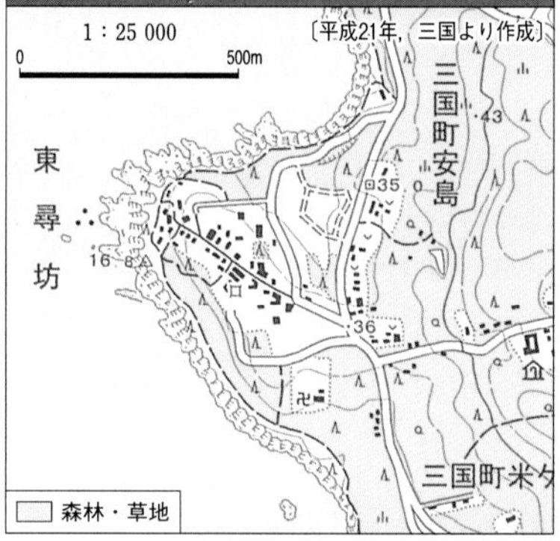

1：25 000
0 500m
〔平成21年，三国より作成〕
三国町安島
東尋坊
三国町米ヶ脇
森林・草地

Ⓔ陸繋島 —江の島

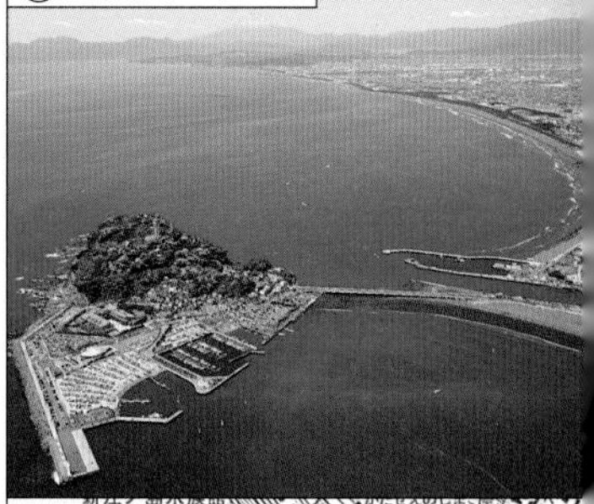

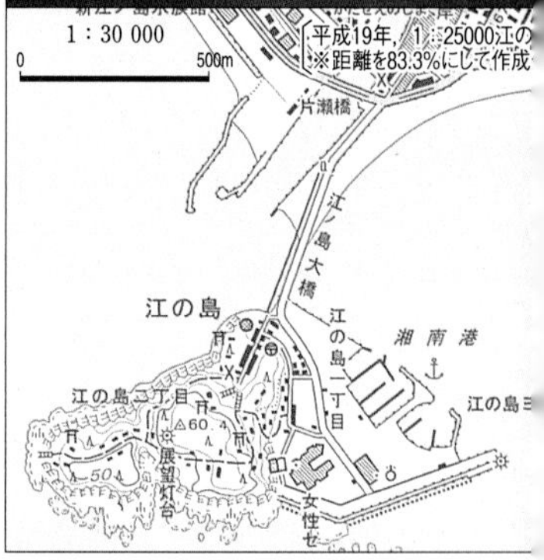

1：30 000
0 500m
〔平成19年，1：25000江の島 ※距離を83.3％にして作成〕
片瀬橋
江の島大橋
江の島
湘南港
江の島二丁目
江の島一丁目
展望灯台

Ⓕ海岸平野 —九十九里平野

宿ノ下岡
関ノ下岡
宿ノ下浜
中谷ノ下浜
六軒家
井之内
諏訪台
関下浜
井之内浜
1：50 000
0 500m
〔平成12年，東金より作成〕
集落
水田
畑
森林

海岸平野の形成

①砂礫の堆積で浅海域に沿岸州が形成
三角州
沿岸州
くだけた波
潟湖（ラグーン）
②海水面が安定すると，土砂でラグーンが埋積
湿地
潟湖（ラグーン）
③砂礫が浜堤を形成しながら海岸線を前進
浜堤
低地

Ⓖ海岸段丘 —青森県大戸瀬崎付近

中位段丘（約10万年前に形成）
低位段丘（約8万年前に形成）
上写真のⒶⒷⒸ地点
1：25 000
0 500m
〔平成11年，田野沢より作成〕
田野沢
おおどせ

海岸段丘の形成

①波の侵食で海食崖と海食台が形成
海食崖
海食台
②隆起により海食台が離水して陸地となる
海岸段丘
③波の侵食と離水を繰り返し階段状になる
新しい海食崖
段丘崖（古い海食崖）

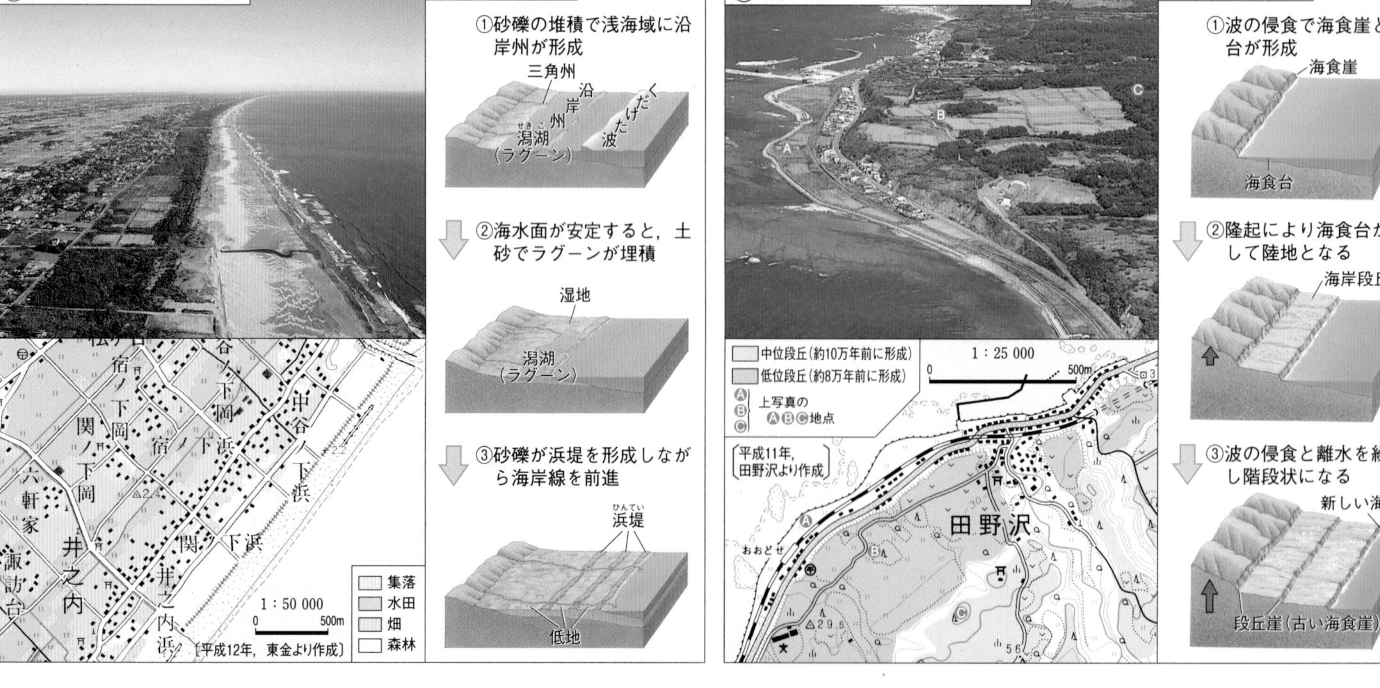

氷河地形
氷河地形 —模式図—
ホーン
氷食によってできた鋭い峰。
氷原 高原をおおう氷河。
山岳氷河
谷を流れ落ちる氷河。
解説 氷河は降り積もった雪が長い年月をかけて氷に変わったもので，たいへん重い。氷と岩盤が接するところは，水の陥入によって氷が溶け動くようになる。岩盤を削り取ってさまざまな氷河地形を作り出す。
大陸氷河（大陸氷床）
—最終氷期の氷河の分布—
グリーンランド氷床
ローレンタイド氷床
山岳氷河
〔Physical Geography，ほか〕
ブリテン島氷帽
スカンディナヴィア氷床
モスクワ
ベルリン
ワルシャワ
キエフ
ブリュッセル
アルプス氷帽
ピレネー氷帽
氷河の方向
氷河の範囲
モレーン
氷河の侵食・運搬作用によって，氷河の末端や側方に砂礫が堆積したもの。
氷河湖
氷河によってえぐられた凹地にできた湖やモレーンによってせき止められてできた湖。
フィヨルド
U字谷に海水が浸入したもの。
カルスト・サンゴ礁
カルスト地形 —カルスト地方—（スロベニア）
〔Seydlitz für Gymnasien〕
ドリーネ
溶食盆地（ポリエ）
ウバーレ
ドリーネ
地下の川の出口
鍾乳洞
石灰岩
②サンゴ礁 —模式図—
A 海洋島型 —島が沈降（ミクロネシアなど）
ア 裾礁
中央島
イ 堡礁
礁湖
ウ 環礁
礁湖
B 島弧型 —島が隆起（琉球諸島など）
サンゴ礁段丘
基盤岩
C 大陸棚型（グレートバリアリーフ）
礁湖
大堡礁
大陸棚
集落
④～⑦図 土地利用の凡例 水田 畑（樹木，果樹を含む） 公園・森林 集落 その他
①囲郭都市 —フランス ストラスブール
市街地 1200年 1390年 1681年
城壁 1681年 1682年
宅地 耕地 牧草地
Citadelle（内城）
1：55 000
〔Westermann's Atlas〕
②円村 —ドイツ ベルリン付近
屋敷林
樹園・菜園で囲まれた宅地
耕地
牧草地
〔Atlas zur Erdkunde〕
Brunow
1：40 000
③散村（タウンシップ制）—アメリカ アイオワ州
6マイル間隔の線
1マイル間隔の線
注）等高線の単位はフィート
1フィート：約0.3m
1マイル：約1.6km
市街地
耕地
デモインの西約40km
Panther
COLFAX
ADEL
Kennedy
1：300 000
〔アメリカ合衆国地形図〕
④環濠集落 —奈良県大和郡山市稗田
賣太神社
稗田町
1：10 000
〔平成18年，大和郡山より作成〕
⑤新田集落 —埼玉県三芳町
1：50 000
〔平成16年，東京西北部より作成〕
⑥散村 —富山県砺波市
1：50 000
〔平成10年，城端より作成〕
⑦屯田兵村 —札幌市近郊
屯田九条
屯田八条
北区
1：50 000
〔平成20年，札幌より作成〕

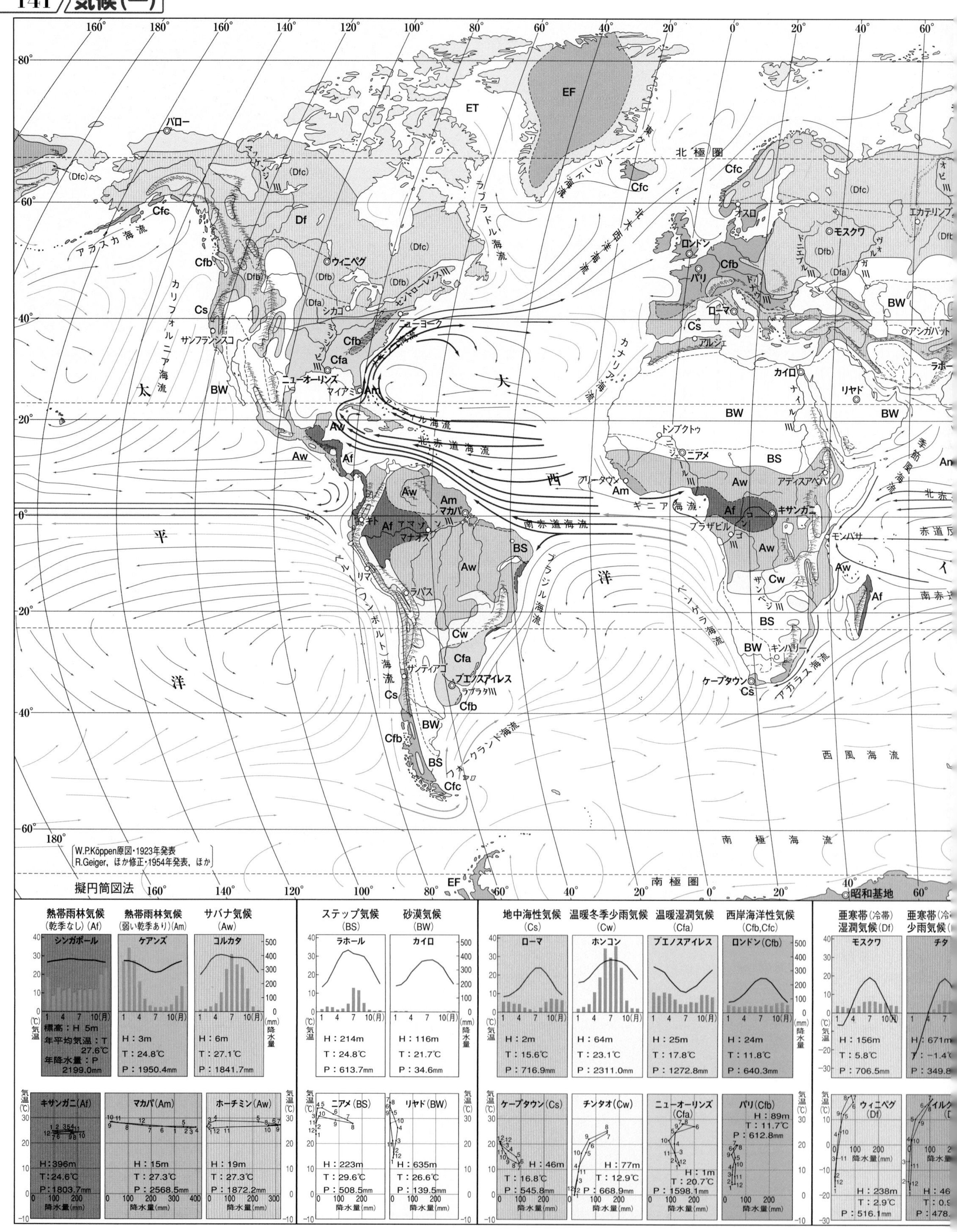
EF
ET
バロー
北極圏
(Dfc)
マッケンジー川
Cfc
Df
アラスカ海流
ウィニペグ
(Dfb)
(Dfa)
シカゴ
セントローレンス川
ニューヨーク
Cfb
Cs
カリフォルニア海流
サンフランシスコ
Cfa
ミシシッピ川
ニューオーリンズ
マイアミ
Am
BW
太
平
洋
ラブラドル海流
東グリーンランド海流
北大西洋海流
メキシコ湾流
アンティル海流
北赤道海流
大
西
洋
Aw
Af
キト
マカパ
アマゾン川
マナオス
南赤道海流
BS
リマ
ペルー(フンボルト)海流
ラパス
ブラジル海流
Cw
サンティアゴ
ブエノスアイレス
ラプラタ川
フォークランド海流
オスロ
ロンドン
パリ
ドナウ川
ローマ
アルジェ
カナリア海流
カイロ
ナイル川
リヤド
トンブクトゥ
ニアメ
ニジェール川
フリータウン
ギニア海流
キサンガニ
コンゴ川
ブラザビル
アディスアベバ
モンバサ
ザンベジ川
ベンゲラ海流
キンバリー
ケープタウン
アガラス海流
西風海流
南極海流
南極圏
昭和基地
モスクワ
ドニエプル川
ヴォルガ川
エカテリンブルク
オビ川
アシガバット
ラホール
季節風海流
北赤道海流
赤道反流
南赤道海流
W.P.Köppen原図・1923年発表
R.Geiger，ほか修正・1954年発表，ほか
擬円筒図法
熱帯雨林気候 (乾季なし) (Af)
熱帯雨林気候 (弱い乾季あり) (Am)
サバナ気候 (Aw)
シンガポール
標高：H 5m
年平均気温：T 27.6℃
年降水量：P 2199.0mm
ケアンズ
H：3m
T：24.8℃
P：1950.4mm
コルカタ
H：6m
T：27.1℃
P：1841.7mm
ステップ気候 (BS)
砂漠気候 (BW)
ラホール
H：214m
T：24.8℃
P：613.7mm
カイロ
H：116m
T：21.7℃
P：34.6mm
地中海性気候 (Cs)
温暖冬季少雨気候 (Cw)
温暖湿潤気候 (Cfa)
西岸海洋性気候 (Cfb,Cfc)
ローマ
H：2m
T：15.6℃
P：716.9mm
ホンコン
H：64m
T：23.1℃
P：2311.0mm
ブエノスアイレス
H：25m
T：17.8℃
P：1272.8mm
ロンドン(Cfb)
H：24m
T：11.8℃
P：640.3mm
亜寒帯(冷帯)湿潤気候 (Df)
亜寒帯(冷帯)少雨気候
モスクワ
H：156m
T：5.8℃
P：706.5mm
H：671m
T：-1.4℃
P：349.8
キサンガニ(Af)
H：396m
T：24.6℃
P：1803.7mm
マカパ(Am)
H：15m
T：27.3℃
P：2568.5mm
ホーチミン(Aw)
H：19m
T：27.3℃
P：1872.2mm
ニアメ(BS)
H：223m
T：29.6℃
P：508.5mm
リヤド(BW)
H：635m
T：26.6℃
P：139.5mm
ケープタウン(Cs)
H：46m
T：16.8℃
P：545.8mm
チンタオ(Cw)
H：77m
T：12.9℃
P：668.9mm
ニューオーリンズ (Cfa)
H：1m
T：20.7℃
P：1598.1mm
パリ(Cfb)
H：89m
T：11.7℃
P：612.8mm
ウィニペグ (Df)
H：238m
T：2.9℃
P：516.1mm
気温(℃)
降水量(mm)

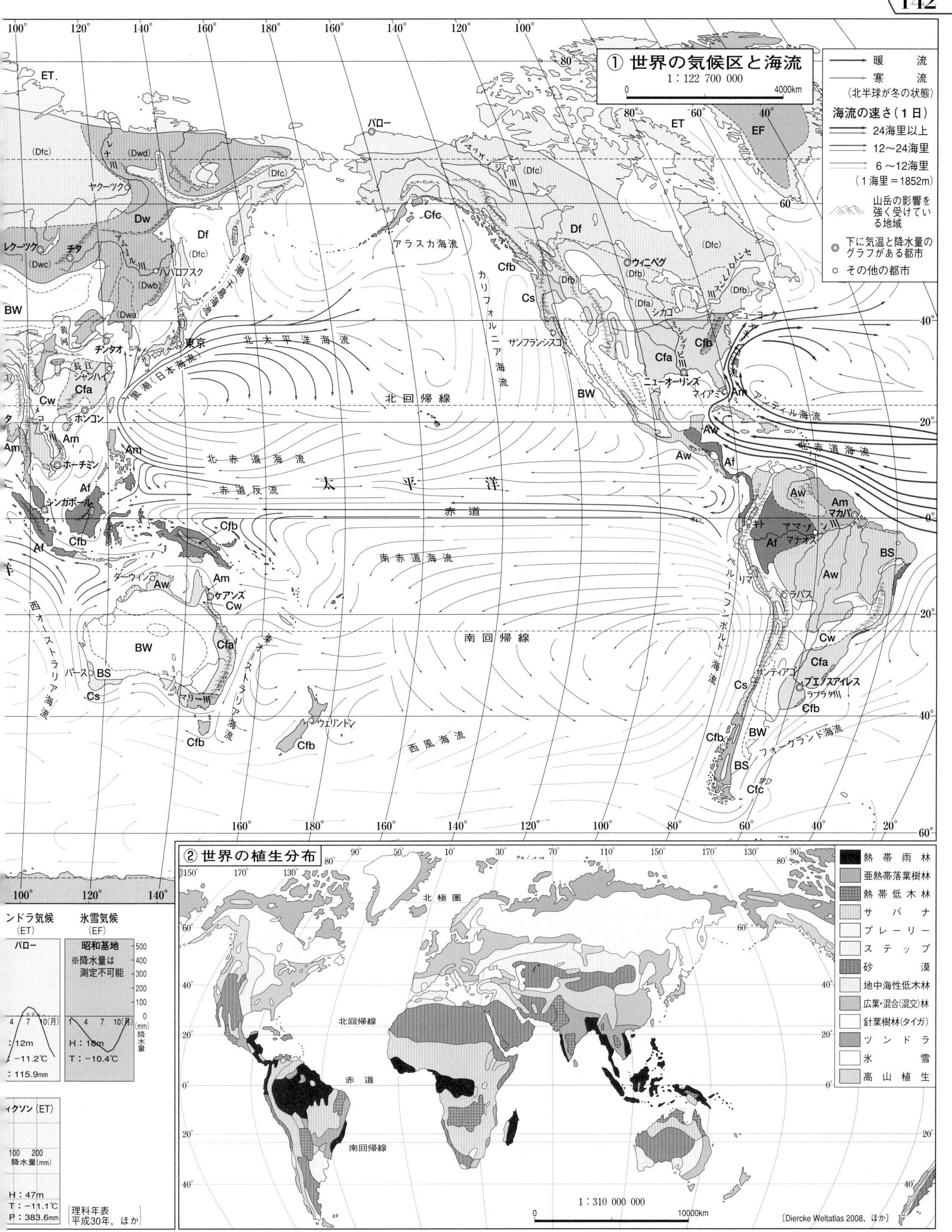
① 世界の気候区と海流
1：122 700 000
暖流
寒流
(北半球が冬の状態)
海流の速さ(1日)
24海里以上
12～24海里
6～12海里
(1海里＝1852m)
山岳の影響を強く受けている地域
下に気温と降水量のグラフがある都市
その他の都市
北太平洋海流
黒潮(日本海流)
親潮(千島海流)
アラスカ海流
カリフォルニア海流
北赤道海流
赤道反流
南赤道海流
太平洋
赤道
北回帰線
南回帰線
西オーストラリア海流
東オーストラリア海流
ペルー(フンボルト)海流
西風海流
フォークランド海流
アンティル海流
ツンドラ気候
(ET)
氷雪気候
(EF)
バロー
昭和基地
※降水量は測定不可能
H：18m
T：−10.4℃
H：47m
T：−11.1℃
P：383.6mm
理科年表
平成30年，ほか
② 世界の植生分布
熱帯雨林
亜熱帯落葉樹林
熱帯低木林
サバナ
プレーリー
ステップ
砂漠
地中海性低木林
広葉・混合(混交)林
針葉樹林(タイガ)
ツンドラ
氷雪
高山植生
北極圏
北回帰線
赤道
南回帰線
1：310 000 000
[Diercke Weltatlas 2008，ほか]

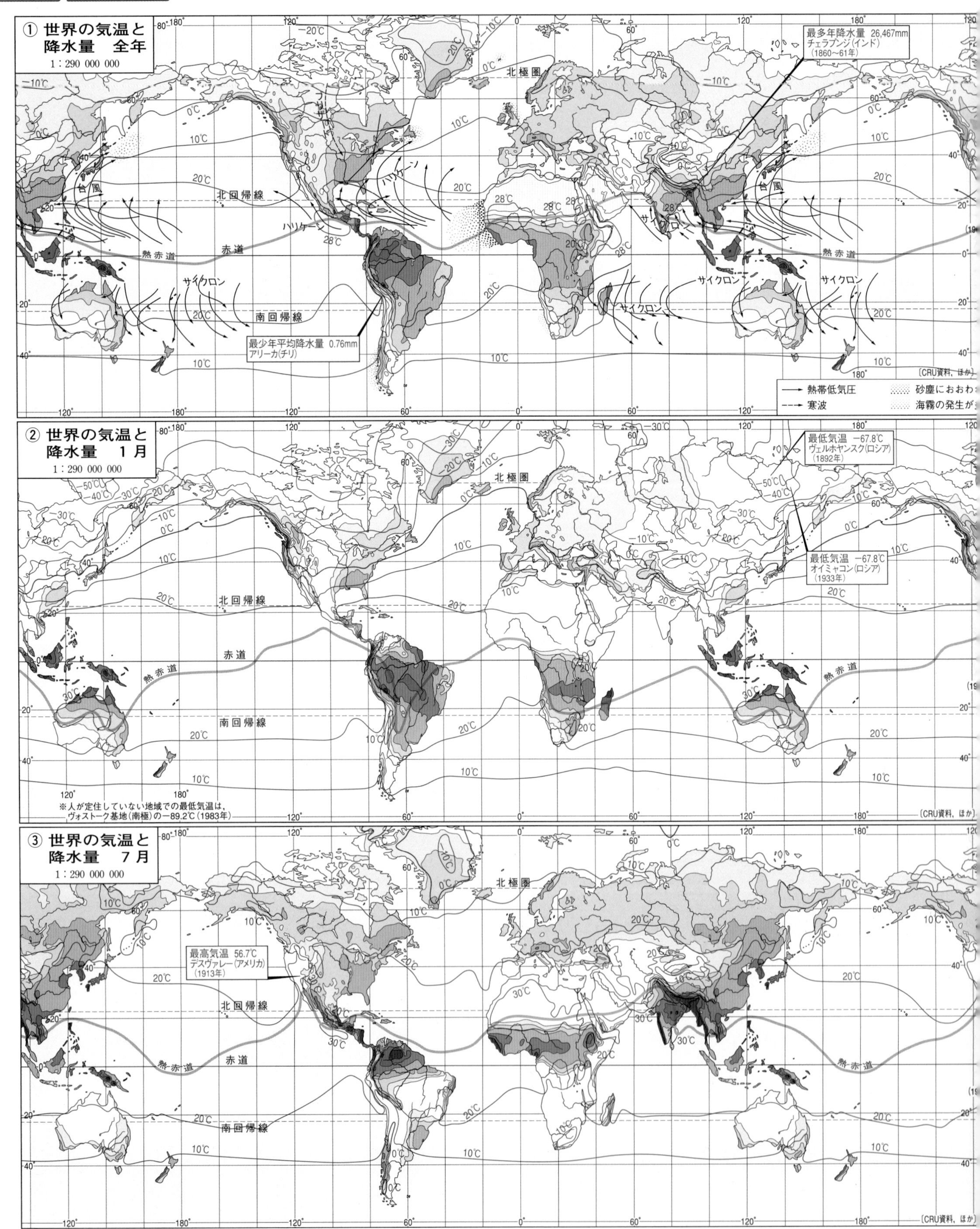
① 世界の気温と降水量 全年
1：290 000 000
最多年降水量 26,467mm
チェラプンジ(インド)
(1860～61年)
最少年平均降水量 0.76mm
アリーカ(チリ)
北極圏
北回帰線
赤道
熱赤道
南回帰線
台風
ハリケーン
サイクロン
熱帯低気圧
寒波
〔CRU資料，ほか〕
② 世界の気温と降水量 1月
1：290 000 000
最低気温 −67.8℃
ヴェルホヤンスク(ロシア)
(1892年)
最低気温 −67.8℃
オイミャコン(ロシア)
(1933年)
※人が定住していない地域での最低気温は，ヴォストーク基地(南極)の−89.2℃(1983年)
〔CRU資料，ほか〕
③ 世界の気温と降水量 7月
1：290 000 000
最高気温 56.7℃
デスヴァレー(アメリカ)
(1913年)
〔CRU資料，ほか〕

〔ミラー図法〕 縮尺は赤道上でのみ通用する

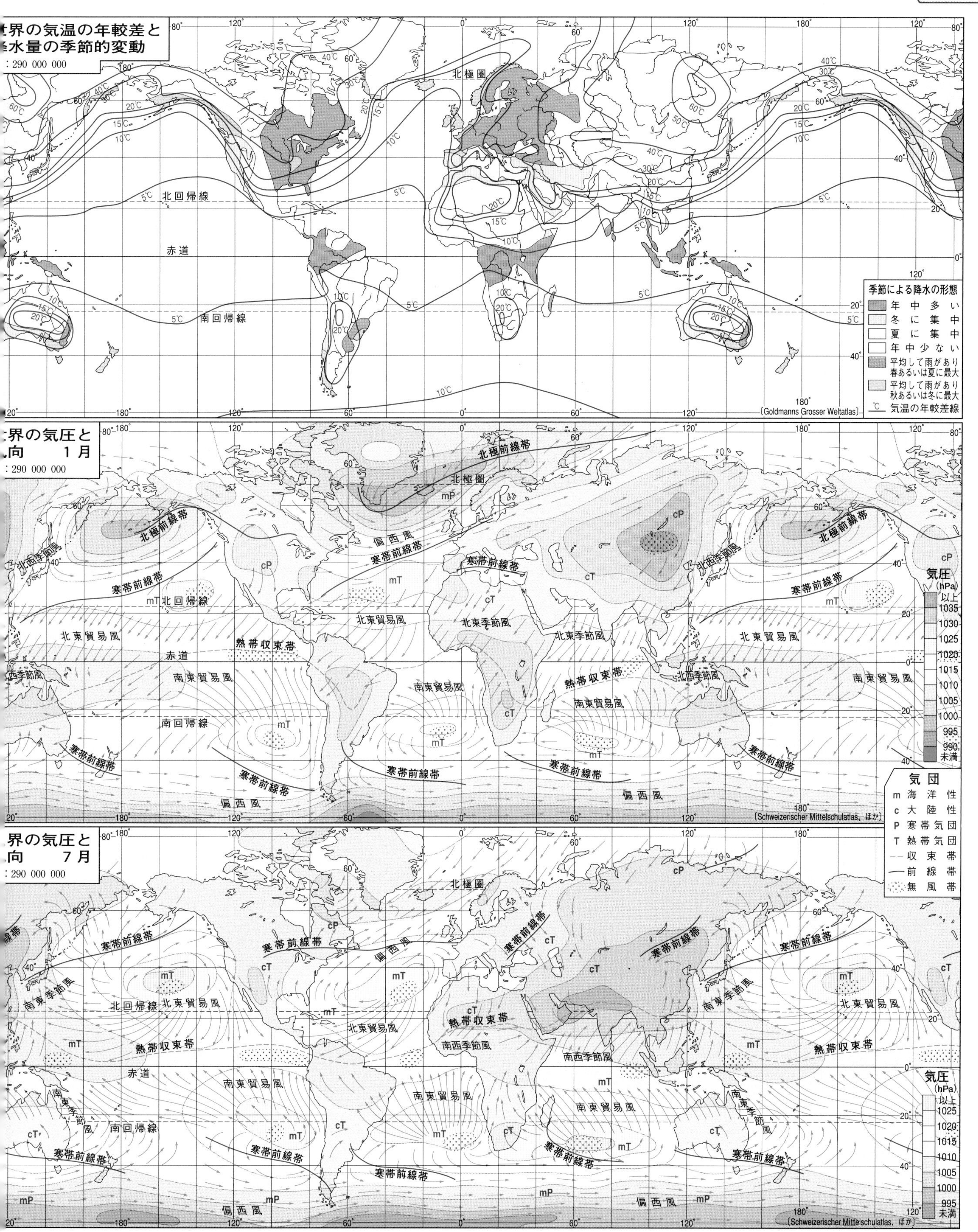

界の気温の年較差と
水量の季節的変動
: 290 000 000
北極圏
北回帰線
赤道
南回帰線
季節による降水の形態
年中多い
冬に集中
夏に集中
年中少ない
平均して雨があり春あるいは夏に最大
平均して雨があり秋あるいは冬に最大
℃ 気温の年較差線
(Goldmanns Grosser Weltatlas)
界の気圧と
向 1月
: 290 000 000
北極前線帯
寒帯前線帯
偏西風
北東貿易風
北東季節風
北西季節風
熱帯収束帯
南東貿易風
気圧 (hPa)
以上
1035
1030
1025
1020
1015
1010
1005
1000
995
990
未満
気団
m 海洋性
c 大陸性
P 寒帯気団
T 熱帯気団
収束帯
前線帯
無風帯
(Schweizerischer Mittelschulatlas, ほか)
界の気圧と
向 7月
: 290 000 000
南東季節風
南西季節風
気圧 (hPa)
以上
1025
1020
1015
1010
1005
1000
995
未満
(Schweizerischer Mittelschulatlas, ほか)

言語・宗教・人口・環境問題

①言語

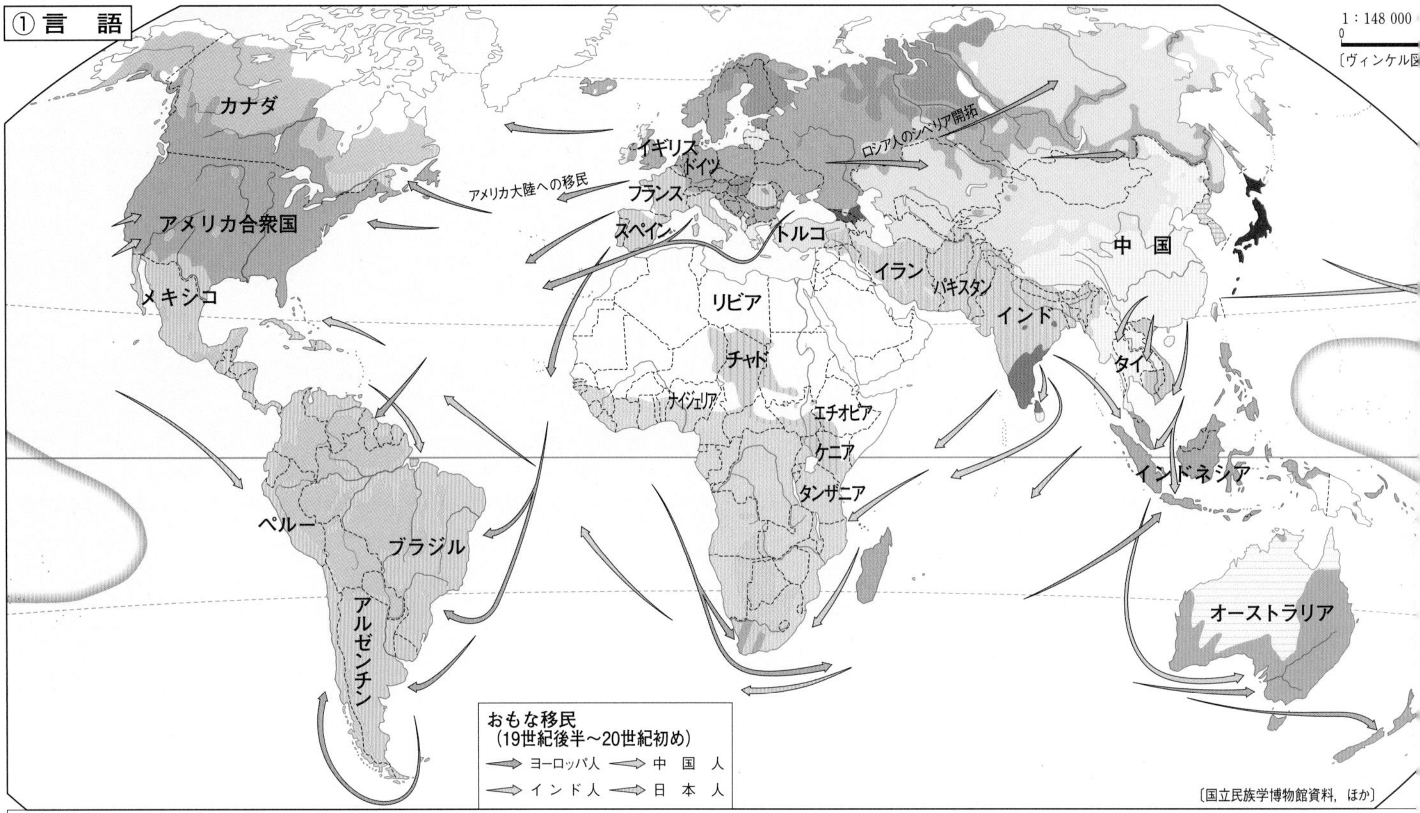

インド・ヨーロッパ語族
- ゲルマン語派（ドイツ語，英語など）
- スラブ語派（ロシア語，ポーランド語など）
- ラテン語派（フランス語，スペイン語など）
- インド・イラン語派（ヒンディー語，ペルシア語など）
- その他のインド・ヨーロッパ語族
- カフカス諸語（ジョージア語など）
- ウラル語族（ハンガリー語，フィンランド語など）
- アルタイ諸語（トルコ語，モンゴル語など）
- 韓国語・朝鮮語
- 日本語
- シナ・チベット諸語（中国語，タイ語など）
- ドラヴィダ語族（タミル語など）
- オーストロアジア語族（ベトナム語など）
- オーストロネシア語族（マレー語，ポリネシア語など）
- オーストラリア諸語（アボリジニーの言語）
- インディアン・インディオ諸語
- ニジェール・コルドファン諸語（バンツー諸語，ヨルバ語など）
- ナイル・サハラ諸語（マサイ語など）
- アフリカ・アジア語族（アラビア語，ヘブライ語など）
- コイサン語族
- その

（注）語族とは同じ系統の言語のあつまり。語派とは同一語族のなかで分化した言語

②宗教

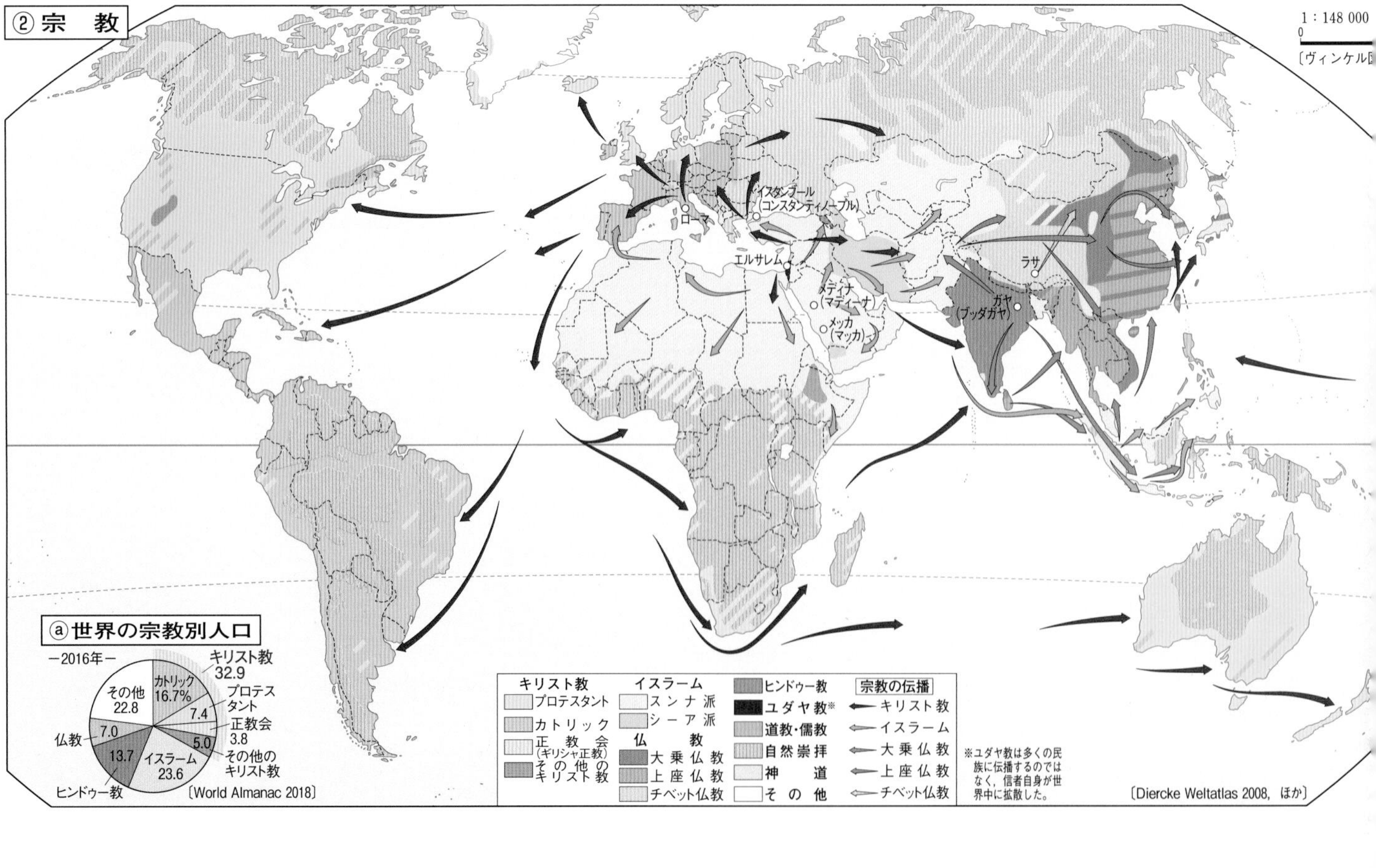

ⓐ世界の宗教別人口

キリスト教
- プロテスタント
- カトリック
- 正教会（ギリシャ正教）
- その他のキリスト教

イスラーム
- スンナ派
- シーア派

仏教
- 大乗仏教
- 上座仏教
- チベット仏教

- ヒンドゥー教
- ユダヤ教※
- 道教・儒教
- 自然崇拝
- 神道
- その他

宗教の伝播
- キリスト教
- イスラーム
- 大乗仏教
- 上座仏教
- チベット仏教

※ユダヤ教は多くの民族に伝播するのではなく，信者自身が世界中に拡散した。

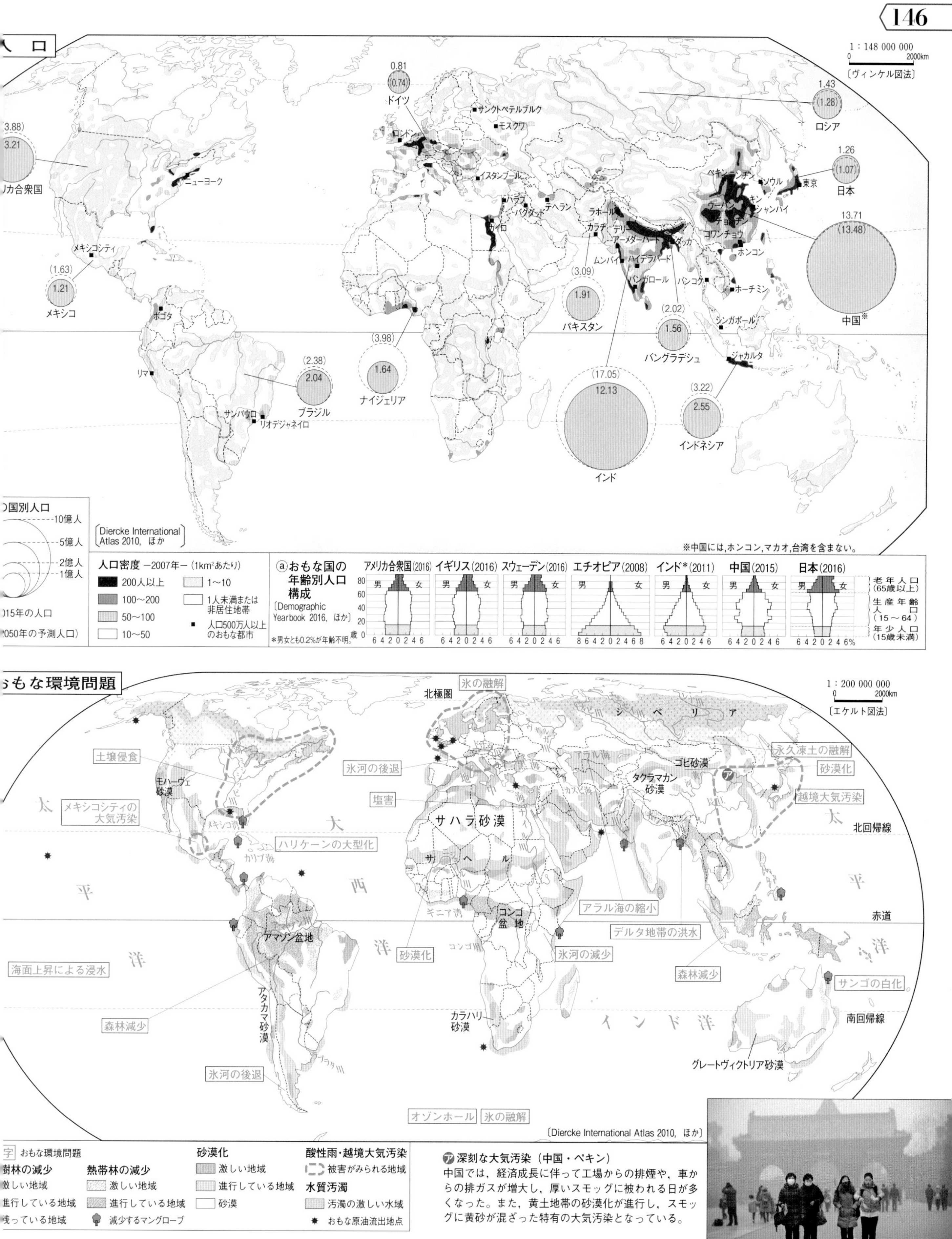
人　口
1：148 000 000
0　2000km
〔ヴィンケル図法〕
0.81
(0.74)
ドイツ
サンクトペテルブルク
モスクワ
ロンドン
1.43
(1.28)
ロシア
3.88)
3.21
リカ合衆国
ニューヨーク
イスタンブール
1.26
(1.07)
日本
ペキン
テンチン
ソウル
東京
ウーハン
ナンキン
シャンハイ
チョンチン
コワンチョウ
ホンコン
13.71
(13.48)
中国※
ハラブ
バグダッド
テヘラン
ラホール
カラチ
デリー
アーメダーバード
ダッカ
カイロ
ムンバイ
ハイデラバード
バンガロール
バンコク
ホーチミン
メキシコシティ
(1.63)
1.21
メキシコ
(3.09)
1.91
パキスタン
(2.02)
1.56
バングラデシュ
シンガポール
ボゴタ
(3.98)
1.64
ナイジェリア
(2.38)
2.04
ブラジル
リマ
サンパウロ
リオデジャネイロ
(17.05)
12.13
インド
ジャカルタ
(3.22)
2.55
インドネシア
国別人口
10億人
5億人
2億人
1億人
015年の人口
050年の予測人口)
〔Dierckeｰ International Atlas 2010, ほか〕
※中国には，ホンコン，マカオ，台湾を含まない。
人口密度 －2007年－（1km²あたり）
200人以上
100～200
50～100
10～50
1～10
1人未満または非居住地帯
人口500万人以上のおもな都市
ⓐおもな国の年齢別人口構成
〔Demographic Yearbook 2016, ほか〕
＊男女とも0.2%が年齢不明。
アメリカ合衆国(2016)
イギリス(2016)
スウェーデン(2016)
エチオピア(2008)
インド*(2011)
中国(2015)
日本(2016)
男
女
歳
80
60
40
20
0
6 4 2 0 2 4 6
8 6 4 2 0 2 4 6 8
6 4 2 0 2 4 6%
老年人口（65歳以上）
生産年齢人口（15～64）
年少人口（15歳未満）
おもな環境問題
1：200 000 000
0　2000km
〔エケルト図法〕
北極圏
氷の融解
シベリア
土壌侵食
氷河の後退
永久凍土の融解
ゴビ砂漠
砂漠化
アラル海
タクラマカン砂漠
モハーヴェ砂漠
塩害
越境大気汚染
メキシコシティの大気汚染
太
大
太
メキシコ湾
サハラ砂漠
北回帰線
ハリケーンの大型化
カリブ海
サヘル
平
西
平
ギニア湾
コンゴ盆地
アラル海の縮小
赤道
アマゾン盆地
デルタ地帯の洪水
洋
洋
洋
砂漠化
氷河の減少
コンゴ川
海面上昇による浸水
森林減少
サンゴの白化
アタカマ砂漠
カラハリ砂漠
インド洋
南回帰線
森林減少
グレートヴィクトリア砂漠
氷河の後退
ラプラタ川
オゾンホール
氷の融解
〔Diercke International Atlas 2010，ほか〕
おもな環境問題
樹林の減少
激しい地域
進行している地域
残っている地域
熱帯林の減少
激しい地域
進行している地域
減少するマングローブ
砂漠化
激しい地域
進行している地域
砂漠
酸性雨・越境大気汚染
被害がみられる地域
水質汚濁
汚濁の激しい水域
おもな原油流出地点

ア 深刻な大気汚染（中国・ペキン）
中国では，経済成長に伴って工場からの排煙や，車からの排ガスが増大し，厚いスモッグに被われる日が多くなった。また，黄土地帯の砂漠化が進行し，スモッグに黄砂が混ざった特有の大気汚染となっている。

地 図 投 影 法

①地球儀を切り開く

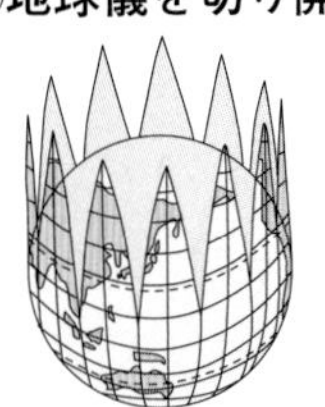

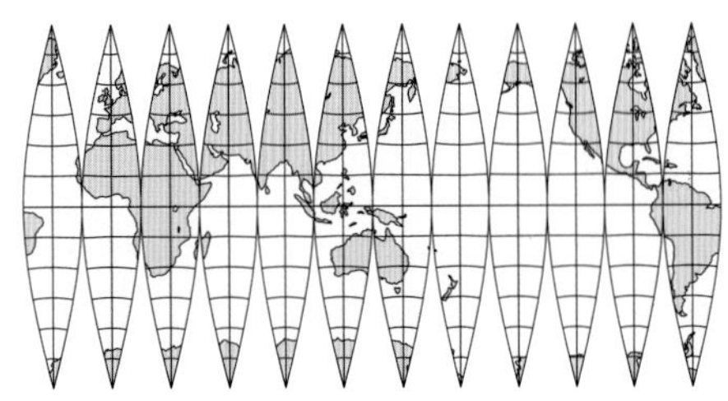

解説 球体である地球は，面積，形，距離，方位のすべてを，同時に正しく一枚の地図上に表すことはできない。そのため，目的に応じた多様な地図が求められ，さまざまな図法が発達した。図法は，その方法によって方位図法，円錐図法，円筒図法などに分類される。面積が正しい，ゆがみが少ない，距離が正しい，方位が正しいなどといった各図法の特徴を把握し，用途によって使い分けることが重要である。

②さまざまな図法

各図法中の ○ は，半径1000kmの範囲を示す。

方位図法(平面図法)

視点による分類

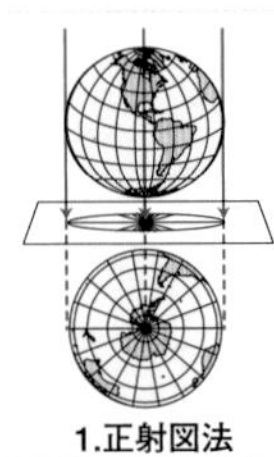

1.正射図法

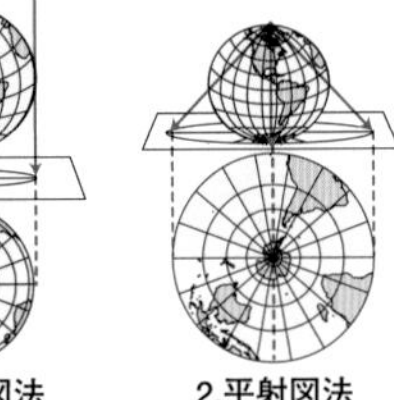

2.平射図法

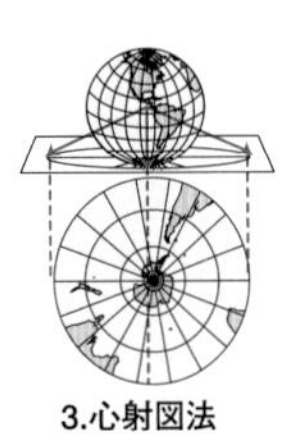

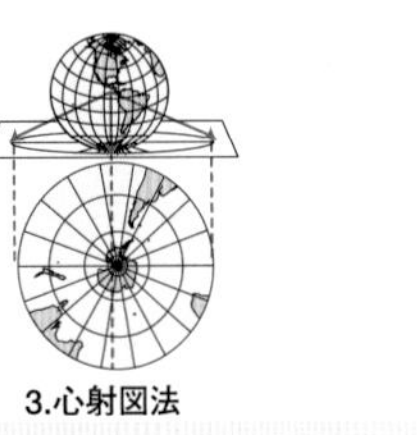

3.心射図法

a ランベルト正積方位図法

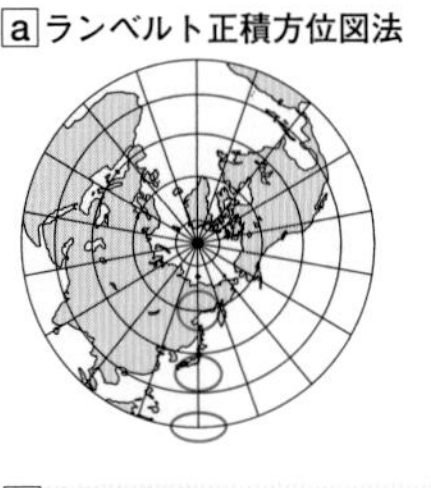

b 正距方位図法

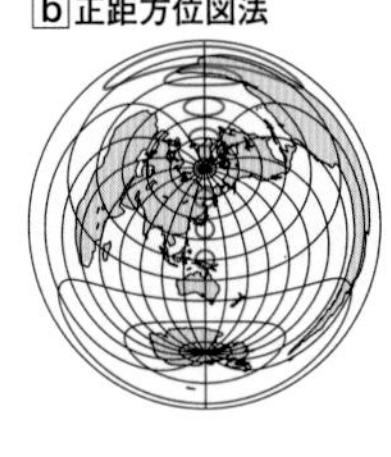

円錐図法

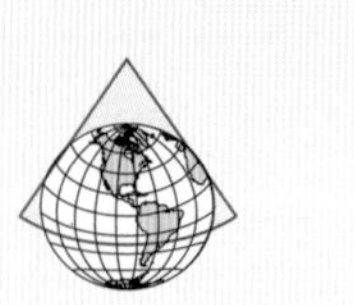

a 正距円錐図法(トレミー図法)

b ボンヌ図法

c ランベルト正角円錐図法

円筒図法

a メルカトル図法(正角円筒図法)

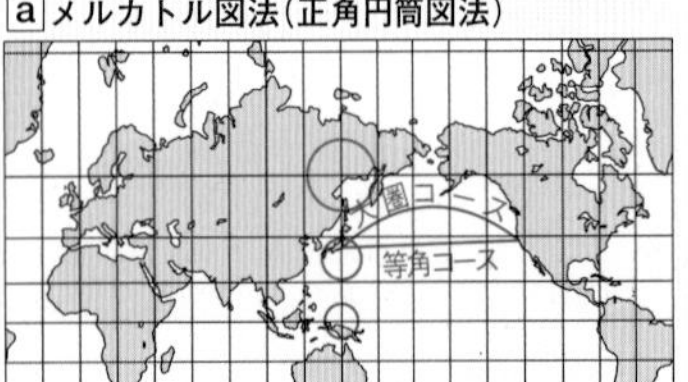

b ミラー図法

c ユニバーサル横メルカトル(UTM)図法

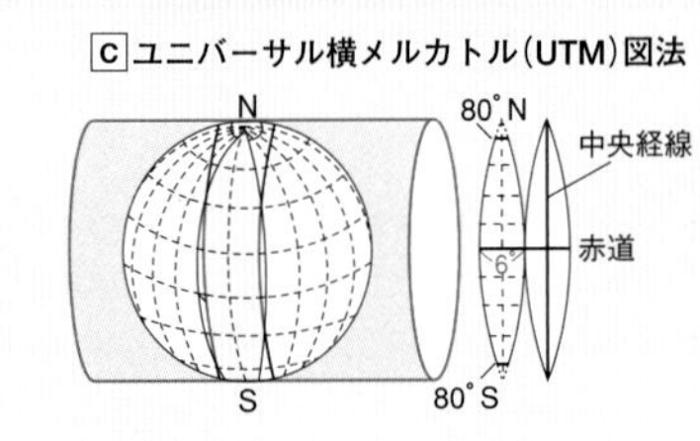

擬円筒図法

a サンソン図法

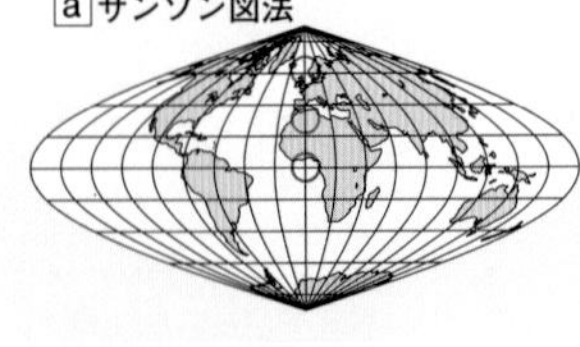

b モルワイデ図法

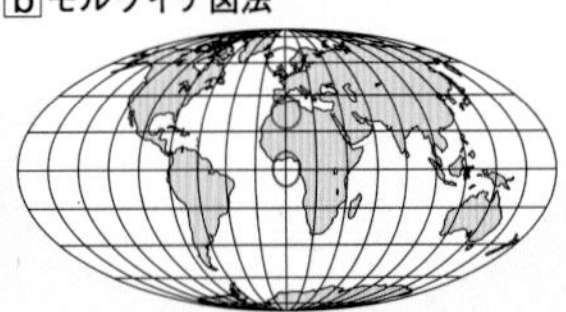

その他の図法

a ホモロサイン(グード)図法

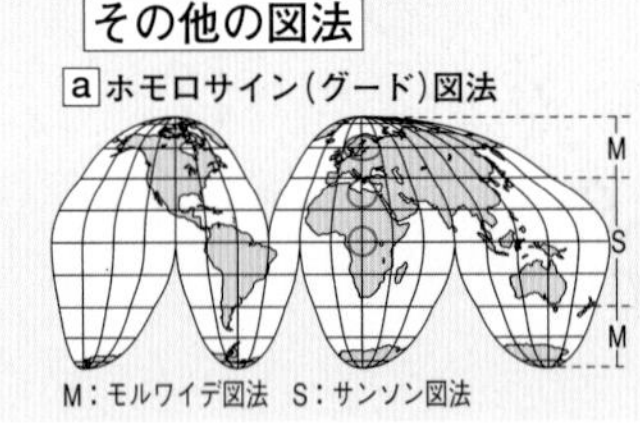

M：モルワイデ図法　S：サンソン図法

b ヴィンケル図法

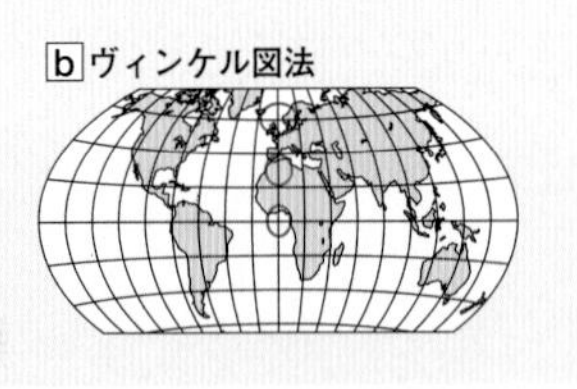

地図投影法の説明

注）　●正積図法　■正距図法　▲正角図法　→P.（各図法が図中で使用されているおもなページ）

	図　法　名	特　　色	おもな用途
方位図法	●aランベルト正積方位図法 ■b正距方位図法 ▲◇平射(ステレオ)図法	方位，面積は正しいが縁辺部のひずみが大きい。→P.5～6，P.39～40，P.65～66 図の中心から各地点への方位と距離が正しい。しかし，外縁部の面積や形のひずみが大きい。 視点を地球表面上での投影面との接点の対蹠点においた図法。	大陸図・半球図 大陸図 航空図・極地方図
円錐図法	■a正距円錐(トレミー)図法 ●bボンヌ図法 ▲cランベルト正角円錐図法 ◇多円錐図法	標準緯線および経線に沿った距離が正しい。→P.7～8，P.29～30，P.43～44 円錐図法を修正して，面積が正しくなるようにした図。 円錐図法を修正して，正角性をもち全体としてのひずみが小さい図。→P.25～26 一般の円錐図法は一つの円錐を投影面にしているのに対し，多数の円錐を投影面に用いた図法。	中緯度地方図 中緯度地方図 中緯度地方図 大陸図
円筒図法	▲aメルカトル図法 bミラー図法 ▲cユニバーサル横メルカトル(UTM)図法	平行直線で表される緯線の間隔を調節することにより等角航路が図上で直線になる。高緯度ほど面積が著しく拡大されるため，分布図には適さない。 メルカトル図法よりも高緯度の緯線間隔を短くして，高緯度の面積のひずみを小さくしている。→P.1～2 経線に沿って円筒と接したメルカトル図法（横メルカトル図法）を基礎とした図法。経線間隔6°ごとに投影する。経度差6°未満の範囲では，各図葉が平面上で切れ目なく接合できる。	海図 世界全図 地形図
擬円筒図法	**擬円筒図法** ●aサンソン図法 ●bモルワイデ図法 ●◇エケルト図法	**円筒図法から緯線が直線になる性質を受け，経線にさまざまな曲線を用いた図法。** 経線に正弦曲線が用いてあり，面積が正しく表される。中央経線と赤道に沿って形のひずみは小さいが，縁辺部では非常に大きい。 経線に楕円が用いてあり，面積が正しく表される。中央経線上の北緯および南緯の各40°44′を離れるにつれて，ひずみは次第に増大する。 中・高緯度のひずみを小さくするために，極を赤道の1/2の長さの直線にしている。緯線間隔は正積になるように，高緯度になるほど狭くとってある。	 世界全図 世界全図 世界全図
その他の図法	**その他の図法** ●aホモロサイン(グード)図法 bヴィンケル図法	**既存の図法を基本とし，使用上都合のよいようにさまざまな変更を加えた図法。** サンソン図法の低緯度部分とモルワイデ図法の中・高緯度部分の長所を生かし緯度40°44′で接合したもの。さらに大陸の形のひずみを小さくするため，適当な経線に沿って切り開いた正積図法。 正距円筒図法と正距方位図法の横軸法を2倍に拡大した図法（エイトフ図法）を混合したもの。面積・形ともに正しくはないが，ひずみは比較的小さい。	 世界全図 世界全図

古代バビロニアの世界（前8～前7世紀ごろ）

バビロニアの世界図

1 海　2 山
3 バビロン
4 小都市
5 ユーフラテス川
6 湿地帯
7 ペルシア湾

粘土板に描かれた最古の世界図。世界はバビロンを中心に広がる円盤状のもので，その外側には海が広がっていると考えられていた。

B 古代ギリシャ・ローマの世界（2世紀ごろ）

プトレマイオスの世界地図　注）15世紀作

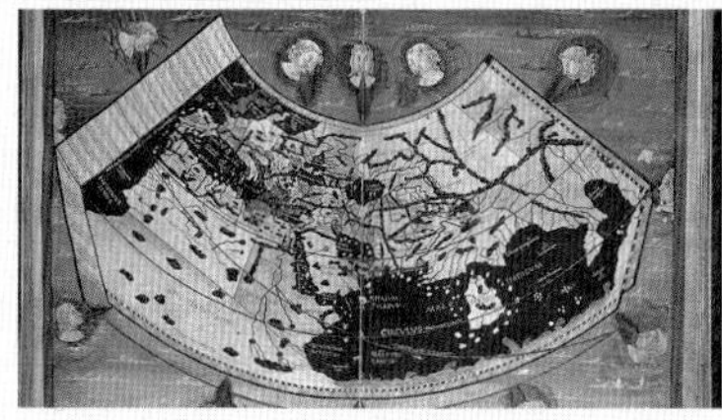

古代ギリシャ時代に人々の地理的知識は大きく広がった。また，地球球体説が唱えられ，その大きさが測定された。上図は，プトレマイオスの著書をもとに15世紀に再構成されたもの。

C 中世イスラーム世界（12世紀ごろ）

イドリーシーの世界図

イスラーム世界には，古代ギリシャの知識が残されており，中国からイベリア半島までが世界とされ，中心はメッカと考えられていた。

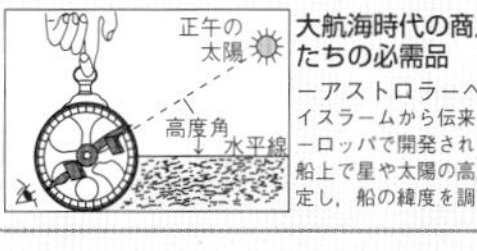

大航海時代の商人たちの必需品
ーアストロラーベー
イスラームから伝来し，ヨーロッパで開発された。船上で星や太陽の高度を測定し，船の緯度を調べた。

D 中世ヨーロッパの世界（13世紀）

TO マップ

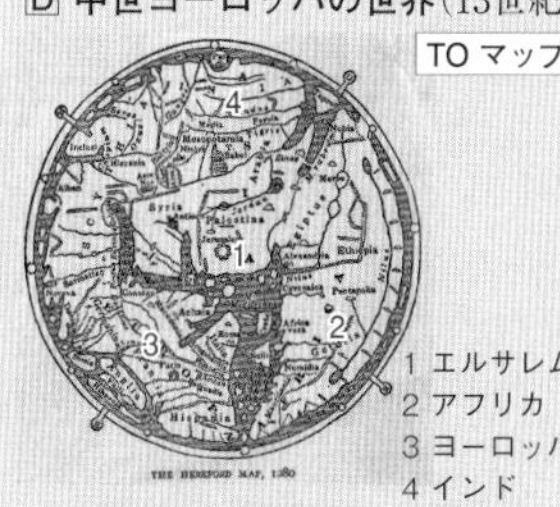

1 エルサレム
2 アフリカ
3 ヨーロッパ
4 インド

中世のヨーロッパでは，キリスト教的世界観により地理的知識は後退した。
かれらは，世界はエルサレムを中心とした丸く平らな陸地であると考えた。

近世ヨーロッパの世界①（15世紀）

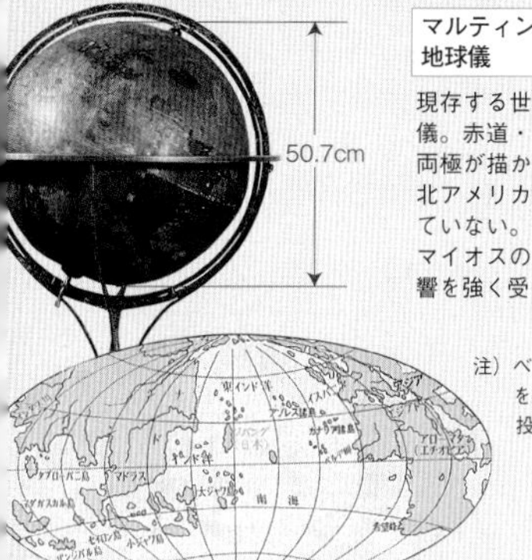

マルティン=ベハイムの地球儀

現存する世界最古の地球儀。赤道・南北回帰線・両極が描かれている。南北アメリカ大陸は描かれていない。地図はプトレマイオスの世界図から影響を強く受けている。

注）ベハイムの地球儀をハンメル図法に投影したもの

F 近世ヨーロッパの世界②（16世紀）

メルカトルの世界地図　注）下図は，メルカトルの地図の輪郭を利用して作られたクワッドの地図

大航海時代にヨーロッパ人の地理的知識は著しく拡大した。アメリカ大陸が「発見」され，アジアやアフリカの知識も正確になった。だが，オーストラリアはまだ確認されず，架空の南方大陸が描かれている。

G 江戸時代の日本図（19世紀）

伊能図「大日本沿海輿地全図 関東」(部分)

古来，日本人の世界に関する知識は中国・インドまでと狭かった。16世紀に少し地理的知識は拡大したが，鎖国で制約された。この図は伊能忠敬らによって，1800年から1816年にかけて測量され，1821年に完成したものの一部である。

地球の歴史

〔著者原図〕

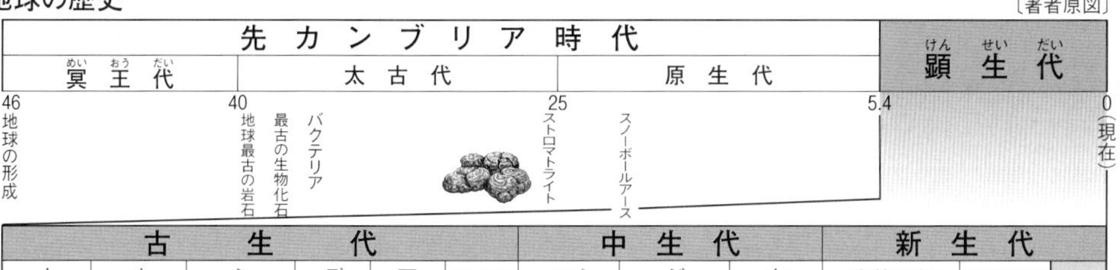

古生代						中生代			新生代					
カンブリア紀	オルドビス紀	シルル紀	デボン紀	石炭紀	二畳紀（ペルム紀）	三畳紀	ジュラ紀	白亜紀	古第三紀			新第三紀		第四紀
									暁新世	始新世	漸新世	中新世	鮮新世	

541　485　444　419　359　299　252　201　145　66　56　34　23　5.3　2.6　0（数字は百万年前）（現在）

生物進化の大爆発　三葉虫　陸上植物　両生類　硬骨魚類　は虫類　生物大量絶滅　恐竜　生物（恐竜）大量絶滅　哺乳類

カレドニア造山運動（古期造山帯）　バリスカン造山運動（古期造山帯）　アルプス造山運動（新期造山帯）

第四紀	
更新世	完新世

258.8　1.2　0（数字は万年前）（現在）　最終氷期

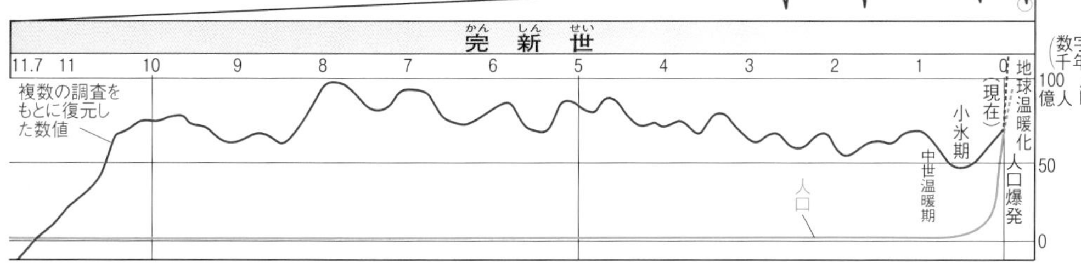

③大陸の移動と現在のプレートの分布

(1) 中生代初期（約2億2500万年前）

(2) 中生代中期（約1億8000万年前）

プレートの動きの方向
ローラシア大陸
ゴンドワナ大陸

(3) 新生代初期（約6500万年前）

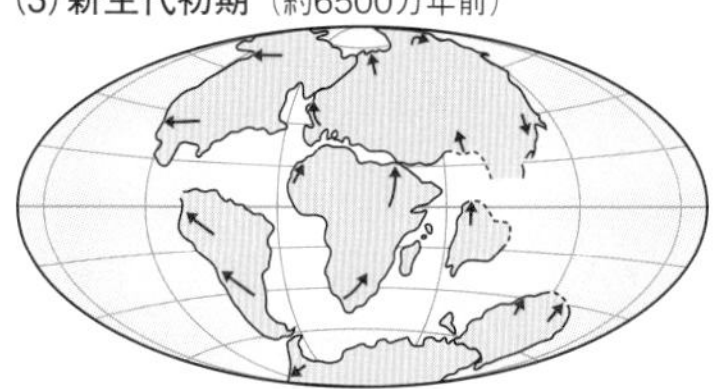

(4) 現　在

〔De Grote Bosatlas 2009,ほか〕

統計資料

(1) 地球の大きさ
(注)世界測地系による

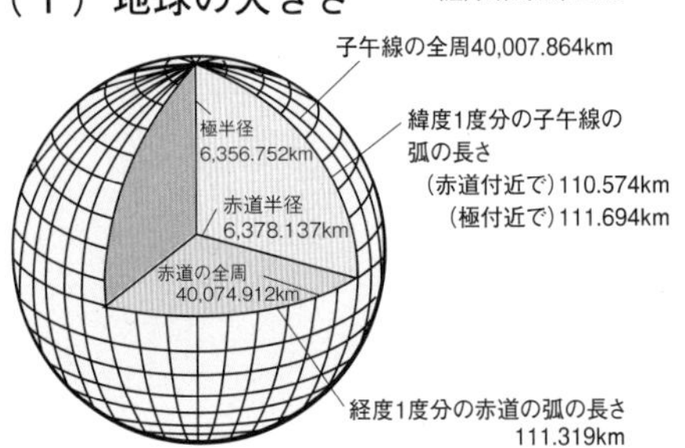

地球の質量	5.972×10^{24}kg
自転周期	23時間56分4秒
公転周期	365.2422日
地球の表面積	510,066,000km^2
地球の陸地の面積	147,244,000km^2
地球の海の面積	362,822,000km^2
地球の体積	1,083,847,550,000km^3
北回帰線・南回帰線の緯度(赤道面と軌道面の傾き)	23°26′21.406″

(2) 地球に関する極値
〔理科年表 平成30年，ほか〕

最高点	8,848m	エヴェレスト山(ヒマラヤ山脈)
最深点	-10,920m	チャレンジャー海淵(太平洋,マリアナ海溝)
最深の湖	-1,741m	バイカル湖(ロシア)
陸上の最低点	-400m	死海の湖面(イスラエル,ヨルダン)
最高気温	56.7℃	デスヴァレー(アメリカ合衆国)
最低気温	-67.8℃	ヴェルホヤンスク(ロシア)(北半球)
	-67.8℃	オイミャコン(ロシア)(北半球)
	-89.2℃	ヴォストーク基地(南極)(南半球)
最多年降水量	26,467mm	チェラプンジ(インド)
最少年平均降水量	0.76mm	(59年間の年平均)アリーカ(チリ)

(3) 世界のおもな山(▲は火山)

山名	所在地	高さ(m)
アジア		
エヴェレスト山	ヒマラヤ山脈	8,848
K2(ゴッドウィンオースティン山)	カラコルム山脈	8,611
カンチェンジュンガ山	ヒマラヤ山脈	8,586
チョーオユ山	ヒマラヤ山脈	8,201
ダウラギリ山	ヒマラヤ山脈	8,167
マナスル山	ヒマラヤ山脈	8,163
ナンガパルバット山	ヒマラヤ山脈	8,126
アンナプルナ山	ヒマラヤ山脈	8,091
ガシャーブルム山	カラコルム山脈	8,068
シシャパンマフェン山(ゴサインターン)	ヒマラヤ山脈	8,027
ハンテングリ山	テンシャン山脈	6,995
▲ダマヴァンド山	エルブールズ山脈	5,670
ヨーロッパ		
▲エルブルース山	カフカス山脈	5,642
モンブラン山	アルプス山脈	4,810
モンテローザ山	アルプス山脈	4,634
マッターホルン山	アルプス山脈	4,478
ユングフラウ山	アルプス山脈	4,158
アネト山	ピレネー山脈	3,404
▲エトナ山	シチリア島	3,330
ベンネヴィス山	イギリス	1,344
▲ヴェズヴィオ山	イタリア半島	1,281
アフリカ		
▲キリマンジャロ山	タンザニア	5,895
▲キリニャガ(ケニア)山	ケニア	5,199
ルウェンゾリ山	ウガンダ,コンゴ民主共和国	5,110
▲カメルーン山	カメルーン	4,095
北アメリカ		
デナリ(マッキンリー)山	アラスカ山脈	6,190
ローガン山	ロッキー山脈	5,959
▲オリサバ山	メキシコ	5,675
▲ポポカテペトル山	メキシコ	5,426
南アメリカ		
アコンカグア山	アンデス山脈	6,959
▲コトパクシ山	エクアドル	5,911
オセアニア		
ジャヤ峰	ニューギニア島	4,884
ギルウェ山	ニューギニア島	4,088
アオラキ(クック)山	ニュージーランド南島	3,724
▲タラナキ(エグモント)山	ニュージーランド北島	2,518
コジアスコ山	グレートディヴァイディング山脈	2,229
南極大陸		
ヴィンソンマッシーフ		4,897
▲エレバス山		3,794

(4) 日本のおもな山(▲は火山)

山名	所在地	高さ(m)
北海道		
▲大雪山(旭岳)	北海道	2,291
▲昭和新山	北海道	398
東北		
▲燧ケ岳	福島	2,356
▲鳥海山	秋田・山形	2,236
▲岩手山	岩手	2,038
▲吾妻山(西吾妻)	福島・山形	2,035
▲月山	山形	1,984
▲蔵王山(熊野岳)	山形・宮城	1,841
▲磐梯山	福島	1,816
関東		
▲白根山	栃木・群馬	2,578
▲浅間山	群馬・長野	2,568
▲男体山	栃木	2,486
谷川岳	新潟・群馬	1,978
▲赤城山	群馬	1,828
▲箱根山(神山)	神奈川	1,438
▲三原山(三原新山)	東京(大島)	758
中部		
▲富士山(剣ケ峯)	山梨・静岡	3,776
北岳(白根山)	山梨	3,193
穂高岳(奥穂高)	長野・岐阜	3,190
槍ケ岳	長野・岐阜	3,180
▲御嶽山	長野・岐阜	3,067
▲乗鞍岳	長野・岐阜	3,026
立山(大汝山)	富山	3,015
剱岳	富山	2,999
駒ケ岳(甲斐駒)	長野・山梨	2,967
駒ケ岳(木曽駒)	長野	2,956
白馬岳	長野・富山	2,932
▲八ケ岳(赤岳)	長野・山梨	2,899
▲白山	石川・岐阜	2,702
近畿		
八剣山(八経ヶ岳)	奈良	1,915
伊吹山	滋賀	1,377
中国・四国		
石鎚山(天狗岳)	愛媛	1,982
▲大山	鳥取	1,729
九州		
宮之浦岳	鹿児島(屋久島)	1,936
▲霧島山(韓国岳)	宮崎・鹿児島	1,700
▲阿蘇山(高岳)	熊本	1,592
▲雲仙岳(平成新山)	長崎	1,483
▲御岳(北岳)	鹿児島(桜島)	1,117

(5) 世界のおもな川

河川名	流域面積(百km^2)	長さ(km)
アジア		
オビ川	29,900	5,568 1)
エニセイ川	25,800	5,550
レナ川	24,900	4,400
長江(揚子江)	19,590	6,380
アムール川	18,550	4,416
ガンジス(ガンガ)川	16,210	2,510
ブラマプトラ川	(同上)	2,840
インダス川	11,660	3,180
黄河	9,800	5,464
メコン川	8,100	4,425
ユーフラテス川	7,650	2,800
エーヤワディー川	4,300	1,992
ヨーロッパ		
ヴォルガ川	13,800	3,688
ドナウ川	8,150	2,850
ドニエプル川	5,105	2,200
ドン川	4,300	1,870
ドヴィナ川	3,620	1,750
ペチョラ川	3,200	1,809
ライン川	2,240	1,230
エルベ川	1,477	1,170
ロアール川	1,210	1,020
セーヌ川	778	780
テムズ川	136	365
アフリカ		
コンゴ川	37,000	4,667
ナイル川	33,490	6,695 2)
ニジェール川	18,900	4,184
ザンベジ川	13,300	2,736
オレンジ川	10,200	2,100
北アメリカ		
ミシシッピ川	32,500	5,969 3)
マッケンジー川	18,050	4,241
セントローレンス川	14,630	3,058
ユーコン川	8,550	3,185
コロンビア川	6,679	2,000
コロラド川	5,900	2,333
リオグランデ川	5,700	3,057
南アメリカ		
アマゾン川	70,500	6,516
ラプラタ川	31,000	4,500 4)
オリノコ川	9,450	2,500
オセアニア		
マリー川	10,580	3,672 5)

1) イルティシ川源流から 2) カゲラ川源流から 3) ミズーリ川源流から
4) パラナ川源流から 5) ダーリング川源流から

(6) 日本のおもな川

河川名	流域面積(km^2)	長さ(km)
北海道		
石狩川	14,330	268
十勝川	9,010	156
天塩川	5,590	256
東北		
北上川	10,150	249
最上川	7,040	229
阿武隈川	5,400	239
雄物川	4,710	133
米代川	4,100	136
岩木川	2,540	102
関東		
利根川	16,840	322
那珂川	3,270	150
荒川	2,940	173
相模川	1,680	109
多摩川	1,240	138
中部		
信濃川	11,900	367
木曽川	9,100	229
阿賀野川	7,710	210
天竜川	5,090	213
富士川	3,990	128
九頭竜川	2,930	116
大井川	1,280	168
庄川	1,180	115
近畿		
淀川	8,240	75
熊野川	2,360	183
由良川	1,880	146
紀ノ川	1,750	136
中国・四国		
江の川	3,900	194
吉野川	3,750	194
高梁川	2,670	111
四万十川	2,270	196
吉井川	2,110	133
旭川	1,810	142
太田川	1,710	103
仁淀川	1,560	124
九州		
筑後川	2,863	143
大淀川	2,230	107
球磨川	1,880	115
五ヶ瀬川	1,820	106

(7) 世界のおもな島

島名	所属	面積(km^2)
グリーンランド	デンマーク	2,175,600
ニューギニア	インドネシア パプアニューギニア	771,900
カリマンタン(ボルネオ)	インドネシア，マレーシア ブルネイ	736,600
マダガスカル	マダガスカル	590,300
バッフィン	カナダ	512,200
スマトラ	インドネシア	433,800
グレートブリテン	イギリス	217,800
スラウェシ	インドネシア	179,400
南島	ニュージーランド	150,500
ジャワ	インドネシア	126,100
キューバ	キューバ	114,500
北島	ニュージーランド	114,300
ニューファンドランド	カナダ	110,700
ルソン	フィリピン	105,700
アイスランド	アイスランド	102,800
ミンダナオ	フィリピン	95,600
アイルランド	アイルランド，イギリス	82,100
樺太(サハリン)	ロシア，所属未定	77,000
タスマニア	オーストラリア	67,900
セイロン	スリランカ	65,600
台湾	中国(台湾)	36,000
ハイナン	中国	35,600
ティモール	インドネシア，東ティモール	33,000
シチリア	イタリア	25,500
ニューカレドニア	フランス	16,100
ジャマイカ	ジャマイカ	11,500
ハワイ	アメリカ	10,400

(8) 日本のおもな島

島名	所属	面積(km^2)
本州		227,943
北海道		77,984
九州		36,782
四国		18,297
択捉島	北海道	3,167
国後島	北海道	1,489
沖縄島	沖縄	1,207
佐渡島	新潟	855
大島(奄美大島)	鹿児島	712
対馬	長崎	696
淡路島	兵庫	593
天草下島	熊本	575
屋久島	鹿児島	504
種子島	鹿児島	444
福江島	長崎	326
西表島	沖縄	290
徳之島	鹿児島	248
色丹島	北海道	248
隠岐島後	島根	242
天草上島	熊本	226
石垣島	沖縄	222
利尻島	北海道	182
平戸島	長崎	163
宮古島	沖縄	159
小豆島	香川	153
奥尻島	北海道	143
壱岐	長崎	135
竹島	島根	0.2

(9) 世界のおもな湖沼

湖沼名	面積(km^2)	最大水深(m)
アジア		
*カスピ海	374,000	1,025
バイカル湖	31,500	1,741
*バルハシ湖	18,200	26
*アラル海	10,030	43
アフリカ		
ヴィクトリア湖	68,800	84
タンガニーカ湖	32,000	1,471
マラウイ湖	22,490	706
チャド湖	3,000	10
北アメリカ		
スペリオル湖	82,367	406
ヒューロン湖	59,570	228
ミシガン湖	58,016	281
グレートスレーヴ湖	28,568	625
ウィニペグ湖	23,750	36
南アメリカ		
マラカイボ湖	13,010	60
チチカカ湖	8,372	281

*印は塩湖

(10) 日本のおもな湖沼

湖沼名	面積(km^2)	最大水深(m)
琵琶湖〔滋賀〕	669	104
霞ケ浦〔茨城〕	168	12
サロマ湖〔北海道〕	152	20
猪苗代湖〔福島〕	103	94
中海〔島根・鳥取〕	86	17
屈斜路湖〔北海道〕	80	118
宍道湖〔島根〕	79	6
支笏湖〔北海道〕	78	360
洞爺湖〔北海道〕	71	180
浜名湖〔静岡〕	65	13
小川原湖〔青森〕	62	27
十和田湖〔青森・秋田〕	61	327
北浦〔茨城〕	35	10
田沢湖〔秋田〕	26	423
摩周湖〔北海道〕	19	211
諏訪湖〔長野〕	13	8
中禅寺湖〔栃木〕	12	163
桧原湖〔福島〕	11	31
印旛沼〔千葉〕	9	5
山中湖〔山梨〕	7	13

(11) 世界のおもな海溝

海溝名	最大深度(m)
マリアナ海溝(チャレンジャー海淵)	10,920
トンガ海溝	10,800
フィリピン海溝	10,057
ケルマデック海溝	10,047
伊豆・小笠原海溝	9,810
千島・カムチャツカ海溝	9,550
プエルトリコ海溝	8,605

(12) 世界のおもな都市の月平均気温・月降水量

→世界の気候 P.141-142①，P.143-144

（気温：℃　降水量：mm　赤字：最高　青字：最低）〔理科年表　平成30年，ほか〕

都市（観測地点の高さ（m））と経緯度		月別	1月	2月	3月	4月	5月	6月	7月	8月	9月	10月	11月	12月	全年
熱帯雨林気候（Af）乾季なし															
コロンボ（7）	6°54′N	気温	27.1	27.3	28.1	28.6	28.7	28.0	27.9	27.9	27.8	27.3	27.1	27.0	27.7
	79°52′E	降水量	96.5	70.9	116.4	222.1	309.1	244.4	124.6	111.5	227.7	343.2	301.7	153.8	2321.9
シンガポール（5）	1°22′N	気温	26.6	27.2	27.6	28.0	28.4	28.4	27.9	27.8	27.7	27.7	27.0	26.6	27.6
	103°59′E	降水量	246.3	114.1	173.8	151.5	167.4	136.1	155.8	154.0	163.1	156.2	265.9	314.8	2199.0
キサンガニ（396）	0°31′N	気温	24.9	25.0	25.2	25.1	24.9	24.4	23.7	23.7	24.2	24.5	24.5	24.5	24.6
	25°11′E	降水量	95.0	114.9	151.8	181.3	166.7	114.7	100.4	185.7	173.9	228.2	177.0	114.1	1803.7
熱帯雨林気候（Am）弱い乾季あり															
ケアンズ（3）	16°52′S	気温	27.5	27.4	26.6	25.3	23.7	21.9	21.2	21.7	23.3	25.0	26.3	27.3	24.8
	145°44′E	降水量	355.7	453.9	363.7	213.0	88.6	41.8	30.2	29.9	33.2	48.5	111.4	180.5	1950.4
マカパ（15）	0°02′N	気温	26.6	26.4	26.2	26.5	26.9	26.8	26.9	27.9	28.5	28.8	28.4	27.7	27.3
	51°03′W	降水量	302.8	353.3	368.4	391.5	340.0	246.4	195.6	96.9	25.3	31.1	57.1	160.1	2568.5
サバナ気候（Aw）															
コルカタ（カルカッタ）（6）	22°32′N	気温	20.0	23.6	28.0	30.4	30.9	30.4	29.4	29.3	29.2	28.1	25.0	21.2	27.1
	88°20′E	降水量	12.6	19.7	35.2	58.8	137.4	303.8	409.4	336.4	318.2	165.1	36.1	9.0	1841.7
ホーチミン（19）	10°49′N	気温	25.8	26.8	28.0	29.2	28.9	27.7	27.5	27.4	27.2	26.9	26.3	25.8	27.3
	106°40′E	降水量	13.1	1.3	10.1	39.3	223.9	300.1	318.1	268.6	309.5	266.3	91.1	30.8	1872.2
ステップ気候（BS）															
ニアメ（223）	13°29′N	気温	24.0	27.2	31.5	34.3	34.4	32.0	29.4	28.1	29.4	31.1	28.5	25.2	29.6
	2°10′E	降水量	0.0	0.0	2.0	7.3	27.3	74.9	136.9	161.2	85.6	13.3	0.0	0.0	508.5
ラホール（214）	31°33′N	気温	13.4	16.3	21.7	27.5	32.1	33.4	31.5	30.9	29.9	25.9	20.4	15.1	24.8
	74°20′E	降水量	19.5	37.5	33.3	16.4	23.8	58.5	171.7	154.5	63.9	15.9	7.4	11.3	613.7
砂漠気候（BW）															
カイロ（116）	30°06′N	気温	14.1	14.8	17.3	21.6	24.5	27.4	28.0	28.2	26.6	24.0	19.2	15.1	21.7
	31°24′E	降水量	7.1	4.3	6.9	1.2	0.4	0.0	0.0	0.3	0.0	0.1	6.4	7.9	34.6
リヤド（635）	24°42′N	気温	14.5	16.8	21.4	26.5	32.6	35.3	36.6	36.5	33.4	28.2	21.3	16.1	26.6
	46°44′E	降水量	14.3	17.6	27.8	34.4	11.1	0.0	0.0	0.8	0.0	1.9	12.6	19.0	139.5
地中海性気候（Cs）															
ローマ（2）	41°48′N	気温	8.4	9.0	10.9	13.2	17.2	21.0	23.9	24.0	21.1	16.9	12.1	9.4	15.6
	12°14′E	降水量	74.0	73.9	60.7	60.0	33.5	21.4	8.5	32.7	74.4	98.2	93.3	86.3	716.9
ケープタウン（46）	33°58′S	気温	21.0	21.1	19.8	17.3	15.0	12.8	12.2	12.7	14.4	16.3	18.3	20.1	16.8
	18°36′E	降水量	10.1	15.0	13.5	47.4	80.7	93.4	91.5	78.2	44.6	35.3	23.1	13.0	545.8
パース（20）	31°55′S	気温	24.4	24.6	22.8	19.5	16.3	13.7	12.7	13.2	14.6	16.6	19.7	22.1	18.4
	115°58′E	降水量	11.2	25.9	19.0	36.1	84.9	138.9	147.4	114.2	77.2	35.8	28.2	7.6	726.4
温暖冬季少雨気候（Cw）															
ホンコン（64）	22°18′N	気温	16.1	16.7	19.0	22.7	25.8	27.7	28.5	28.2	27.4	25.2	21.6	17.9	23.1
	114°10′E	降水量	26.2	39.2	59.0	144.7	251.5	457.4	391.6	474.6	319.4	86.2	32.0	29.2	2311.0
チンタオ（青島）（77）	36°04′N	気温	−0.2	1.5	5.6	11.3	16.7	20.5	24.4	25.3	22.0	16.4	9.2	2.5	12.9
	120°20′E	降水量	11.2	14.7	21.6	30.6	60.0	76.1	149.7	151.1	72.0	40.6	28.4	12.9	668.9
温暖湿潤気候（Cfa）															
ニューヨーク（7）	40°46′N	気温	1.0	2.0	5.9	11.6	17.1	22.4	25.3	24.8	20.8	14.7	9.2	3.7	13.2
	73°54′W	降水量	82.5	67.8	105.1	102.1	97.3	101.8	111.4	107.9	94.5	96.9	87.8	90.3	1145.4
ニューオーリンズ（1）	29°59′N	気温	11.6	13.5	16.7	20.3	24.6	27.2	28.2	28.2	26.2	21.6	16.7	13.0	20.7
	90°15′W	降水量	139.3	122.0	118.0	116.0	119.4	201.1	149.0	155.6	133.7	92.1	117.2	134.7	1598.1
ブエノスアイレス（25）	34°35′S	気温	24.8	23.4	21.8	17.8	14.6	11.8	11.0	12.9	14.6	17.7	20.5	23.2	17.8
	58°29′W	降水量	144.7	120.5	144.2	136.0	93.8	60.8	59.9	76.2	71.6	127.1	127.4	110.6	1272.8
西岸海洋性気候（Cfb）															
ロンドン（24）	51°28′N	気温	5.8	6.2	8.0	10.5	13.9	17.0	18.7	18.5	16.2	12.4	8.5	5.7	11.8
	0°27′W	降水量	55.0	46.8	41.9	46.4	49.1	46.8	46.8	57.8	50.8	70.6	72.4	55.9	640.3
パリ（89）	48°43′N	気温	4.1	5.1	7.9	11.0	14.8	18.3	19.8	19.7	16.1	12.1	7.4	4.3	11.7
	2°23′E	降水量	43.1	42.3	43.3	46.7	55.7	47.0	60.6	65.7	39.9	58.2	54.5	55.8	612.8
亜寒帯（冷帯）湿潤気候（Df）															
モスクワ（156）	55°50′N	気温	−6.5	−6.7	−1.0	6.7	13.2	17.0	19.2	17.0	11.3	5.6	−1.2	−5.2	5.8
	37°37′E	降水量	51.6	43.1	35.2	36.3	50.3	80.4	84.3	82.0	66.8	71.3	54.9	50.3	706.5
ウィニペグ（238）	49°55′N	気温	−16.5	−12.7	−5.3	4.2	12.0	17.0	19.6	18.9	12.5	5.1	−5.3	−14.2	2.9
	97°14′W	降水量	16.6	14.6	23.8	31.6	51.9	93.7	85.0	72.9	42.7	41.0	25.1	17.2	516.1
亜寒帯（冷帯）冬季少雨気候（Dw）															
イルクーツク（469）	52°16′N	気温	−17.7	−14.4	−6.4	2.4	10.1	15.4	18.3	15.9	9.1	1.8	−7.9	−15.3	0.9
	104°19′E	降水量	14.1	8.1	11.3	18.6	35.8	78.5	109.2	93.1	52.0	21.2	20.6	16.0	478.5
チタ（671）	52°05′N	気温	−25.2	−19.1	−8.9	1.4	9.7	16.4	18.7	16.0	8.7	−0.3	−12.6	−21.9	−1.4
	113°29′E	降水量	2.9	2.1	2.8	12.2	26.2	64.9	89.3	87.8	41.8	8.8	6.1	4.9	349.8
ツンドラ気候（ET）															
ディクソン（47）	73°30′N	気温	−24.8	−25.7	−22.3	−17.4	−7.7	0.5	5.0	5.5	1.7	−7.5	−17.5	−22.7	−11.1
	80°24′E	降水量	35.7	29.0	25.5	20.0	21.2	32.5	33.5	40.8	43.2	36.4	27.8	38.0	383.6
バロー（12）	71°17′N	気温	−25.3	−25.8	−24.8	−16.6	−6.0	2.1	5.0	4.0	0.1	−8.2	−17.0	−22.1	−11.2
	156°47′W	降水量	3.4	3.2	3.4	3.9	5.0	8.0	24.0	26.6	18.8	10.9	4.9	3.8	115.9
氷雪気候（EF）															
昭和基地（18）	69°00′S	気温	−0.7	−2.9	−6.5	−10.1	−13.5	−15.2	−17.3	−19.4	−18.1	−13.5	−6.8	−1.6	−10.4
	39°35′E	降水量	—	—	—	—	—	—	—	—	—	—	—	—	—
高山気候（H）															
ラパス（4058）	16°31′S	気温	9.0	8.7	8.9	8.5	7.9	6.8	6.4	7.7	8.5	9.7	10.4	9.7	8.5
	68°11′W	降水量	242.2	105.3	94.1	44.4	15.0	12.3	11.2	26.1	36.8	44.2	58.5	126.5	816.5

注）この表の気候区分は，各都市の気温，降水量をケッペンの気候区分のもととなっている計算式にあてはめて求めている。ただし，ケッペンの気候区分では高山気候を区分せず，ラパスはケッペンの気候区分では温暖冬季少雨気候（Cw）に区分されている。

(13) 世界の国別統計

（国名の色分けは次の加盟国を示す。 東南アジア諸国連合(ASEAN) ヨーロッパ連合(EU) アフリカ連合(AU) ★独立国家共同体(CIS)）

（赤太字は世界1位、赤字は2位から5位までの国を示す。人口・面積・人口密度の青字は下位5か国を示す。面積・人口密度は居住不能な極地・島を除く

地域	国番号	正式国名	首都	人口(万人) 2017年	面積(千km²) 2017年	人口密度(人/km²) 2017年	産業別人口の割合(%) 2016年 第1次	第2次	第3次	老年人口率 65歳以上 (%)2016年	非識字率* (%) 2015年 男/女	二酸化炭素排出量 (t/人) 2014年	国土に占める森林割合 (%) 2015年	1人あたりの国民総所得 (ドル)2016年	海外直接投資額 (対外,残高) (億ドル) 2017年	貿易額(百万ドル) 2016年 輸出	輸入
アジア(47か国)	1	アゼルバイジャン共和国★	バクー	985	87	114	36.3	14.3	49.4	5.8	0.1/0.3	3.23	13.8	4,760	221	15) 11,327	15) 9
	2	アフガニスタン・イスラム共和国	カブール	2,822	653	43	—	—	—	2.5	48.0/75.8	0.29	2.1	580	0.06	596	6
	3	アラブ首長国連邦	アブダビ	16) 912	71	128	0.1	28.8	71.1	1.2	6.9/4.2	19.40	3.9	40,480	1,244	298,651	270
	4	アルメニア共和国★	エレバン	297	30	100	15) 35.3	15.9	48.8	11.1	0.2/0.3	1.74	11.7	3,760	6	1,808	3
	5	イエメン共和国	サヌア	14) 2,595	528	49	14) 29.2	14.5	56.3	2.9	14.9/45.0	0.86	1.0	1,040	7	15) 510	15) 6
	6	イスラエル国	エルサレム	871	22	395	1.0	17.3	81.7	11.5	—	7.46	7.6	36,190	1,038	60,571	65
	7	イラク共和国	バグダッド	15) 3,665	435	84	08) 23.4	18.2	58.4	3.1	14.3/26.3	4.00	1.9	5,430	25	14) 84,506	14) 37
	8	イラン・イスラム共和国	テヘラン	8,107	1,629	50	18.0	31.9	50.1	5.2	8.8/17.5	7.12	6.6	14) 6,530	37	11) 130,544	11) 68
	9	インド	デリー	128,360	3,287	390	12) 47.0	24.4	28.6	5.8	19.1/37.2	1.56	23.8	1,680	1,553	260,327	356
	10	インドネシア共和国	ジャカルタ	26,189	1,911	137	31.8	21.7	46.5	5.3	3.7/8.5	1.71	50.2	3,400	659	144,490	135
	11	ウズベキスタン共和国★	タシケント	3,212	449	72	99) 38.5	19.4	42.1	4.7	0.3/0.5	3.18	7.6	2,220	—	11,200	10
	12	オマーン国	マスカット	456	310	15	10) 5.2	36.9	57.9	2.7	3.1/10.0	14.14	0.01	15) 18,080	83	24,455	23
	13	カザフスタン共和国★	ヌルスルタン	1,803	2,725	7	16.2	21.0	62.8	6.8	0.2/0.2	13.29	1.2	8,710	205	36,775	25
	14	カタール国	ドーハ	272	12	234	1.2	54.6	44.2	1.3	2.1/2.7	**36.10**	0.0	15) 75,660	529	57,311	32
	15	カンボジア王国	プノンペン	15) 1,540	181	85	12) 33.3	25.3	41.4	4.3	15.5/29.5	0.40	53.6	1,140	9	10,069	12
	16	キプロス共和国	ニコシア	85	9	92	3.6	17.1	79.3	13.1	0.5/1.3	6.73	18.7	23,680	2,162	1,920	6
	17	キルギス共和国★	ビシュケク	619	200	31	26.8	22.1	51.1	4.3	0.4/0.6	1.55	3.3	1,100	0.003	1,423	3
	18	クウェート国	クウェート	408	18	229	2.3	20.5	77.2	2.0	3.1/5.0	21.05	0.4	15) 41,680	306	15) 55,162	15) 31
	19	サウジアラビア王国	リヤド	3,261	2,207	15	5.0	24.5	70.5	3.0	3.0/8.9	16.40	0.5	21,750	796	15) 201,492	15) 163
	20	ジョージア	トビリシ	372	70	53	49.1	10.8	40.1	14.1	0.2/0.3	2.07	40.6	3,810	24	2,114	7
	21	シリア・アラブ共和国	ダマスカス	11) 2,112	185	114	11) 13.2	31.4	55.4	4.1	8.3/19.0	1.47	2.7	07) 1,840	0.05	10) 11,353	10) 17
	22	シンガポール共和国	シンガポール	561	0.7	7,795	0.0	27.3	72.7	12.3	1.3/4.9	8.29	23.1	51,880	8,414	329,871	283
	23	スリランカ民主社会主義共和国	スリジャヤワルダナプラコッテ	2,144	66	327	27.1	26.4	46.5	9.7	6.4/8.3	0.81	33.0	3,780	13	10,546	19
	24	タイ王国	バンコク	6,552	513	128	33.2	22.7	44.1	10.9	3.4/3.3	3.60	32.1	5,640	1,073	15) 210,883	15) 202
	25	大韓民国	ソウル	5,144	100	513	4.9	24.9	70.2	13.6	—	11.26	63.4	27,600	3,558	495,418	406
	26	タジキスタン共和国★	ドゥシャンベ	16) 864	143	61	09) 52.9	15.6	31.5	3.0	0.2/0.3	0.49	3.0	1,110	—	691	2
	27	中華人民共和国	ペキン	① **141,598**	① 9,601	① 147	27.7	28.8	43.5	10.0	1.8/5.5	6.62	22.2	8,260	14,820	**2,097,637**	1,587
	28	朝鮮民主主義人民共和国	ピョンヤン	10) 2,459	121	204	—	—	—	9.5	0.0/0.0	1.15	41.8	—	—	2,985	3
	29	トルクメニスタン	アシガバット	12) 475	488	10	—	—	—	4.3	0.2/0.4	12.62	8.8	6,670	—	6,987	5
	30	トルコ共和国	アンカラ	8,031	780	103	19.5	26.8	53.7	7.7	1.6/8.2	4.00	15.2	11,180	414	142,530	198
	31	日本国	東京	12,678	378	335	3.5	25.2	71.3	**26.9**	—	9.32	68.5	38,000	15,200	644,579	607
	32	ネパール連邦民主共和国	カトマンズ	2,882	147	196	08) 71.3	7.4	21.3	5.7	24.4/44.9	0.21	25.4	730	—	15) 660	15) 6
	33	パキスタン・イスラム共和国	イスラマバード	20,777	796	261	42.3	23.6	34.1	4.5	28.5/54.7	0.77	1.9	1,510	19	20,534	46
	34	バーレーン王国	マナーマ	150	0.8	1,928	15) 1.0	34.7	64.3	2.5	3.1/6.5	21.80	0.8	15) 22,740	192	12,892	14
	35	バングラデシュ人民共和国	ダッカ	16,175	148	1,096	42.7	20.5	36.8	5.0	35.4/41.5	0.40	11.0	1,330	4	15) 31,734	15) 48
	36	東ティモール民主共和国	ディリ	124	15	83	13) 40.5	12.6	46.9	5.5	28.5/36.6	0.40	46.1	15) 2,180	1	13) 53	13)
	37	フィリピン共和国	マニラ	10,492	300	350	27.0	17.5	55.5	4.7	4.2/3.2	0.97	27.0	3,580	478	56,313	85
	38	ブータン王国	ティンプー	72	38	19	15) 58.1	9.6	32.3	5.2	26.9/45.0	1.32	72.3	2,510	—	12) 531	12)
	39	ブルネイ・ダルサラーム国	バンダルスリブガワン	42	6	73	14) 0.5	17.9	81.6	4.7	2.3/4.9	16.06	72.1	15) 38,520	16	15) 6,353	15) 3
	40	ベトナム社会主義共和国	ハノイ	9,367	331	283	41.9	24.8	33.3	6.9	3.7/7.2	1.58	47.6	2,050	105	15) 162,017	15) 165
	41	マレーシア	クアラルンプール	3,205	330	97	11.4	27.5	61.1	15) 5.9	3.8/6.8	7.37	67.6	9,850	1,285	189,414	168
	42	ミャンマー連邦共和国	ネーピードー	5,338	677	79	15) 52.2	16.0	31.8	5.5	4.8/8.8	0.37	44.5	15) 1,190	—	11,673	15
	43	モルディブ共和国	マレ	49	0.3	1,639	14) 7.8	22.8	69.4	4.7	0.2/1.2	3.74	3.3	7,430	—	140	2
	44	モンゴル国	ウランバートル	314	1,564	2	30.3	19.0	50.7	4.1	1.8/1.4	6.16	8.1	3,550	5	4,916	3
	45	ヨルダン・ハシェミット王国	アンマン	1,005	89	113	04) 4.1	25.7	70.2	3.8	1.9/4.8	3.24	1.1	3,920	6	7,509	19
	46	ラオス人民民主共和国	ビエンチャン	690	237	29	10) 71.4	8.3	20.3	3.9	12.9/27.2	0.29	81.3	2,150	2	3,155	3
	47	レバノン共和国	ベイルート	11) 377	10	362	09) 6.3	21.0	72.7	8.3	4.0/8.2	3.99	13.4	7,680	139	14) 3,312	14) 20
アフリカ(54か国)	1	アルジェリア民主人民共和国	アルジェ	4,169	2,382	18	8.3	30.3	61.4	6.1	12.8/26.9	3.16	0.8	4,270	19	29,992	47
	2	アンゴラ共和国	ルアンダ	2,836	1,247	23	11) 51.2	8.0	40.8	2.3	18.0/39.3	0.80	46.4	3,440	268	15) 33,048	15) 16
	3	ウガンダ共和国	カンパラ	3,767	242	156	13) 71.7	7.0	21.3	2.5	19.2/33.1	0.15	10.4	660	0.8	15) 2,267	15) 5
	4	エジプト・アラブ共和国	カイロ	9,479	1,002	95	25.5	25.5	49.0	5.3	16.8/32.7	2.16	0.1	3,460	74	22,507	58
	5	エスワティニ王国	ムババーネ	114	17	66	—	—	—	3.7	12.6/12.5	0.95	34.1	2,830	2	07) 1,113	07) 1
	6	エチオピア連邦民主共和国	アディスアベバ	9,435	1,104	85	13) 72.7	7.4	19.9	3.5	42.8/58.9	0.10	12.5	660	—	1,724	19
	7	エリトリア国	アスマラ	321	121	27	—	—	—	11) 2.4	17.6/34.5	0.11	15.0	11) 520	—	03) 7	03)
	8	ガーナ共和国	アクラ	16) 2,830	239	119	13) 45.1	14.0	40.9	3.4	18.0/28.6	0.49	41.0	1,380	4	10,656	11
	9	カーボベルデ共和国	プライア	53	4	133	—	—	—	4.5	7.9/16.9	0.95	22.3	2,970	-0.6	60	
	10	ガボン共和国	リーブルビル	13) 181	268	7	93) 43.5	9.6	46.9	5.1	14.7/19.0	1.93	89.3	7,210	2	09) 5,356	09) 2
	11	カメルーン共和国	ヤウンデ	2,324	476	49	07) 58.7	11.0	30.3	3.2	18.8/31.1	0.25	39.8	1,200	7	15) 4,053	15) 6
	12	ガンビア共和国	バンジュール	13) 188	11	167	12) 29.6	15.4	55.0	2.3	36.1/52.4	0.26	48.2	440	—	14) 104	14)
	13	ギニア共和国	コナクリ	1,155	246	47	12) 74.8	5.6	19.6	3.1	61.9/77.2	0.18	25.9	490	1	15) 1,574	15) 2
	14	ギニアビサウ共和国	ビサウ	16) 154	36	43	—	—	—	3.2	28.2/51.7	0.15	70.1	620	0.1	05) 23	05)
	15	ケニア共和国	ナイロビ	4,659	592	79	99) 45.6	13.1	41.3	2.9	18.9/25.1	0.28	7.8	1,380	8	13) 5,537	13) 16
	16	コートジボワール共和国	ヤムスクロ	2,457	322	76	48.2	6.2	45.6	3.0	46.9/67.5	0.40	32.7	1,520	2	15) 11,845	15) 9
	17	コモロ連合	モロニ	10) 68	2	309	04) 50.7	13.2	36.1	2.8	18.2/26.3	0.18	19.9	760	—	13) 10	13)
	18	コンゴ共和国	ブラザビル	470	342	14	05) 35.3	20.7	44.0	3.7	13.6/27.1	0.59	65.4	1,710	1	14) 6,550	14) 3
	19	コンゴ民主共和国	キンシャサ	10) 6,452	2,345	28	—	—	—	3.0	11.1/34.0	0.06	67.3	420	26	8,228	8
	20	サントメ・プリンシペ民主共和国	サントメ	19	1	205	06) 26.2	14.5	59.3	3.0	18.2/31.6	0.62	55.8	1,730	0.04	10	
	21	ザンビア共和国	ルサカ	1,640	753	22	12) 55.8	10.1	34.1	2.9	29.1/44.0	0.20	65.4	1,300	3	15) 6,983	15) 8
	22	シエラレオネ共和国	フリータウン	15) 709	72	98	14) 57.0	6.0	37.0	2.7	41.3/62.3	0.22	42.2	490	—	466	
	23	ジブチ共和国	ジブチ	11) 86	23	37	—	—	—	4.3	—	0.81	0.2	05) 1,030	—	09) 364	09)
	24	ジンバブエ共和国	ハラレ	1,454	391	37	14) 67.2	7.4	25.4	3.0	11.5/15.4	0.76	36.4	940	6	2,832	5
	25	スーダン共和国	ハルツーム	16) 3,964	1,847	21	—	—	—	3.4	16.7/31.4	0.34	11) 29.3	2,140	—	15) 5,588	15) 8
	26	赤道ギニア共和国	マラボ	130	28	47	83) 76.3	4.8	18.9	3.0	2.6/7.0	6.53	55.9	6,550	0.03	5,042	2
	27	セーシェル共和国	ビクトリア	9	0.5	210	15) 3.9	15.4	80.7	7.1	5.3/4.3	5.17	88.4	15,410	3	484	1
	28	セネガル共和国	ダカール	1,525	197	78	15) 33.2	12.9	53.9	2.9	31.5/56.2	0.43	43.0	950	7	2,640	5

16)西暦下2けたの年次。 *15歳以上の人口に対する非識字人口の割合。 ①ホンコン，マカオ，台湾を含む。

〔Demographic Yearbook 2017, ほか〕

おもな輸出品目	通貨単位	為替レート(1米ドルあたりの各国通貨単位)(2017年12月現在)	独立年月と旧宗主国(1943年以降)		おもな民族	おもな宗教	おもな言語	国番号
｣, 石油製品, 果実	アゼルバイジャン・マナト	1.70	1991. 8	—	アゼルバイジャン人91%	イスラーム87%	アゼルバイジャン語	1
｣原材料, ナッツ類, 干しぶどう	アフガニー	68.90	—	イギリス	パシュトゥン人42%, タジク系27%	イスラーム99%	ダリー語, パシュトゥー語	2
｣, 金, 機械類	UAEディルハム	3.67	1971.12	イギリス	アラブ人48%, 南アジア系36%	イスラーム62%, ヒンドゥー教21%	アラビア語	3
｣石, たばこ, 蒸留酒	ドラム	478.41	1991. 9	—	アルメニア人98%	アルメニア教会73%	アルメニア語	4
｣類, 自動車, 機械類	イエメン・リアル	214.89	1990. 5	トルコ・イギリス	アラブ人93%	イスラーム100%	アラビア語	5
｣ヤモンド, 機械類, 医薬品	新シェケル	3.53	1948. 5	イギリス	ユダヤ人76%, アラブ人	ユダヤ教76%, イスラーム18%	ヘブライ語, アラビア語	6
｣, 石油製品, 有機化合物	イラク・ディナール	1184.00	—	イギリス	アラブ人65%, クルド人23%	イスラーム96%	アラビア語, クルド語	7
｣有機化合物, 液化石油ガス	イラン・リアル	33805.00	—	イギリス	ペルシア人35%, アゼルバイジャン系16%	イスラーム98%	ペルシア語	8
｣製品, ダイヤモンド, 機械類	インド・ルピー	65.36	1947. 8	イギリス	インド・アーリヤ系72%, ドラヴィダ系25%	ヒンドゥー教72%, イスラーム12%	ヒンディー語, 英語	9
｣, パーム油, 機械類	ルピア	13492.00	1945. 8	オランダ	ジャワ人36%, スンダ人14%	イスラーム77%, キリスト教13%	インドネシア語	10
｣ガス, 原油, 綿花	スム	8058.00	1991. 8	—	ウズベク人78%	イスラーム76%	ウズベク語	11
｣, 石油製品, 有機化合物	オマーン・リアル	0.38	—	ポルトガル	オマーン系アラブ人48%, インド・パキスタン系32%	イスラーム89%	アラビア語	12
｣, 鉄鋼, 無機化合物	テンゲ	341.19	1991.12	—	カザフ人57%, ロシア系27%	イスラーム43%, キリスト教17%	ロシア語, カザフ語	13
｣天然ガス, 原油, 石油製品	カタール・リヤル	3.64	1971. 9	イギリス	アラブ人40%, インド系18%	イスラーム83%, キリスト教 10%	アラビア語	14
｣, 履物, 機械類	リエル	4060.50	1953.11	フランス	クメール人85%	仏教85%	カンボジア語	15
｣製品, 医薬品, 機械類	ユーロ	0.85	1960. 8	イギリス	ギリシャ系80%, トルコ系11%	ギリシャ正教78%, イスラーム18%	ギリシャ語, トルコ語	16
｣衣類, 貴金属鉱	ソム	68.66	1991. 8	—	キルギス人69%, ウズベク系15%	イスラーム61%, キリスト教10%	キルギス語, ロシア語	17
｣, 石油製品, 有機化合物	クウェート・ディナール	0.30	1961. 6	イギリス	アラブ人80%	イスラーム74%, キリスト教13%	アラビア語	18
｣石油製品, プラスチック類	サウジアラビア・リヤル	3.75	—	イギリス	サウジ系アラブ人74%	イスラーム94%	アラビア語	19
｣, 鉄鋼, アルコール飲料	ラリ	2.48	1991. 4	—	ジョージア人84%	ジョージア正教55%, イスラーム20%	ジョージア語	20
｣, 石油製品, 繊維品	シリア・ポンド	508.00	1946. 4	フランス	シリア・アラブ人75%	イスラーム88%	アラビア語	21
｣類, 石油製品, 精密機械	シンガポール・ドル	1.36	1965. 8	イギリス	中国系75%, マレー系14%	仏教・道教51%, イスラーム15%	マレー語, 中国語, タミル語, 英語	22
｣, 茶, ゴム製品	スリランカ・ルピー	153.10	1948. 2	イギリス	シンハラ人72%, タミル人18%	仏教70%, ヒンドゥー教15%	シンハラ語, タミル語	23
｣, 自動車, プラスチック類	バーツ	33.37	—	—	タイ人81%, 中国系11%	仏教83%, イスラーム9%	タイ語	24
｣類, 自動車, 船舶	韓国ウォン	1146.70	1948. 8	日本	朝鮮民族(韓民族)98%	キリスト教43%, 伝統的信仰15%	韓国語	25
｣ミニウム, 電力, 綿花	ソモニ	8.81	1991. 9	—	タジク人80%, ウズベク系15%	イスラーム84%	タジク語	26
｣類, 衣類, 繊維品	元	6.65	—	—	漢民族92%	道教, 仏教, キリスト教, イスラーム	標準中国語(北京中心), 中国語7地域方言	27
｣物, 冶金製品, 繊維品	北朝鮮ウォン	105.47	1948. 9	日本	朝鮮民族 99.8%	仏教, キリスト教	朝鮮語	28
｣ガス, 原油, 石油製品	トルクメン・マナト	3.50	1991.10	—	トルクメン人85%	イスラーム87%	トルクメン語	29
｣類, 自動車, 衣類	リラ	3.56	—	—	トルコ人65%, クルド人19%	イスラーム98%	トルコ語, クルド語	30
｣類, 鉄鋼, 自動車	円	112.66	—	—	日本人 98.5%	神道, 仏教, キリスト教など	日本語	31
｣品, 衣類, 鉄鋼	ネパール・ルピー	104.41	—	—	ネパール人56%, マイシリ人11%	ヒンドゥー教81%, 仏教11%	ネパーリー語	32
｣品, 衣類, 米	パキスタン・ルピー	105.42	1947. 8	イギリス	パンジャブ人45%, パシュトゥーン人15%	イスラーム96%	ウルドゥー語, 英語	33
｣製品, 原油, アルミニウム	バーレーン・ディナール	0.38	1971. 8	イギリス	アラブ人64%, インド・パキスタン系15%	イスラーム82%, キリスト教11%	アラビア語	34
｣, 繊維品, 履物	タカ	80.80	1971.12	パキスタン	ベンガル人98%	イスラーム88%, ヒンドゥー教11%	ベンガリー語	35
｣, コーヒー, 機械類	米ドル	1.00	2002. 5	—	東ティモール人80%, インドネシア系2%	カトリック98%, イスラーム1%	ポルトガル語, テトゥン語	36
｣類, 木製品, 精密機械	フィリピン・ペソ	51.07	1946. 7	アメリカ合衆国	タガログ人28%, セブアノ人13%	カトリック65%, 独立派キリスト教18%	フィリピノ語, 英語	37
｣, 電力, 無機化合物	ヌルタム	64.08	—	—	ブータン人(チベット系)50%, ネパール系35%	チベット仏教74%, ヒンドゥー教25%	ゾンカ語	38
｣天然ガス, 原油, 機械類	ブルネイ・ドル	1.36	1984. 1	イギリス	マレー系66%, 中国系11%	イスラーム67%, 仏教13%	マレー語	39
｣類, 衣類, 履物	ドン	22431.00	1945. 9	フランス	ベトナム人(キン人)86%	仏教48%, 新興宗教11%	ベトナム語	40
｣類, 石油製品, パーム油	リンギット	4.23	1957. 8	イギリス	マレー系61%, 中国系24%	イスラーム60%, 仏教19%	マレー語	41
｣天然ガス, 衣類, まめ類	チャット	1355.00	1948. 1	イギリス	ビルマ人68%	仏教74%	ミャンマー語	42
｣類・同加工品	ルフィア	15.41	1965. 7	イギリス	モルディブ人99%	イスラーム100%	ディヴェヒ語	43
｣石, 石炭, 金	トゥグルグ	2430.05	—	中国	モンゴル人82%	精霊信仰32%, チベット仏教(ラマ教)23%	モンゴル語	44
｣, 医薬品, 化学肥料	ヨルダン・ディナール	0.71	1946. 5	イギリス	アラブ人98%	イスラーム95%	アラビア語	45
｣電力	キープ	8344.65	1953.10	フランス	ラオ人55%, クムー人11%	伝統的信仰49%, 仏教43%	ラオ語	46
｣類, 金, 印刷物	レバノン・ポンド	1507.50	1943.11	フランス	アラブ人85%	イスラーム62%, キリスト教38%	アラビア語	47
｣, 天然ガス, 石油製品	アルジェリア・ディナール	110.89	1962. 7	フランス	アルジェリア・アラブ人59%, アマジグ(ベルベル)系26%	イスラーム 99.7%	アラビア語	1
｣ダイヤモンド, 石油製品	クワンザ	165.92	1975.11	ポルトガル	オヴィンブンドゥ人37%, キンブンドゥ人25%	カトリック62%, プロテスタント15%	ポルトガル語	2
｣ー豆, 石油製品, 魚介類	ウガンダ・シリング	3603.08	1962.10	イギリス	バガンダ人17%, バニャンコレ人10%	キリスト教85%, イスラーム12%	英語, スワヒリ語	3
｣原油, 機械類	エジプト・ポンド	17.61	—	イギリス	エジプト系アラブ人84%	イスラーム90%, キリスト教10%	アラビア語	4
｣油・香水, 化学品, 砂糖	リランゲニ	13.02	1968. 9	イギリス	スワジ人82%, ズールー人10%	プロテスタント35%, 土着キリスト教・伝統的信仰30%	シスワティ語, 英語	5
｣ヒー豆, 野菜, 金	ブル	22.97	—	—	オロモ人35%, アムハラ人27%	イスラーム34%, エチオピア教会33%	アムハラ語	6
｣類, 皮革類, サンゴ類	ナクファ	15.38	1993. 5	—	ティグライ人50%, ティグレ人31%	イスラーム50%, キリスト教48%	アラビア語, ティグリニャ語	7
｣カカオ豆, 原油	セディ	4.39	1957. 3	イギリス	アカン人42%, モッシ人23%	キリスト教52%, 伝統的信仰22%	英語	8
｣類・同加工品, 衣類	エスクード	93.40	1975. 7	ポルトガル	アフリカ系とポルトガル人の混血70%, フラ人12%	キリスト教95%	ポルトガル語	9
｣, 木材, マンガン鉱	CFAフラン(注1)	556.51	1960. 8	フランス	ファン人29%, プヌ人10%	キリスト教73%, イスラーム12%	フランス語	10
｣, カカオ豆, 木材	CFAフラン	556.51	1960. 1	イギリス・フランス	ファン人20%, バミレケ人・バムン人19%	カトリック27%, 伝統的信仰22%	フランス語, 英語	11
｣品, 木材, 機械類	ダラシ	47.05	1965. 2	イギリス	マンディンカ人42%, フラ人18%	イスラーム90%, キリスト教9%	英語	12
｣ボーキサイト, 切手類	ギニア・フラン	9135.00	1958.10	フランス	フラ人39%, マキンケ人23%	イスラーム85%, キリスト教8%	フランス語	13
｣ューナッツ	CFAフラン	556.51	1973. 9	ポルトガル	バランタ人30%, フラ人20%	伝統的信仰49%, イスラーム42%	ポルトガル語	14
｣切花, 衣類	ケニア・シリング	103.56	1963.12	イギリス	キクユ人22%, ルヒヤ人14%	プロテスタント・独立派キリスト教68%, カトリック23%	スワヒリ語, 英語	15
｣豆, 石油製品, カシューナッツ	CFAフラン	556.51	1960. 8	フランス	アカン人42%, ボルタイック人・グロ人18%	伝統的信仰37%, キリスト教32%	フランス語	16
｣ーブ, バニラ, 芳香油・香水	コモロ・フラン	419.52	1975. 7	フランス	コモロ人97%	イスラーム98%	フランス語, アラビア語, コモロ語	17
｣, 船舶, 自動車	CFAフラン	556.51	1960. 8	フランス	コンゴ人48%, サンハ人20%	カトリック49%, 独立派キリスト教13%	フランス語, リンガラ語	18
｣ヤモンド, 銅, 金	コンゴ・フラン	1555.98	1960. 6	ベルギー	ルバ人18%, コンゴ人16%	キリスト教80%, イスラーム10%	フランス語, スワヒリ語など	19
｣豆, 機械類, ココナッツ	ドブラ	20560.59	1975. 7	ポルトガル	ヨーロッパ系とアフリカ系の混血80%, ファン人10%	カトリック80%, プロテスタント15%	ポルトガル語	20
｣うもろこし, 機械類	ザンビア・クワチャ	9.66	1964.10	イギリス	ベンバ人22%, トンガ人11%	キリスト教82%, 伝統的信仰14%	英語, ベンバ語など	21
｣類, 砂糖, 化学品	レオネ	7260.77	1961. 4	イギリス	テムネ人35%, メンデ人31%	イスラーム65%, キリスト教25%	英語	22
｣車, 機械類, ゴム製品	ジブチ・フラン	177.72	1977. 6	フランス	ソマリ人50%, アファル人35%	イスラーム94%	アラビア語, フランス語	23
｣こ, 金, ニッケル鉱	米ドル◆	1.00	1980. 4	イギリス	ショナ人71%, ンデベレ人16%	土着キリスト教38%, 伝統的信仰25%	英語	24
｣, ごま, 金	スーダン・ポンド	6.09	1956. 1	イギリス・エジプト	アフリカ系52%, アラブ人39%	イスラーム68%, 伝統的信仰11%	アラビア語, 英語	25
｣製品, 木材	CFAフラン	556.51	1968.10	スペイン	ファン人57%, ブビ人10%	カトリック80%	スペイン語, フランス語, ポルトガル語	26
｣・同加工品, 石油製品, 船舶	セーシェル・ルピー	13.66	1976. 6	イギリス	クレオール93%	カトリック82%	クレオール語, 英語, フランス語	27
｣類, 金, 石油製品	CFAフラン	556.51	1960. 8	フランス	ウォロフ人36%, フラ人16%	イスラーム94%	フランス語	28

(注1)アフリカ金融共同体フラン。　◆2019年6月, ジンバブエ・ドルを再導入。

(14) 世界のおもな都市の人口

(調査年次は西暦の下2桁を掲載)

〔The Statesman's Yearbook 2017, ほか〕

都市名	国名	人口(万人)	調査年次
【ア行】			
アシガバット	トルクメニスタン	70	(12)
アディスアベバ	エチオピア	327	(15)
アテネ	ギリシャ	66	(11)
アビジャン	コートジボワール	439	(14)
アムステルダム	オランダ	83	(16)
アルマティ	カザフスタン	170	(16)
アレクサンドリア	エジプト	402	(06)
アンカラ	トルコ	504	(16)
アントウェルペン	ベルギー	51	(16)
イスタンブール	トルコ	1,480	(16)
ヴァンクーヴァー	カナダ	63	(16)
ウィーン	オーストリア	186	(17)
ヴォルゴグラード	ロシア	101	(16)
ウーハン	中国	555	(12)
エカテリンブルク	ロシア	144	(16)
エッセン	ドイツ	58	(15)
エディンバラ	イギリス	49	(15)
エレバン	アルメニア	107	(16)
オークランド	ニュージーランド	161	(16)
オスロ	ノルウェー	66	(17)
オデッサ	ウクライナ	101	(17)
【カ行】			
カイロ	エジプト	774	(06)
カオシュン	(台湾)	277	(17)
カザニ	ロシア	121	(16)
カサブランカ	モロッコ	335	(14)
カラカス	ベネズエラ	208	(15)
カラチ	パキスタン	1,506	(12)
キエフ	ウクライナ	292	(17)
キト	エクアドル	176	(15)
キャンベラ	オーストラリア	39	(16)
グアダラハラ	メキシコ	151	(16)
グアヤキル	エクアドル	250	(15)
クラクフ	ポーランド	76	(15)
グラスゴー	イギリス	60	(15)
クンミン	中国	230	(12)
ケソンシティ	フィリピン	293	(15)
ケープタウン	南アフリカ共和国	400	(16)
ケルン	ドイツ	106	(15)
コペンハーゲン	デンマーク	75	(16)
コルカタ(カルカッタ)	インド	449	(11)
コロンボ	スリランカ	56	(12)
コワンチョウ	中国	677	(12)
【サ行】			
サンクトペテルブルク	ロシア	522	(16)
サンティアゴ	チリ	563	(16)
サンパウロ	ブラジル	1,203	(16)
サンフランシスコ	アメリカ合衆国	86	(15)
シアトル	アメリカ合衆国	68	(15)
シーアン	中国	360	(12)
シカゴ	アメリカ合衆国	272	(15)
シドニー	オーストラリア	500	(16)
ジャカルタ	インドネシア	1,015	(15)
シャンハイ	中国	1,252	(12)
シンガポール	シンガポール	561	(17)
ストックホルム	スウェーデン	93	(16)
スラバヤ	インドネシア	284	(15)
セビリア	スペイン	69	(16)
ソウル	韓国	1,020	(17)
ソフィア	ブルガリア	126	(15)
【タ行】			
タイペイ	(台湾)	269	(17)
ダカール	セネガル	*264	(13)
タシケント	ウズベキスタン	237	(15)
ダッカ	バングラデシュ	703	(11)
ダブリン	アイルランド	55	(16)
ダマスカス	シリア	178	(11)
ダラス	アメリカ合衆国	130	(15)
ターリエン	中国	272	(12)
タリン	エストニア	42	(16)
チェンナイ	インド	464	(11)
チャンチュン	中国	259	(12)
チューリヒ	スイス	39	(15)
チョンチン	中国	889	(12)
チョントゥー	中国	461	(12)
チンタオ	中国	279	(12)
テグ	韓国	251	(17)
デトロイト	アメリカ合衆国	67	(15)
テヘラン	イラン	815	(11)

注)人口は市域人口。　＊は都市的地域の人口。

（国名の色分けは次の加盟国を示す。 アフリカ連合(AU) ヨーロッパ自由貿易連合(EFTA) ヨーロッパ連合(EU) 米国・メキシコ・カナダ協定(USMCA) 中米統合機構(SICA) ★独立国家共同体(CIS)）

地域	国番号	正式国名	首都	人口(万人) 2017年	面積(千km²) 2017年	人口密度(人/km²) 2017年	産業別人口の割合(%) 2016年 第1次	第2次	第3次	老年人口率 65歳以上 (%)2016年	非識字率*(%) 2015年 男/女	二酸化炭素排出量(t/人) 2014年	国土に占める森林割合(%) 2015年	1人あたりの国民総所得(ドル)2016年	海外直接投資額(対外,残高)(億ドル) 2017年	貿易額(百万ドル) 2016年 輸出	輸入
アフリカ(54か国)	29	ソマリア連邦共和国	モガディシュ	10) 1,205	638	19	—	—	—	2.8	—	0.07	10.1	—	—	14) 819	14) 3
	30	タンザニア連合共和国	ダルエスサラーム	5,255	947	55	14) 68.1	6.3	25.6	3.2	15.2/24.1	0.20	52.0	900	—	4,742	7
	31	チャド共和国	ンジャメナ	10) 1,188	1,284	9	—	—	—	2.5	51.5/68.1	0.04	3.9	720	1	2,187	1
	32	中央アフリカ共和国	バンギ	10) 444	623	7	—	—	—	3.9	49.3/75.6	0.07	35.6	370	0.4	15) 97	15)
	33	チュニジア共和国	チュニス	1,144	164	70	15) 15.1	32.8	52.1	7.8	10.4/25.8	2.25	6.7	3,690	5	13,575	19
	34	トーゴ共和国	ロメ	722	57	127	11) 27.1	13.5	59.4	2.8	21.7/44.7	0.25	3.5	540	27	715	1
	35	ナイジェリア連邦共和国	アブジャ	16) 19,339	924	209	13) 37.8	11.7	50.5	2.7	30.8/50.3	0.34	7.7	2,450	143	14) 102,878	14) 46
	36	ナミビア共和国	ウィントフック	236	824	3	20.1	19.3	60.6	3.6	20.8/15.5	1.50	8.4	4,620	5	4,816	6
	37	ニジェール共和国	ニアメ	16) 1,986	1,267	16	11) 77.5	7.3	15.2	2.6	**72.7/89.0**	0.10	0.9	370	3	927	1
	38	ブルキナファソ	ワガドゥグー	15) 1,845	273	68	06) 78.4	5.3	16.3	2.4	57.0/70.7	0.15	19.6	640	4	15) 2,177	15) 2
	39	ブルンジ共和国	ブジュンブラ	1,149	28	413	98) 92.2	2.2	5.6	2.5	11.8/16.9	0.04	10.7	280	0.03	15) 114	15)
	40	ベナン共和国	ポルトノボ	16) 1,088	115	95	11) 43.6	18.6	37.8	2.9	50.1/72.7	0.45	38.2	820	3	410	2
	41	ボツワナ共和国	ハボローネ	226	582	4	10) 26.4	17.5	56.1	3.7	12.0/11.1	3.13	19.1	6,610	10	7,321	6
	42	マダガスカル共和国	アンタナナリボ	14) 2,243	587	38	15) 74.5	9.1	16.4	2.9	33.3/37.4	0.15	21.4	400	0.2	2,256	2
	43	マラウイ共和国	リロングウェ	16) 1,683	118	143	—	—	—	3.4	27.0/41.4	0.07	33.4	320	0.2	15) 1,080	15) 2
	44	マリ共和国	バマコ	16) 1,834	1,240	15	66.0	6.3	27.7	2.5	51.8/70.8	0.07	3.9	750	3	2,848	3
	45	南アフリカ共和国	プレトリア	5,652	1,221	46	5.6	23.3	71.1	5.1	4.5/6.9	8.03	7.6	5,480	2,703	74,111	74
	46	南スーダン共和国	ジュバ	1,186	659	18	—	—	—	3.5	61.4/74.7	0.13	11) 23.0	15) 820	—	—	
	47	モザンビーク共和国	マプト	2,886	799	36	15) 74.4	3.9	21.7	3.4	26.7/54.6	0.14	48.2	480	1	15) 3,196	15) 7
	48	モーリシャス共和国	ポートルイス	126	2	639	7.2	26.2	66.6	10.0	7.1/11.5	3.14	19.0	9,760	8	2,194	4
	49	モーリタニア・イスラム共和国	ヌアクショット	16) 378	1,031	4	—	—	—	3.2	37.4/58.4	0.70	0.2	1,120	0.8	1,623	2
	50	モロッコ王国	ラバト	3,485	447	78	14) 37.2	17.7	45.1	6.3	17.3/37.5	1.58	12.6	2,850	59	22,858	41
	51	リビア	トリポリ	15) 616	1,676	4	86) 19.7	30.0	50.3	4.6	3.3/14.4	7.65	0.1	11) 4,730	203	10) 36,440	10) 17
	52	リベリア共和国	モンロビア	14) 394	111	35	10) 47.0	10.7	42.3	3.0	37.6/67.2	0.22	43.4	370	46	170	1
	53	ルワンダ共和国	キガリ	1,180	26	448	14) 68.5	7.9	23.6	2.9	26.8/32.0	0.07	19.5	700	0.2	622	1
	54	レソト王国	マセル	16) 200	30	66	08) 42.1	21.6	36.3	4.2	29.9/11.7	1.17	1.6	1,210	—	12) 678	12) 1
ヨーロッパ(45か国)	1	アイスランド共和国	レイキャビク	34	103	3	3.7	17.4	78.9	14.1	—	6.25	0.5	56,990	55	4,450	5
	2	アイルランド	ダブリン	478	70	69	5.6	19.5	74.9	13.5	—	7.34	10.9	52,560	8,995	129,315	76
	3	アルバニア共和国	ティラナ	287	29	100	15) 41.2	18.6	40.2	12.7	1.6/3.1	1.42	28.2	4,250	5	1,962	4
	4	アンドラ公国	アンドララベリャ	16) 7	0.5	154	—	—	—	12) 12.6	—	6.38	34.0	13) 40,650	—	14) 95	14) 1
	5	イタリア共和国	ローマ	6,053	302	200	3.9	26.1	70.0	22.7	0.6/1.0	①5.26	31.6	31,590	5,329	461,529	404
	6	ウクライナ	キエフ	4,231	604	70	15) 15.3	24.7	60.0	15.6	0.2/0.3	5.19	16.7	2,310	75	15) 38,127	15) 37
	7	エストニア共和国	タリン	131	45	29	3.9	29.6	66.5	19.0	0.2/0.2	14.13	52.7	17,750	77	13,967	15
	8	オーストリア共和国	ウィーン	877	84	105	4.4	25.6	70.0	18.9	—	7.10	46.9	45,230	2,412	15) 145,277	15) 147
	9	オランダ王国	アムステルダム	1,710	42	412	2.1	15.1	82.8	18.7	—	8.81	11.2	46,310	16,049	444,867	398
	10	北マケドニア共和国	スコピエ	207	26	81	16.6	30.3	53.1	12.7	1.2/3.2	3.59	39.6	4,980	1	4,785	6
	11	ギリシャ共和国	アテネ	1,076	132	82	12.4	15.2	72.4	21.6	1.5/3.1	6.04	31.5	18,960	226	27,811	47
	12	グレートブリテン及び北アイルランド連合王国	ロンドン	6,580	242	271	1.1	18.4	80.5	18.0	—	6.30	13.0	42,390	15,317	411,463	636
	13	クロアチア共和国	ザグレブ	413	57	73	7.6	26.9	65.5	19.3	0.3/1.1	3.57	34.3	12,110	61	13,648	21
	14	コソボ共和国	プリシュティナ	179	11	165	4.2	29.6	66.2	15) 6.8	—	4.06	—	3,850	—	14) 349	14) 2
	15	サンマリノ共和国	サンマリノ	3	0.06	560	0.3	32.8	66.9	15) 18.4	—	—	0.0	08) 51,810	—	11) 3,827	11) 2
	16	スイス連邦	ベルン	842	41	204	3.3	20.1	76.6	18.3	—	4.62	31.7	81,240	12,718	②304,691	②269
	17	スウェーデン王国	ストックホルム	1,005	439	23	1.9	18.1	80.0	20.2	—	3.84	68.9	54,630	4,010	139,610	140
	18	スペイン王国	マドリード	4,654	506	92	4.2	19.6	76.2	19.1	1.3/2.5	4.99	36.8	27,520	5,973	281,777	302
	19	スロバキア共和国	ブラチスラバ	543	49	111	2.9	36.5	60.6	14.3	0.4/0.4	5.38	40.3	16,810	34	77,565	75
	20	スロベニア共和国	リュブリャナ	206	20	102	5.0	32.9	62.1	18.4	0.3/0.3	6.19	62.0	21,660	69	15) 26,587	15) 25
	21	セルビア共和国	ベオグラード	702	78	91	18.6	24.4	57.0	17.6	0.9/2.8	5.34	31.1	5,280	36	14,852	19
	22	チェコ共和国	プラハ	1,059	79	134	2.9	38.1	59.0	18.6	—	9.35	34.5	17,570	237	161,248	140
	23	デンマーク王国	コペンハーゲン	576	43	134	2.5	18.5	79.0	19.3	—	6.10	14.6	56,730	2,057	94,355	85
	24	ドイツ連邦共和国	ベルリン	8,252	358	231	1.3	27.4	71.3	21.4	—	8.93	32.7	43,660	16,074	1,340,752	1,060
	25	ノルウェー王国	オスロ	③527	③324	③16	2.1	19.4	78.5	16.6	—	6.89	33.2	82,330	1,995	89,628	72
	26	バチカン市国	バチカン	0.08	0.44km²	1,839	—	—	—	—	—	—	—	—	—	—	
	27	ハンガリー	ブダペスト	978	93	105	5.0	30.4	64.6	18.2	0.9/1.0	4.05	22.9	12,570	286	103,071	92
	28	フィンランド共和国	ヘルシンキ	④553	④338	④16	3.8	22.1	74.1	21.0	—	8.32	73.1	44,730	1,364	57,326	60
	29	フランス共和国	パリ	⑤6,706	⑤641	⑤105	2.8	20.0	77.2	19.5	—	⑥4.29	31.0	38,950	14,517	⑥488,885	⑥560
	30	ブルガリア共和国	ソフィア	707	110	64	6.8	29.8	63.4	20.4	1.3/1.9	5.76	35.2	7,470	28	26,088	28
	31	ベラルーシ共和国★	ミンスク	949	208	46	9.7	31.5	58.8	14.2	0.2/0.3	6.06	42.5	5,600	8	23,537	27
	32	ベルギー王国	ブリュッセル	1,138	31	373	1.2	21.3	77.5	18.5	—	7.83	22.6	41,860	6,908	398,033	372
	33	ボスニア・ヘルツェゴビナ	サラエボ	351	51	69	14) 17.1	30.0	52.9	16.0	0.5/2.5	5.66	42.7	4,880	5	5,327	9
	34	ポーランド共和国	ワルシャワ	3,797	313	121	10.6	31.3	58.1	16.1	0.1/0.3	7.25	30.8	12,680	310	196,455	188
	35	ポルトガル共和国	リスボン	1,030	92	112	6.9	24.5	68.6	21.2	2.9/5.6	4.12	34.7	19,850	610	55,677	67
	36	マルタ共和国	バレッタ	46	0.3	1,486	1.6	19.8	78.6	19.7	7.5/4.3	5.51	1.1	24,140	740	4,039	7
	37	モナコ公国	モナコ	15) 3	2.02km²	**19,010**	—	—	—	08) 24.2	—	—	—	08) **186,080**	—	—	
	38	モルドバ共和国★	キシナウ	16) 355	34	105	33.7	17.1	49.2	10.3	0.3/0.9	2.04	12.4	2,120	2	2,045	4
	39	モンテネグロ	ポドゴリツァ	62	14	45	15) 7.7	17.6	74.7	14.1	0.5/2.0	3.57	61.5	6,970	2	354	2
	40	ラトビア共和国	リガ	194	65	30	7.7	24.1	68.2	19.5	0.1/0.1	3.37	54.0	14,630	18	11,433	13
	41	リトアニア共和国	ビリニュス	282	65	43	8.0	25.1	66.9	18.8	0.2/0.2	3.57	34.8	14,770	34	25,023	27
	42	リヒテンシュタイン公国	ファドーツ	3	0.2	237	1.0	28.6	70.4	15) 16.0	—	1.14	43.1	09) 116,300	—	—	
	43	ルクセンブルク大公国	ルクセンブルク	59	3	231	0.8	10.8	88.4	14.1	—	16.62	33.5	76,660	2,414	12,838	19
	44	ルーマニア	ブカレスト	1,964	238	82	23.1	29.9	47.0	17.8	0.9/1.5	3.43	29.8	9,470	9	63,581	74
	45	ロシア連邦★	モスクワ	13) 14,350	**17,098**	8	6.7	27.0	66.3	13.6	0.3/0.3	10.34	49.8	9,720	3,823	285,491	182
北アメリカ	1	アメリカ合衆国	ワシントンD.C.	16) 32,312	⑦9,834	33	17) 1.6	18.4	80.0	15.2	—	16.19	33.9	56,180	**77,990**	1,450,457	**2,248**
	2	アンティグア・バーブーダ	セントジョンズ	11) 8	0.4	200	08) 2.8	15.6	81.6	7.3	13) 1.6/0.6	5.83	22.3	13,400	0.4	61	
	3	エルサルバドル共和国	サンサルバドル	658	21	313	18.7	21.1	60.2	8.4	9.3/13.6	0.96	12.8	3,920	0.02	5,335	9
	4	カナダ	オタワ	3,670	⑦9,985	4	17) 1.5	19.5	79.0	16.6	—	15.60	38.2	43,660	14,871	389,071	402
	5	キューバ共和国	ハバナ	1,123	110	102	14) 18.9	16.9	64.2	14.4	0.3/0.2	2.58	30.8	13) 6,570	—	06) 2,980	06) 10

16)西暦下2けたの年次。①サンマリノを含む。②リヒテンシュタインを含む。③スヴァールバル諸島などの海外領土を除く。④オーランド諸島を含む。⑤フランス海外県（ギアナ，マルティニーク，グアドループ，レユニオン，マヨット）を含む。フランス本土6,491万人，面積552千km²，人口密度118人/km²。

おもな輸出品目	通貨単位	為替レート(1米ドルあたりの各国通貨単位)(2017年12月現在)	独立年月と旧宗主国（1943年以降）		おもな民族	おもな宗教	おもな言語	国番号
，バナナ，皮革類	ソマリア・シリング	24300.00	1960. 7	イギリス・イタリア	ソマリ人92%	イスラーム99%	ソマリ語，アラビア語	29
ばこ，カシューナッツ	タンザニア・シリング	2172.62	1961.12	ドイツ	バンツー系民族95%	イスラーム35%，キリスト教35%	スワヒリ語，英語	30
，家畜，綿花	CFAフラン	556.51	1960. 8	フランス	サラ人28%，スーダン系アラブ人12%	イスラーム57%，精霊信仰19%	フランス語，アラビア語	31
車，木材	CFAフラン	556.51	1960. 8	フランス	バヤ人33%，バンダ人27%	独立派キリスト教20%，カトリック20%	サンゴ語，フランス語	32
類，衣類，原油	チュニジア・ディナール	2.44	1956. 3	フランス	アラブ人96%	イスラーム99%	アラビア語	33
，プラスチック製品，セメント	CFAフラン	556.51	1960. 4	フランス	エヴェ人22%，カブレ人13%	キリスト教47%，伝統的信仰33%	フランス語	34
液化天然ガス，石油製品	ナイラ	305.25	1960.10	イギリス	ヨルバ人18%，ハウサ人17%	イスラーム51%，キリスト教48%	英語，ヨルバ語，ハウサ語	35
モンド，魚介類，銅鉱石	ナミビア・ドル	13.55	1990. 3	南アフリカ	オバンボ人34%，混血15%	プロテスタント49%，カトリック18%	英語，アフリカーンス語	36
ン鉱，石油製品，米	CFAフラン	556.51	1960. 8	フランス	ハウサ人55%，ジェルマ・ソンガイ人21%	イスラーム90%	フランス語，ハウサ語など	37
綿花，ごま	CFAフラン	556.51	1960. 8	フランス	モシ人48%，フラ人10%	イスラーム48%，伝統的信仰32%	フランス語	38
ヒー豆，茶，金	ブルンジ・フラン	1728.52	1962. 7	ベルギー	フツ人81%，ツチ人16%	キリスト教67%，伝統的信仰23%	キルンジ語，フランス語	39
ナッツ類，植物性油脂	CFAフラン	556.51	1960. 8	フランス	フォン人39%，アジャ人15%	キリスト教43%，イスラーム24%	フランス語	40
モンド，ニッケル鉱，機械類	プラ	10.15	1966. 9	イギリス	ツワナ人67%，カランダ人15%	独立派キリスト教42%，伝統的信仰35%	英語，ツワナ語	41
，バニラ，ニッケル	アリアリ	2952.15	1960. 6	フランス	マレーポリネシア系96%	伝統的信仰42%，プロテスタント27%	マダガスカル語，フランス語，英語	42
こ，砂糖，茶	マラウイ・クワチャ	731.63	1964. 7	イギリス	チェワ人35%，マラビ人12%	プロテスタント・独立派キリスト教55%，カトリック20%	チェワ語，英語	43
綿花，羊	CFAフラン	556.51	1960. 9	フランス	バンバラ人31%，セヌフォ人11%	イスラーム90%	フランス語	44
車，機械類，プラチナ	ランド	13.50	—	イギリス	アフリカ系79%，ヨーロッパ系9%	独立派キリスト教37%，プロテスタント26%	ズールー語，コサ語，アフリカーンス語など	45
	南スーダン・ポンド	117.53	2011. 7	—	ディンカ人，カクワ人	精霊信仰，キリスト教	アラビア語，英語	46
ミニウム，石炭，電力	メティカル	61.43	1975. 6	ポルトガル	マクア・ロムウェ人52%，ソンガ・ロンガ人24%	伝統的信仰46%，キリスト教37%	ポルトガル語	47
，魚介類，砂糖	モーリシャス・ルピー	33.82	1968. 3	イギリス	インド・パキスタン系67%，クレオール27%	ヒンドゥー教50%，キリスト教32%	英語	48
類，鉄鉱石，金	ウギア	358.68	1960.11	フランス	アフリカ系モール人40%，ヨーロッパ系モール人30%	イスラーム99%	アラビア語，プラール語など	49
類，自動車，衣類	モロッコ・ディルハム	9.40	1956. 3	フランス	アマジグ(ベルベル)系45%，アラブ人44%	イスラーム99%	アラビア語	50
天然ガス，炭化水素	リビア・ディナール	1.42	1951.12	イタリア	アラブ人87%，アマジグ(ベルベル)系7%	イスラーム96%	アラビア語	51
ゴム，木材，鉄鉱石	リベリア・ドル	114.56	—	アメリカ合衆国	クペレ人20%，バサ人13%	伝統的信仰40%，キリスト教40%	英語	52
製品，金，茶	ルワンダ・フラン	829.41	1962. 7	ベルギー	フツ人85%，ツチ人14%	カトリック44%，プロテスタント25%	キニャルワンダ語，フランス語，英語	53
機械類，清涼飲料水	ロティ	13.05	1966.10	イギリス	ソト人80%，ズールー人14%	キリスト教91%	ソト語，英語	54
，アルミニウム，機械類	アイスランド・クローナ	105.47	1944. 6	デンマーク	アイスランド人93%	ルーテル派プロテスタント81%	アイスランド語	1
，有機化合物，機械類	ユーロ	0.85	—	イギリス	アイルランド人87%	カトリック87%，アイルランド聖公会3%	アイルランド語，英語	2
，履物，原油	レク	113.37	—	—	アルバニア人92%	イスラーム68%，アルバニア正教22%	アルバニア語	3
，自動車，義歯・同用品	ユーロ	0.85	1993. 3	フランス・スペイン	スペイン系37%，アンドラ人36%	カトリック89%	カタルーニャ語	4
類，自動車，医薬品	ユーロ	0.85	—	—	イタリア人96%	カトリック83%	イタリア語	5
機械類，ひまわり油	フリブニャ	26.52	1991. 8	—	ウクライナ人78%，ロシア系17%	ウクライナ正教84%	ウクライナ語	6
類，石油製品，木材	ユーロ	0.85	1991. 9	—	エストニア人69%，ロシア系26%	ルーテル派プロテスタント17%	エストニア語	7
類，自動車，医薬品	ユーロ	0.85	—	—	オーストリア人91%	カトリック74%	ドイツ語	8
類，石油製品，自動車	ユーロ	0.85	—	—	オランダ人81%	カトリック30%，プロテスタント20%	オランダ語	9
類，化学品，衣類	デナール	55.06	1991. 9	—	マケドニア人64%，アルバニア系25%	マケドニア正教65%，イスラーム32%	マケドニア語，アルバニア語	10
品，機械類，アルミニウム	ユーロ	0.85	—	—	ギリシャ人90%	ギリシャ正教90%	ギリシャ語	11
類，自動車，医薬品	英ポンド	0.75	—	—	イングランド人77%，スコットランド人8%	英国国教会29%，カトリック10%	英語	12
類，医薬品，石油製品	クーナ	6.35	1991. 6	—	クロアチア人90%，セルビア系5%	カトリック88%，セルビア正教4%	クロアチア語	13
生産品，金属くず，革製品	ユーロ	0.85	2008. 2	—	アルバニア系92%，セルビア系5%	イスラーム91%，セルビア正教6%	アルバニア語，セルビア語	14
用石材，石灰，木材	ユーロ	0.85	—	—	サンマリノ人87%，イタリア系11%	カトリック89%	イタリア語	15
機械類，医薬品	スイス・フラン	0.97	—	—	ドイツ系65%，フランス系18%	カトリック42%，プロテスタント35%	ドイツ語，フランス語，イタリア語	16
，自動車，紙・同製品	スウェーデン・クローナ	8.17	—	—	スウェーデン人84%	ルーテル派プロテスタント77%	スウェーデン語	17
車，機械類，衣類	ユーロ	0.85	—	—	スペイン人45%，カタルーニャ人28%	カトリック77%	スペイン語，カタルーニャ語	18
類，自動車，鉄鋼	ユーロ	0.85	1993. 1	—	スロバキア人86%	カトリック69%，プロテスタント11%	スロバキア語	19
類，自動車，医薬品	ユーロ	0.85	1991. 6	—	スロベニア人83%，セルビア系2%	カトリック58%	スロベニア語	20
類，自動車，衣類	セルビア・ディナール	100.37	1992. 4	—	セルビア人83%	セルビア正教85%	セルビア語	21
類，自動車，金属製品	コルナ	22.00	1993. 1	—	チェコ人90%，モラヴィア人4%	カトリック27%	チェコ語	22
類，医薬品，肉類	デンマーク・クローネ	6.30	—	—	デンマーク人92%	ルーテル派プロテスタント83%	デンマーク語	23
類，自動車，医薬品	ユーロ	0.85	—	—	ドイツ人88%	プロテスタント34%，カトリック34%	ドイツ語	24
，天然ガス，魚介類	ノルウェー・クローネ	7.97	—	—	ノルウェー人94%	ルーテル派プロテスタント86%	ノルウェー語	25
類	ユーロ	0.85	—	—	—	カトリック	ラテン語，フランス語，イタリア語	26
類，自動車，医薬品	フォリント	263.75	—	—	ハンガリー人84%	カトリック52%	ハンガリー語	27
，紙・同製品，石油製品	ユーロ	0.85	—	—	フィン人92%	ルーテル派プロテスタント83%	フィンランド語，スウェーデン語	28
類，航空機，自動車	ユーロ	0.85	—	—	フランス人77%	カトリック64%	フランス語	29
類，石油製品，銅	レフ	1.66	—	—	ブルガリア人84%	ブルガリア正教81%，イスラーム12%	ブルガリア語	30
品，機械類，塩化カリウム	ベラルーシ・ルーブル	1.97	1991. 8	—	ベラルーシ人81%，ロシア系11%	ベラルーシ正教49%，カトリック13%	ベラルーシ語，ロシア語	31
品，自動車，機械類	ユーロ	0.85	—	—	フラマン系54%，ワロン系32%	カトリック75%	オランダ語，フランス語，ドイツ語	32
類，家具，履物	マルカ	1.67	1992. 3	—	ボシュニャク人48%，セルビア系34%	イスラーム40%，セルビア正教31%	ボスニア語，クロアチア語，セルビア語	33
類，自動車，家具	ズロチ	3.65	—	—	ポーランド人90%	カトリック89%	ポーランド語	34
類，自動車，衣類	ユーロ	0.85	—	—	ポルトガル人92%	カトリック87%	ポルトガル語	35
製品，医薬品，機械類	ユーロ	0.85	1964. 9	イギリス	マルタ人97%	カトリック95%	マルタ語，英語	36
類	ユーロ	0.85	—	—	フランス系47%，イタリア系16%	カトリック89%	フランス語	37
，衣類，ひまわりの種	モルドバ・レウ	17.85	1991. 8	—	モルドバ人76%	モルドバ正教32%，ベッサラビア正教16%	モルドバ語	38
ミニウム，電力，木材	ユーロ	0.85	2006. 6	—	モンテネグロ人43%，セルビア系32%	セルビア正教70%，イスラーム21%	モンテネグロ語，セルビア語	39
類，木材，木製品	ユーロ	0.85	1991. 9	—	ラトビア人59%，ロシア系28%	カトリック19%，ロシア正教16%	ラトビア語	40
類，石油製品，家具	ユーロ	0.85	1991. 9	—	リトアニア人84%	カトリック79%	リトアニア語	41
機械	スイス・フラン	1.00	—	—	リヒテンシュタイン人66%，スイス系10%	カトリック76%	ドイツ語	42
類，鉄鋼，自動車	ユーロ	0.85	—	—	ルクセンブルク人57%，ポルトガル系16%	カトリック90%	ルクセンブルク語	43
類，自動車，衣類	ルーマニア・レウ	3.90	—	—	ルーマニア人90%	ルーマニア正教87%	ルーマニア語	44
，石油製品，鉄鋼	ロシア・ルーブル	58.02	—	—	ロシア人80%	ロシア正教53%，イスラーム8%	ロシア語	45
類，自動車，精密機械	米ドル	1.00	—	—	ヨーロッパ系66%，ヒスパニック15%	プロテスタント51%，カトリック24%	英語，スペイン語	1
，繊維品，機械類	ECドル(注1)	2.70	1981.11	イギリス	アフリカ系91%	キリスト教74%	英語	2
，繊維品，機械類	米ドル	1.00	—	スペイン	メスチーソ88%	カトリック71%，独立派キリスト教11%	スペイン語	3
車，機械類，原油	カナダ・ドル	1.25	—	イギリス	イギリス系46%，フランス系24%	カトリック43%，プロテスタント28%	英語，フランス語	4
品，たばこ，機械類	兌換ペソ/キューバ・ペソ★	1.00	—	スペイン	混血51%，ヨーロッパ系37%	カトリック47%	スペイン語	5

コを含む。⑦国連の統計による(五大湖などの水域面積を含む)。(注1)東カリブ・ドル。★兌換ペソとキューバ・ペソの二重通貨制。数値は兌換ペソの為替レート。1兌換ペソ=24キューバ・ペソ。

都市名	国名	人口(万人)	調査年次
デュッセルドルフ	ドイツ	61	(15)
デリー	インド	1,103	(11)
テンチン	中国	581	(12)
ドニエプロペトロフスク	ウクライナ	97	(17)
トビリシ	ジョージア	108	(16)
トロント	カナダ	273	(16)
【ナ行】			
ナイロビ	ケニア	313	(09)
ナポリ	イタリア	97	(16)
ナンキン	中国	542	(12)
ニース	フランス	34	(13)
ニューヨーク	アメリカ合衆国	855	(15)
ノヴォシビルスク	ロシア	158	(16)
【ハ行】			
ハイデラバード	インド	673	(11)
バクー	アゼルバイジャン	222	(16)
バグダッド	イラク	615	(11)
ハノイ	ベトナム	231	(09)
ハノーファー	ドイツ	53	(15)
ハバナ	キューバ	212	(15)
パリ	フランス	222	(13)
バルセロナ	スペイン	160	(16)
ハルビン	中国	340	(12)
バンガロール	インド	844	(11)
バンコク	タイ	569	(15)
バンドン	インドネシア	248	(15)
ハンブルク	ドイツ	178	(15)
ヒューストン	アメリカ合衆国	229	(15)
ピョンヤン	北朝鮮	258	(08)
ビリニュス	リトアニア	53	(16)
フィラデルフィア	アメリカ合衆国	156	(15)
ブエノスアイレス	アルゼンチン	289	(10)
ブカレスト	ルーマニア	210	(16)
プサン	韓国	354	(17)
ブダペスト	ハンガリー	175	(16)
プネ	インド	312	(11)
ブラジリア	ブラジル	297	(16)
プラハ	チェコ	126	(16)
フランクフルト	ドイツ	73	(15)
ブリズベン	オーストラリア	234	(16)
ブリュッセル	ベルギー	*118	(16)
ベイルート	レバノン	41	(13)
ベオグラード	セルビア	167	(15)
ペキン	中国	1,345	(15)
ヘルシンキ	フィンランド	63	(15)
ベルリン	ドイツ	352	(15)
ボゴタ	コロンビア	796	(16)
ホーチミン	ベトナム	588	(09)
ボルドー	フランス	24	(13)
ホンコン	中国	715	(12)
【マ行】			
マドリード	スペイン	316	(16)
マニラ	フィリピン	178	(15)
マルセイユ	フランス	85	(13)
ミュンヘン	ドイツ	145	(15)
ミラノ	イタリア	134	(16)
ミンスク	ベラルーシ	197	(17)
ムンバイ	インド	1,244	(11)
メキシコシティ	メキシコ	850	(16)
メルボルン	オーストラリア	464	(16)
モスクワ	ロシア	1,217	(16)
モンテビデオ	ウルグアイ	130	(11)
モンテレー	メキシコ	119	(16)
モントリオール	カナダ	170	(16)
【ヤ行】			
ヤンゴン	ミャンマー	516	(14)
ヨハネスバーグ	南アフリカ共和国	494	(16)
【ラ行】			
ライプツィヒ	ドイツ	56	(15)
ラゴス	ナイジェリア	1,078	(10)
ラパス	ボリビア	75	(12)
ラホール	パキスタン	797	(12)
リオデジャネイロ	ブラジル	649	(16)
リガ	ラトビア	63	(16)
リスボン	ポルトガル	50	(15)
リマ	ペルー	988	(15)
ロサンゼルス	アメリカ合衆国	397	(15)
ロッテルダム	オランダ	62	(16)
ローマ	イタリア	286	(16)
ロンドン	イギリス	①867	(15)
【ワ行】			
ワシントンD.C.	アメリカ合衆国	67	(15)
ワルシャワ	ポーランド	174	(15)

①大ロンドン(Greater London)の人口。

（国名の色分けは次の加盟国を示す。 米国・メキシコ・カナダ協定（USMCA） 中米統合機構（SICA） ※南米南部共同市場（MERCOSUR） アンデス共同体 太平洋諸島フォーラム（PIF））※2018年8月現在, ベネズエラは加盟資格停止中。ボリビアは各国議会の批准待ち。

地域	国番号	正式国名	首都	人口（万人）2017年	面積（千km^2）2017年	人口密度（人/km^2）2017年	産業別人口の割合（%）2016年 第1次	第2次	第3次	老年人口率 65歳以上（%）2016年	非識字率＊（%）2015年 男/女	二酸化炭素排出量（t/人）2014年	国土に占める森林割合（%）2015年	1人あたりの国民総所得（ドル）2016年	海外直接投資額（対外, 残高）（億ドル）2017年	貿易額（百万ドル）2016年 輸出	輸…
北アメリカ（23か国）	6	グアテマラ共和国	グアテマラシティ	15) 1,617	109	149	29.4	21.0	49.6	4.9	15.3/25.6	1.01	33.0	3,790	10	15) 10,677	15) 17
	7	グレナダ	セントジョージズ	11	0.3	323	98) 13.8	23.9	62.3	7.2	—	2.27	50.0	8,830	0.3	08) 31	09)
	8	コスタリカ共和国	サンホセ	494	51	97	12.2	18.6	69.2	9.2	2.3/2.2	1.53	54.0	10,840	30	9,908	15
	9	ジャマイカ	キングストン	272	11	248	16.6	15.7	67.7	9.3	16.0/6.9	2.56	31.0	4,660	6	1,202	4
	10	セントクリストファー・ネービス	バセテール	11) 4	0.3	178	84) 29.6	24.3	46.1	—	—	4.18	42.3	15,850	0.2	11) 45	11)
	11	セントビンセント及びグレナディーン諸島	キングスタウン	15) 11	0.4	283	—	—	—	7.5	—	1.91	69.2	6,790	0.8	15) 46	15)
	12	セントルシア	カストリーズ	15) 17	0.5	321	9.8	15.9	74.3	9.1	—	2.24	33.3	7,670	3	14) 146	14)
	13	ドミニカ共和国	サントドミンゴ	1,016	49	209	9.3	17.6	73.1	6.8	8.8/7.7	1.93	41.0	6,390	9	8,745	17
	14	ドミニカ国	ロゾー	14) 7	0.8	96	01) 21.0	19.9	59.1	06) 10.2	—	1.87	57.8	6,750	-0.04	12) 37	12)
	15	トリニダード・トバゴ共和国	ポートオブスペイン	135	5	265	08) 3.8	32.2	64.0	9.7	0.8/1.3	17.16	45.7	15,680	5	15) 10,756	15) 9
	16	ニカラグア共和国	マナグア	639	130	49	14) 31.1	17.5	51.4	5.2	17.6/16.8	0.75	25.9	2,050	6	15) 4,667	15) 5
	17	ハイチ共和国	ポルトープランス	15) 1,091	28	393	03) 50.4	10.4	39.2	4.7	35.7/42.7	0.26	3.5	780	0.02	995	3
	18	パナマ共和国	パナマシティ	409	75	54	15.4	18.4	66.2	7.8	4.3/5.6	2.74	62.1	12,140	49	11,195	9
	19	バハマ国	ナッソー	37	14	27	11) 3.7	12.9	83.4	8.6	—	6.31	51.4	21,020	45	15) 443	15) 3
	20	バルバドス	ブリッジタウン	15) 27	0.4	638	3.0	19.6	77.4	14.5	—	4.47	14.7	14,830	41	517	1
	21	ベリーズ	ベルモパン	38	23	17	15.0	15.0	70.0	3.8	17.7/17.0	1.39	59.9	4,410	0.7	246	
	22	ホンジュラス共和国	テグシガルパ	15) 857	112	76	27.4	21.6	51.0	5.0	11.6/11.4	1.10	41.0	2,150	22	14) 4,533	14) 7
	23	メキシコ合衆国	メキシコシティ	12,351	1,964	63	13.0	25.6	61.4	6.6	4.4/6.7	3.63	34.0	9,040	1,801	373,883	387
南アメリカ（12か国）	1	アルゼンチン共和国	ブエノスアイレス	4,404	2,780	16	14) •0.5	24.0	75.5	11.1	2.0/1.9	4.32	9.9	11,960	409	57,733	55
	2	ウルグアイ東方共和国	モンテビデオ	349	174	20	8.2	20.1	71.7	14.5	1.9/1.3	1.83	10.5	15,230	56	6,964	8
	3	エクアドル共和国	キト	1,677	257	65	26.9	18.6	54.5	6.9	4.6/6.5	2.44	50.5	5,820	19	16,798	16
	4	ガイアナ共和国	ジョージタウン	74	215	3	02) 21.4	24.4	54.2	5.2	12.8/10.2	2.64	84.0	4,250	0.3	1,453	1
	5	コロンビア共和国	ボゴタ	4,929	1,142	43	15.9	19.2	64.9	7.3	5.4/5.2	1.52	52.7	6,320	555	31,045	44
	6	スリナム共和国	パラマリボ	16) 57	164	4	15) 2.2	22.8	75.0	7.0	3.9/5.0	3.70	**98.3**	7,070	—	1,235	1
	7	チリ共和国	サンティアゴ	1,837	756	24	9.5	23.0	67.5	11.3	2.6/2.8	4.25	23.9	13,530	1,243	59,884	58
	8	パラグアイ共和国	アスンシオン	695	407	17	21.3	19.4	59.3	6.2	3.9/5.0	0.79	38.6	4,070	4	8,501	9
	9	ブラジル連邦共和国	ブラジリア	20,766	8,516	24	10.2	20.9	68.9	8.1	7.8/7.1	2.30	59.0	8,840	3,589	185,235	137
	10	ベネズエラ・ボリバル共和国※	カラカス	3,127	930	34	13) 7.4	21.3	71.3	6.4	5.0/4.3	5.04	52.9	13) 11,760	254	13) 87,961	13) 44
	11	ペルー共和国	リマ	3,182	1,285	25	28.4	16.2	55.4	7.0	2.7/8.3	1.55	57.8	5,950	54	36,040	36
	12	ボリビア多民族国※	ラパス	1,114	1,099	10	15) 27.8	22.5	49.7	6.6	2.2/6.4	1.73	50.6	3,070	7	15) 8,726	15) 9
オセアニア（16か国）	1	オーストラリア連邦	キャンベラ	2,459	7,692	3	17) 2.6	19.4	78.0	15.3	—	15.78	16.2	54,420	4,606	189,630	189
	2	キリバス共和国	タラワ	15) 11	0.7	152	10) 22.1	16.1	61.8	3.8	—	0.55	15.0	2,380	0.02	13) 7	13)
	3	クック諸島	アバルア	16) 1	0.2	74	11) 4.3	11.7	84.0	11) 9.2	—	3.41	62.9	—	107	11) 3	11)
	4	サモア独立国	アピア	19	3	70	14) 5.7	14.3	80.0	5.4	1.1/0.9	1.03	60.4	4,100	0.2	56	
	5	ソロモン諸島	ホニアラ	65	29	23	—	—	—	3.4	99)16.3/31.0	0.37	78.1	1,880	0.6	437	
	6	ツバル	フナフティ	16) 1	0.03	385	—	—	—	—	—	—	33.3	5,090	—	05) 0.1	08)
	7	トンガ王国	ヌクアロファ	16) 10	0.7	134	03) 31.8	30.6	37.6	5.9	0.7/0.6	1.14	12.5	4,020	1	14) 19	14)
	8	ナウル共和国	ヤレン	15) 1	0.02	524	—	—	—	—	—	4.84	0.0	10,750	—	13) 125	13)
	9	ニウエ	アロフィ	18) 0.15	0.3	6	02) 4.8	9.3	85.9	10) 12.2	—	5.72	69.6	—	—	04) 0.2	04)
	10	ニュージーランド	ウェリントン	479	268	18	6.5	20.2	73.3	15.2	—	6.89	38.6	39,070	180	33,870	36
	11	バヌアツ共和国	ポートビラ	16) 27	12	22	09) 60.5	7.0	32.5	4.3	13.4/16.2	0.59	36.1	14) 3,170	0.3	11) 64	11)
	12	パプアニューギニア独立国	ポートモレスビー	16) 815	463	18	00) 72.3	3.6	24.1	3.1	34.4/37.2	0.84	74.1	14) 2,160	5	12) 4,518	12) 8
	13	パラオ共和国	マルキョク	1	0.5	39	08) 2.4	11.8	85.8	15) 7.3	0.5/0.4	12.36	87.6	12,450	—	7	
	14	フィジー共和国	スバ	88	18	48	19.0	14.1	66.9	6.0	—	1.32	55.7	4,840	1	926	2
	15	マーシャル諸島共和国	マジュロ	13) 5	0.2	298	10) 11.0	9.4	79.6	10) 2.5	—	1.91	70.2	4,450	—	15) 47	15)
	16	ミクロネシア連邦	パリキール	15) 10	0.7	151	—	—	—	4.6	—	1.43	91.8	3,680	0.05	15) 40	15)
世界（197か国）				755,026	130,094	58	—	—	—	8.5	10.0/17.3	4.46	30.7	10,299	308,379	—	

世界の人口・面積には, 属領, 帰属未定地域を含む。ただし南極大陸の13,985千km^2は含まない。 16)西暦下2けたの年次を表す。 •都市部のみの統計。

(16) 日本のおもな都市の月平均気温・月降水量 →日本の気候 P.135

（気温：℃ 降水量：mm 赤字：最高 青字：最低 資料 1981～2010 年の…

気候区	都市（観測地点の高さ(m)）	経緯度	月別	1月	2月	3月	4月	5月	6月	7月	8月	9月	10月	11月	12月	全…
北日本・日本海側	稚内（3）	45°25′N	気温	-4.7	-4.7	-1.0	4.4	8.8	12.7	16.8	19.6	16.8	11.1	3.6	-2.0	
		141°41′E	降水量	84.3	60.7	50.3	49.0	67.6	53.0	90.6	116.0	123.5	134.1	120.9	112.8	106
	札幌（17）	43°04′N	気温	-3.6	-3.1	0.6	7.1	12.4	16.7	20.5	22.3	18.1	11.8	4.9	-0.9	
		141°20′E	降水量	113.6	94.0	77.8	56.8	53.1	46.8	81.0	123.8	135.2	108.7	104.1	111.7	110
	秋田（6）	39°43′N	気温	0.1	0.5	3.6	9.6	14.6	19.2	22.9	24.9	20.4	14.0	7.9	2.9	
		140°06′E	降水量	119.2	89.1	96.5	112.8	122.8	117.7	188.2	176.9	160.3	157.2	185.8	160.1	168
北日本・太平洋側	釧路（5）	42°59′N	気温	-5.4	-4.7	-0.9	3.7	8.1	11.7	15.3	18.0	16.0	10.6	4.3	-1.9	
		144°23′E	降水量	43.2	22.6	58.2	75.8	111.9	107.7	127.7	130.8	155.6	94.6	64.0	50.8	104
	宮古（43）	39°39′N	気温	0.3	0.4	3.3	8.7	13.0	16.0	19.8	22.2	18.8	13.3	7.8	3.1	
		141°58′E	降水量	60.6	60.1	82.1	100.6	93.9	116.4	159.0	171.3	213.7	125.7	80.1	64.8	132
中部日本・日本海側	上越（高田）（13）	37°06′N	気温	2.4	2.4	5.4	11.5	16.6	20.6	24.6	26.3	22.0	16.0	10.2	5.3	
		138°15′E	降水量	419.1	262.0	194.2	96.1	95.7	145.3	210.6	150.4	206.2	210.8	342.0	423.1	275
	金沢（6）	36°35′N	気温	3.8	3.9	6.9	12.5	17.1	21.2	25.3	27.0	22.7	17.1	11.5	6.7	
		136°38′E	降水量	269.6	171.9	159.2	136.9	155.2	185.1	231.9	139.2	225.5	177.4	264.9	282.1	239
	松江（17）	35°27′N	気温	4.3	4.7	7.6	12.9	17.5	21.3	25.3	26.8	22.6	16.8	11.6	6.9	
		133°04′E	降水量	147.2	121.9	132.6	109.4	134.6	189.8	252.4	113.7	197.9	119.5	130.6	137.6	178
中部日本・太平洋側	仙台（39）	38°16′N	気温	1.6	2.0	4.9	10.3	15.0	18.5	22.2	24.2	20.7	15.2	9.4	4.5	
		140°54′E	降水量	37.0	38.4	68.2	97.6	109.9	145.6	179.4	166.9	187.5	122.0	65.1	36.6	125
	前橋（112）	36°24′N	気温	3.5	4.0	7.3	13.2	18.0	21.5	25.1	26.4	22.4	16.5	10.8	6.0	
		139°04′E	降水量	26.2	32.1	61.5	78.1	101.9	145.2	197.3	202.3	220.6	115.5	44.7	23.1	124
	八丈島（151）	33°07′N	気温	10.1	10.2	12.2	15.6	18.3	20.9	24.9	26.3	24.5	20.7	16.7	12.7	
		139°47′E	降水量	190.0	202.9	308.6	226.8	251.2	380.5	224.6	179.3	338.9	465.9	250.7	182.9	320
	東京（25）	35°42′N	気温	5.2	5.7	8.7	13.9	18.2	21.4	25.0	26.4	22.8	17.5	12.1	7.6	
		139°45′E	降水量	52.3	56.1	117.5	124.5	137.8	167.7	153.5	168.2	209.9	197.8	92.5	51.0	152

①南北アメリカのインディオは先住民とした。②2018年8月より「ボリバル・ソベラノ」に変更。

もな輸出品目	通貨単位	為替レート(1米ドルあたりの各国通貨単位)(2017年12月現在)	独立年月と旧宗主国(1943年以降)		おもな民族	おもな宗教	おもな言語	国番号
, 果実, 砂糖	ケツァル	7.35	—	スペイン	メスチーソ64%, ①先住民33%	カトリック57%, プロテスタント・独立派キリスト教40%	スペイン語	6
粉, 機械類, 紙・同製品	ECドル(注1)	2.70	1974. 2	イギリス	アフリカ系52%, 混血40%	カトリック41%, プロテスタント30%	英語	7
械, バナナ, パイナップル	コスタリカ・コロン	571.23	—	スペイン	ヨーロッパ系77%, メスチーソ17%	カトリック76%, 福音派プロテスタント14%	スペイン語	8
ナ, 石油製品, ボーキサイト	ジャマイカ・ドル	129.20	1962. 8	イギリス	アフリカ系91%	プロテスタント61%	英語	9
類, 切手類, 自動車	ECドル	2.70	1983. 9	イギリス	アフリカ系90%	プロテスタント75%, カトリック11%	英語	10
粉, ビール, 野菜	ECドル	2.70	1979.10	イギリス	アフリカ系66%, ムラート24%	英国国教会47%, メソジスト28%	英語	11
製品, 機械類, 貴金属	ECドル	2.70	1979. 2	イギリス	アフリカ系83%, 混血12%	カトリック68%, プロテスタント22%	英語	12
精密機械, たばこ	ドミニカ・ペソ	47.86	—	スペイン	ムラート73%, ヨーロッパ系16%	カトリック64%	スペイン語	13
ん, 切手類, 機械類	ECドル	2.70	1978.11	イギリス	アフリカ系87%	カトリック61%, プロテスタント28%	英語	14
然ガス, 石油製品, アンモニア	トリニダード・トバゴ・ドル	6.75	1962. 8	イギリス	インド系40%, アフリカ系38%	カトリック29%, ヒンドゥー教24%	英語	15
, 機械類, 牛肉	コルドバ	30.17	—	スペイン	メスチーソ63%, ヨーロッパ系14%	カトリック59%, プロテスタント・独立派キリスト教23%	スペイン語	16
, カカオ豆, マンゴー	グールド	62.47	—	フランス	アフリカ系94%	カトリック55%, プロテスタント・独立派キリスト教29%	フランス語, クレオール語	17
類, バナナ, 鉄くず	バルボア★	1.00	—	スペイン	メスチーソ58%, ムラート14%	カトリック71%, プロテスタント・独立派キリスト教14%	スペイン語	18
チック類, 石油製品, 魚介類	バハマ・ドル	1.00	1973. 7	イギリス	アフリカ系68%, ムラート14%	バプテスト教会35%, 英国国教会15%	英語	19
属, 石油製品, 医薬品	バルバドス・ドル	2.00	1966.11	イギリス	アフリカ系 87%	プロテスタント63%, カトリック4%	英語	20
オレンジジュース, 魚介類	ベリーズ・ドル	2.00	1981. 9	イギリス	メスチーソ49%, クレオール25%	カトリック50%, プロテスタント32%	英語	21
ヒー豆, 機械類, 魚介類	レンピラ	23.39	—	スペイン	メスチーソ87%	カトリック63%, プロテスタント23%	スペイン語	22
類, 自動車, 原油	メキシコ・ペソ	18.13	—	スペイン	メスチーソ60%, ①先住民30%	カトリック87%	スペイン語	23
料, 自動車, とうもろこし	アルゼンチン・ペソ	17.30	—	スペイン	ヨーロッパ系86%	カトリック80%, プロテスタント5%	スペイン語	1
, 大豆, 木材	ウルグアイ・ペソ	28.95	—	—	ヨーロッパ系87%	カトリック54%, プロテスタント11%	スペイン語	2
, 魚介類, バナナ	米ドル	1.00	—	スペイン	メスチーソ65%, ①先住民25%	カトリック85%	スペイン語, ケチュア語	3
米, ボーキサイト	ガイアナ・ドル	206.50	1966. 5	イギリス	インド系49%, アフリカ系36%	キリスト教57%, ヒンドゥー教28%	英語, クレオール語	4
, 石炭, コーヒー豆	コロンビア・ペソ	2941.07	—	スペイン	メスチーソ47%, ムラート23%	カトリック93%	スペイン語	5
製品, 米, 木材	スリナム・ドル	7.44	1975.11	オランダ	インド・パキスタン系27%, クレオール18%	キリスト教41%, ヒンドゥー教20%	オランダ語, タキタキ語, 英語	6
銅鉱石, 果実	チリ・ペソ	636.85	—	スペイン	メスチーソ72%, ヨーロッパ系22%	カトリック70%, 福音派プロテスタント15%	スペイン語	7
, 大豆, 牛肉	グアラニー	5656.58	—	スペイン	メスチーソ86%	カトリック90%	スペイン語, グアラニー語	8
, 機械類, 肉類	レアル	3.17	—	ポルトガル	ヨーロッパ系54%, ムラート・メスチーソ39%	カトリック65%, プロテスタント13%	ポルトガル語	9
, 石油製品	②ボリバル・フエルテ	9.97	—	スペイン	メスチーソ64%, ヨーロッパ系23%	カトリック85%	スペイン語	10
石, 金, 果実	ヌエボ・ソル	3.24	—	スペイン	①先住民45%, メスチーソ37%	カトリック81%, 福音派プロテスタント13%	スペイン語, ケチュア語, アイマラ語	11
ガス, 亜鉛鉱, 金	ボリビアーノ	6.91	—	スペイン	①先住民62%, メスチーソ28%	カトリック78%, プロテスタント・独立派キリスト教16%	スペイン語, アイマラ語, ケチュア語	12
石, 石炭, 金	オーストラリア・ドル	1.30	—	イギリス	ヨーロッパ系92%	カトリック26%, 英国国教会19%	英語	1
ラ油, 石油製品, コプラ	オーストラリア・ドル	1.30	1979. 7	イギリス	ミクロネシア系99%	カトリック55%, プロテスタント36%	キリバス語, 英語	2
果実ジュース, サンゴ類, 魚介類	ニュージーランド・ドル	1.38	1965	ニュージーランド	クック諸島マオリ人84%	クック諸島教会56%	クック諸島マオリ語, 英語	3
類, 機械類, 石油製品	タラ	2.50	1962. 1	ニュージーランド	サモア人93%	プロテスタント35%, カトリック20%	サモア語, 英語	4
, 魚介類, 木製品	ソロモン・ドル	7.82	1978. 7	イギリス	メラネシア系93%	プロテスタント70%, カトリック18%	英語, ピジン英語	5
類, 切手類, 液化石油ガス	オーストラリア・ドル	1.30	1978.10	イギリス	ポリネシア系95%	キリスト教97%	ツバル語, 英語	6
類, 野菜, 石油製品	パアンガ	2.17	1970. 6	イギリス	ポリネシア系	プロテスタント65%, モルモン教17%	トンガ語, 英語	7
酸肥料	オーストラリア・ドル	1.30	1968. 1	イギリス	ナウル人58%	プロテスタント49%, カトリック24%	ナウル語, 英語	8
ナッツクリーム, コプラ	ニュージーランド・ドル	1.38	1974	ニュージーランド	ニウエ人90%	キリスト教90%	ニウエ語, 英語	9
フ・クリーム, 木材, 牛肉	ニュージーランド・ドル	1.38	—	イギリス	ヨーロッパ系68%, マオリ人15%	英国国教会13%, カトリック12%	英語, マオリ語	10
ラ油, コプラ, 野菜	バツ	105.82	1980. 7	イギリス・フランス	バヌアツ人93%	プロテスタント70%, カトリック13%	ビスラマ語, 英語, フランス語	11
チナ, パーム油, 銅鉱石	キナ	3.19	1975. 9	オーストラリア	パプア人84%, メラネシア系15%	プロテスタント・独立派キリスト教44%, 伝統的信仰34%	英語, ピジン英語, モツ語	12
機械, 機械類, 船舶	米ドル	1.00	1994.10	アメリカ合衆国	パラオ人65%, フィリピン系22%	カトリック51%, プロテスタント27%	パラオ語, 英語	13
製品, 魚介類, 清涼飲料水	フィジー・ドル	2.03	1970.10	イギリス	フィジー人57%, インド系38%	キリスト教54%, ヒンドゥー教 33%	英語, フィジー語, ヒンディー語	14
, ココナッツオイル, 魚介類	米ドル	1.00	1986.10	アメリカ合衆国	マーシャル人92%	プロテスタント85%	マーシャル語, 英語	15
類, ビートルナッツ	米ドル	1.00	1986.11	アメリカ合衆国	チューク人49%, ポンペイ人24%	カトリック50%, プロテスタント47%	英語, チューク語, ポンペイ語, ヤップ語	16
		—						

東カリブ・ドル。　★ 流通しているのは米ドル紙幣で，それを「バルボア」とよんでいる(硬貨は独自のものもあり)。

(15) 世界のおもな産物

〔FAOSTAT，ほか〕

産物	生産量	年	1位	2位	3位	4位	5位	その他
米	7億4096万t	2016年	中国 28.3%	インド 21.4	インドネシア 10.4	バングラデシュ 7.1	ベトナム 5.9	26.9
小麦	7億4946万t	2016年	中国 17.6%	インド 12.5	ロシア 9.8	アメリカ合衆国 8.4	カナダ 4.1	47.6
とうもろこし	10億6011万t	2016年	アメリカ合衆国 36.3%	中国 21.9	ブラジル 6.1	アルゼンチン 3.8	メキシコ 2.7	29.2
砂糖(粗糖)	1億7694万t	2014年	ブラジル 21.1%	インド 15.0	中国 6.5	タイ 5.7	アメリカ合衆国 4.3	47.4
茶	595万t	2016年	中国 40.3%	インド 21.0	ケニア 7.9	スリランカ 5.9	トルコ 4.1	20.8
コーヒー豆	922万t	2016年	ブラジル 32.7%	ベトナム 15.8	コロンビア 8.1	インドネシア 6.9	エチオピア 5.1	31.4
カカオ豆	447万t	2016年	コートジボワール 33.0%	ガーナ 19.2	インドネシア 14.7	カメルーン 6.5	ナイジェリア 5.3	21.3
綿花	2616万t	2014年	インド 23.7%	中国 23.6	アメリカ合衆国 13.7	パキスタン 9.1	ブラジル 5.4	24.5
天然ゴム	1315万t	2016年	タイ 34.0%	インドネシア 24.0	ベトナム 7.9	インド 7.2	中国 6.2	20.7
木材(原木)	37億m^3	2016年	アメリカ合衆国 10.8%	インド 9.5	中国 8.9	ブラジル 6.9	ロシア 5.7	58.2
原油	43億8240万t	2016年	サウジアラビア 13.4%	ロシア 12.6	アメリカ合衆国 12.4	イラク 5.0	カナダ 5.0	51.6
天然ガス	3兆5516億m^3	2016年	アメリカ合衆国 21.1%	ロシア 16.3	イラン 5.7	カタール 5.1	カナダ 4.3	47.5
石炭	66億2770万t	2015年	中国 56.5%	インド 9.6	インドネシア 6.4	オーストラリア 6.4	アメリカ合衆国 5.6	15.5
金鉱石	3100t	2015年	中国 14.5%	オーストラリア 9.0	ロシア 8.1	アメリカ合衆国 6.9	カナダ 4.9	56.6
銀鉱石	2万6800t	2014年	メキシコ 18.7%	中国 15.1	ペルー 14.1	オーストラリア 6.4	チリ 5.9	39.8

〔理科年表　平成 30 年〕

区	都市(観測地点の高さ(m))と経緯度			月別	1 月	2 月	3 月	4 月	5 月	6 月	7 月	8 月	9 月	10 月	11 月	12 月	全年
中部日本・	尾鷲	(15)	34°04′N	気温	6.3	6.9	9.9	14.6	18.4	21.7	25.4	26.4	23.6	18.3	13.4	8.6	16.1
			136°12′E	降水量	100.7	118.8	253.1	289.4	371.8	405.7	397.2	468.2	691.9	395.7	249.8	106.5	3848.8
	高知	(1)	33°34′N	気温	6.3	7.5	10.8	15.6	19.7	22.9	26.7	27.5	24.7	19.3	13.8	8.5	17.0
			133°33′E	降水量	58.6	106.3	190.0	244.3	292.0	346.4	328.3	282.5	350.0	165.7	125.1	58.4	2547.5
	宮崎	(9)	31°56′N	気温	7.5	8.6	11.9	16.1	19.9	23.1	27.3	27.2	24.4	19.4	14.3	9.6	17.4
			131°25′E	降水量	63.8	90.8	182.1	212.5	239.3	429.2	309.4	290.2	354.6	181.8	95.0	60.0	2508.5
	松本	(610)	36°15′N	気温	−0.4	0.2	3.9	10.6	16.0	19.9	23.6	24.7	20.0	13.2	7.4	2.3	11.8
			137°58′E	降水量	35.9	43.5	79.6	75.3	100.0	125.7	138.4	92.1	155.6	101.9	54.9	28.1	1031.0
	名古屋	(51)	35°10′N	気温	4.5	5.2	8.7	14.4	18.9	22.7	26.4	27.8	24.1	18.1	12.2	7.0	15.8
			136°58′E	降水量	48.4	65.6	121.8	124.8	156.5	201.0	203.6	126.3	234.4	128.3	79.7	45.0	1535.3
	大阪	(23)	34°41′N	気温	6.0	6.3	9.4	15.1	19.7	23.5	27.4	28.8	25.0	19.0	13.6	8.6	16.9
			135°31′E	降水量	45.4	61.7	104.2	103.8	145.5	184.5	157.0	90.9	160.7	112.3	69.3	43.8	1279.0
	広島	(4)	34°24′N	気温	5.2	6.0	9.1	14.7	19.3	23.0	27.1	28.2	24.4	18.3	12.5	7.5	16.3
			132°28′E	降水量	44.6	66.6	123.9	141.7	177.6	247.0	258.6	110.8	169.5	87.9	68.2	41.2	1537.6
	高松	(9)	34°19′N	気温	5.5	5.9	8.9	14.4	19.1	23.0	27.0	28.1	24.3	18.4	12.8	7.9	16.3
			134°03′E	降水量	38.2	47.7	82.5	76.4	107.7	150.6	144.1	85.8	147.6	104.2	60.3	37.3	1082.3
	福岡	(3)	33°35′N	気温	6.6	7.4	10.4	15.1	19.4	23.0	27.2	28.1	24.4	19.2	13.8	8.9	17.0
			130°23′E	降水量	68.0	71.5	112.5	116.6	142.5	254.8	277.9	172.0	178.4	73.7	84.8	59.8	1612.3
	鹿児島	(4)	31°33′N	気温	8.5	9.8	12.5	16.9	20.8	24.0	28.1	28.5	26.1	21.2	15.9	10.6	18.6
			130°33′E	降水量	77.5	112.1	179.7	204.6	221.2	452.3	318.9	223.0	210.8	101.9	92.4	71.3	2265.7
	奄美(名瀬)	(3)	28°23′N	気温	14.8	15.2	17.1	19.8	22.7	26.0	28.7	28.4	26.8	23.7	20.2	16.5	21.6
			129°30′E	降水量	200.0	162.0	233.2	229.0	258.5	410.3	202.4	268.2	302.7	234.5	180.0	156.9	2837.7
	那覇	(28)	26°12′N	気温	17.0	17.1	18.9	21.4	24.0	26.8	28.9	28.7	27.6	25.2	22.1	18.7	23.1
			127°41′E	降水量	107.0	119.7	161.4	165.7	231.6	247.2	141.4	240.5	260.5	152.9	110.2	102.8	2040.8

(17) 都道府県別統計

（赤太字は1位，赤字は2位から5位までの都道府県を示す。）〔平成30年　全国都道府県市区町村別面
平成28年産　作物統計，ほか

県番号	都道府県	都道府県の庁所在地	人口（万人） 1893年	1950年	2018年	面積（km²） 2018年	人口密度（人/km²） 2018年	人口増加率（%） 2010~2015年	65歳以上人口割合（%）2017年	産業別人口の割合（%） 2015年 第1次産業	第2次産業	第3次産業	農業産出額（億円） 2016年	米（水・陸稲）（千t） 2016年	野菜（億円） 2016年	漁業生産量（千t） 2016年	製造品出荷額（億円） 2015年	小売業年間販売額（億円） 2013年	1人あ 県民 (千 201
1	北海道	札幌	46	429	533	83,424	64	−0.46	29.6	7.4	17.9	74.7	12,115	579	2,206	872	65,891	58,814	2
2	青森	青森	56	128	130	9,646	136	−0.97	30.4	12.4	20.4	67.2	3,221	257	863	233	17,180	12,350	2
3	岩手	盛岡	68	134	126	15,275	83	−0.77	30.9	10.8	25.4	63.8	2,609	272	295	121	23,809	12,504	2
4	宮城	仙台	78	166	231	・7,282	317	−0.12	26.0	4.5	23.4	72.1	1,843	369	270	248	40,367	23,627	2
5	秋田	秋田	71	130	101	11,638	87	−1.19	34.1	9.8	24.4	65.8	1,745	515	287	7	12,314	10,507	2
6	山形	山形	77	135	110	・9,323	119	−0.78	31.2	9.4	29.1	61.5	2,391	395	423	6	25,631	11,425	2
7	福島	福島	98	206	191	13,784	139	−1.16	28.7	6.7	30.6	62.7	2,077	356	482	49	49,374	19,414	2
8	茨城	水戸	104	203	295	6,097	484	−0.36	27.0	5.9	29.8	64.3	4,903	363	2,150	▪ 247	120,779	27,863	3
9	栃木	宇都宮	72	155	198	6,408	310	−0.34	26.4	5.7	31.9	62.4	2,863	317	964	1	88,266	19,710	3
10	群馬	前橋	73	160	199	6,362	313	−0.35	27.7	5.1	31.8	63.1	2,632	78	1,070	0.3	90,960	20,215	3
11	埼玉	さいたま	109	214	736	・3,798	1,939	0.20	25.0	1.7	24.9	73.4	2,046	157	1,047	0.003	128,785	60,530	2
12	千葉	千葉	119	213	629	・5,158	1,221	0.02	25.8	2.9	20.6	76.5	4,711	306	1,927	123	127,152	52,888	2
13	東京	東京(23区)	160	627	1,363	・2,194	6,216	0.54	22.5	0.4	17.5	82.1	286	1	171	▪ 49	85,452	158,551	4
14	神奈川	横浜	75	248	917	2,416	3,796	0.17	24.2	0.9	22.4	76.7	846	15	476	36	175,633	76,089	2
15	新潟	新潟	170	246	228	・12,584	181	−0.60	30.3	5.9	28.9	65.2	2,583	679	386	32	48,072	22,849	2
16	富山	富山	77	100	106	・4,248	252	−0.50	30.5	3.3	33.6	63.1	666	216	61	40	38,274	10,591	3
17	石川	金沢	75	95	115	4,186	275	−0.27	28.0	3.1	28.5	68.4	548	137	108	60	28,276	11,746	2
18	福井	福井	60	75	79	4,191	189	−0.49	28.6	3.8	31.3	64.9	470	134	89	▪ 15	20,549	7,297	2
19	山梨	甲府	46	81	83	・4,465	188	−0.66	28.5	7.3	28.4	64.3	899	27	141	▪ 1	24,539	7,750	2
20	長野	長野	116	206	211	・13,562	156	−0.50	30.0	9.3	29.2	61.5	2,465	204	897	2	59,185	21,495	2
21	岐阜	岐阜	93	154	205	・10,621	193	−0.47	28.3	3.2	33.1	63.7	1,164	108	361	2	54,082	19,019	2
22	静岡	静岡	110	247	374	・7,777	481	−0.35	28.0	3.9	33.2	62.9	2,266	84	700	189	164,393	37,225	3
23	愛知	名古屋	149	339	755	・5,173	1,460	0.19	24.0	2.2	33.6	64.2	3,154	144	1,127	97	461,948	73,036	3
24	三重	津	93	146	183	・5,774	318	−0.42	28.0	3.7	32.0	64.3	1,107	144	155	197	109,267	17,495	3
25	滋賀	大津	66	86	141	・4,017	353	0.03	24.6	2.7	33.8	63.5	636	170	122	▪ 0.6	73,893	12,673	3
26	京都	京都	90	183	256	4,612	556	−0.20	28.0	2.2	23.6	74.2	740	76	275	11	53,624	25,537	3
27	大阪	大阪	131	385	885	1,905	4,648	−0.06	26.2	0.6	24.3	75.1	353	27	160	▪ 19	168,508	84,014	3
28	兵庫	神戸	156	330	558	8,401	665	−0.19	27.0	2.1	26.0	71.9	1,690	185	435	126	155,044	49,573	2
29	奈良	奈良	50	76	137	3,691	372	−0.53	29.1	2.7	23.4	73.9	436	46	120	0.02	18,538	10,665	2
30	和歌山	和歌山	63	98	97	4,725	206	−0.78	30.9	9.0	22.3	68.7	1,116	34	173	26	26,573	8,649	2
31	鳥取	鳥取	40	60	57	3,507	163	−0.52	29.9	9.1	22.0	68.9	764	66	236	74	7,085	5,438	2
32	島根	松江	70	91	69	6,708	103	−0.65	32.6	8.0	23.0	69.0	629	94	114	114	10,963	6,690	2
33	岡山	岡山	107	166	192	・7,114	270	−0.25	28.8	4.8	27.4	67.8	1,446	162	251	27	78,267	18,685	2
34	広島	広島	133	208	284	8,480	336	−0.12	27.8	3.2	26.8	70.0	1,238	128	249	117	103,886	28,090	3
35	山口	山口	92	154	139	6,113	228	−0.65	32.5	4.9	26.1	69.0	681	108	177	29	63,174	12,855	3
36	徳島	徳島	67	87	75	4,147	183	−0.77	31.0	8.5	24.1	67.4	1,101	57	448	23	17,074	6,205	2
37	香川	高松	67	94	99	・1,877	529	−0.40	29.6	5.4	25.9	68.7	898	67	287	43	25,154	10,028	2
38	愛媛	松山	93	152	139	5,676	246	−0.65	30.8	7.7	24.2	68.1	1,341	72	243	152	41,121	12,087	2
39	高知	高知	58	87	72	7,104	102	−0.97	33.1	11.8	17.2	71.0	1,144	54	698	83	5,663	6,738	2
40	福岡	福岡	126	353	513	・4,987	1,029	0.12	26.0	2.9	21.2	75.9	2,196	180	808	73	92,483	47,608	2
41	佐賀	佐賀	57	94	83	2,441	341	−0.40	28.0	8.7	24.2	67.1	1,315	129	368	87	18,234	7,090	2
42	長崎	長崎	77	164	137	4,131	334	−0.71	30.0	7.7	20.1	72.2	1,582	60	513	306	16,357	13,429	2
43	熊本	熊本	107	182	178	・7,410	241	−0.35	29.1	9.8	21.1	69.1	3,475	178	1,321	77	27,226	16,175	2
44	大分	大分	79	125	116	・6,341	184	−0.51	30.7	7.0	23.4	69.6	1,339	107	382	59	42,812	10,850	2
45	宮崎	宮崎	42	109	111	・7,735	144	−0.56	29.9	11.0	21.1	67.9	3,562	84	771	118	15,759	10,675	2
46	鹿児島	鹿児島	102	180	165	・9,187	180	−0.69	29.7	9.5	19.4	71.1	4,736	101	616	▪ 134	20,714	14,606	2
47	沖縄	那覇	42	69	147	2,281	645	0.58	20.1	4.9	15.1	80.0	1,025	2	144	▪ 33	5,500	10,417	2
全国合計（全国平均）			4,137	8,389	12,770	377,974	(338)	(−0.15)	(26.8)	(4.0)	(25.0)	(71.0)	93,051	8,044	25,567	4,359	3,147,832	1,221,767	(3,0

注 1）人口の項の1893年は推計人口であり，1950年は小笠原諸島および奄美群島を除く。ただし，沖縄は当時の琉球政府統計庁による人口を記載している。
2）面積の項の北海道には歯舞群島95km²，色丹島248km²，国後島1,489km²，択捉島3,167km²を含み，島根県には竹島0.2km²を含む。全国計にも含む。
3）面積の項の・印のある県は，県界に境界未定地域があるため，総務省統計局で推定した面積を記載している。
4）人口増加率は，2010年から2015年までの年平均人口増加率を記載している。
5）第1次産業人口→農林，水産業など，第2次産業人口→鉱・工業，建設業など，第3次産業人口→商業，運輸・通信業など。
6）漁業生産量の項の▪印のある県の数値は，海面養殖または内水面漁業，内水面養殖の数値を含まない。ただし，全国計には含む。

(18) 世界のおもな大地震

〔理科年表　平成30年，

年 月	地震名または被害地域	マグニチュード	死者数①（人）
1703.12.	元禄地震（日本）	8.1	10,000
1707.10.	宝永地震（日本）	8.6	20,000
1718. 6.	通渭・甘谷地震（中国・甘粛）	7.5	75,000
1721. 4.	タブリーズ付近（イラン）	7.4	40,000
1739. 1.	平羅・銀川地震（中国・寧夏）	8.0	50,000
1746.10.	リマ，カヤオ付近（ペルー）	8.4	18,000
1752. 7.	ラージキーヤ付近（シリア）	7.0	20,000
1755.11.	リスボン地震（ポルトガル）*	8.5	62,000
1759.11.	ゼファト付近（イスラエル）	7.4	30,000
1780. 1.	タブリーズ付近（イラン）	7.4	50,000
1783. 2.	カラブリア地震（イタリア）	6.9	35,000
1789. 5.	エラズー付近（トルコ）	7.0	51,000
1815.10.	平陸地震（中国・山西）	6.8	13,090
1822. 8.	ハラブ，ハタイ付近（シリア，トルコ）	7.4	20,000
1850. 9.	西昌地震（中国・四川）	7.5	23,860
1857.12.	ポテンツァ付近（イタリア）	7.0	10,939
1861. 3.	メンドサ付近（アルゼンチン）	7.0	18,000
1868. 8.	チリ，ペルー	8.5	25,000
1868. 8.	エクアドル，コロンビア	7.7	70,000
1879. 7.	武都地震（中国・甘粛）	8.0	29,480
1896. 6.	明治三陸地震（日本）*	8.2	21,959
1908.12.	メッシナ地震（イタリア）	7.1	82,000
1920.12.	海原地震（中国・寧夏）	8.5	235,502
1923. 9.	関東地震（関東大震災）（日本）	7.9	105,000
1933. 3.	昭和三陸地震（日本）*	8.1	3,064
1935. 5.	クエッタ地震（パキスタン）	7.5	60,000
1952.11.	カムチャツカ地震（ロシア）	9.0	多数
1960. 5.	チリ地震（チリ）*	9.5	5,700
1964. 3.	アラスカ地震（アメリカ合衆国）	9.2	131
1970. 5.	ペルビアン地震（ペルー）	7.8	66,794
1976. 2.	グアテマラ地震（グアテマラ）	7.5	22,870
1976. 7.	唐山地震（中国・河北）	7.8	242,800
1976. 8.	ミンダナオ地震（フィリピン）	7.9	8,000
1985. 9.	ミチョアカン地震（メキシコ）	8.1	9,500
1988.12.	アルメニア地震（アルメニア）	6.8	25,000
1990. 7.	ルソン島地震（フィリピン）	7.8	2,430
1995. 1.	兵庫県南部地震（阪神淡路大震災）（日本）	7.3	6,434
1995. 5.	サハリン地震（ロシア）	7.5	1,989
1999. 8.	コジャエリ/イズミット地震（トルコ）	7.8	17,118
1999. 9.	集集地震（台湾）	7.7	2,413
2003.12.	バム地震（イラン）	6.8	43
2004.12.	スマトラ沖地震（インドネシア）*	9.1	②227
2005.10.	パキスタン地震（パキスタン）	7.7	86,0
2008. 5.	汶川地震（四川大地震）（中国）	8.1	69
2010. 1.	ハイチ大地震（ハイチ）	7.3	316
2011. 3.	東北地方太平洋沖地震（東日本大震災）（日本）*	9.0	③22

*津波被害が大きかった地震。　①日本は行方不明者を含む。　②行方不明者を含む。　③2016年3月現在。

(19) 世界のおもな火山噴火

〔理科年表　平成30年，

年 月	火山名	噴火による被害など
79.	ヴェズヴィオ山（イタリア）	火砕流によりポンペイ埋没。死者多数。
1669.	エトナ山（イタリア）	カタニアなどが壊滅。死者10,000人。
1815.	タンボラ山（インドネシア）	山体崩壊。噴出物総量150km³。死者92,00
1883.	クラカタウ山（インドネシア）	火山島消滅，津波発生。死者36,000人
1902. 4.	ペレ山（フランス領マルティニーク島）	火砕流により山麓の町が壊滅。
1980. 5.	セントヘレンズ山	山体崩壊，泥流発生。死者57名。
1982. 3.	エルチチョン山（メキシコ）	火砕流，泥流発生。死者約1,700人。噴煙は成層圏
1985. 9.	ルイス山（コロンビア）	火砕流，泥流発生。死者約22,000人。
1991. 6.	ピナトゥボ山（フィリピン）	火砕流，土石流発生。山頂部陥没。噴煙が世界の天候に
2010. 4.	エイヤフィヤトラヨークトル山（アイスランド）	氷河の地下から噴火。噴煙でヨーロッパの航空便

(20) 日本の市と人口（2019 年）

赤字は都道府県庁所在地，●は政令指定都市*，○は中核市**　〔住民基本台帳 人口・世帯数表〕
＊　：政令指定都市　政令で指定する人口 50 万人以上の市で，ほぼ道府県なみの行政権・財政権を持っている。
＊＊：中核市　人口 20 万人以上の市で，保健衛生や都市計画で政令指定都市に準じた事務が都道府県から委譲される。

都市名	人口（千人）
北海道	
●札幌	1,955
○旭川	337
○函館	258
苫小牧	171
釧路	170
帯広	166
江別	118
北見	117
小樽	116
千歳	97
室蘭	84
岩見沢	81
恵庭	69
北広島	58
石狩	58
登別	48
北斗	46
滝川	40
網走	35
伊達	34
稚内	34
名寄	27
根室	25
紋別	22
富良野	21
美唄	21
留萌	21
深川	20
士別	18
砂川	17
芦別	13
赤平	10
三笠	8
夕張	8
歌志内	3
青森	
○青森	284
○八戸	230
弘前	172
十和田	61
むつ	57
五所川原	54
三沢	40
黒石	33
つがる	32
平川	31
岩手	
○盛岡	290
一関	117
奥州	117
花巻	96
北上	92
滝沢	55
宮古	52
大船渡	36
久慈	35
釜石	33
遠野	27
二戸	27
八幡平	25
陸前高田	19
宮城	
●仙台	1,062
石巻	144
大崎	130
登米	79
名取	78
栗原	68
気仙沼	63
多賀城	62
塩竈	54
富谷	52
岩沼	44
東松島	40
白石	34
角田	29
秋田	
○秋田	309
横手	90
大仙	81
由利本荘	77
大館	72
能代	53
湯沢	45
潟上	32
北秋田	32
鹿角	31
男鹿	27
仙北	26
にかほ	24
山形	
○山形	246
鶴岡	127
酒田	102
米沢	80
天童	62
東根	47
寒河江	41
新庄	35
南陽	31
上山	30
長井	26
村山	24
尾花沢	16
福島	
○いわき	324
○郡山	324
○福島	279
会津若松	119
須賀川	76
白河	61
伊達	60
南相馬	60
二本松	55
喜多方	47
田村	37
相馬	35
本宮	30
茨城	
水戸	272
つくば	233
日立	180
ひたちなか	159
古河	143
土浦	142
取手	107
筑西	105
神栖	95
牛久	85
龍ケ崎	77
笠間	76
石岡	75
鹿嶋	67
守谷	67
常総	63
那珂	54
坂東	54
結城	52
常陸太田	52
つくばみらい	51
小美玉	51
鉾田	49
下妻	43
北茨城	43
かすみがうら	42
常陸大宮	42
桜川	42
稲敷	41
行方	35
高萩	28
潮来	28
栃木	
○宇都宮	522
小山	167
栃木	161
足利	148
佐野	118
那須塩原	117
鹿沼	97
日光	82
真岡	80
大田原	71
下野	60
さくら	44
矢板	32
那須烏山	26
群馬	
○高崎	374
○前橋	337
太田	224
伊勢崎	213
桐生	112
渋川	77
館林	76
藤岡	65
安中	58
みどり	50
富岡	48
沼田	48
埼玉	
●さいたま	1,302
○川口	603
○川越	353
所沢	344
○越谷	342
草加	248
春日部	234
上尾	228
熊谷	197
新座	165
久喜	153
狭山	151
入間	148
深谷	143
三郷	141
朝霞	140
戸田	139
鴻巣	118
ふじみ野	114
加須	113
富士見	111
坂戸	101
八潮	90
東松山	90
和光	82
行田	81
飯能	79
本庄	78
志木	76
桶川	76
蕨	75
吉川	75
鶴ヶ島	72
北本	70
秩父	66
蓮田	62
日高	61
羽生	56
白岡	55
幸手	51
千葉	
●千葉	970
○船橋	639
松戸	496
市川	487
○柏	420
市原	276
八千代	198
流山	190
佐倉	175
習志野	173
浦安	169
野田	154
木更津	135
成田	133
我孫子	132
鎌ケ谷	109
印西	101
四街道	94
茂原	89
君津	84
香取	76
八街	70
旭	65
白井	63
袖ケ浦	63
銚子	61
東金	59
山武	51
富里	50
大網白里	49
館山	46
富津	44
南房総	38
いすみ	38
匝瑳	36
鴨川	33
勝浦	17
東京	
東京(23区)	9,486
○八王子	562
町田	428
府中	260
調布	235
西東京	202
小平	193
三鷹	187
日野	185
立川	183
東村山	150
多摩	148
武蔵野	146
青梅	134
国分寺	123
小金井	121
東久留米	116
昭島	113
稲城	90
東大和	85
狛江	82
あきる野	80
国立	76
清瀬	74
武蔵村山	72
福生	58
羽村	55
神奈川	
●横浜	3,745
●川崎	1,500
●相模原	718
藤沢	433
○横須賀	405
平塚	257
茅ヶ崎	243
大和	237
厚木	225
小田原	191
鎌倉	176
秦野	161
海老名	133
座間	130
伊勢原	100
綾瀬	85
逗子	59
三浦	43
南足柄	42
新潟	
●新潟	792
長岡	271
上越	193
三条	98
新発田	97
柏崎	84
燕	79
村上	60
南魚沼	57
佐渡	55
十日町	53
五泉	50
糸魚川	42
阿賀野	42
見附	40
魚沼	36
小千谷	35
妙高	32
胎内	29
加茂	27
富山	
○富山	417
高岡	171
射水	93
南砺	51
砺波	48
氷見	47
魚津	42
黒部	41
滑川	33
小矢部	30
石川	
○金沢	453
白山	113
小松	108
加賀	67
七尾	52
野々市	52
能美	50
かほく	35
輪島	27
羽咋	21
珠洲	14
福井	
○福井	264
坂井	92
越前	83
鯖江	69
敦賀	66
大野	33
小浜	29
あわら	28
勝山	23
山梨	
○甲府	188
甲斐	75
南アルプス	71
笛吹	69
富士吉田	49
北杜	47
山梨	34
甲州	31
中央	30
都留	30
韮崎	29
大月	24
上野原	23
長野	
○長野	378
松本	239
上田	158
飯田	101
佐久	99
安曇野	97
伊那	68
塩尻	67
千曲	60
茅野	56
須坂	50
岡谷	49
諏訪	49
中野	44
小諸	42
駒ヶ根	32
東御	30
大町	27
飯山	21
岐阜	
○岐阜	409
大垣	161
各務原	148
多治見	111
可児	102
関	89
高山	88
中津川	78
羽島	67
土岐	58
美濃加茂	56
瑞穂	54
恵那	50
郡上	41
瑞浪	37
海津	34
本巣	34
下呂	32
山県	27
飛騨	24
美濃	20
静岡	
●浜松	804
●静岡	702
富士	254
沼津	195
磐田	170
藤枝	145
焼津	139
富士宮	132
掛川	117
三島	110
島田	98
御殿場	88
袋井	88
伊東	69
湖西	59
裾野	52
伊豆の国	48
菊川	48
牧之原	45
熱海	37
御前崎	32
伊豆	30
下田	21
愛知	
●名古屋	2,294
○豊田	425
○岡崎	387
一宮	385
○豊橋	377
春日井	312
安城	189
豊川	186
西尾	172
小牧	152
刈谷	151
稲沢	137
瀬戸	129
半田	119
東海	114
江南	100
大府	92
日進	90
あま	88
北名古屋	86
知多	85
尾張旭	83
蒲郡	80
犬山	74
碧南	73
知立	72
清須	69
豊明	68
愛西	63
津島	62
田原	62
みよし	61
常滑	59
長久手	58
高浜	48
岩倉	48
新城	46
弥富	44
三重	
四日市	312
津	279
鈴鹿	200
松阪	164
桑名	142
伊勢	126
伊賀	92
名張	78
志摩	50
亀山	49
いなべ	45
鳥羽	18
尾鷲	17
熊野	17
滋賀	
○大津	342
草津	133
長浜	118
東近江	114
彦根	113
甲賀	90
守山	83
近江八幡	82
栗東	69
湖南	55
野洲	51
高島	48
米原	39
京都	
●京都	1,412
宇治	187
亀岡	89
舞鶴	82
長岡京	81
福知山	78
木津川	77
城陽	76
八幡	71
京田辺	69
向日	57
京丹後	55
綾部	33
南丹	31
宮津	18
大阪	
●大阪	2,714
●堺	837
○東大阪	490
○豊中	406
○枚方	402
吹田	371
○高槻	352
茨木	282
○八尾	266
○寝屋川	233
岸和田	195
和泉	186
守口	143
箕面	138
門真	122
大東	120
松原	120
羽曳野	111
富田林	111
河内長野	105
池田	103
泉佐野	100
貝塚	86
摂津	85
交野	77
泉大津	74
柏原	69
藤井寺	64
泉南	62
大阪狭山	58
高石	57
四條畷	55
阪南	54
兵庫	
●神戸	1,538
○姫路	537
○西宮	485
○尼崎	463
○明石	303
加古川	265
宝塚	234
伊丹	203
川西	158
三田	112
芦屋	96
高砂	91
豊岡	82
三木	77
たつの	76
丹波	64
小野	48
赤穂	47
南あわじ	47
加西	44
淡路	44
洲本	44
丹波篠山	41
西脇	40
加東	40
宍粟	38
朝来	30
相生	29
養父	23
奈良	
○奈良	357
橿原	122
生駒	120
大和郡山	86
香芝	79
天理	65
大和高田	65
桜井	57
葛城	37
五條	30
宇陀	30
御所	25
和歌山	
○和歌山	368
田辺	74
橋本	63
紀の川	62
岩出	53
海南	51
新宮	28
有田	28
御坊	23
鳥取	
○鳥取	188
米子	148
倉吉	47
境港	34
島根	
○松江	202
出雲	175
浜田	54
益田	46
安来	38
雲南	38
大田	34
江津	23
岡山	
●岡山	709
○倉敷	482
津山	101
総社	69
玉野	59
笠岡	48
真庭	45
赤磐	44
井原	40
瀬戸内	37
備前	34
浅口	34
高梁	30
新見	29
美作	27
広島	
●広島	1,196
○福山	469
○呉	224
東広島	187
尾道	137
廿日市	117
三原	94
三次	52
府中	39
庄原	35
安芸高田	28
大竹	27
竹原	25
江田島	23
山口	
○下関	263
山口	192
宇部	165
周南	143
岩国	135
防府	116
山陽小野田	63
下松	57
光	51
萩	47
長門	34
柳井	32
美祢	24
徳島	
徳島	254
阿南	73
鳴門	57
吉野川	41
小松島	38
阿波	37
美馬	29
三好	26
香川	
○高松	428
丸亀	113
三豊	65
観音寺	60
坂出	53
さぬき	48
善通寺	32
東かがわ	30
愛媛	
○松山	513
今治	160
新居浜	119
西条	109
四国中央	87
宇和島	75
大洲	43
西予	38
伊予	37
八幡浜	33
東温	33
高知	
○高知	330
南国	47
四万十	34
香南	33
土佐	27
香美	26
須崎	22
宿毛	20
安芸	17
土佐清水	13
室戸	13
福岡	
●福岡	1,540
●北九州	955
○久留米	306
飯塚	129
大牟田	115
春日	113
筑紫野	103
糸島	101
大野城	100
宗像	97
行橋	73
太宰府	71
柳川	66
福津	64
八女	63
小郡	59
古賀	59
直方	56
朝倉	53
那珂川	50
筑後	49
田川	47
中間	42
嘉麻	38
みやま	37
大川	34
うきは	29
宮若	28
豊前	25
佐賀	
佐賀	233
唐津	122
鳥栖	73
伊万里	55
武雄	49
小城	45
神埼	31
鹿島	29
嬉野	26
多久	19
長崎	
○長崎	421
○佐世保	252
諫早	137
大村	96
南島原	46
島原	45
雲仙	44
五島	37
平戸	31
対馬	31
西海	27
壱岐	26
松浦	22
熊本	
●熊本	734
八代	128
天草	81
玉名	66
合志	62
宇城	59
荒尾	52
山鹿	52
菊池	49
宇土	37
人吉	32
上天草	27
阿蘇	26
水俣	24
大分	
○大分	479
別府	117
中津	84
佐伯	71
日田	65
宇佐	56
臼杵	38
豊後大野	35
由布	34
杵築	29
国東	28
豊後高田	22
竹田	21
津久見	17
宮崎	
○宮崎	403
都城	165
延岡	123
日向	61
日南	53
小林	45
西都	30
えびの	19
串間	18
鹿児島	
○鹿児島	604
霧島	125
鹿屋	103
薩摩川内	95
姶良	77
出水	53
日置	48
奄美	43
指宿	41
曽於	36
南九州	35
南さつま	34
志布志	31
いちき串木野	28
伊佐	26
枕崎	21
阿久根	20
西之表	15
垂水	14
沖縄	
○那覇	322
沖縄	142
うるま	123
浦添	114
宜野湾	98
豊見城	64
名護	63
糸満	61
宮古島	54
石垣	49
南城	43

※この表については 2019 年の統計数値を用いたため，2020 年以降に市制施行・合併・編入する市は掲載していない。

(21) 市制町制施行後のおもな都市の人口（1890 年）

〔日本帝国統計年鑑　第 11 回〕

都市名	旧国名	人口(千人)	都市名	旧国名	人口(千人)	都市名	旧国名	人口(千人)	都市名	旧国名	人口(千人)	都市名	旧国名	人口(千人)	都市名	旧国名	人口(千人)
東京市	武蔵	1,155	広島市	安芸	91	函館	渡島	56	福井市	越前	40	高知市	土佐	32	岐阜市	美濃	29
大阪市	摂津	474	仙台市	陸前	66	熊本市	肥後	54	静岡市	駿河	38	盛岡市	陸中	32	秋田市	羽後	29
京都市	山城	290	徳島市	阿波	61	福岡市	筑前	54	松江市	出雲	36	大津市	近江	31	山形市	羽前	29
名古屋市	尾張	170	富山市	越中	59	新潟市	越後	47	高松市	讃岐	35	宇都宮町	下野	31	米沢市	羽前	29
神戸市	摂津	137	長崎市	肥前	58	岡山市	備前	46	松山市	伊予	35	赤間関市	長門	31	鳥取市	因幡	29
横浜市	武蔵	128	鹿児島市	薩摩	57	堺市	和泉	46	前橋町	上野	32	弘前市	陸奥	30	宇治山田町	伊勢	28
金沢市	加賀	95	和歌山市	紀伊	56	那覇	琉球	42	甲府市	甲斐	32	高岡市	越中	30	姫路市	播磨	27

おもな地名のさくいん

さくいんの引き方

例 ロンドン……………… 50 ①F5N

（五十音順に配列）（ページ）

（図番号 ①の場合は原則省略）

（緯線間の数字）

（経線間のアルファベット文字）

（F・5のワク内の北側を意味する。北側＝N 南側＝S 中央部付近の場合はつけていない）

※記号で地点を表した都市や山などの地名のさくいんは，その記号のある場所を示している。

※山脈・高原・半島・海洋・湖沼などの自然地域名や国名などのさくいんは，その地名の文字がある場所を示している。

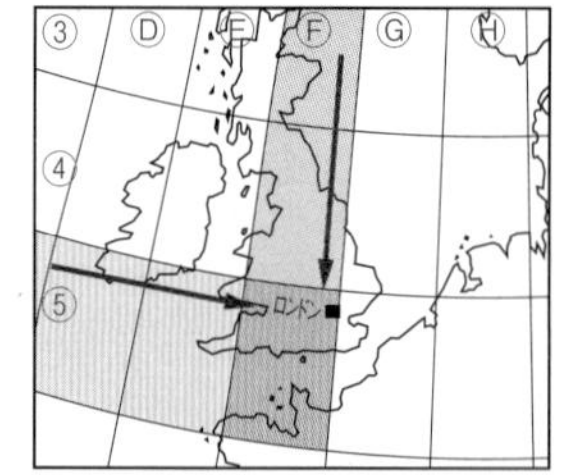

世界の部

（青字は史跡・歴史的地名）

赤太字 国名　赤字 首都　♯ 油田　△ ガス田　⚒ 鉱山　■ 炭鉱　🏛 世界文化遺産　▲ 世界自然遺産　◈ 世界複合遺産　∴ 史跡・名勝　× 戦跡

【ヘ】

【ホ】

【マ】

【ミ】

日 本 の 部

赤太字 都道府県名　赤字 都道府県庁所在地　青字(濃) 旧国名
(青字は史跡・歴史的地名)　🏛 世界文化遺産　🌲 世界自然遺産　⚔ 戦跡

歴史をみる手がかり さくいん

世界の部

日本の部

一日本の動き一

☆おもな鉄道の廃止
JR北海道　日高本線
鵡川～様似　116.0km　2021年4月1日

☆中核市の指定
水戸市(茨城県)，**吹田市**(大阪府)　2020年4月1日
松本市(長野県)，**一宮市**(愛知県)　2021年4月1日

☆おもな道路の開通
新東名高速道路
新御殿場I.C.～御殿場Jct.　7.1km　2021年4月10日
名古屋第二環状自動車道
名古屋西Jct.～飛鳥Jct.　12.2km　2021年5月1日
三陸自動車道
宮古中央Jct.～田老真崎海岸I.C.　17km　2020年7月12日

☆国定公園の指定
中央アルプス国定公園(長野県・岐阜県)
2020年3月27日　全国で57か所目。
厚岸霧多布昆布森国定公園(北海道)
2021年3月30日　全国で58か所目。

☆世界遺産の登録　2021年7月
「奄美大島、徳之島、沖縄島北部及び西表島」
(鹿児島県・沖縄県)〔世界自然遺産〕
「北海道・北東北の縄文遺跡群」
(北海道・青森県・岩手県・秋田県)〔世界文化遺産〕

本地図帳使用上の注意

1．地名の表記
・原則として，日本語による表記も，欧文による表記も現地語音を取り入れている。
・日本語表記においては，原則としてBはバ行，スペイン語圏を除くVはヴ行の表記とした。

2．地図の記号
地図の記号はなるべく国土交通省国土地理院の地形図とあわせた。

3．地図の出典
〔外国〕
地形　タイムズアトラス，アトラスミーラ，ほか
人口　世界人口年鑑，ほか
国名・首都名　外務省資料，ほか
都市名，自然に関する名称　リッピンコット地名辞典，ウェブスター地名辞典，タイムズアトラスならびに主要国の地図帳，ほか
山の高さ　理科年表，タイムズアトラスおよび主要国の地図帳，ほか
〔日本〕
地形　国土地理院：50万分の1地方図，ほか
山の高さ　国土地理院：日本の山岳標高一覧，2.5万分の1地形図，5万分の1地形図，20万分の1地勢図，ほか
土地利用　国土地理院：土地利用図，ほか
市町村名　国土行政区画総覧（国土地理協会）
＊合併または編入が行われた市・町・村は，令和2年8月31日までに官報に告示され，令和3年4月1日までに市・町・村制施行されたものを掲載した。
人口　住民基本台帳　人口・世帯数表
自然に関する名称　国土地理院：標準地名集，ほか

4．その他
イ．統計の段階区分図の凡例では，中間段階における「以上・未満」の表記は省略している。
ロ．資料図の国名は一部を除いて通称国名を用いている。（例，アメリカ・中国・韓国・南アフリカ）
ハ．正式国名についてはP.151～156参照。
ニ．地図の歴史要素は歴史地図などにもとづいている。一方，現代の土地利用は出典の地図などに加え最新の調査にもとづいている。

この地図の作成に当たっては，国土地理院長の承認を得て，同院発行の500万分の1 日本とその周辺，100万分の1 日本，50万分の1 地方図，20万分の1 地勢図，5万分の1 地形図，2万5千分の1 地形図及び1万分の1 地形図を使用した。(承認番号　平28情使，第1114号)

写真・イラスト絵図　朝日新聞社，アマナイメージズ，五木食品 ©2010熊本県くまモン＃2602，出雲市，岩手県立博物館，占部浩，©NHK 昭和女子大学 平井聖/NHKエンタープライズ，大阪城天守閣，大阪歴史博物館，(公財)海上保安協会，香川元太郎，唐津市教育委員会，共同通信社，宮内庁京都事務所，黒澤達矢，ゲッティイメージズ，国立国会図書館，JTBフォト，国立歴史民俗博物館，堺市，時事通信フォト，島根県教育庁埋蔵文化財調査センター，水産航空，中尊寺，手塚耕一郎/毎日新聞社/アフロ，鉄道博物館，東海大学情報技術センター，所蔵：東京国立博物館 TNM Image Archives，東京消防庁，東芝未来科学館，徳島県 監修：徳島大学環境防災研究センター，トヨタ博物館，奈良県立橿原考古学研究所附属博物館，日本銀行貨幣博物館，PPS通信社，美斉津洋夫，所蔵：文化庁 さきたま史跡の博物館，(独)北方領土問題対策協会，三菱UFJ銀行貨幣資料館，山方永寿堂，ユニフォトプレス，吉見町，龍安寺，ワールドフォトサービス

表紙写真　ポルト(ポルトガル)，アジア古地図，地方測量之図

［考証］　藤井尚夫(P.107②「安土城」)

別記　著作者
大阪大学名誉教授　川北　稔　　東京大学名誉教授　黒田日出男　　早稲田大学名誉教授　大内宏一
滋賀大学特任教授　原田智仁　　筑波大学名誉教授　小口千明　　日本女子大学非常勤講師　寺尾隆雄

地歴高等地図
－現代世界とその歴史的背景－

令和3年10月10日　印刷
令和3年10月15日　発行

定価 1,760円 (本体1,600円+税)

ISBN978-4-8071-6591-9 C7025 ￥1600E

著作者　帝国書院編集部
代表者　佐藤　清
ほか六名(別記)

発行所　株式会社　帝国書院
〒101-0051　東京都千代田区神田神保町3の29
振替口座　00180-7-67014番
電話　東京 (03)3261-9038(開発部)　3262-0830(販売部)

印刷者　新村印刷株式会社
代表者　加藤秀明
東京都品川区大崎1の15の9

印刷者　株式会社　加藤文明社
代表者　加藤文男
東京都千代田区神田三崎町2の15の6

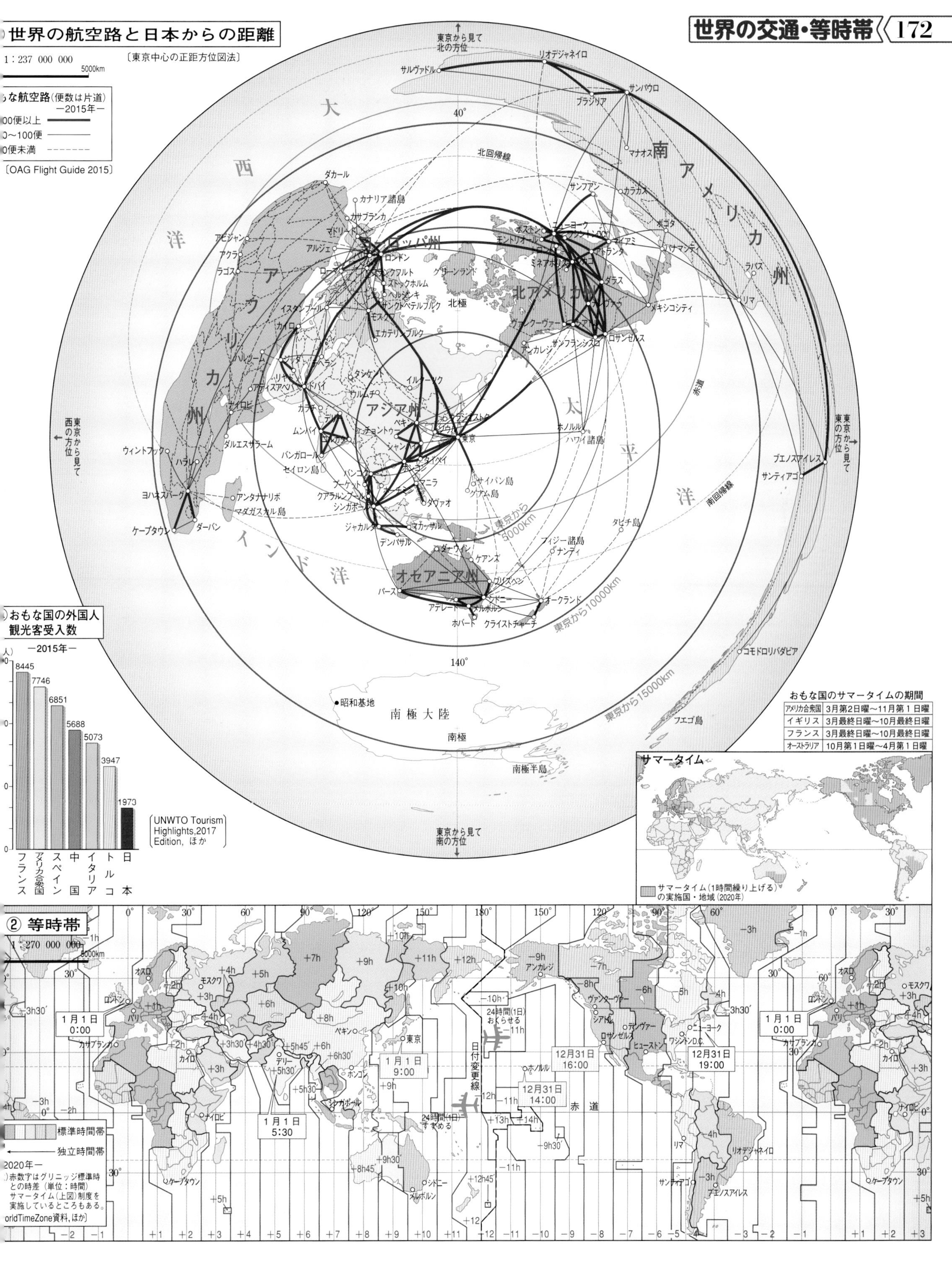
世界の航空路と日本からの距離
1：237 000 000
5000km
〔東京中心の正距方位図法〕
おもな航空路（便数は片道）
ー2015年ー
100便以上
50〜100便
50便未満
〔OAG Flight Guide 2015〕
東京から見て北の方位
東京から見て南の方位
東京から見て西の方位
東京から見て東の方位
東京から5000km
東京から10000km
東京から15000km
北回帰線
南回帰線
赤道
北極
南極
南極大陸
昭和基地
ヨーロッパ州
アジア州
北アメリカ州
南アメリカ州
アフリカ州
オセアニア州
大西洋
インド洋
太平洋
東京
おもな国の外国人観光客受入数
ー2015年ー
8445
7746
6851
5688
5073
3947
1973
フランス
アメリカ合衆国
スペイン
中国
イタリア
トルコ
日本
〔UNWTO Tourism Highlights,2017 Edition, ほか〕
おもな国のサマータイムの期間
アメリカ合衆国 3月第2日曜〜11月第1日曜
イギリス 3月最終日曜〜10月最終日曜
フランス 3月最終日曜〜10月最終日曜
オーストラリア 10月第1日曜〜4月第1日曜
サマータイム
サマータイム（1時間繰り上げる）の実施国・地域（2020年）
② 等時帯
1：270 000 000
5000km
1月1日 0:00
1月1日 9:00
1月1日 5:30
12月31日 16:00
12月31日 19:00
12月31日 14:00
日付変更線
24時間（1日）おくらせる
24時間（1日）すすめる
標準時間帯
独立時間帯
ー2020年ー
赤数字はグリニッジ標準時との時差（単位：時間）
サマータイム（上図）制度を実施しているところもある。
〔WorldTimeZone資料, ほか〕

173 世界の自然環境
① 世界の地形
1：118 000 000
0 2000km
ミラー図法（赤道における距離）
北極海
（北氷洋）
東シベリア海
ウランゲル島
バロー岬
ボーフォート海
クインエリザベス諸島
ヴィクトリア島
バッフィン島
グリーンランド
デーヴィス海峡
ヴェルホヤンスク山脈
ベーリング海峡
ユーコン川
デナリ（マッキンリー）山
6190
アラスカ山脈
グレートベア湖
グレートスレーブ湖
ハドソン湾
ラブラドル半島
スタノヴォイ山脈
カムチャツカ半島
オホーツク海
ベーリング海
アラスカ湾
ロッキー山脈
ウィニペグ湖
アムール川
千島列島
千島・カムチャツカ海溝
アリューシャン列島
-7679
アリューシャン海溝
北アメリカ大陸
スペリオル湖
ヒューロン湖
ニューファンドランド島
4392
レーニア山
シャスタ山
4317
シエラネヴァダ山脈
コロラド高原
グレートプレーンズ
プレーリー
中央平原
オンタリオ湖
エリー湖
アパラチア山脈
日本海
日本列島
3776
富士山
日本海溝
伊豆・小笠原海溝
東シナ海
南西諸島海溝
マリアナ海溝
ミッドウェー諸島
ハワイ諸島
マウナケア山
4205
北回帰線（23°26′21″N）
カリフォルニア半島
西シエラマドレ山脈
東シエラマドレ山脈
5675
オリサバ山
メキシコ湾
バミューダ諸島
大西洋
中央海嶺
キューバ島
西インド諸島
プエルトリコ海溝
カリブ海
フィリピン諸島
フィリピン海溝
-10920
マーシャル諸島
カロリン諸島
太平洋
ライン諸島
赤道
パナマ地峡
リャノ
ギアナ高地
カリマンタン島（ボルネオ）
スラウェシ島
ジャヤ峰
4884
ソロモン諸島
フェニックス諸島
ガラパゴス諸島
チンボラソ山
6310
アマゾン川
セルバ
南アメリカ大陸
ニューギニア島
ヨーク岬
アラフラ海
マルキーズ諸島
ペルー海溝
-6262
アンデス山脈
セラード
ニューヘブリディーズ諸島
ソシエテ諸島
タヒチ島
6485
イヤンプ山
ブラジル高原
グレートサンディー砂漠
コーラル海
フィジー諸島
トンガ海溝
-10800
東太平洋海嶺
カンポ
オーストラリア大陸
ニューカレドニア島
オーストラル諸島
南回帰線（23°26′21″S）
グレートヴィクトリア砂漠
グレートアーテジアン（大鑽井）盆地
グレートディヴァイディング山脈
ケルマデック海溝
-10047
ラパヌイ島（イースター島）
アコンカグア山
6959
グランチャコ
チリ海溝
陸高と水深（m）
4000
2000
1000
500
200
0
200
1000
2000
4000
6000
コジアスコ山
2229
マリー川
タスマン海
ルアペフ山
2797
北島
ニュージーランド
アオラキ（クック）山
3724
南島
チャタム諸島
パンパ
ラプラタ川
パタゴニア
タスマニア島
マゼラン海峡
フォークランド諸島（マルビナス諸島）
フエゴ島
オルノス岬
ドレーク海峡
サウスオークニー諸島
南極半島
氷雪地
② 世界の地震と火山
1：354 000 000
地震の震源※
▲ 火山
※震源が地下100kmより浅いM4以上の地震
〔Diercke Weltatlas 2008, ほか〕
北アメリカプレート
ユーラシアプレート
エーゲ海・アナトリアプレート
イランプレート
カリブプレート
アラビアプレート
ココスプレート
アフリカプレート
南アメリカプレート
ナスカプレート
インド・オーストラリアプレート
南極プレート
〔Alexander Gesamtausgabe 2004, ほか〕
プレートの境界
広がる境界
せばまる境界
ずれる境界